广东改革开放30年研究丛书

广东省哲学社会科学“十一五”规划2007年度规划特别委托项目

文化精神烛照下的广东

—— 广东文化发展30年

李宗桂等　著

廣東省出版集團
广东人民出版社
·广州·

图书在版编目（CIP）数据

文化精神烛照下的广东：广东文化发展30年／李宗桂等著．—广州：广东人民出版社，2008.11

（广东改革开放30年研究丛书）

ISBN 978-7-218-05998-3

Ⅰ．文…　Ⅱ．李…　Ⅲ．文化事业—成就—广东省—1978～2008　Ⅳ．G127.65

中国版本图书馆CIP数据核字（2008）第179629号

出版人	金炳亮
责任编辑	黎　捷
装帧设计	张力平　陈小丹
责任技编	周　杰
出版发行	广东人民出版社
印　　刷	佛山市浩文彩色印刷有限公司
开　　本	787毫米×960毫米　1/16
印　　张	27.75
插　　页	1
字　　数	400千
版　　次	2008年11月第1版　2008年11月第1次印刷
书　　号	ISBN 978-7-218-05998-3
定　　价	56.00元

如果发现印装质量问题，影响阅读，请与出版社（020-83795749）联系调换。

【出版社网址：http://www.gdpph.com　电子邮箱：sales@gdpph.com
图书营销中心：020-37579695　37579604】

总　序

汪　洋

中国的改革开放走过了30年的伟大历程。广东是中国改革开放的先行地区，在改革开放和现代化建设中一直走在全国前列，充分发挥了“试验田”、“窗口”和“示范区”作用。在纪念中国改革开放30周年之际，认真研究总结广东改革开放的成就和经验，有助于深化人们对改革开放重要意义的认识，对于全省人民深入贯彻落实科学发展观，继续解放思想，坚持改革开放，促进经济社会又好又快发展，夺取全面建设小康社会的新胜利，加快推进社会主义现代化，具有深远的历史意义和重大的现实意义。

第一，研究广东改革开放，要系统总结广东改革开放30年的伟大成就，进一步坚定深化改革、扩大开放的信心和决心。

30年来，广东历届省委、省政府团结带领全省人民，高举中国特色社会主义伟大旗帜，发扬敢为天下先的精神和“杀出一条血路”的勇气，解放思想，实事求是，与时俱进，开拓创新，推动经济社会发展取得了举世瞩目的巨大成就。

实现了从一个经济比较落后的农业省份向全国第一经济大省的历史性跨越。1978—2007年，全省GDP总量增长41倍，人均生产总值翻了四番，经济总量先后超过了亚洲“四小龙”中的新加坡、香港和台湾地区，已处于世界中等收入国家水平。目前，全省经济总量约占全国的1/8，源于广东的财政总收入约占全国的1/7，进出口总额占全国的近30%。

实现了从计划经济体制向社会主义市场经济体制的历史性转变。30年来，广东人民以改革创新精神推动着改革开放的伟大实践，率先创办经济特区，率先引进“三来一补”、海外的先进技术设备和管理经验及创办“三资”企业，率先进行价格改革，率先改革投资体制，率先进行金融体制改革，率先实行土地有偿转让，率先实行产权制度改革，等等，在建立和完善社会主义市场经济体制方面走在全国前列。同时，政治、文化和社会等领域的改革也取得了重大进展。

实现了从封闭半封闭向全方位开放的历史性转变。积极加强对外往来和友好合作，努力推进与港澳地区和内地省市区的区域经济合作，大力实施“走出去”战略，形成了多层次、多形式、多功能的全方位对外开放新格局。对外贸易不断扩大，1978—2007年，广东进出口总额增长近400倍，约占全国的30%；到2007年底，累计实际利用外资达到1945亿美元，约占全国的1/5；全省经核准的非金融类境外企业已超过1800家，业务遍及90多个国家和地区。

实现了从温饱向宽裕型小康迈进的历史性跨越。改革开放30年是人民群众得到最多实惠的时期。1978—2007

年，全省城镇居民人均可支配收入、农民人均纯收入分别增加了43倍和29倍，居民消费结构优化，公共服务明显增加，人民生活水平总体达到小康，珠三角地区率先达到宽裕型小康。经济快速发展提供了越来越多的就业岗位，大量的外来务工人员在广东安居乐业。社会保障体系加快向城乡居民覆盖，保障能力不断增强。教育、文化、卫生、体育等各项事业迅速发展。

30年来，广东充分利用毗邻港澳的地理优势，大力推进粤港澳合作，对香港、澳门顺利回归祖国并保持繁荣稳定发挥了重要的促进作用，为彰显“一国两制”伟大构想的成功实践作出了积极贡献。作为中国先发展起来的区域之一，广东十分注重推动国家区域发展总体战略的实施，努力帮助和带动中西部地区发展，为促进全国共同发展、共同富裕发挥了重要作用。

广东的实践雄辩地证明，改革开放符合党心民心、顺应历史潮流，方向和道路是完全正确的。只要坚定不移地推进改革开放，广东就一定能继续书写科学发展的奇迹，中国特色社会主义道路就一定会越走越宽广。

第二，研究广东改革开放，要深入概括广东改革开放30年的宝贵经验，进一步开创改革开放和社会主义现代化建设新局面。

广东作为全国改革开放的试验区，每前进一步都离不开党中央的亲切关怀和正确领导，都是坚定不移学习实践中国特色社会主义理论、坚定不移贯彻党的路线方针政策的结果。1992年春，邓小平同志视察南方发表重要谈话，要求广东“力争用二十年的时间赶上亚洲‘四小龙’”。2000年春，江泽民同志视察广东，提出了“三个代表”重要思想，要求广东“增创新优势，更上一层楼，率先基本实现社会主义现代化”。2003年春，胡锦涛总书记视察广东，提出了科学发展观的思想，要求广东抓住机遇，加快发展、率先发展、协调发展，在全面建设小康社会、加快推进社会主义现代化进程中更好地发挥排头兵作用。广东时刻牢记中央的重托，始终坚持以邓小平理论、“三个代表”重要思想为指导，深入贯彻落实科学发展观，坚定不移地用党的创新理论武装头脑、指导实践、推动工作，结合广东实际创造性地贯彻落实中央的路线、方针、政策，努力为全国的改革开放探索道路、积累经验、做出贡献。

坚持以解放思想引领改革开放，不断冲破不合时宜的观念束缚。我们深刻认识到解放思想是正确行动的先导，是扫除思想障碍、引领发展的“法宝”，是推动改革开放的强大动力。我们坚持一切从实际出发，求真务实，求新思变，积极将解放思想形成的共识，转化为政策、措施、制度和法规，把解放思想贯穿于改革开放和社会主义现代化建设的全过程。

坚持以经济建设为中心，推动经济社会又好又快发展。我们深刻认识到发展对于全面建设小康社会、加快推进社会主义现代化，具有决定性意义。我们坚持把发展作为党执政兴国的第一要务，牢牢扭住经济建设这个中心，坚持聚精会神搞建设、一心一意谋发展，不断解放和发展社会生产力。着力把握发展规律、创新发展理念、转变发展方式、破解发展难题，不断提高发展质量和效益，推动经济社会又好又快发展，为率先基本实现社会主义现代化打下坚实基础。

坚持以人为本，激发和保护人民群众的积极性和创造

性。我们深刻认识到全心全意为人民服务是党的根本宗旨，党的一切奋斗和工作都是为了造福人民。我们始终把实现好、维护好、发展好最广大人民的根本利益作为党和国家一切工作的出发点和落脚点，尊重人民主体地位，发挥人民首创精神，保障人民各项权益，走共同富裕道路，促进人的全面发展，做到发展为了人民、发展依靠人民、发展成果由人民共享。

坚持全面协调可持续发展，积极构建社会主义和谐社会。我们深刻认识到社会和谐是中国特色社会主义的本质属性，科学发展与社会和谐是内在统一的，没有科学发展就没有社会和谐，没有社会和谐也难以实现科学发展。我们按照民主法治、公平正义、诚信友爱、充满活力、安定有序、人与自然和谐相处的总要求和共同建设、共同享有的原则，着力解决人民最关心、最直接、最现实的利益问题，努力形成全体人民各尽其能、各得其所而又和谐相处的局面，为发展提供良好社会环境。

坚持统筹兼顾，以世界眼光谋划广东的发展。我们深刻认识到统筹兼顾是在新的历史条件下保证中国特色社会主义事业顺利推进的根本方法。我们统筹城乡发展、区域发展、经济社会发展、人与自然和谐发展、国内发展和对外开放，统筹个人利益和集体利益、局部利益和整体利益、当前利益和长远利益，充分调动各方面积极性。着力把握国内国际两个大局，树立世界眼光，加强战略思维，善于从国际形势发展变化中把握发展机遇、应对风险挑战，营造良好国际环境。

坚持加强和改进党的自身建设，充分发挥党的领导核心作用。我们深刻认识到做好各项工作关键在党。我们坚

持党要管党、从严治党，以提高执政能力和保持先进性为重点，贯彻为民、务实、清廉的要求，抓理想塑灵魂，抓班子带队伍，抓基层打基础，抓作风反腐败，全面加强党的自身建设，充分发挥领导核心作用，不断提高各级党组织的凝聚力、创造力和战斗力，为促进改革发展稳定提供坚强政治保证。

这些经验，既是广东历届省委、省政府带领全省干部群众锐意进取、开拓创新取得的宝贵精神财富，又是广东继续开创改革开放新局面必须坚持的重要原则。

第三，研究广东改革开放，要继续解放思想、坚持改革开放，努力争当实践科学发展观的排头兵。

改革开放是广东的魂。广东靠改革开放起步，也靠改革开放起飞；广东靠改革开放赢得今天，也必须靠改革开放开创未来。经过30年的快速发展，广东已经站在新的历史起点之上，改革开放面临着新机遇、新挑战和新任务。我们要继承和发扬改革开放初期敢为人先的精神和气魄，继续解放思想，坚持改革开放，努力争当实践科学发展观的排头兵，把广东建设成为提升我国国际竞争力的主力省，探索科学发展模式的试验区，发展中国特色社会主义的先行地。

一是继续解放思想，坚定不移地走在实践科学发展的前列。解放思想永无止境。要按照科学发展观的要求，打破阻碍科学发展的思维定势，加快转变发展方式，着力提高自主创新能力，积极建设现代产业体系，切实增强可持续发展能力，使速度、结构、效益相协调，人口、资源、环境相协调，消费、投资、出口相协调，城乡、区域发展相协调，促进经济社会又好又快发展。

二是不断深化改革，坚定不移地走在构建有利于科学发展体制机制的前列。以行政管理体制改革、财政和投融资改革、要素市场体系建设等为重点，统筹经济和社会事业改革，加快建立完善的市场经济体制机制，形成市场配置资源、企业自主发展、政府科学调控的良好格局。建立健全科学发展的综合考核体制，把贯彻落实科学发展观的目标要求转化为可考核的客观指标。

三是继续扩大开放，坚定不移地走在提高区域国际竞争力的前列。要树立全局和世界眼光，抢抓经济全球化和区域经济一体化的发展新机遇，加快构建粤港澳紧密合作区，加强与美国、日本、欧盟等发达国家和地区以及与东盟等新兴经济体的合作，加快完善内外联动、互利双赢、安全高效的开放型经济体系，不断扩大开放领域，优化开放结构，提高开放水平，增创广东国际竞争新优势。

四是着力改善民生，坚定不移地走在构建社会主义和谐社会的前列。要坚持民生为重，稳步实施城乡居民收入倍增计划，加快完善覆盖城乡惠及全民的社会保障网，切实解决住房、医疗、教育和食品安全等突出民生问题，使全体人民学有所教、劳有所得、病有所医、老有所养、住有所居，努力实现好、维护好、发展好最广大人民群众的根本利益，推进和谐广东建设。

五是以改革创新精神全面推进党的建设新的伟大工程，坚定不移地走在加强和改进党的建设的前列。要把党的执政能力建设和先进性建设作为主线，坚持党要管党、从严治党，以坚定理想信念为重点加强思想建设，以造就高素质党员、干部队伍为重点加强组织建设，以保持党同人民群众的血肉联系为重点加强作风建设，以健全民主集中制

为重点加强制度建设，以完善惩治和预防腐败体系为重点加强反腐倡廉建设，使党始终成为领导改革开放和社会主义现代化建设的坚强核心。

广东有辉煌的过去、美好的现在，一定会有灿烂的未来。这次出版的《广东改革开放30年研究丛书》，对广东改革开放30年巨大成就、实践经验和未来前进方向等问题进行了系统总结和深入研究，内容涵盖经济、政治、文化、法律、城市、农村、科技、教育、社会、党建等10个方面，为全面深入研究广东改革开放做了大量有益工作，迈出了重要一步。在隆重纪念改革开放30周年之际，希望全社会高度重视广东改革开放问题的研究，希望有更多的专家学者和实际工作者积极投身到广东改革开放问题研究中去，进一步把广东改革开放的伟大意义、巨大成就、成功经验和前进方向总结好、阐述好、宣传好，为推动广东现代化建设迈上新台阶，开辟广东更加美好的未来作出更大的贡献！

（作者系中共中央政治局委员、广东省委书记）

目　录

第一章
改革开放与广东文化的变迁

广东文化的发展，如同广东经济的发展一样，是与我们国家改革开放的进程相一致的。总体上说来，改革开放以来广东文化的发展过程，是从计划经济的僵化思维框架中逐渐解放出来的过程，是从“左”倾僵化的意识形态导致的唯政治化思维中逐渐解放出来的过程，是创造、滋养、光大“改革创新”的时代精神的过程。

广东文化是具有特定内涵的地域文化。本书所论的广东文化，是指中华人民共和国行政区划规定的、广东省境内存在的、广东人借以安身立命的文化。她以广州和深圳为重心，以珠江三角洲为主体，立足当代，继承传统（既有中原文化传统，也有岭南文化传统），依托港澳，面向海外，求新求实，具有典型的世俗化、平民化特征。①

广东文化渊源于岭南文化，但并不等于岭南文化。岭南文化作为中国传统地域文化的构成之一，是指五岭以南的特定地理区域的文化，在历史上，她是广东广西两省区的统称，② 而不是广东的别名；岭南文化作为一个历史文化范畴，是历史上广东广西文化特质和表现形态的统称，而非广东所能专美；岭南文化作为一个现实范畴，逻辑上是指当代两广的文化，而当代的两广，就其文化形态、

---

① 参见李宗桂：《广东文化建设的现实思考》，《中山大学学报》1995 年第 4 期。

② 参见李锦全等：《岭南思想史》，广东人民出版社 1993 年版，第 3 页。

价值内涵、精神指向、具体内容等方面，都有重大的差异，不能混为一谈。因此，不能用岭南文化指称当代广东文化。当然，毫无疑问的是，当代广东文化深受岭南文化的熏染，反映着岭南文化的时代性发展和历史性进步，应当对其进行实事求是的研究和客观理性的评价，因此，本书专辟一章，探讨当代广东文化对“岭南文化的传承与开发”。

本书所研讨的“广东文化”所指涉的文化，总体上是根据《中共广东省委广东省人民政府关于加快建设文化大省的决定》(2003)、《广东建设文化大省规划实施纲要（2003—2010)》(2003)、《中共广东省委广东省人民政府关于争当实践科学发展观排头兵的决定》(2008)、《国家“十一五”时期文化发展规划纲要》(2006) 等文献的精神为指导，但具体涉及的范围和内容，并不局限于此。比如教育、体育、卫生之类，中央和省的相关文化建设文件，都将其划入其中；而法律、政治等领域，也有很多属于文化范畴的东西，比如法律文化、政治文化。但是，由于教育、体育、卫生、法律、政治等领域的问题，另有专人进行专门的研究，为了避免不必要的重复，同时也是为了深化本课题并方便其他相关课题的深入研究，故本书所研讨的广东文化，并不专门论及教育、体育、卫生、政治、法律等问题。在很大程度上，本书着重思想文化层面的阐释，重视文化精神、文化价值的解释，落脚于广东人精神、广东人文精神的培育和弘扬。换言之，文化气象、文化底蕴、文化价值，是本书关注的重心所在。

根据上述思路，我们认为，改革开放30年来，就其文化底气和文化气象而言，广东文化的发展经历了从对“文化沙漠”的自我抗辩，到“文化北伐”的短暂自恋，再到“文化广东”的平和建构的途程；就其经济社会发展的协调度而言，经历了从经济第一到“文化搭台、经济唱戏”，再到经济强省和文化大省建设并重，从而开创了和谐广东的平实建设的局面。

一、从“文化沙漠”到“文化北伐”再到“文化广东”

改革开放30年来，广东文化的发展，就其思想轨迹而言，经历了从“文化沙漠”说的自辩到“文化北伐”说的自恋再到“文化广东”论的自信，这样三个不同的阶段。在不同发展阶段所关注的文化理念及其自我价值定位，体现出广东文化发展的阶段性特点。

（一）“文化沙漠”说的自辩

关于广东是“文化沙漠”的说法，由来已久，迄今大约20年。这个问题，一度严重困扰广东学术界、政界和民间。为此，广东官方、学界、民间都作了长期的抗辩，而以上个世纪80年代末期到90年代前期（1989—1994年）为盛。

十分有趣并发人深省的是，从学理的层面考察，从文献依据出发，所谓内地人说广东是“文化沙漠”的观点，缺少充分的学术材料根据。事实上，没有任何一部内地人撰写的严肃的学术著作或者学术论文正面论述了广东是“文化沙漠”，只有极个别人要么曲里拐弯、含沙射影地表达类似意思，要么是为了炒作而在并非学术著作的通俗性、意气性的书里，信口而言，并没有进行必要的论证。倒是《瞭望》新闻周刊记者的一篇文章说的比较符合实际。该文说：“一度被民间舆论称为‘经济大省、文化沙漠’的广东正努力改变这种失衡的局面，主管部门响亮地提出了要让‘文化广东’崛起的口号。”① “民间舆论”四字，很是传神。确实，在“民间”，在非正式的学术文化和社会场合，在口头上，关于广东是“文化沙漠”的说法，一度相当流行。

① 叶俊东：《展开文化攻势：广东树立新的大省形象》，《瞭望》新闻周刊1995年第30期。

尽管广东“文化沙漠”说属于“民间舆论”的范畴，但也仍然引起了广东社会方方面面的重视，并对此进行了强力的辩解和反驳。

根据我们所掌握的材料，用文字表述（转述）出来的最早的“文化沙漠”说，是1981年。时任深圳市委常委、分管宣教文卫工作的林江，在其《从“文化沙漠”到“文化绿洲”》一文中说：“当时有人说深圳是‘文化沙漠’，我不同意这种说法。即使是对1981年一片黄土中的深圳文化，我认为也只能称其为‘文化很薄弱，比较荒凉，但决不是沙漠’。”① 这里说的“文化沙漠”只是就上个世纪80年代的深圳而言，而不是“广东”，尽管深圳也是广东的一部分，但并不等于广东。当然，这里的说法，也已暗寓了广东“文化沙漠”说。1994年12月，在广州举行的“广东现代文化建设研讨会”上，有学者谈论到广东“文化沙漠”的问题，并作了辨析。有学者认为，由于种种因素的影响，“内地一些人对广东文化评价不高，甚至相当鄙视，其典型的表示便是‘广东无文化’、‘广东是文化沙漠’”②。这些看法是否符合实际，当然可以讨论。但广东一些学者和有关部门的一些人，马上针锋相对，列举诸多现象反驳对方，力图证明自己“有文化”，证明自己这片地方不是“沙漠”而是“绿洲”，甚至是茂密的森林。“这些争论至少是无谓的，也是无味的，甚至是无聊的！要让批评广东文化沙漠化的人转变立场，关键不在于论争，而在于实干。”我们应当调整心态，以平常心看待我们的经济优势，从而以平等眼光看待内地文化；我们应当用开放的胸襟与内地交流，不要自卑，恐慌于别人扣上的‘文化沙漠’帽子，“我们需要脚踏实地，从严、从高、从

① 林江：《从“文化沙漠”到“文化绿洲”》，载政协广东省委员会办公厅、广东省政协学习和文史资料委员会编：《广东经济特区的创立和发展》，中共党史出版社2007年版，第112页。

② 李宗桂：《广东文化建设的现实思考》，《中山大学学报》1995年第4期。该文收入郑达主编的该次会议论文集《南粤文化论丛》，广东高等教育出版社1995年版，第12~24页。

精，搞好广东文化建设，才能真正驳倒‘广东是文化沙漠’的怪论”[①]。还有学者指出：“最近还有人认为广东是文化沙漠，无文化可言。对这种论调，笔者不敢苟同。”[②]

与上述广东学者和官员的论说相映成趣，内地学者也谈论到广东“文化沙漠”问题。北京学者杨东平在完成于 1992 年、出版于 1994 年的《城市季风》一书中，虽然没有正面说广东是“文化沙漠”，但在论及香港文化和广东文化的时候，其表述发人深省。他说：“广东文化则以香港文化为导向，而香港文化，实质是三十年代海派文化的畸形变种。繁华富裕的香港，……长期作为英国殖民地，其缺乏具有思想和学术价值的文化创造，缺乏知识分子雅文化生长的土壤，缺乏历史的和民族的文化底蕴，也显而易见。因而，讥香港为‘文化沙漠’或不妥，但在高度商业化、功利化的滚滚红尘中，香港严肃的思想、文化、学术、艺术之微弱，也是不争的事实。不难看到，广东文化具有类似的不足。”[③] 显然，论者虽然没有明确直说广东是“文化沙漠”，但字里行间的言外之意已经不言而喻。

与杨东平相比，《“品评”广东人》一书的作者，对于广东是否“文化沙漠”的回答，显得直截了当。该书作者的基本思路是：广东是经济的绿洲，亦是“文化的沙漠”。在列举种种日常生活现象后，作者总结道：“广东人的文化生活，无人会评价为温馨、高雅、文明、充满文化氛围。广东的物质上的‘暴发户’、精神上的‘贫困户’何其之多。”“‘文化沙漠’的出现造成了严重后果。”[④]

平心而论，上述杨东平和《“品评”广东人》作者的观点，看

---

① 李宗桂：《广东文化建设的现实思考》，《中山大学学报》1995 年第 4 期。该文收入郑达主编的该次会议论文集《南粤文化论丛》，广东高等教育出版社 1995 年版，第 12 ~ 24 页。

② 吴定宇：《文化整合：从边陲走向世界——兼论岭南现代文化发展的历程》，载郑达主编：《南粤文化论丛》，广东高等教育出版社 1995 年版，第 280 页。

③ 杨东平：《城市季风——北京和上海的文化精神》，东方出版社 1994 年版，第 533 ~534 页。

④ 李文飞、周树兴主编：《“品评”广东人》，中国社会出版社 1995 年版，第 378 ~384 页。

到了广东在经济迅猛发展过程中文化发展的某些弱点和缺陷，看到了广东经济社会发展中文化发展与之不相协调的方面，提出了善意的批评，并提示了他们认为应有的发展路向。这些，在十多年后的今天，在正在建设文化广东的当下，我们应当将其看作促进我们反省文化建设不足之处的积极资源。当然，他们认为广东是“文化沙漠”的见解，既缺乏充足的事实根据，也没有深刻的学理分析。杨东平的书，当然属于学术的范畴，但其过分强调高雅文化的地位和作用，并以此作为判别文化高下有无的基本标准，显然没有走出传统的精英文化思维模式，没有看到市场经济条件下大众文化、通俗文化的地位和作用，没有看到广东大众文化的盛行正是当代中国在改革开放后，伴随社会转型而出现的文化转型的必然趋势，也没有看到现代化的一个重要趋势和特质，就是市民化、世俗化、平民化。至于《“品评”广东人》一书，本来不是学术著作，既没有从学理的层面论证问题，也没有从价值理性的角度客观评价广东文化，因而只能看作一种“意见”而已。

在广东是“文化沙漠”的民间舆论沸沸扬扬之时，广东方方面面的人出来响应，作了种种自我辩解，并作了很多批判和“反击”。自我高扬广东文化旗帜者有之，自我肯认广东大众文化价值者也有之，痛斥批评者并痛贬内地文化者更有之。典型的，甚至说内地文化是封建文化、保守文化、农业文化、黄土文化，而广东文化则是现代文化、开放文化、工业文化、海洋文化、进步文化，等等。也许，这些自我辩护，有相当的合理成分，但是，站在客观理性的立场审视，特别是在今天，广东文化大省建设已经取得初步成效的时候，文化底气得到很大提升的时候，不难看出，对于广东是否“文化沙漠”的这些辩解，具有相当的防御心态，甚至可以说，在当时具有相当的自卑意识。中山大学黄天骥教授说：“广东老是觉得自己被称为‘文化沙漠’很委屈。但是我想沙漠就不好么，沙漠底下有石油呀。大可不必因此自卑。”① 应当说，黄天骥教授

① 叶曙明：《其实你不懂广东人》，广东教育出版社2005年版，封底。

的见解是持平之说，展现了平和的文化心态，同时也指出了对“文化沙漠”说的驳斥和自辩，具有文化自卑的心理。然而，诡异的是，正是在当年关于“文化沙漠”论争沸沸扬扬的时候，在防御心态和自卑心理的驱动下，随着广东经济社会的进一步发展，挟经济强势之威，“文化北伐”的高调骤然唱响！

（二）“文化北伐”说的自恋

“文化北伐”在广东一度是激动人心的口号，也曾引起一些议论和纷争。就时间界限而言，“文化北伐”说的出现，大致在上个世纪 90 年代中后期，而以中期为盛。①

讲“文化北伐”的，既有内地人，也有广东人。早在上个世纪 90 年代初期，有一部论说南北文化差异的书，在其以“气势如云的经济北伐”为题的一节中，有如此表述：“南人经济北伐、文化北伐、观念北伐、舆论北伐，杀声不断！”② 该书所说的南方，即指广东；南人，即指广东人。在描述了以产品北伐、技术和资金北伐等一系列的“经济北伐”后，作者提出了南方的“舆论大‘北伐’”。作者以邓小平 1992 年南方视察为背景，以邓小平南方讲话为依据，以广东改革开放的丰硕成果为材料，充分肯定了广东在思想观念上先行一步的成就和价值所在。作者运用 1992 年春节后《深圳特区报》发表的以《揪住中心不放》等宣传邓小平南方讲话思想精神的猴年新春八评，以及《深圳商报》继后推出的以《为进一步解放思想鸣炮》等“八论敢闯”的文章，特别是当年 3 月 26 日《深圳特区报》发表的记者陈锡添的长篇通讯《东方风来满眼春——邓小平同志在深圳》，论说了其对全国的影响，进而通

① 其实，细心的人不难发现，“文化沙漠”说、“文化北伐”说、“文化广东”论的出现，有交叉现象。道理很简单，思想文化的形成和发展有极其复杂的机制，不可能是在时间上绝对前后相继的，而往往是存在着此消彼长、相互涵摄的情况，区别只不过是哪种情况更为主导、更为基本而已。

② 辛向阳、倪健中主编：《南北春秋：中国会不会走向分裂》，人民中国出版社 1993 年版，第 87 页。

过当时全国各地包括解放军数十名将领到深圳“取经”、考察的各路人马的统计资料，作者总结道：“深圳舆论界乘小平南方视察之东风，共造了三阵冲击波，对北方乃至全国进行了改革的舆论大北伐。”“浩浩荡荡的舆论北伐，打开了中国改革开放沉寂的氛围。”“深圳的‘敢闯’意识迅速上升为全国人民的一致行动。”“‘舆论北伐’，伐出了一个改革开放的新局面！”[①] 这里虽然没有明确使用“文化北伐”的字眼，但所谓“舆论北伐”及其相应的精神价值内涵，无疑是“文化北伐”的范畴。

另一个内地学者，在其探讨北京和上海的文化精神的著作中，谈到上个世纪90年代的广东的时候说：“南风劲吹。……广东文化作为当代中国最强势的地域文化，当之无愧地与北京、上海鼎足而立，打破了城市文化双峰对峙的陈旧格局。”[②] 作者在该书中专辟一节论说“广东文化：世纪末的新北伐”，明确使用了“文化北伐”的理念。作者所说的广东“文化北伐”，既有生活方式层面的，也有价值观念方面的。“当先生、小姐的称谓取代了同志、师傅之时，显然不仅意味着来自南方的时髦，而且意味着一种全新的生活方式。”正宗粤菜、生猛海鲜、广东名厨主理的粤菜馆在内地如同雨后春笋，粤语速成培训班的广告招摇于市，新潮青年以唱粤语歌曲为荣，健美比赛、模特表演、选美活动，炒更热、跳槽热、股票热、房地产热等等，“莫不是从广东走向全国”。广东不仅在这些生活方式层面对全国的影响极为深刻，而且在价值观念方面对全国的影响也不可忽视。作者说：“市场经济造成的经济民主渗透到社会生活之中，造成了一场名符其实的‘观念革命’。”“由先赋的政治经济地位造成的身份差别逐渐淡漠了，钱成为畅通无阻的通行证。”商品经济造成了社会生活和个人生活的自由开放；便利的城市公共服务和民生系统，大宾馆对市民开放，高度的社会流动性

---

① 辛向阳、倪健中主编：《南北春秋：中国会不会走向分裂》，人民中国出版社1993年版，第95～97页。

② 杨东平：《城市季风——北京和上海的文化精神》，东方出版社1994年版，第525页。

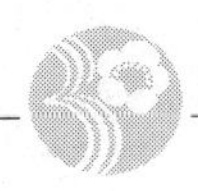

等等，“减少了传统生活造成的人身依附和依赖心理，一种更为自主和平等的人格，更为自由开放的风气，也成为‘挡不住的诱惑’向内地渗透弥散”①。

还有学者对于广东的“北伐”作了比较系统的探讨。《“品评”广东人》一书的第六章，标题就是《“北伐”策源地》，该章分别对“近代广东北伐的历史”、“政治北伐”、“经济北伐”、“观念北伐”等专题作了颇具深度的探讨。作者认为，广东从近代开始变得非常革命起来。“从那时起直到今天100多年就把南岭以北的中国伐了个够。从枪杆子到人的灵魂等都在‘伐’之列。”② 该书作者指出，改革开放以后广东的政治“北伐”，主要表现为金本位代替权本位、摸着石头过河、看见红灯绕着走、猫论。经济“北伐”则主要表现为“喝广水、吃广菜、穿广衣、吹广发”。观念“北伐”，主要表现为“时间就是金钱”的平等观念和效率意识，商品意识大普及，知识也是金钱（重奖有贡献的科技人员），实现自我价值（创造了人才流动的自由和合理欲求的自由）。③ 毫无疑问，这里所谓的“观念北伐”，就是“文化北伐”的代名词。

同样使用“观念北伐”的，还有从内地来广东工作而且已经融入广东并成为羊城晚报颇有名气的记者颜长江。他在其《广东大裂变》一书中，就用的是“观念大北伐”。④ 值得注意的是，广东人陈哲在为颜长江该书写的序中，则明确使用了“文化北伐”。他说：“20世纪90年代的广东，文明南迁已经转化为‘文化北伐’，观念南下已变为‘观念北伐’。”在“文化北伐”的理念下，陈哲进一步发挥说：“穷乡僻壤已变为‘一枝独秀’，小后门变成了南大门，垂头丧气的追随者变成了意气风发的领头雁。这个转换

---

① 杨东平：《城市季风——北京和上海的文化精神》，东方出版社1994年版，第528～529页。

② 李文飞、周树兴主编：《“品评”广东人》，中国社会出版社1995年版，第191～192页。

③ 李文飞、周树兴主编：《“品评”广东人》，中国社会出版社1995年版，第195～211页。

④ 颜长江：《广东大裂变》，暨南大学出版社1993年版，第37页。

的实质，是现代文明视角的转移，即内陆文明向海洋文明的转换。海洋时代已经来临，正是由于它的到来，引起了广东的巨大裂变。这无疑给整个中国的发展以深刻的启示。”①

实事求是地说，广东文化在其发展的进程中，得改革开放风气之先的有利条件，毗邻港澳的独特地缘优势，无论在生活方式还是价值理念、文化精神方面，都创生了诸多富有改革创新的时代精神的东西，并且辐射、影响到全国，从而推动了我们国家现代化的进程，促进了当代中国文化的现代化。在这个意义上，我们说广东文化是当代中国新文化的生长点，是当代中国新型文化精神的凝聚点，是中国特色社会主义文化的先行地，并不为过。但是，今天我们也应从自我反省自我超越的高度审视，当年的“文化北伐”论，内地的学人很大程度上是对广东文化的鼓励，对新文化精神出现的期盼，也是对改革开放程度相对不足的内地文化的自我批判和超越，我们不能自视过高。而广东某些学人和官员、民众，其所放言的“文化北伐”，在一定程度上是对广东“文化沙漠”论的反击，具有毋庸讳言的文化自卑心态。同时，也是对广东在经济社会长足发展后出现的强大实力的高度自信，是文化底气上升的表现，较之单纯地辩驳广东“文化沙漠”论，更有品位。不过，这中间所表现的某种程度的自我迷恋，乃至某种程度上的睥睨内地文化的心态，值得在新的发展阶段上自我超越。

（三）“文化广东”论的自信

“文化广东”论的出现，最初大致是在20世纪90年代中期，而以后期特别是新世纪以来为盛。

上个世纪90年代中期，广东一些学者已经明确意识到经济发展并不会自动导致文化的提升，而是需要全社会积极主动的创造性建设。而文化建设对于提升经济发展的品位和增强其后劲，有十分

① 陈哲：《广东的意义（代序）》，载颜长江：《广东大裂变》，暨南大学出版社1993年版，第4页。

重要的作用。因此，如何使经济发展迅速、实力雄厚的广东，在文化方面也能够更上台阶，凸显广东的文化品位，进而提升综合实力，成为有识之士的努力方向。

重要的文化预兆出现在1993年。广东省委宣传部、广东省文联、广东省作协联合在广州举办了“社会主义市场经济与广东文艺改革”学术研讨会。经过研讨，与会者对广东文化的认识和评价达成了共识：市场经济强烈冲击着广东文化，但这种冲击为广东文化的新生和向更高层次发展提供了条件和契机；广东文化正在逐渐摆脱市场晕眩症，出现全面的复苏和繁荣；广东近年出现的文化新景观不但代表着一种地域文化，更代表着一种由计划经济时代过渡到市场经济时代所产生的新的文化模式和文化形态；有远见卓识和雄心壮志的文化人和文艺家，应当正确认识市场需要和艺术品位的关系，处理好文化生产的社会效益和经济效益的关系，以健康积极的心态和饱满的改革热情去迎接文化新时代的到来。[①] 这种情况，被广东学者杨苗燕称为“从经济广东到文化广东”的“思维大流变”。[②]“文化广东”的理念，在这里已经明确提出。在很大程度上，“文化广东”的提出，一方面是要响应市场经济的正面冲击和负面影响，另一方面是要树立新的广东形象、提振广东文化精神。

因应“文化广东”的提出和建构，有学者针对广东经济社会发展中的某些问题，发表系列文章，探讨了“社会转型期的人文精神”问题。人情冷漠、唯利是图、金钱万能、贪图享受、斗富炫奢等精神瘟疫，受到了针砭；南霸天酒家、大富豪餐厅、天子牌衬衫、太子牌西裤之类粗俗不堪的名堂，动辄贵族享受、帝皇气派之类的恶俗品味，“穷得只剩下钱”的物化、钱化的价值理想的迷

① 杨苗燕：《别等我在老地方——转型期文化景观》，花城出版社1995年版，第29页。

② 杨苗燕：《别等我在老地方——转型期文化景观》，花城出版社1995年版，第28页。

失，等等，都受到了应有的批评和思想匡正。[①] 这种对于市场经济下人文精神的呼唤，对于因市场经济负面因素影响而出现的种种反文化现象的鞭挞，正是对“文化广东”的召唤。道理很简单，在当时很多广东学者看来，文化建设是广东再造辉煌的根本。[②]

在“文化广东”理念的确立和建设过程中，广东的官员和学者对于南北文化差异及其交流，特别是对于广东文化和内地文化的关系，有了更为深刻理性的认识。影响甚大的《南风窗》杂志，曾经采访时任广东省委宣传部副部长、广东省文联主席的刘斯奋，就“南风北上”与“北风南下”问题进行对话。该刊记者秦朔说：“南风北上”是前几年的一个有趣话题。伴随改革开放后广东的崛起，从这块土地上长出的观念、说法、语汇，连带着珠江水、广东粮、电子表、遮阳伞、家用电器、广式发廊、生猛海鲜，以及资本钞票，源源不断地向内地渗透。近两三年以流行音乐和电视剧为代表，文化意义上的“南风”也在北上。但是实际上，从移民城市深圳的形成，到民工潮的兴起，北人一直在不断南下。尤其最近一两年，有一些值得注意的现象——广州等地普通话越来越普及，吃北方的粗粮杂粮蔚然成风，北方餐馆食客如云，有些区域似乎像“南方里的北方”，外地人在这里没有陌生感；北方知识分子、各种文化人南下，亦使广州的文化生态变得更加丰富……这些情况证明了“北风南下”的存在，原来的“粤味”生活在变淡，应当怎么看这种情况？刘斯奋回应说：过多地谈“南下”与“北上”，我认为并不一定抓到了问题的本质。南来北往，我想正是经济运作的必然结果，只有好处，没有坏处。“随着社会的进步、科技的发展，南北的界限注定要打破，南北的融合、交往是大势所趋。”一个地方如果不能吸收外来的风、雨和空气，就会禁锢其发展。“观念上不应以‘南’‘北’而分界，而自限。近亲繁殖，无论在经济

① 李宗桂：《社会转型期的人文精神探讨》，《羊城晚报》1995年5月25日、6月1日、6月8日、6月15日、6月22日、6月29日、7月6日、7月13日、7月20日、7月27日。

② 李宗桂：《文化建设：广东再造辉煌之本》，《新南方》1995年第1期。

还是文化上都只会窒息生机。”“广东深感自己的文化积累不够丰富，遂愿意吸纳天下精英。”融合是时代趋势，地不分南北，人不分东西，“广味”不是在淡化、被削弱，而是丰富化了。“北方传统深厚，人才多，整体文化水准高，‘北风南下’，改造广东文化，是一件好事。”“岭南文化的优点应该弘扬，比如开放性、兼容性、务实性、进取性。这些特点在中华文化的大格局中表现突出，更符合市场经济发展的现实需要。”① 值得一提的是，身为广东省委宣传部副部长、广东省文联主席的刘斯奋，是道地广东人；而当时的《南风窗》记者秦朔则是从内地河南来到广东的文化“新客家”人。从二人的对谈中，我们可以明显看出，广东文化的底气，较之此前要深厚很多；广东文化官员和文化人的心态，较之此前要宽广很多。南北交流，互为补充，相互融合，正是“文化广东”的正当追求和重要特质。

1995 年，新华社主办的《瞭望》新闻周刊曾经刊发该刊记者叶俊东的文章，宣传“文化广东”的兴起。文章指出，广东主管部门响亮地提出了要让“文化广东”崛起的口号。广东文化人不再是单一地亦步亦趋港台文化，而是越过南岭北上为“文化广东”的崛起寻找新的血液。广东一改只有鼎盛的通俗文化的形象，而成为高雅文化市场最活跃的地区之一。相关负责人提出：“广东要建设与工业文明相适应的文化，弘扬自信、自立、自强的巨人精神，开始在广东文化工作者中形成共识，成为广东文化追求的核心。”②

进入 21 世纪以后，随着广东经济社会发展势头的进一步增强，随着经济文化一体化趋势的出现，文化的地位和作用越来越为广东全省上下所认识。有鉴于此，中共广东省委提出了建设广东“文化大省”的任务。2002 年 12 月，中共广东省委九届二次全会决定，建设文化大省。提出：必须大力弘扬和发展社会主义先进文

① 刘斯奋、秦朔：《“南风北上”与“北风南下”》，《南风窗》1996 年第 4 期。

② 叶俊东：《展开文化攻势：广东树立新的大省形象》，《瞭望》新闻周刊 1995 年第 30 期。

化，建设社会主义精神文明。在推进经济强省建设的同时，加快推进文化大省建设，为经济社会发展提供精神动力和智力支持。[①] 2003年9月，广东省委、省政府在广州召开了文化大省建设工作会议，研究部署广东加快文化大省建设的工作，动员各级党委政府和全省人民努力建设文化大省，促进广东加快发展、率先发展、协调发展。[②] 2003年10月，发布了《中共广东省委、广东省人民政府关于加快建设文化大省的决定》。该《决定》指出：文化是一个民族的根，一个民族的魂。先进文化是人类文明进步的先导和旗帜，是一个国家和地区综合实力和国际竞争力的重要组成部分。当今的经济是文化经济，文化已深深融入经济之中，成为社会生产力的重要因素和经济增长的重要推动力。经济竞争越来越有赖于文化竞争。建设文化大省，要把握中国先进文化的前进方向，遵循社会主义市场经济和文化发展规律，紧紧围绕广东全面建设小康社会、率先基本实现社会主义现代化的总目标，以弘扬民族精神、培育广东人精神、提高全民思想道德素质和科学文化水平为核心，深化文化体制改革，繁荣文化事业，壮大文化产业，满足人民群众日益增长的精神文化需求，促进全省加快发展、率先发展、协调发展。到2010年，使广东成为文化发展主要指标全国领先、文化综合实力和国际竞争力居全国前列的文化大省。同时，还制定并颁布了《广东省建设文化大省规划纲要（2003—2010年）》，提出了切实的发展目标和发展战略。

由上可见，在广东全省上下的努力下，“文化广东”的理念已经确立，并且正在成为挺立广东精神脊梁的重要支撑。“文化广东”已不仅仅是对于市场经济负面因素的纠偏，也不仅仅是消解“文化沙漠”的自卑和匡正“文化北伐”的某些偏颇，而是广东经济社会发展的逻辑要求，是广东文化发展到更高阶段的底气十足的

---

① 岳宗：《中共广东省委九届二次全会在穗举行》，《人民日报·华南新闻》2002年12月25日，第1版。

② 华楠：《广东全力推进文化大省建设》，《人民日报·华南新闻》2003年9月24日，第1版。

自觉选择。经济强省、文化大省、法治社会、和谐广东，这个现在广东社会人人乐道的价值理想和发展目标的期盼，反映了广东在物质文明、精神文明、政治文明、社会文明方面的巨大进步。

值得重视的是，广东省委省政府于2008年6月发布了《关于争当实践科学发展观排头兵的决定》，确定了广东新的战略定位和总体目标：坚持面向世界，服务全国，建设全面深化改革开放的先行地，提升我国国际竞争力的主力省，探索中国特色社会主义道路的试验区，实践科学发展观的排头兵。《决定》明确强调：必须全面准确理解科学发展观的内涵，从片面追求总量和速度的观念中解放出来；必须全面把握现代化的综合价值取向，从单一的经济价值取向中解放出来；必须坚持以人为本，从“重物轻人”的观念中解放出来；全面提高公民素质，提升文化软实力；大力推动文化创新，增强文化引领力和竞争力，促进人的全面发展，通过提升软实力保障我省综合实力的持续增强；着力塑造新时期广东人文精神，努力提高公民文明素质；倡导向学崇文新风尚，加快推进学习型社会建设等等。[①] 这些追求，进一步扩展了“文化广东”的气象，增强了“文化广东”的底蕴。

二、改革开放催生新型文化精神

伴随改革开放进程的推展，广东文化焕发了新的精神。通过广大群众的艰苦实践，以及思想文化理论界的提炼，逐渐形成了若干具有新的时代特质的文化精神，从而标志着广东文化发展的质的飞跃。

如果从广阔的文化视野考察，改革开放所催生的广东文化新精神，内容广泛，覆盖面广。基本可以说，当代中国改革开放以来创生的诸多新型文化精神，在广东文化里面都可找到，在广东这片热

① 《中国共产党广东省第十届委员会第三次全体会议决议》，《羊城晚报》2008年6月19日，A1、A3版。

土上都有痕迹。为了突出主体，同时也为了更多地表现具有广东特质的文化精神，此处着重谈以下几个方面。①

（一）效率观念的勃兴

“时间就是金钱，效率就是生命!”这个产生于改革开放初期的“口号”，本质上代表了、反映着一种新型价值观的诞生，是改革创新的时代精神的反映。

这个著名的口号，其产生有特定的时代背景。《深圳特区报》曾经专门发表了一篇文章，说明这个口号的由来：

在蛇口工业区微波山下，一块上书“时间就是金钱，效率就是生命”的标语牌矗立了二十多载。这句著名的口号，是1982年矗立在蛇口的，其“版权”属于蛇口工业区的负责人袁庚。

1979年8月，蛇口工业区600米长的顺岸码头工程动工。动工之初，采取内地惯用的平均主义奖励办法，工人积极性不高，每人每天只运泥20~30车，工程进展缓慢。为加快工程进度，承建商从10月份起开始实行奖励制度，即完成定额者每车奖励2分钱，超过定额者每车奖励4分钱。这样一来，工人生产情绪高涨，劳动效率明显提高，每人日平均运泥80~90车，最多的每天运泥达130多车。由于实行这一奖励制度后，提前一个月完成了任务，为国家多创造的价值达130万元，而工人们拿的奖金还不及产值的2%。但是，这一既受工人拥护又使国家获益的奖励制度，却被上级有关部门勒令停止，理由是“滥发奖金”。工人的积极性顿时受挫，工程进度明显缓慢下来。这时，一份“关于蛇口码头延误工程”的内参送到了中央领导同志的案头。4分钱惊动了中南海。当时的中央领导看了之后，作了批示，说发奖金的办法可行。至此，蛇口又恢复了定额超产奖励，并在此后的华益铝厂、华美钢厂、南海石油

① 其他方面，将在相关的篇章里阐述，而作为重点的新时期“广东人精神”、“城市文化精神”、“广东人文精神”，将在本书第九章（“新时期广东人精神的培育与弘扬”）中详细探讨，此处不赘。

基地等项目实行，使这些工程都比原计划提前竣工，此后，“蛇口效率”成为吸引外商来此投资的一个重要条件。

投资者用物质利益促进了建设进度，而新的建设进度换来了更高的经济效益。袁庚和管委会一班人决定提出一个响亮的口号，以此进一步激发人们开发建设蛇口的热情。于是，1982 年初，“时间就是金钱，效率就是生命”的标语牌，第一次出现在蛇口人的面前。

1984 年，邓小平视察深圳时，看到了这句口号，留下深刻的印象。回京后，他在一次中央负责人的会上说：“这次我到深圳一看，给我的印象是一片兴旺发达。深圳的建设速度相当快……蛇口工业区更快，他们的口号是‘时间就是金钱，效率就是生命’。”①

1984 年国庆，首都举行盛大的阅兵式和群众游行。深圳有两辆彩车参加游行，其中蛇口工业区的彩车上就是“时间就是金钱，效率就是生命”的口号，受到国内外广泛瞩目。从此，这个口号响遍大江南北，成为改革创新、效率优先的生动表述和典型标志。

其实，这个口号出现之初，是有很大争议的。有人把它看作资本主义价值观的表现，有人把它当作“资本主义复辟”的根据。在当时的蛇口工业区领导袁庚的正确坚持下，在当时的中央领导坚定支持下，特别是在邓小平同志的肯定下，这个口号被保留了下来，这个口号背后所隐藏的深刻的价值观的转变，被肯定下来。

从文化精神和文化价值的角度看，“时间就是金钱，效率就是生命”这个口号，是对传统价值观的颠覆，是对新型价值观的勇敢倡导和大胆实践。此后，效率观念逐渐深入人心，由此而生发开来的竞争意识，也逐渐增强。人们现在耳熟能详的当年的“深圳速度”、“蛇口模式”，就是实践对这个口号及其所引领的价值观的证明。有人说，这个口号是中国走向市场经济的重要标志；也有人说，这个口号体现了普世价值；还有人说，这个口号反映了广东敢为人先、务实进取的精神。我们认为，对于这个口号及其背后蕴藏的先进文

① 《深圳特区报》2007 年 5 月 24 日，第 8 版。

化价值理念，无论给予多高的评价，都不为过。从最为根本的一点上讲，这个口号反映了、实践了以改革创新为核心的时代精神。

（二）巨人精神的呼唤

广东在改革开放实践中逐渐生长起来的新型文化精神之一，是对巨人精神的呼唤。这个问题，从文化发展战略的高度、在思想文化层面给予阐释的，是时任广东省委宣传部副部长的著名作家刘斯奋。他的长文《朝阳文化、巨人精神与盛世传统——关于社会主义新文化建设的几点思考》，发表在1995年5月9日出版的《南方日报》上。该文发表后，受到广东文化学术界的广泛关注，并逐渐得到认同。他从文化性质、文化精神、文化传统三个方面阐发了自己对于新型文化建设的见解。

刘斯奋在该文中认为，随着现代化进程的加速推移，固有的一套文化观念和思想文化已经越来越不适应大幅发展了的时代，面临必须变革的历史课题。社会变革呼唤一种适应社会主义市场经济体制、充满活力、勇于通过竞争来开拓局面、求得生存和发展的文化。这种文化，朝气蓬勃、奋发进取、乐观昂扬，对人生充满热爱，对国家、民族和人类的前途充满信心；这种文化，承认社会的每个阶层、每个人员，都有权利分享人类文明的成果，并以最大限度满足人民群众日益增长的文化需要为旨归；这种文化，有着博大的胸怀和广阔的视野，既不放弃神圣的原则，又有最大包容性和宽容精神；这种文化，对于社会变化发展和科学技术的进步抱有充分的敏感和高度的热情，能够通过对自身的改造和革新，积极主动地作出回应，力求做到与时共进、与世俱新。总之，这是一种摒弃因袭的沉重传统，摆脱“咀嚼着千年不复的悲欢”的怪圈，能够体现从农业文明向工业文明飞跃的时代需求的文化，这就是“朝阳文化”。我们应当热情地拥抱朝阳文化。①

① 刘斯奋：《朝阳文化、巨人精神与盛世传统——关于社会主义新文化建设的几点思考》，《南方日报》1995年5月9日，第2版。

刘斯奋还认为，迎接、拥抱朝阳文化，需要提倡“巨人精神”。巨人精神文化是民族的社会精神的载体。社会走向兴盛，文化精神就强大；社会走向没落，文化精神就趋于萎缩。巨人精神，一言以蔽之，就是一个社会进入大变革、大创造、大发展时代必然出现并且最终成为主流的精神。这种巨人精神，是与“侏儒精神”、“痞子精神”、“阿Q精神”、“虚夸精神”对立的。这种巨人精神，敢于正视矛盾、直面人生，并通过不屈不挠的努力，去实现崇高的理想，具有无比丰富的内涵和纷繁绮丽的色彩。“巨人精神终将成为我们时代文化的主流”。

在把改革开放时代迈向现代化的文化性质判定为“朝阳文化”，把改革开放时代的文化精神提炼为巨人精神之后，刘斯奋从文化传统的层面对自己的观点作了进一步的申论，认为文化继承应当继承“盛世传统”。在他看来，处于中国古代农业文明高峰阶段的汉唐时期的传统，就是盛世传统；处于中国古代农业文明没落阶段的宋元明清时期的传统，属于“衰世传统”或“末世传统”。前者是中华民族精神的最健康、最积极的发挥，后者则是精神日渐萎缩并且最终陷入绝望困境的痛苦呻吟。盛世传统的特质是雄强、博大、开拓、进取，因而应当成为我们理所当然的选择。根据这种认识，刘斯奋对于小说、电影、电视、戏剧、美术等领域中一度盛行的专门表现贫穷、落后、苦难、愚昧、悲凉、绝望、颓废、寂灭之类情绪的现象，进行了有力的针砭，认为是“末世传统”的心态表现，是没落的“世纪末意识”。①

简言之，刘斯奋在文化建设的取向上是主张拥抱“朝阳文化”，光大“巨人精神”，弘扬“盛世传统”。应当说，这种文化思路及其价值理念，是积极的，健康向上的，适应改革开放的时代步伐的。正是因为如此，刘斯奋关于巨人精神的观点，被广东文化界认为是在“精神失望”的年代，高燃“时代精神圣火”，是对西方

---

①　刘斯奋：《朝阳文化、巨人精神与盛世传统——关于社会主义新文化建设的几点思考》，《南方日报》1995年5月9日，第2版。

文艺思潮的廓清和阐析，也是对中国文化传统继承的补偏救弊。①

与“巨人精神”的论说相呼应或者说互为表里的，是广东学者对“新文化精神”的呼唤和阐扬。有学者提出，广东正在生长中的文化精神有以下特征：

它是走出彼岸的，关注现实的；

它是不喜欢追随，崇尚创造的；

它是不会清谈与调侃，重视行动与实践的；

它是不擅怀旧，全力向前的；

它还是拒绝逃避，追求进取的。

在上述论说的基础上，该学者还认为，广东文化的创新，应当是把传统的“务实”融进90年代的“创新”，在原生的“感觉”中契入现代的“理性”，让古老的“兼容”加上今天的“全球意识”。②

显然，广东文化界关于“巨人精神”的阐释，适应了当代中国改革开放后现代化的进程，反映了得风气之先的广东这块改革开放热土的精神需求，提炼了新的文化精神，昭示了现代新型文化的精神方向。

（三）新型人文精神的创造

中国传统文化具有独特的人文精神，但那种人文精神是缺少科学和民主支撑的、泛道德论的人文精神。在改革开放时代，传统的人文精神应当被赋予时代精神，给予创造性的诠释和理性化的转换，才能为我们今天的文化建设和社会发展所用。因此，新型人文精神的创造，是广东文化发展的题中应有之义。

改革开放30年来，中国社会逐渐生长出的新型人文精神，很大程度上源自广东这块改革开放的前沿地。比如，前文谈到的效率

---

① 黄树森：《叩问岭南大型书链总序》，载杨苗燕：《别等我在老地方——转型期文化景观》，花城出版社1995年版，第15～16页。

② 杨苗燕：《别等我在老地方——转型期文化景观》，花城出版社1995年版，第23～24页。

观念，就是新型人文精神的表现。同样，竞争意识、契约观念、创新意识、全球意识、独立精神、自主精神、公平正义精神等，基本都可说是在改革开放的先行地、市场经济建设的前沿带广东首先萌芽的。

值得重视的是，2008 年 6 月，在中共广东省委十届三次全会上，提出了广东新的发展战略目标：提升我国国际竞争力的主力省，探索科学发展模式的试验区，发展中国特色社会主义的先行地。① 会议通过的《决议》提出，要争当实践科学发展观的排头兵，应当做到“八个必须，八个解放出来”：必须全面准确理解科学发展观的内涵，从片面追求总量和速度的观念中解放出来；必须全面把握现代化的综合价值取向，从单一的经济价值取向中解放出来；必须坚持以人为本，从“重物轻人”的观念中解放出来；必须创新发展模式，从粗放型的发展路径中解放出来；必须发扬积极进取精神，从小富即安的思想中解放出来；必须树立世界眼光和战略思维，从过分依赖地缘优势及习惯于在本行政区域配置资源的思维定势中解放出来；必须增强实现共同富裕的政治责任感，从先富帮后富意识不强的被动状态中解放出来；必须认清民主法制是落实科学发展观最根本的保障，从不重视人民群众主体作用的意识中解放出来。② 这些从社会管理的角度提出的基本的执政价值理念和发展价值理念，具有很强的实践性和政治性，同时也具有强烈的人文关怀，反映了建构新时期的广东人文精神的追求。尽管这些人文关怀和人文追求的深刻内涵，也许要在相当一个时期后才能真正在广东经济社会发展的实践中具体彰显出来，并经过思想文化界的创造性诠释而成为广东人文精神的重要构成，但其所蕴涵的改革创新的人文精神，显然已经曙光初露。而广东省委书记汪洋在该次全会上的讲话中，提出的若干见解，也和上述“八个必须、八个解放出

① 《广东战略目标：提升我国国际竞争力的主力省，探索科学发展模式的试验区，发展中国特色社会主义的先行地》，《羊城晚报》2008 年 6 月 19 日，A1 版。

② 《中国共产党广东省第十届委员会第三次全体会议决议》，《羊城晚报》2008 年 6 月 19 日，A1、A3 版。

来”相映成趣，具有相互发明的功用。他说：“深入贯彻落实科学发展观，我们强调要以人为本，做到发展为了人民、发展依靠人民、发展成果由人民共享。”在强调大力创造物质财富的同时，要更加注重精神文明建设；在推进经济社会发展的同时，更加注重促进人的全面发展；在继续搞好生产的同时，更加注重改善人民生活；在改善民生的同时，更加注重发展民主；在保护先富起来的地区和群众积极性的同时，更加注重帮助和扶持欠发达地区和困难群众富裕起来。[①] 毫无疑问，汪洋这里讲的，正是人文关怀情结下的施政理念，展现了以人为本、协调发展的人文追求。

三、文化大省建设的精神旨趣

广东建设文化大省，是广东经济社会发展到一定阶段后的逻辑要求。广东省委顺应这种要求，明确提出了“建设文化大省”的战略构想。[②]

该《决定》指出：“全面建设小康社会，必须与建设经济强省相适应，大力发展社会主义文化，建设文化大省。努力使广东拥有先进的文化设施、发达的文化产业、一流的文化精品、拔尖的文化人才、充满活力的文化体制、繁荣有序的文化市场、各具特色的城镇文化环境、丰富多彩的群众文化生活，文化综合实力明显提高，对经济社会发展的促进作用明显增强。”[③] 为此，《决定》具体提出了若干重要任务：一是坚持先进文化的前进方向，弘扬和培育中华民族精神；二是切实加强社会主义精神文明建设，不断提高人民的思想道德水平；三是大力发展教育和科学事业，不断提高人民的科

① 汪洋：《高举旗帜，改革创新，努力开创广东科学发展的美好未来——在省委十届三次全会上的讲话》，《广州日报》2008年6月21日，A1版。

② 2002年12月，中共广东省委九届二次全体会议通过了《关于认真学习贯彻党的十六大精神的决定》，明确宣布要“建设文化大省”。

③ 《中共广东省委关于认真学习贯彻党的十六大精神的决定》，《南方日报》2003年1月7日，A2版。

学文化素质；四是积极推进文化体制改革，发展壮大文化事业和文化产业。

从历史的观点看，广东建设文化大省是广东历史上前无古人的伟大事业。在笔者看来，“文化大省”应当是在文化建设方面卓有成效的省，是在全国文化建设方面引领潮流、名列前茅的省，应当具有该省独特的精神气质。广东“文化大省”的目标定位应当是：国内领先、国际知名；能够创建出适应经济文化化、文化经济化趋势的文化经济一体化的创新性机制和相应的文化生态环境；着眼于全省人民文化综合素质的整体提高，使其居于全国前列；使文化成为新型生产力，成为综合“省力”的重要构成，在综合竞争力中居于重要地位；培育出能够发展、传播、创新先进文化的群体；创建文化创新的机制，创建富有特色的广东文化，培育新时期的“广东人精神”；为中华民族精神的弘扬和培育创造条件，成为中华民族精神的自觉捍卫者、弘扬者和培育者。建设文化大省，应当有符合科学理性的基本思路和相应的措施，要有适应文化创新的宽松的环境。①

（一）提升综合实力

从国内外经济社会发展的趋势和创新性思维的层面看，广东“文化大省”应当而且可以通过制度创新和文化整合，创建出适应经济文化化、文化经济化趋势的文化经济一体化的创新性机制，以及使得这种创新性机制得以持续发展的文化生态环境。

文化对于经济的作用，在国内历来长期被看轻，甚至被忽视，近年来有所好转。随着现代化进程的推进，经济发展中的文化因素日益增强，文化对经济的依存度、文化的经济含量越来越大。无论是可持续发展理论、生态理论，还是信息产业、文化产业等，都充满经济文化一体化气息，带有明显的经济文化一体化色彩。

所谓经济文化一体化，就是经济与文化相互渗透、相互融合，

---

① 详见李宗桂：《广东建设文化大省的若干思考》，《学术研究》2003 年第 6 期。

你中有我，我中有你，互为动力，互为支撑。具体说来，就是经济领域、经济行为越来越充溢着文化的成分，依托文化的力量发展壮大经济，而不是像以前那样单纯地就经济论经济；同样，在文化领域，各种文化行为、文化决策、文化实践，已经突破传统的意识形态框架的制约，并放下贵族架子，开始世俗化、平民化的进程，从经济活动的裁判者变为经济活动的直接参与者和创新者。今天，市场经济的激烈竞争，使得工业产品的设计、包装、推销，实际上变成了文化理念的竞争。“科技以人为本”，“我们一直在努力”，“我们买的是文化”（而不是房子）这类工业（经济）产品的广告语言，渗透着强烈的文化价值观。同样，在文化领域，以文化产业的崛起为代表，文化经济化的势头越来越猛。音像业、电影业、出版业、大众传媒业，这些以往以突出政治为首业的行业，这些往往“算政治账不算经济账”的行业，现今在市场经济条件下，在唱响主旋律、坚持多样化的方针指导下，也加入了经济建设的行列。这些行业一度实行的“事业单位，企业管理”的机制，以及文化体制改革后实行的企业制管理，实际上就是典型的文化经济化的表现。至于在广东正如火如荼发展的会展业，在全国独占鳌头的旅游业，别具一格的演出业，特别是网络信息产业，等等，按照传统的行业划分，你就很难确认它是属于经济还是文化。事实上，它们既是经济的，又是文化的，典型地反映了文化经济一体化的趋势和特点。

从现代化的基本价值追求——人的现代化来看，广东“文化大省”的建设，着眼于人的文化综合素质的整体提高，使广东人的文化综合素质在全国各省居于前列，提升广东文化形象，提升广东人形象。

上个世纪50年代以来，我国对于现代化特征和实质的探求，经历了从“四个现代化”到“人的现代化”、“人的全面发展”的过程，逐渐认识到现代化的终极目标是为了人而不是为了物，现代化是要“人化”，而不是“物化”。而人的现代化也罢，人的全面发展也罢，说到底，“人化”的现代化归根结底是要提高人的文化

综合素质，进而推进现代化进程，最终实现全面意义的现代化。为此，就必须将人的文化综合素质的提高放在首位。没有全省人民的文化综合素质的整体提高，就没有符合人性的、符合科学理性的现代化，现代化的进程就会被延缓。人的文化综合素质包括诸多方面，例如科学素质、文化（知识层面的文化，亦可视作受教育程度）素质、思维水平、价值取向、人格追求、审美情趣、开拓精神、创新能力、法纪观念、竞争意识、合作精神，等等。如果没有全省人民文化综合素质的整体提高，则不仅“文化大省”的建设计划会落空，而且经济强省的建设也会受挫。全省人民文化综合素质的整体提高，不仅符合中国特色社会主义现代化的基本要求，而且符合广东人民的整体利益和长远利益，对于提升广东文化形象，提升广东人形象，都将大有助益。

从文化动力学的层面看，广东“文化大省”的建设，旨在努力提升文化在经济建设中的地位和作用，使文化成为新型生产力，成为“综合省力”的重要构成，在综合竞争力中居于重要地位。

就全球范围而言，上个世纪以来的发展指导方针及其研究，主要是经济取向的，忽视了文化因素的作用。其实，文化因素在现代化进程中的作用是十分巨大的。早在上个世纪初，德国社会学家韦伯从文化取向研究现代化问题，受到广泛的关注。韦伯认为：西方资本主义现代化是与西方新教伦理的文化背景密切联系的，中国传统社会的基本结构与儒教伦理则是排斥或者阻碍资本主义兴起的。人们对韦伯的观点并不一定都表示认同，但韦伯从文化的角度阐释经济社会发展原因的视角和方法，却受到普遍的好评。尽管上个世纪相当长的一段时间内，现代化研究主要是经济取向占据上风，但上个世纪90年代以后，由于对“工业东亚”现代化成功的文化背景的关注，现代化研究的文化取向重新出现，并逐渐成为重点之一。对传统与现代化关系的重新估价，对儒教文化中有利于现代发展或适应于现代生活合理性因素的重新估价，以及对于现代西方文明中的现代性的重新估价，构成了现代化研究中的文化取向的基本方面。[①] 广东经济的发展，自改革开放以来，得力于种种得天独厚的优势，包括敢为人先、务实进取的岭南文化的优良传统。但是，从总体上看，如何壮大文化产业，发展文化事业，将文化看作生产力，看作“综合省力”的重要成分，通过“文化力”的提高而促进生产力的提高，促进广东文化品位、文化形象的改善，还有很多文章可做。要通过文化大省建设的推动，提高经济的文化含量，提高文化在经济发展中的地位和作用，使文化成为经济发展的内在动力，成为核心竞争力之一。[②]

（二）培育广东文化精神

努力建设经济强省和文化大省，率先实现宽裕型的小康社会，是广东正在努力完成的任务。而要完成在全国率先实现小康社会、率先基本实现社会主义现代化的总任务，从文化建设的层面看，就要培育广东文化精神，创建新的民族精神。

文化是综合国力的重要组成部分。文化也是生产力，是“明天的经济”。广东在改革开放和现代化建设实践中形成了敢为人先、务实进取的精神。敢为人先的表现，首先是敢于冲破旧体制的束缚，率先改革开放，率先打破禁区。“时间就是金钱，效率就是生命”，这类在当年石破天惊的口号，反映的是崭新的价值理念。上个世纪90年代前期出版、发行3000多万、影响遍及海内外的《新三字经》，用传统启蒙读物的“旧瓶”（形式）装上了充满社会主义时代精神的“新酒”（内容），开启了全国用民族传统文化形式承载当代新型文化传播内容的潮流。这里面，实质上反映了一种批判继承历史传统而又充满社会主义时代精神、立足本国而又面向世界的开放视野和胸襟。这是典型的“敢为人先”的表现。此外，对于点石成金的人才，让其用技术入股。这种倡导并实践技术入

---

① 参见罗荣渠：《现代化新论》第七章《东亚崛起的新经验——现代化进程中的文化因素》，北京大学出版社1993年版，第211~234页。

② 参见李宗桂：《广东建设文化大省的若干思考》，《学术研究》2003年第6期。

股、尊重知识产权的事例，发生在上个世纪90年代前期，也是广东人敢为天下先的范例之一。

与敢为人先的开拓精神相应，不务虚名，不空谈，重实干，奋发有为，是广东最近30年不断取得进步的重要原因之一。从上个世纪80年代到90年代，国内关于“姓社姓资”问题的争论，时断时续，有时甚至十分激烈。广东人没有卷进这种于事无补的无谓争论之中，而是踏踏实实地搞好经济建设和精神文明建设，取得了前所未有的经济成就，并取得了精神文明建设的重大成就。这几年，广东全省GDP总量占全国1/10（甚至有的年头达到1/9），外贸出口占全国1/3强，税收和财政收入占全国1/7。全国第一个精神文明学会、第一本精神文明专著，出现在广东。新华社曾经重点报道，说广东物质文明和精神文明建设都取得了重大成就。这些，都是广东人务实进取精神的结果。

从文化建设的层面看，敢为人先、务实进取的精神，就是广东文化的精神。广东文化具有典型的世俗化、平民化的特征。敢为人先、务实进取的广东文化精神，具有理论形态的表现，可以深圳经济特区长期以来形成的“深圳精神”为代表之一。“深圳精神”的概括有两种，一是“开拓、创新、团结、奉献”，二是“开拓创新、诚信守法、务实高效、团结奉献”。前者是凝结了改革开放20年来深圳发展历程经验的理论升华，后者是在新形势下，近年经过深圳全民大讨论，由理论界总结、概括，并经深圳市委认可进而在全市广泛宣传、推动实践的“新深圳精神”。显而易见，“新深圳精神”内在地包含着、体现着“敢为人先、务实进取”的广东文化精神。①

从文化学的层面看，文化精神是指一种文化的特有精神，一种文化中具有决定力的价值系统，以及由此而构成的在态度、评价及情绪倾向等方面表现出的精神品质，即一种文化独具一格的特色。中国文化精神反映的是中华民族文化的基本价值取向、理想人格、

① 详见本书第九章（“新时期广东人精神的培育与弘扬”）。

思维方式、伦理观念、审美情趣等方面的内在精神特质。而中国文化是由不同地域的文化构成的，例如传统的湖湘文化、巴蜀文化、闽南文化、岭南文化，等等。在今天，表现为具体的省级行政区划内的地域文化，例如浙江文化、北京文化、上海文化、广东文化，等等。因此，当代中国文化精神是由诸多不同地域的文化精神交融而成的，是对不同地域文化精神的提炼和升华。同是务实进取精神，在上海、浙江、辽宁、四川、广东，会有不同的内容和表现形式，亦即有其地域特色。反映整个中华民族文化精神的价值取向、思维方式之类的深层文化，属于“文化大传统”；反映中国特定地域的文化观念和行为方式，属于“文化小传统”。文化大传统引导、规范着文化小传统；文化小传统体现、承载着文化大传统。二者之间，交相为用。广东文化精神，属于文化小传统的范畴，它从属于、归属于中华民族的文化大传统；中华民族的文化大传统，规范着、引导着广东文化精神这个文化小传统。

中华民族精神是中华民族发展的精神动力，是中国文化精神优秀成分的体现，是中华民族精神风貌的体现。以爱国主义为核心的团结统一、爱好和平、勤劳勇敢、自强不息的伟大的中华民族精神，是我们赖以生存和发展的精神支撑。在新的时代条件下，我们要发扬与时俱进的精神，培育广东文化精神，为创建新的中华民族精神，提供思想素材和理论资源。

当前，广东人民正在从事着建设经济强省和文化大省的伟大事业。我们不能让建设文化大省的工作停留于经验的层次，而要使其上升到理论的高度，要从培育广东文化精神的高度着眼，创造性地建设文化大省，提高人民的文化素质，提升经济建设的品位，为创建新的中华民族精神作出应有的贡献。

（三）促进经济社会协调发展

“大力发展社会主义文化，建设文化大省”，是立足广东实际，面向全国，放眼世界的高屋建瓴式的文化建设纲领。这个纲领以发展社会主义文化为宗旨，以提升广东文化的品位，提高广东人民的

文化素质和科学素质为现实目标，以率先基本实现社会主义现代化为根本，符合广东建设经济强省的文化需求，符合社会稳定协调发展的长远需要，符合国家长治久安、人民安身立命的需要。

建设现代化的社会，不仅要有高度发达的经济，而且要有高度发达的文化。要建设高度发达的文化，就应当有创新精神以及相应的思路和方式。“建设文化大省”这一战略构想的提出，本身就是文化创新的表现。文化创新既有观念创新、内容创新，也有方法创新、思路创新，更有战略创新和目标创新。“建设文化大省”这一理念的提出，可以说是对文化建设方面观念创新、内容创新、方法创新、思路创新、战略创新和目标创新的有机综合，反映了广东文化建设的新思路和新气象，真正是合乎潮流，顺乎民意。从文化学的层面看，“建设文化大省”对于当代中国发展社会主义文化，建设新型的“文化大传统”具有积极的意义；同时，对于发展具有地域特色的广东文化，建设新时期的“文化小传统”，也有不可忽视的意义。中国特色社会主义文化的大传统与小传统的交融，必将催生新的文化活力，激发新的文化机制。而新的文化机制的形成，必将在更高的层面促进广东经济社会的协调发展。

广东要成为文化大省，必须满足一系列的条件：文化设施要先进，文化产业要发达，文化精品要“一流”，文化人才不能平庸而要拔尖，文化体制不能凝固僵化而要充满活力，文化市场要繁荣又有序，城镇文化环境不能千篇一律而要“各具特色”，群众文化生活不能单调更不能乏味，而要丰富多彩。在此基础上，通过有机整合，实现文化综合实力的明显提高，对经济社会发展的促进作用明显增强。根据文化结构的理论审视，上述这些方面，包括了物质文化、制度文化、思想文化三个层面的协调发展。从大众文化和高雅文化的层面看，上述规定和要求既包括了大众文化也包括了高雅文化，既考虑到了文化建设的先进性，也充分注意到了文化建设的普及性，可谓先进性与普及性的统一。可见，无论是从发展社会主义文化、建设社会主义精神文明的角度，还是从文化学的理论阐释和实践层面，“建设文化大省”的战略构想都是内涵丰富、充满科学理性精神和现代人文精神的。

在市场经济条件下建设文化大省，一个重要的内容，是要发展文化经济。《决定》明确指出，要“制定建设文化大省规划纲要，切实把发展文化事业、壮大文化产业摆上增强经济综合实力，全面建设小康社会和率先基本实现社会主义现代化的重要战略地位，作为重要组成部分，纳入经济社会发展计划”。这就从制度的层面保证了文化大省的建设。而决策、规划制度化，是现代化管理的重要特征和基本要求。

国际上有一句名言：“文化是明天的经济。”文化本身也是生产力，是综合国力的重要体现。在经济全球化的时代，不同民族的文化交流和交融日益增强，经济与文化之间的交融日益增强。经济文化化，文化经济化，已经显露出强劲的势头。新闻出版、广播影视、演艺、美术、文博和文化娱乐、旅游、会展业、现代信息服务业等，都是文化中包孕着经济、经济中渗透着文化的事业，是典型的“文化经济”事业。这类事业的发展，对于广东经济强省和文化大省的建设，具有十分重大的意义。这类事业建设好了，广东的文化综合竞争力就会大大增强。①

---

① 参见李宗桂：《努力建设文化大省》，《南方日报》2003年1月7日，第5、6版。

第二章
文化事业的创造性探索

改革开放以后，广东文化事业[①]随着经济建设的快速发展而日益繁荣。以满足社会全体成员的基本文化需求为目标，并着眼于人民文化水平和文化素质的提高，广东兴建了一批批文化设施，既有满足人民群众基本文化需要的公共图书馆、电影院、文化站等基础设施，又有高起点、高档次的大型文化场馆、艺术中心。在改革创新的时代精神指引下，广东创造了一大批文化精品，在对外文化交流方面亦取得丰硕成果。广东文化体制改革起步早，作为全国文化体制改革的综合性试点省，为全国的文化体制改革奉献了丰富的经验。目前，广东文化事业面临一些困境，除了要政府投资、政策支持和法规引导外，还需要拓宽发展途径，寻求文化事业与文化产业的协调发展。

① 这里所谈的主要是狭义的“文化事业”，它包括两个层次：第一个层次是指文化事业单位。《事业单位登记管理暂行条例》指出：“所称事业单位，是指国家为了社会公益目的，由国家机关举办或者其他组织利用国有资产举办的，从事教育、科技、文化、卫生等活动的社会服务组织。”根据此解释，“文化事业单位”具体包括地方公共图书馆、博物馆、文化馆等文化机构，音乐、歌舞、戏曲、话剧、杂技等艺术表演团体，文学艺术、文物研究单位，画院等。第二个层次是指与文化产业相对的整个文化事业，它具体包括公益性文化和部分亚市场文化。与文化产业相比，文化事业的特点主要是国家投资为主，其他投入（包括社会基金会、社会捐赠等）为辅。

一、拨乱反正开出新局

由于文化事业具有很强的公益性特征，政府在文化事业的建设中具有重要作用。以广东省委出台的发展文化事业标志性政策为线索，并结合相关的文化活动和文化精品来检视广东文化事业的发展，可以将广东改革开放以来的文化事业的发展大致分成恢复转型、调整拓展、强化提升三个阶段。

（一）在恢复中转型

1978 年至 1992 年，是广东文化事业的恢复和转型期。新中国成立后的很长时期内，所有的文化业都被当作文化事业来对待。“文革”期间，广东文化事业的发展和全国的文化事业发展一样，几乎陷于停顿状态，在有些方面甚至受到严重的破坏。改革开放后发展文化事业，首先要做的工作是将其恢复到“文革”以前的水平。广东制定了一系列的法规与政策，为文化事业的发展营造了良好的环境，为文化事业的全面恢复护航。“文化市场”概念的形成为文化事业的转型注入了活力，开拓了空间。广东文化体制改革也在这一时期起步。

1978 年后，随着工农业生产的发展，广东加快了电影院的建设，开创了电影发行放映事业的新局面。到 1987 年，全省电影院已增加到 836 间。到 2001 年，全省城乡电影院、影剧院共有 1203 间。改革开放以后，广东各县市的文化馆陆续恢复，群众文化工作出现了新的面貌。到 2003 年，全省共有群众艺术馆 22 个，文化馆 118 个，乡镇文化站 1700 个。①

广东地处祖国南疆，是思想文化的前沿阵地，改革开放以来，不少反动黄色录音录像带、淫书淫画从香港流入广东，造成严重的精神污染。1982 年，广州市文化行政部门会同公安部门、工商行

① 广东省统计局编：《广东统计年鉴》（2004），中国统计出版社 2004 年版，第 538 页。

政管理部门坚决执行中共中央、国务院《关于严禁进口、复制、销售、播放反动黄色下流录音录像制品的规定》，断然封存了该类商品录音带10万多盒，录像带1700多盒，收缴淫秽黄色书画1万多件，并作出妥善处理。同年5月，为使广大城乡业余剧团，能沿着文艺为人民服务，为社会主义服务的方向健康发展，在活跃群众文化生活、建设社会主义精神文明中发挥积极作用，坚决制止上演内容反动、淫秽、荒诞，宣扬封建迷信的剧（节）目，坚持马克思主义、列宁主义和毛泽东思想在思想文化领域中的领导地位，广东省文化局颁发了《关于业余剧团暂行管理办法》。同年9月，中共广东省委宣传部转发省文化局《关于加强剧目管理的意见》，强调加强对上演传统剧目的管理工作：认真搞好传统剧目的整理、改编工作；大力加强戏剧评论；净化剧名；改进演出管理。

此外，为加强文化市场管理，繁荣和发展社会主义文化，促进社会主义精神文明建设，广东省委省政府还出台了一些政策：《关于查禁淫书淫画和其他诲淫性物品的暂行条例》、《广东省市、地（自治州）、县图书馆工作暂行条例》、《广东省文化科学技术奖励试行办法》、《广东省艺术团体出国商业演出管理执行办法》、《广州市社会文化市场管理暂行办法》等。深圳市人大常委会结合特区实际，于1993年12月制定了《深圳经济特区文化市场管理条例》。

总的来看，这一阶段文化事业的商业化转制在很长的时间内所获得的政策支持相对保守。但是，不断出台的文化法规有效地规范和引导了广东文化事业的发展，对在经济和文化转型背景下，迅速恢复和健康稳定有序地发展广东文化事业起到了相当大的作用，也为后来进一步解放思想，在社会主义市场经济的背景下有计划地系统地拓展广东的文化事业打下了坚实的基础。

（二）在调整中拓展

1993年至2002年，是广东文化事业的调整与拓展阶段。1992年邓小平同志视察南方的重要谈话发表和党的十四大的召开，标志

着我国改革开放和现代化建设进入了一个新阶段。深化改革，扩大开放，发展社会主义市场经济，为广东文化事业的发展奠定了基础，注入了活力。

从改革开放到1993年，广东省文化事业发展较快，各项文化工作都取得较大成绩。但发展不平衡，存在较多困难，文化设施和文艺创作与社会发展要求不相适应，文化市场出现不少问题。为进一步加强工作，广东出台了一系列文化政策来支持文化事业的发展。1993年7月，广东省八届人大三次会议通过《广东省人民代表大会常务委员会关于发展文化事业的决议》，1994年11月，广东省委、省政府通过《广东省社会主义精神文明建设纲要》，1996年11月，中共广东省委七届五次全会通过《中共广东省委关于加强思想道德文化建设的决定》。

这些政策对广东未来一定时期的文化事业发展做了宏观的指导和详细的规划。《广东省人民代表大会常务委员会关于发展文化事业的决议》在总结改革开放以来广东文化事业发展的经验和不足的基础上，提出了加强文化事业工作的宏观指导。提高对文化工作在社会进步和经济发展中重要地位的认识，加强文化建设规划，推进文化体制改革，加强文化市场管理，加强文化设施建设，增加文化事业的投入，完善相关文化经济政策成为指导广东文化事业发展的主要思想。《广东省社会主义精神文明建设纲要》提出了关于文化事业发展的具体措施和目标：到2010年，要建成以国家办文化为主导，以社会办文化为基础，创作繁荣、设施先进、机制灵活、管理科学、具有地方特色的文化体系。要重点扶持示范性、实验性、高品位的文化，建设一批有广东特色、国家级水准的艺术表演团体。到2010年，每个市、县都要有电视台、广播电台、图书馆、科学馆、博物馆、展览馆、文化馆、体育馆、青少年活动中心、妇女儿童活动中心、老人活动中心，每个镇有文化活动中心（站）、广播电视站、图书馆。

这些政策的制定反映了广东文化建设思路的进一步厘清。通过文化精品的创造来反映时代精神，弘扬主旋律，满足人民群众的精

神需求，也是广东文化事业发展的主要内容。1994 年，时任广东省委副书记的黄华华在《多出精品　推动我省宣传文化事业向前发展——在 1994 年度广东省宣传文化精品奖颁奖大会上的讲话》中指出："改革开放的大潮所释放出来的巨大能量推动了各项事业的发展，迎来了文化艺术的春天。创作出无愧于时代的文化艺术精品，讴歌改革开放的时代精神，歌颂勇于探索、勇于实践的改革者，鼓舞人民群众开拓进取，推动社会主义建设事业向前发展，这是时代的要求。同时，随着社会经济发展水平和人民群众生活水平的提高，人民群众对精神文化生活的要求也越来越高。他们不仅需要丰富多彩的文化生活，而且迫切需要有一大批反映时代精神的高质量、高品位的精神产品，陶冶情操，振奋精神，充实生活。"①

"南粤锦绣工程"和"广东省山区文化建设工程"为广东文化事业发展打下了良好的基础。90 年代中期，广东一批重要的文化设施悄然崛起，一批文艺协会和单位成立。全国最大的购书中心在广州落成，广州盲人图书馆落成，广州中南电脑图书馆开馆，广州电子科技园创立，广东文学艺术中心大楼、广东美术馆、星海音乐厅、红线女粤剧艺术中心等投入使用。广东电视台新闻中心成立，广东经济电视台正式开台。邓小平理论研究中心成立，广东省文艺批评家协会成立，广州芭蕾舞团成立，广州文艺奖设立，广东青年文学院成立，广东京剧艺术促进会成立。

总的来看，这一阶段是广东第二次思想解放成果集中体现的时期。由于国家明确提出建设社会主义市场经济，广东作为改革开放的前沿阵地和具有深厚商业文化底蕴的地区，在市场经济建设方面更是如鱼得水，经济发展相当迅速，所以有更多的资金投入到发展文化事业上面来。广东省委省政府认识到文化在经济发展中的促进作用，不断出台相关的文化政策来支持文化事业的发展。

① 黄华华：《多出精品　推动我省宣传文化事业向前发展——在 1994 年度广东省宣传文化精品奖颁奖大会上的讲话》，《广东文艺》1995 年第 4 期。

（三）在巩固中提升

党的十六大报告第一次把文化事业和文化产业区分开，观念的清晰为广东文化事业的发展提供了新的机遇。2003年至今，是广东文化事业的自我强化、自我提升、自我完善的时期，其发展的契机，是建设文化大省决策的提出和具体落实。继续加大文化事业投入，扩大公共文化服务的覆盖面，并推动文化体制改革的全面深入推广，是这一时期文化事业发展的亮点。

《广东省建设文化大省规划实施纲要（2003—2010）》从完善公共文化设施布局和抓好重点文化设施建设两个方面指出文化设施建设的目标；广东省政府办公厅印发《关于深化文化体制改革建设文化大省若干配套经济政策的通知》，继续增加对宣传文化事业的财政支持。2005年广东省第十届人民代表大会常务委员会第十六次会议通过《广东省文化设施条例》。为进一步推进广东省基层文化建设工作深入开展，广东省委、省政府2005年5月31日发布《关于进一步加强基层文化建设的意见》。2005年，广东还出台了《关于广东省文化体制改革试点工作方案》，以及《广东省文化体制改革和文化大省建设领导小组关于进一步扩大文化体制改革试点范围的意见》。2006年，中共广东省委办公厅、广东省人民政府办公厅发布《关于进一步加强我省农村文化建设的指导意见》、《关于进一步明确我省文化体制改革试点中经营性文化事业单位转制为企业有关问题的通知》。2007年4月，广东省人民政府办公厅印发《广东省文化事业发展“十一五”规划》的通知，提出“十一五”期间的主要任务：全面繁荣文化艺术事业；健全公共文化服务体系；完善文化市场体系；加强对外文化交流；深化文化体制改革；构建文化人才体系；大力推进科技兴文。

据统计，广州市从2003年到2007年，共投入近107亿元建设20多项重点文化基础设施。2006年，广东省先后组织开展了“优秀电影进社区”和“百部电影进农村”的公益放映活动，仅“优秀电影进社区”的活动就放映5799场，观众达325万，放映的影

片超过200部。至2006年底，广东省实施东西两翼文化扶持工程，已投入4900万元，扶持建设了167个公共文化项目。已建成共享工程广东省分中心及“广东数字文化网”1个，副省级分中心（深圳）1个，市级分中心20个，县、区级分中心和基层中心300多个，基层信息服务点1244个，远程终端19343个，服务面覆盖全省。至2006年底，“广东流动博物馆”网络成员单位52个，覆盖了全省大部分地区，共组织制作了28个展览，巡回展览75场次，参观人数达230万人次。“广东流动演出服务网”2006年已为各地农村群众送戏下乡15000多场次，并在此基础上组织了“广东流动演出节目网上大汇演”活动，以互联网为媒介进行创新，进一步扩大流动演出的受众范围，收到了很好效果。①

2003年，中央把广东确定为文化体制改革的综合性试点省。广东以此为契机，把文化体制改革作为全面落实科学发展观，构建社会主义和谐社会，加快文化大省建设的重要工作来落实，推动文化体制改革的深化。有论者指出，广东文化体制改革已经取得了一些成绩：转变政府职能，文化管理体制创新初见成效；探索宣传和经营业务“两分开”的实践形势，做大做强了一批传媒集团；推进经营性文化事业单位转企改制，培养了一批有实力、有活力的市场主体；创新文化事业机制，提高了公共文化服务水平。②

总的来看，这一阶段广东进一步解放思想，锐意创新，作出建设文化大省的决策，文化意识全面觉醒。在此背景下，以文化大省建设为中心，出台了众多大力发展文化事业的政策，广东的文化事业发展得到了巩固完善和强化，文化事业在质和量两方面得到极大的提升，并且为未来一定时期内广东文化事业的发展提供了蓝图。

---

① 《公益文化滋润城乡百姓生活》，《南方日报》2007年4月22日，第004版。

② 参见杨汉卿：《深化文化体制改革　推进文化大省建设》，《广东党史》2007年第6期。

二、文化工程滋润民生

20世纪90年代，广东省出台了两个跨世纪的具有岭南特色的文化工程："南粤锦绣工程"和"广东省山区文化建设工程"。这两大工程的实施，夯实了广东的基层文化设施，基本改变了广东省山区群众文化设施落后的面貌。有效地保障广东人民的基本文化权益。不仅在中心城区，文化基础设施的丰富和完善为市民提供和满足了多样化的文化享受和消费需求，而且，贫困山区和其他欠发达地区的文化设施建设，也因"南粤锦绣工程"和"山区文化建设工程"的实施而大大加强，极大地丰富活跃了人民群众的文化艺术生活。

（一）南粤锦绣工程

1995年5月26日，广东省委省政府发布了《南粤锦绣工程①——广东省文化建设发展规划》，该工程以建设与广东省经济社会发展相适应，具有岭南特色的社会主义新文化为目标，预算总投资超过100亿，是广东力争到2010年后基本实现现代化总体规划中文化建设的蓝图。

"南粤锦绣工程"由艺术创作演出、群众文化、公共图书馆、电影放映、文物博物、文化市场等六大网络组成。这些网络以省会国际大都市为中心，以经济特区为窗口，以珠江三角洲经济区为示范，以山区为扶持重点而覆盖全省。并不失时机地建成一批重点文化工程项目，包括形成一批内容健康向上、民族特色浓郁、综合艺术水平高的舞台艺术拳头产品；建设一批规模宏伟、设备先进、品

① 广东地处祖国南疆，得天独厚的自然条件，造就了百花争妍、郁郁葱葱的南粤大地。有南粤特色的社会主义文化，应当是繁花似锦，充满生机与活力，有如多姿多彩的南粤大地，故将其建设发展规划命名为"南粤锦绣工程"。参见广东省计划委员会、广东省文化厅：《南粤锦绣工程——广东省文化建设发展规划》，载广东文化概况编委会主编：《广东文化概况》，中国社会出版社1997年版，第434页。

位高雅的大剧院、音乐厅、美术馆、艺术沙龙、文化艺术中心等艺术殿堂；一批设施一流、功能齐全、服务优质的图书馆、博物馆、民俗馆、科技馆、群众艺术馆、电影院、影剧院等文化活动中心；一批完整而形象地再现祖国灿烂文明史和革命斗争光辉业绩的文物博物基地；一批争妍斗艳、异彩纷呈、地方特色浓郁的民族民间艺术之乡。该工程将建成纵横交错、星罗棋布的文化设施，形成一个省、市、县、乡镇、管理区五级文化网络，使广东省文化事业发展到一个前所未有的水平，使城乡群众高尚、文明、健康的文化需求得到基本满足，人民文化生活消费指标增长幅度达到中等发达国家水平。

“南粤锦绣工程”实施以来，广东各地加快基本文化建设步伐，在国家投入增加的同时还多渠道筹集资金，将外资、社会集资、个人捐助等社会各界的配套资金用于文化设施建设。

到2002年，广东省已经建设了大批图书馆、群众艺术馆、文化馆、博物馆、音乐厅、美术馆、画院、影剧院、剧团排练场等。一批高起点、高档次、标志性大型文化设施先后建成投入使用，如广东省星海音乐厅、红线女艺术中心、深圳市关山月美术馆、深圳市南山区图书馆、番禺市博物馆、虎门海战博物馆、中山故居纪念馆陈列馆新馆等，其中星海音乐厅无论是建筑设计或是各项设施、音响效果等，当时在全国均属一流水平。就1999年而言，全省投资在亿元以上在建大型设施项目有：广东演艺中心、广州艺术博物院、广州信德文化广场、深圳音乐厅、深圳中心图书馆。

实施“南粤锦绣工程”以来，广东省积极开展创建文化先进县活动，加大对文化事业的投入，兴建和完善了一批标志性文化设施，在艺术创作演出、群众文化、公共图书馆、电影放映、文物博物、文化市场等方面也取得了新的成绩，丰富和活跃了全省人民群众的文化生活，为当地的经济和社会发展创造了良好的文化氛围。广东省城乡文化建设发生了巨大变化，文化站、文化楼、文化广场一批批地建设起来，有些乡镇的文化设施齐全，并达到先进水平。1996年，广东省政府发布《关于同意广东省实施“南粤锦绣工程”

文化先进县（市）评选标准和评选办法》。1997年，广东省开始正式在全省范围内进行“南粤锦绣工程”文化先进县（市）的评比工作。评比的基本条件主要包括测评文化阵地、文化队伍、文化活动内容和活动方式四个方面的发展情况。评选的标准：领导重视；机构健全，措施得力；健全和完善了六大文化网络，包括艺术创作演出网络、群众文化网络、公共图书馆网络、电影放映网络、文物博物网络、文化市场网络；积极贯彻落实文化经济政策。1998年，广东省政府对达到“广东省文化先进县（市、区）”标准的海珠区、番禺市、深圳南山区和宝安区、澄海市、曲江县、梅县、台山市、南海市、顺德市、广宁县、封开县、新兴县等13个县（市、区）予以通报表彰和奖励。2001年，广东省政府对达到“广东省文化先进县（市、区）”标准的五华县、仁化县、遂溪县、德庆县、怀集县、高要市、罗定市、廉江市、广州市东山区、天河区、深圳市罗湖区等11个县（市、区）予以通报表彰和奖励。[①] 2004年，广东省政府又授予第三批达到广东省实施“南粤锦绣工程”文化先进县（市、区）标准的蕉岭县、佛冈县、乐昌县、南雄市、兴宁市、广州市荔湾区、越秀区、深圳市福田区、盐田区、汕头市龙湖区、佛山市禅城区、三水区、肇庆市端州区等13个县（市、区）“广东省实施‘南粤锦绣工程’先进县（市、区）”称号。[②] 如今，全省已基本形成省、市、县、镇、村五级文化网络架构，有30多个县（市、区）被省政府授予“实施‘南粤锦绣工程’文化先进县”称号。

全国政协教科文卫体委员会副主任傅庚辰通过实地调研考察后，评价说：“南粤锦绣工程”实施以来，“乡镇的文化建设已发生了巨大变化，文化站、文化楼、文化广场雨后春笋般建设起来，

① 广东省人民政府：《关于表彰广东省第二批实施“南粤锦绣工程”文化先进县（市、区）的通报》，《广东政报》2001年第15期。

② 广东省人民政府：《广东省人民政府关于表彰广东省第三批实施“南粤锦绣工程”文化先进县（市、区）的通报》，《广东省人民政府公报》2005年第1期。

有些乡镇的文化设施之齐全和先进是我前所未见的。”①

（二）山区文化建设工程

20 世纪 90 年代，为了进一步深化和落实文化建设，使文化建设更具有针对性，广东省又出台了另一项跨世纪文化工程——“广东省山区文化建设工程”，以扶持山区文化建设。该工程属于“南粤锦绣工程”的子工程。

尽管实施“南粤锦绣工程”后，全省的文化事业得到蓬勃发展，但由于历史和地理环境等原因，广东省山区文化建设扶持山区文化建设仍然是一项长期的任务。广东省的山区占全省陆地面积的三分之二，这些地区与发达地区相比差距较大，文化设施差，事业经费缺，人才少，群众文化生活贫乏落后。为加强山区文化建设，改变山区群众文化生活贫乏落后状况，加快山区的社会主义精神文明建设和脱贫致富的步伐，1997 年 2 月广东省八届人大五次会议提出了《关于大力扶持山区文化建设，抓紧改变山区群众文化生活贫乏落后状况议案》，广东省八届人大常委会第三十二次会议通过了省人民政府《关于大力扶持山区文化建设，抓紧改变山区群众文化生活贫乏落后状况议案的办理方案报告》的决议。议案提出了必须大幅度增加对山区文化建设的投入，完善山区文化设施，充实山区文化艺术队伍，开展丰富多样的文化艺术活动。广东省政府对这个建国以来第一个文化建设议案相当重视，认为加强山区文化建设，尽快改变山区群众文化生活贫乏落后状况，是广东省加强扶贫攻坚和率先实现现代化的战略部署。

1998 年省人民政府发布《广东省山区文化建设工程实施方案》，目标是从 1998 年起，用 5 年时间基本实现山区各市、县群众艺术馆、文化馆、图书馆、博物馆、乡镇文化站馆舍达到本省确定的标准；剧团、电影放映队有排练演出、放映场地，加强基层文化队伍建设，组织丰富多彩的文化艺术活动，初步改善广东省山区群

① 傅庚辰：《有感于南粤锦绣工程》，《人民日报》1999 年 8 月 6 日，第 9 版。

众文化落后贫乏的状况。1998年专门建立了由省文化厅、计委、财政厅等14个部门组成的省山区文化建设联席会议制度，具体指导、负责实施工作。决定从1998年起至2002年，省财政每年拿出4500万元，要求山区市、县、乡镇政府按比例筹集配套资金，全省共投入5.4亿元，5年内新建、扩建市级群众艺术馆6个、图书馆2个、博物馆5个；县级文化馆44个、图书馆38个、博物馆46个、专业艺术团队排练场37个；乡镇文化站799个，新建乡镇露天电影剧场300个。同时，为直接面向群众服务的文化单位赠送一批器材设备和交通工具。基本实现山区各县市群众艺术馆、文化馆、图书馆、博物馆有馆舍，乡镇（街道）文化站有场所，县剧团、电影放映队有排练演出、放映场地的建设目标，初步改善山区群众文化生活贫乏落后的状况。①

广东省山区文化建设工程推出以后，广东全省各山区市、县新（扩）建的文化设施项目已达260多个，有力地促进了广东全省文化事业的全面发展。经过5年的努力，议案办理方案提出的各项任务已经基本完成，山区文化建设取得了显著成绩，群众文化生活贫乏落后的状况得到改善。

首先，山区文化设施、设备有了明显的改善。从1998年到2002年12月，全省山区文化建设共投入10.08亿元（其中省补助2.13亿元，市配套1.54亿元，县配套2.95亿元，乡镇投入3.06亿元，其他投入0.4亿元）。建成950个文化场馆，总建筑面积达108.13万平方米。其中新建市级的群艺馆4个，图书馆3个，博物馆4个，剧团排练场1个；县级的文化馆26个，图书馆10个，博物馆18个，剧团排练场21个；乡镇文化站492个。“扩建”市级的群艺馆2个，图书馆3个，剧团排练场2个；县级的文化馆17个，图书馆23个，博物馆19个，剧团排练场11个；乡镇文化站

① 参见广东省文化厅：《广东省山区文化建设工程实施方案》，载广东省人大教育科学文化卫生委员会编：《广东教科文卫事业发展纪实》，广东科学出版社2004年版，第144～150页。

294 个。建成露天影剧场 289 个。建成 1 个拥有 3 个排练场，4 个文化教室，90 个学员床位的省山区文化人才培训基地。[①] 向山区各市、县文化局配备了文化艺术下乡专用车辆；给山区群众艺术馆、图书馆、文化馆、文化站配备了一批文化器材，如灯光设备、音响、电视、电影放映机、民族乐器和书架、阅览台凳等。文化设施和器材设备的改善，为山区文化事业单位开展工作提供了基本物质条件，为山区群众开展文化娱乐活动提供了初步的载体。

其次，山区文化工作队伍建设得到加强。针对山区市、县文化队伍人才不足、学历偏低、年龄老化、非专业人员比例偏高等问题，省文化厅充分利用省山区文化人才培训基地，对山区文化工作队伍进行培训。聘请省内有关专家，就群众文化的建设与管理、群众文化各艺术门类的创作、演出活动的组织开展、图书资源的开发与利用、文化市场管理等方面内容进行培训。5 年中，全省举办各种层次、不同内容的培训班。省文化厅还与中山大学联合开办学制两年的山区文化艺术大专班，为山区文化干部提供学历教育。此外，为了解决乡镇文化站管理人员不够的问题，各地还聘用当地离退休干部和教师参与文化设施的管理。专兼结合的基层文化队伍的发展模式促进了山区文化工作的顺利开展。

再次，山区群众精神文化生活贫乏落后的状况得到改变。山区文化馆站积极开展科普及法制宣传、文艺演出、电影放映、图书阅览、市场信息交流、婚育及移风易俗讲座等活动，努力提高农民群众的素质，促进了当地社会治安的稳定和村风民风的好转，有效地遏制了“黄赌毒”等社会丑恶现象和封建迷信活动。各地还利用文化站阵地，为经济建设提供智力支持。如阳春市石望、怀集县下帅、从化市灌村等乡镇文化站与农业部门合办单枞茶、八角、山楂、荔枝种植和花卉管理等农科技术培训班，为农村致富奔小康做

---

① 参见广东省政府：《转发广东省人大常委会关于批准省人民政府关于大力扶持山区文化建设　抓紧改变山区群众文化生活贫乏落后状况议案的办理情况报告的决议的通知》，《广东省人民政府公报》2003 年第 12 期。

出了贡献。1999年以来，每逢春节、元宵、中秋等重大节假日，山区处处可以看见群众喜闻乐见的传统民间艺术表演、电影放映和各类广场文艺演出。基层文化馆站已经成为“启迪民智、以文化人”，“培育社会主义四有新人”的精神文明建设的重要阵地，各文化场馆成为“劳动者求富、青少年求知、中老年求乐”的好去处。中央电视台、《人民日报》、《中国文化报》等新闻媒体多次报道，称赞“山区文化建设”议案是“民心工程”，是广东落实“三个代表”重要思想，加强精神文明建设的一首感人肺腑的“新山歌”。①

“南粤锦绣工程”及其子工程“广东省山区文化建设工程”，可以代表性地体现出广东在改革开放以来在发展文化事业方面的特色和成就。这两个工程的顺利实施，使得整个南粤大地都享受到了广东在改革开放中经济文化建设方面的胜利果实，对广东经济社会的持续稳定的发展影响深远。

三、多元发展成果丰硕

广东凭借雄厚的经济实力，不断加大文化设施建设的资金投入，无论是在大中城市，还是在边远村镇，现代化的文化设施雨后春笋般地建设起来。广东文化艺术创作注意将文化的地域性和时代性结合起来，创作出大量既具有时代感，又有浓郁岭南文化底蕴的文化艺术精品。广东结合毗邻港澳的地理优势，以及中国改革桥头堡的地位，积极开展对外文化交流，取得了丰硕的成果。以上这些方面的成绩，极大地夯实了广东的文化基础，增强了广东的文化软实力。

---

① 张旭：《加强公共文化服务体系建设　推动社会文化事业大繁荣大发展》，《中国文化报》2007年9月26日，第001版；赵京安：《广东山区文化建设惠及千万农民》，《人民日报》2004年5月6日，第1版。

（一）文化设施建设

文化设施包括公益性公共文化设施和经营性文化设施。公共文化设施是指向公众开放用于文化活动的公益性的图书馆、博物馆、纪念馆、美术馆、文化馆（站）、青少年宫、文化广场、工人文化宫、综合性文化设施等的建筑物、场地和设备；经营性文化设施是指向公众开放用于文化活动的以营利为目的的电影院、影剧院、歌舞厅、卡拉OK厅，以及多功能娱乐场所、综合性文化设施等的建筑物、场地和设备等。

改革开放以来，广东省在博物馆、图书馆、文化馆、电影院、广播电视台等公共文化设施建设方面不断发展，取得了可喜的成就。我们不妨将1980年与2005年广东全省文化基础设施状况列表2－1[①]作对比：

表2－1　1980年与2005年广东全省文化基础设施状况比较

项目	1980年	2005年
博物馆	26个	146个
公共图书馆	97个	129个
文化馆	113个	117个
档案馆	0个	185个
电影放映单位	7375个	720个
广播电台	4个	22个
中波广播发射台和转播台	9个	16个
电视台	1个	24个
1000瓦及以上电视发射台和转播台	10个	40个
县、市广播电视台	93个	78个

据历史资料显示，1949年至1980年，广东的文化设施建设累计投入2.8亿元，建成了一批图书馆、文化馆、博物馆等文化基础设施。从1981年开始，每年完成投资额以年均增长20.8%的速度发展。

① 广东省统计局编：《广东统计年鉴》（2006），中国统计出版社2006年版，第560、564页。

20世纪80年代以后，广东的公共图书馆开始引进和使用一些现代化设备，如电子计算机、复印机、缩微翻拍机以及视听设备，为更好地保藏和使用图书、文献资料，逐步实现图书馆管理现代化创造了条件。省中山图书馆相继研制开发的“省级图书馆自动化网络（ZSLAIS）系统”和“数字图书馆”、深圳图书馆研制开发的“图书馆自动化集成（ILAS）系统”在全国160多个图书馆得到推广应用。广州图书馆创办了全国首家公共电脑图书馆。1984年以来，广东公共图书馆加强了与国际图书馆界的联系和协作，省中山图书馆与美国、澳大利亚、日本、朝鲜、香港等8个国家和地区的图书馆建立了图书交换关系，先后被指定为联合国教科文组织出版物的收藏馆和美国高等院校资料收藏馆，从而跻身于国际重要图书馆行列。

80年代，广州市政府投资兴建了西汉南越王墓博物馆、广州画院、广州图书馆，广东省政府在广州投资兴建了中山图书馆新馆等。文化单位自筹资金兴建了粤雅堂（广州文物总店）、新时代影音公司等。从新加坡引进外资兴建了广州文化假日酒店（内有高级电影院）等。1984年11月12日，广东省中山图书馆新馆破土动工，1986年11月12日在孙中山诞辰120周年纪念日举行落成剪彩，是新中国成立以来全省规模最大的文化设施。紧接着，各市、县公共图书馆建设也纷纷上马，深圳、珠海、汕头、韶关、佛山、普宁、顺德、三水、乐昌等市县的新图书馆建成开放。

1993年7月，广东省八届人大三次会议通过《广东省人民代表大会常务委员会关于发展文化事业的决议》后，广东各级政府加大了对文化的投入，全省文化设施建设呈现全面上马的新局面。特别是1995年，省政府批准在全省范围内实施《南粤锦绣工程——广东省文化建设发展规划》，更使全省文化建设有了明确目标，各地加快基本建设步伐。

“十五”期间，广东不断加大资金投入和政策扶持力度，通过继续实施“南粤锦绣工程”、“山区文化建设议案”、“全省信息资源共享工程”等加快广东基层文化设施建设步伐，全省已基本形

成省、市、县、乡镇四级公共文化设施网络。2005 年，全省初步形成了省、市、县（区）、乡镇（街道）四级公共文化设施网络。全省有县级以上公共图书馆 129 个、群艺馆（文化馆）140 个、文化站 1580 个、博物馆 148 个、广播电台 22 座、电视台 24 座，广播人口覆盖率和电视人口覆盖率分别达 96.1% 和 96.4%，有线电视用户 1116 万户。[①] 全省初步形成了艺术创作演出、群众文化、公共图书馆、电影发行放映、文物博物、文化市场六个骨干网络。全省各级文化服务网络的形成，促进了广东文化事业的快速发展，使全省文化事业各项工作取得新成绩。

“十五”时期是广东文化投入资金总额最高、文化设施硬件建设力度最大的时期。特别是省委建设文化大省战略实施以来，全省各地兴起了文化建设的热潮。“十五”时期，广东省直文化单位的文化文物设施建设累计完成投资额 80 亿元。从 2003 年起，省财政在 6 年内将投入 20 多亿元用于建设一批标志性文化设施。这些设施包括：省博物馆新馆工程、省立中山图书馆改扩建工程、广东粤剧艺术中心演艺大楼工程、广东演艺中心（含省群众艺术馆）工程、广东友谊剧院改造工程、广东星海演艺集团（新址）工程、广东海上丝绸之路博物馆工程。

“十一五”时期，除了续建以上的工程外，还增加了一些项目，见表 2－2[②]：

表 2－2　　广东省文化事业发展“十一五”规划重大项目表

序号	项目名称	建设阶段	建设内容及规模	建设起止年限	总投资（万元）	“十一五”计划投资（万元）
1	省博物馆新馆	续建	建筑面积 6.628 万平方米	2004—2007	88420	54880

① 参见广东年鉴编委会：《2006 广东年鉴 · 特辑》，广东年鉴社 2006 年版，第 112 页。

② 此表为《广东省文化事业发展“十一五”规划》的附录。

续上表

序号	项目名称	建设阶段	建设内容及规模	建设起止年限	总投资（万元）	“十一五”计划投资（万元）
2	省立中山图书馆改扩建	续建	建筑面积10.34万平方米	2005—2009	50000	36797
3	广州新图书馆	续建	建筑面积9.8万平方米	2005—2008	92400	87400
4	广东粤剧艺术中心演艺大楼	续建	建筑面积1.88万平方米	2005—2007	8030	4777
5	广东海上丝绸之路博物馆	续建	建筑面积1.9409万平方米	2004—2006	15000	10800
6	广州歌剧院	续建	建筑面积7万平方米	2005—2008	138000	128000
7	广东友谊剧院改造工程	续建	建筑面积1.25万平方米	2005—2007	10000	9620
8	广东星海演艺集团（新址）项目	新开工	建筑面积1.29万平方米	2006—2007	10000	10000
9	广东画院新址	新开工	建筑面积1.8万平方米	2006—2008	10000	10000
10	广州博物馆新馆	新开工	待定	2006—2008	待定	待定
11	广东演艺厅（含省群艺馆）	新开工	建筑面积2万平方米	2006—2007	12000	12000
12	广东社会科学中心（含省档案方志馆）	新开工	建筑面积4万平方米	2006—2008	20000	20000
合计					453850	384274

改革开放以来，广东投入重资建设大量的文化设施，为全省城乡人民提供了丰富的文化活动场所，极大地满足了人们日益增长的文化需求，为人民实现人民的文化权利提供了厚实的平台。

（二）文化精品创造

广东在大力发展经济的同时，也注重文化精品①的创造。广东文化精品体现改革创新的时代精神，充满浓郁的岭南文化精蕴，是文化时代性与地域性相结合的产物。

1982年广州采取了一系列促进文化事业发展的措施：成立“广州市文艺基金委员会”，拨款15万元建立广州市文艺基金，决定今后每年提取1万元，定期奖励广州市优秀的文艺创作和演出，以及有显著贡献或长期深入生活的文艺工作者；成立广州画院，为广州市集中美术创作人才，培养新生力量，繁荣美术创作提供了条件；加强对文艺创作的组织工作以及文艺评论、研究工作；市文化部门拨款2万元，作为广州市文艺研究室的创作基金。1982年起开展的“广东省群众戏剧下乡服务一条龙”巡回演出活动，十几年坚持不懈，有力地促进了群众性文艺创作活动，活跃了山区农村的群众文化生活。

80年代，广东精品佳作频频问世，明星荟萃，新秀辈出，展示了文艺创作的累累硕果。如秦牧批判“文化大革命”的散文《鬣狗的风格》，陈国凯暴露“文化大革命”给人民带来灾难的小说《我应该怎么办》、《代价》，章以武、黄锦鸿描绘在改革开放背景下的广州市井风情小说《雅马哈鱼档》，钱石昌、欧伟雄的商战小说《商界》等，在国内引起强烈反响。戏剧创作方面，林骥的《特区人》，欧伟雄、杨苗青、姚柱林的《南方的风》等以改革开放为题材的话剧，受到广泛好评。许雁的以反腐败斗争为主题的话剧《情结》，成为廉政建设的形象教材。贺梦凡、张磊编剧、丁荫楠导演的电影故事片《孙中山》，陈自强的新编历史粤剧《三脱状元袍》等都是这个时期的优秀作品。美术创作活动活跃，尤其是雕塑艺术，广州地区的雕塑家把雕塑创作与城市建设结合，与塑造

---

① 这里谈的“文化精品”，是狭义的，主要指文艺精品。“精”就在于它要体现出一定时代文化背景下，一个国家、民族或地区的文化内涵和文化精髓。

城市文明结合，开创了令人鼓舞的新局面，涌现出潘鹤的《开荒牛》、唐大禧的《猛士》、俞畅的《挑战》等大批优秀作品。广州市的城市雕塑建设有长足发展，大中型纪念雕塑、园林雕塑，从1978年前的10多座增加到40多座。在表演艺术中，杂技艺术的创新成绩最为突出，戴文霞演出的《滚杯》、严志诚等演出的《钻地圈》等一批优秀节目在国内外均享有较高的声誉。

1987年，在各地民间艺术活动蓬勃开展的基础上，在广州举办了首届“广东民间艺术欢乐节”。全省定期举办的群众性文化活动还有三年一届的“广东省群众戏剧花会”、“广东省少儿艺术花会”；各市县和部分乡镇，年年都有地方特色浓郁的文化活动，如“荔枝节”、“风筝节”、“山歌节”等等。出现了粤剧《魂牵珠玑巷》、潮剧《陈太爷选婿》、舞剧《南越王》、现代舞《夜叉》等获奖作品。

到90年代，一部部精品佳作创作出来：风靡全国的图书《新三字经》发行量达3500万册，一时洛阳纸贵；《邓小平在广东》组织了省内外一批优秀的社科工作者历时近三年精心撰写而成；电影《花季·雨季》发行收入创下当年国产片的发行纪录；《英雄无悔》、《和平年代》老百姓追着看；歌曲《春天的故事》、《走进新时代》唱红全国；长篇小说《白门柳》首开广东获全国茅盾文学奖纪录；《外来妹》、《情满珠江》、《英雄无悔》、《和平年代》、《安居》、《花季·雨季》等不仅夺得“五个一工程奖”，还分别摘取“飞天奖”、“金鸡奖”等中国影视最高奖；《星海·黄河》公演50多场，大多是观众自己掏腰包看的，该剧还被指定为国庆50周年晋京演出的5部献礼戏剧之一。

《广东省建设文化大省规划纲要（2003—2010）》强调推进精品战略，充分发掘广东历史文化资源，发展特色文化，打造具有现代岭南风格和广东气派的文化精品，积极开发和培育具有国内国际竞争力和影响力的文化品牌，树立广东文化形象，提升广东文化地位，提高广东省文化发展水平。

“十五”期间，广东重点完成了岭南文化题材和现代题材创

作，艺术佳作不断涌现，全省平均每年有100部以上的艺术作品获得国内外专业艺术奖项，其中获国际性、全国性的奖项501个。有31种图书获得国家“五个一工程”奖、中国图书奖等奖项，6种音像电子出版物获得国家“五个一工程”奖、国家音像制品奖等奖项。2000年以来，全省通过实施精品战略，大力倡导创作富于岭南特色和时代精神的作品，成功举办了第八届、第九届广东省艺术节，有效地带动了全省艺术作品的创作，使艺术佳作不断涌现。制作了《明日之星》、《今日一线》等品牌栏目，以及《情系人民》等优秀电视作品。2000年在全国第二届“蒲公英奖”音乐类总决赛中，广东省作品共获得52个奖项，其中金奖17个，银奖19个，铜奖15个，广东省文化厅荣获组织奖，总成绩名列全国前茅；2001年11月，在广州举行的全国第十一届“群星奖”总决赛中，广东省代表团参演的15个节目（另有7个节目参加录像评比）荣获13个金奖，2个银奖，2个铜奖，5个优秀奖，再获全国金奖总数和总分第一，同时创下了参加“群星奖”历史最好成绩。[①] 舞剧《风雨红棉》，在2003年获第三届全国舞剧观摩（比赛）演出综合大奖（最高奖），在2004年又荣获国家文华大奖，从而实现了广东省在文华大奖零的突破，成为广东文艺里程碑式的作品；又如粤剧《驼哥的旗》获中宣部“五个一工程”奖，同时，该剧与《十三行商人》（话剧）等作品入围国家舞台艺术精品工程项目；还有现代舞《暗战》获第三届中国舞蹈“荷花奖”金奖；综合晚会《风从南国来》获第二届全国少数民族汇演节目编导创作金奖等等。

这些艺术精品的频频推出，既充实了广东文化艺术精品库作品，又丰富了人民群众的文化艺术生活，还增加了文艺作品的演出收入，更取得了较好的社会和经济效益。

---

① 参见广东省文化厅：《广东文化事业辉煌的历程》，载广东省人大教育科学文化卫生委员会编：《广东科教文卫事业发展纪实》，广东科技出版社2004年版，第487～488页。

（三）对外文化交流

改革开放以来，尤其是近年来，广东积极开展对外文化交流，文艺演出、出版和影视等文化产业主动走出去开拓国际市场，有力地配合了国家的整体外交，为广东的现代化建设营造了良好的国际环境，广东文化在异国他乡绽放出绚丽的光彩。

广东有着丰富的文化资源，除交响乐、现代舞和美术外，广东的传统艺术如粤剧、民乐、杂技、木偶、舞蹈、民间艺术等有充足的文化艺术资源，都可以与相关国家进行多领域的交流与合作。新中国成立后，广东对外文化艺术交流始于1953年。当时交流项目主要是组派文艺团队到国外参加一些世界性的文化艺术交流活动，如1953年广东音乐队和潮州音乐队率先参加了“第四届世界青年联欢节”；1957年粤剧演员红线女和潮州音乐队参加了“第六届世界青年联欢节”。1959年后，对外文化艺术交流项目和范围不断扩大，一些外国和香港的艺术团体开始陆续来粤访问；1963年，还为越南广宁省培训了一批粤剧演员。

“文革”期间，广东对外文化艺术交流基本处于停顿状态，只有少数外国团体来访演出。党的十一届三中全会召开后，广东省的对外文化艺术交流很快得到恢复发展。进入20世纪80年代以后，广东省对外文化艺术交流迅速发展，派出访问、演出、展览、讲学、考察的文化艺术团体逐年增多。广州杂技团先后为也门、肯尼亚、斯里兰卡、澳大利亚等国家培训几十名杂技人才。

1982年，先后有广州博物馆、美术馆《馆藏陶瓷、书画展览》赴日本福冈展出；广东博物馆、广州美术馆与香港中文大学文物馆在香港联合举办《馆藏明清广东名画家绘画展》；广东粤剧院、广州粤剧团分别到新加坡、美国、加拿大、香港和澳门地区演出。由红线女、陈笑风领衔的广州粤剧团赴美国、加拿大七大城市演出。这是新中国成立后首次派往美、加的粤剧团，在美、加华侨中引起了强烈反响。

1988年开始，广东先后举办了“羊城国际舞蹈节”、“羊城国

际粤剧节”、“国际潮剧节”、“国际摄影艺术节”、“国际广东音乐节”、“广东国际艺术节”、“广东省第五届少儿艺术花会暨 CLOFF 第二届亚洲儿童民间艺术节”。

“九五”期间，广东全省各类文化团体双向交流活动共 736 批，共 8568 人次，分别比“八五”期间增长了 57.6% 和 17.3%。交流活动的批数与人数均为全国之首。[①]“九五”期间，广东先后成功举办了“98 国际童声合唱节”、“98 国际艺术博览会”、“广东国际民间艺术节”、“国际潮剧艺术节”、“亚洲少儿艺术节”、第一届“中国（广东）国际音乐（声乐）比赛”、“2000 小剧场戏剧暨学术研讨会”等大型活动，影响面涉及到欧亚地区，为广东走向世界起到了桥梁作用。

“十五”期间，广东进出境的各类文化交流团体总批数与人数均为全国之首。2000 年以来，广东文化交流层次和质量有了较大提高，各文艺单位积极参与“中国文化年”、“中国文化周”、“中华文化北非行”等活动。2002 年，广东省在波兰成功地举办了“广东文化周”活动，2004 年又分别在法国、西班牙、突尼斯成功举办“广东文化周”活动，并创建了中国（广东）国际音乐夏令营。广东杂技团在巴黎创造了世界纪录：在能容纳 5300 多人的大剧场中连演场次最多、时间最长。在美国、加拿大成功举办“今日广东出版”巡回展。

2005 年，由文化部门协调组派的首批深圳市 20 家民营文化企业及其产品和龙门农民画等也顺利走出国门，在韩国等地成功进行了展销。广东省木偶剧团赴西班牙托洛萨市演出了《龙凤呈祥》、《孙悟空三打白骨精》、《帝女花》选段等一批精品剧目。11 月在佛山市举行的以“聚焦文化，共创辉煌”为主题的第七届亚洲艺术节是广东对外文化交流史上浓墨重彩的一笔。广东友好艺术团远赴尚未与中国建交的所罗门群岛访问，在场地简陋、天气炎热的条

① 参见《广东“九五”建设成就》编辑部：《广东“九五”建设成就》（1996—2000），广东省统计局 2001 年版，第 99 页。

件下，艺术团克服重重困难，完成一场场精彩的演出，为我国开拓与所罗门群岛的友好关系起到了重要作用。

2006年至2007年，由广东美术馆策划的“中国人本——纪实在当代”摄影专题展，包括250位中国摄影师的590件作品，先后在德国法兰克福现代博物馆、斯图加特国家美术馆、慕尼黑当代艺术博物馆、柏林摄影博物馆等地巡回展出。2007年9月至10月在俄罗斯举办“中国年·广东文化周”，与国家文化部共同在尼泊尔举办“第三届中国节——和谐广东·魅力珠海”系列活动，在日本德岛举办“中日文化体育年·文化演出季”。近年来，具有悠久历史的岭南文化超越时空限制，已成为中国在国际上一个多彩响亮的品牌。

广东的对外文化交流活动走在全国前列，这是由广东独特的历史条件、地理位置和较为发达的经济状况所决定的。广东充分利用丰富的人文资源、文化品牌以及地处东南沿海，毗邻港澳的地缘优势，粤港澳文化合作交流非常紧密。广东利用在海外拥有3000多万粤籍侨胞的人缘地缘优势，建立完善粤港澳三地文化合作机制，进一步拓展与港、澳、台地区和外国多边文化交流与合作，加强与海外华人华侨的联谊等工作。2005年7月广东省文化厅组织广州杂技团赴香港举办“粤港经贸文化交流活动”，演出2场大型杂技《金木水火土》。2005年三地四馆（广东省立中山图书馆、深圳市图书馆、香港公共图书馆、澳门中央图书馆）的书目数据库联网、查询中编码问题已经解决，各自建立了参考咨询网页，并实现了相互连结。筹备三年的“东西汇流——粤港澳文物大展”于2005年底至2006年中先后在香港、广州、澳门成功举办。2004年4月，正式开通了“粤港澳文化资讯网”，促进了粤港澳文化信息的互通。2006年，三方达成共识，共同出资建设“粤港澳文化资讯网”统一发布平台。2006年8月，粤港澳三地联合举办“粤港澳演出经营管理”系列讲座，分别在东莞、广州、深圳、香港、澳门、新加坡举行。

一场场丰富的对外文化交流活动，全面展示广东文化感动世界

的软实力，拉近了广东与世界的距离，绚丽多彩的文化成为广东在国际上一张醒目的名片。广东省文化厅副厅长白洁在一次接受专访时介绍，今后广东将继续全方位开展对外文化交流与合作，加大文化“走出去”的实施力度，展示广东改革开放、和谐进步的新形象。一方面加强与欧美、俄罗斯、日本等国家和地区，特别是周边国家和地区的文化交流与合作，提升国际文化交流与合作水平。另一方面，广东将创新对外文化工作和对外文化贸易的体制与机制，开展以政府为主导、民间交流为主体、面向国际市场的交流与合作；重点扶持大型国有文化企业的对外文化贸易，鼓励有条件的文化企业扩大产品和服务出口，做大做强品牌，扩大在国际市场的份额；鼓励有条件的文化企事业单位以独资、合资或合作的方式，在境外兴办文化实体，合作演出和展出。与此同时，在对外文化交流过程中，还要特别注意增强文化安全意识和应对文化贸易逆差，提高对外工作的前瞻性和预见性，加强对外文化工作的质量管理。①

四、体制改革渐入佳境

文化体制改革，主要是对文化部门生产关系的具体组织形式及其管理方式的改革，根本目的在于增强文化事业的活力，改革文化体制是文化事业繁荣和发展的根本出路。

改革开放以来，广东文化事业获得了极大的发展。广东以其独特的地缘、经济、政治与文化优势，在文化体制改革方面取得了创造性的发展。《2005 年：中国文化产业发展报告》指出：我国新时期的文化体制改革，从 1978 年起大体经历了三个发展阶段：第一阶段（1978—1992 年），主要是恢复到“文化大革命”以前的文化体制上去。第二阶段（1993—2002 年），文化体制改革在探索中不断前进。第三阶段（2002 年至今），文化体制改革试点工作在党中

① 参见《文化交流是心灵的沟通——专访广东省文化厅副厅长白洁》，《南方月刊》2007 年第 8 期。

央直接领导下积极探索，大胆试验，顺利推进。[①] 广东的文化体制改革的实施基本上也经历了这三个阶段。在《2005年：中国文化产业发展报告》的基础上，本节主要是从文化的"市场化"和"产业化"的角度，来谈改革开放以来广东的文化体制改革情况，并总结改革经验。

(一)"市场化"与文化事业改制

新中国的文化体制是在新民主主义革命时期解放区文化体制的基础上建立的，这种体制在建立过程中主要参考苏联模式，它是与当时的社会主义计划经济体制相适应的。从1978年到1992年，这一时期文化事业出现了复苏与一定程度的繁荣，原有文化体制的弊端也日益暴露出来。在总体布局上，与行政管理体制相对应，层层建立专业文艺团体，重复设置，人财物浪费；在体制上，单一公有制，全部文艺团体由国家财政包起来；在分配上，严重平均主义"大锅饭"，演不演戏，演多少场戏，演出水平的高低（作品水平的高低）与收入没有联系；在人事制度上，没有正常的人员流动和淘汰机制，机构臃肿，冗员过多，行政化，机关化，文化工作者的积极性很难发挥，等等。在这种情况下，改革文化体制就成为推动文化事业繁荣发展的一项重要任务了。

1979年10月，邓小平代表党中央在中国文学艺术工作者第四次代表大会上的祝词，提出了新时期我国文学艺术事业发展的一系列指导方针。1983年国务院《政府工作报告》提出，文艺体制需要有领导、有步骤地进行改革。1985年中央办公厅国务院办公厅批转了文化部《关于艺术表演团体的改革意见》，要求改革全国专业艺术表演团体数量过多、布局不合理的状况，在大中城市，专业艺术表演团体要精简，重复设置的院团要合并或撤销，对市县专业文艺团体设置也提出了调整的要求。1988年国务院批转文化部

---

① 参见张晓明、胡惠林、章建刚：《2005年：中国文化产业发展报告》，社会科学文献出版社2005年版。

《关于加快和深化艺术表演团体体制改革的意见》和1989年中共中央《关于进一步繁荣文艺的若干意见》，提出了实行“双轨制”的具体改革意见，即一轨为国家扶持的少数全民所有制院团，另一轨为多种所有制的艺术团体。

这一阶段文化体制改革中最重要的内容是“文化市场”的发展和地位得到承认。随着经济体制改革的深入，随着文化功能日趋多样化和丰富，文化的产业属性逐步显现出来，以营业性舞会和音乐茶座为发端的文化市场日益活跃。1987年文化部、公安部、国家工商行政管理局发布了《关于改进舞会管理的通知》，正式认可营业性舞会等文化娱乐经营性活动。1988年文化部、国家工商行政管理局发布《关于加强文化市场管理工作的通知》，正式提出“文化市场”的概念，同时明确了文化市场的管理范围、任务、原则和方针。1989年国务院批准在文化部设置文化市场管理局，全国文化市场管理体系开始建立。

与国家的文化体制改革一致，改革开放后广东文化体制改革首先要把文化单位推向市场。广东的文化市场化比较早，1979年5月，广东粤剧团在全国出访艺术团体中率先实施商业演出，赴香港公演34场，场场爆满，标志着广东涉外演出市场的形成。

从20世纪80年代起，广东艺术团体陆续进行改革的尝试，取得了可喜的成绩。1985年，市文化局对所属25个单位在干部和人事管理、机构设置、艺术单位的艺术委员会的组成、艺术表演团体内演出单位的组建、经费使用等七个方面简政放权。为取得经验，在广州话剧团、广州美术公司民主选举团长、经理，在广州雕塑工作室聘任主任，进行团长、经理、主任负责制的试验；在广州粤剧团实行有领导的“自由组班”（演出团），并直接选举演出团团长，实行团长负责制；在电影院、影剧场、书店门市部实行经理负责制以及独立核算、自主经营、自负盈亏。这些改革，促进了广州市文化事业的发展。在开展横向联合办文化方面，广东木偶剧团向广州动物园提供《西游记》、《白雪公主》等七套中外神（童）话剧的全套木偶造型和场景，合办“欢乐世界”供儿童游玩；广州粤剧团的春风剧团、新时代剧团分别与广东运动饮料厂、广州市新时代影音公司挂钩，企业向剧团提供资金，剧团承担企业部分宣传、广告、录音等义务；市群众艺术馆与郊区联星乡合办珠江相声艺术团，与省电台合办珠江广播曲艺团等。1988年广东粤剧院、广东话剧院、广东歌舞剧院和广州乐团开始进行以组合艺术生产经营实体聘任合同或演出合同收入为主的劳动报酬制度，下放管理权限，扩大艺术表演管理权等为主要内容的体制改革，在文艺界引起强烈的反响。经过改革之后，各院（团）的演出积极性普遍提高，艺术生产出现了新气象，各院（团）的自身发展能力得到了增强。1988年12月广东施行了《广东省直属艺术表演团体体制改革方案（试行）》，更是提供了法规的依据。

随着改革的全面推进，部分文化事业单位通过转企改制走向市场，成为有活力、有实力、有竞争力的市场主体。多年来广东文化体制先后经历了“以文养文”、“面向市场，自收自支”、“事业单位，企业化管理”等改革阶段，逐步从部门办文化向社会办文化转变。社会办文化的比重越来越大，非公有制文化企业占到文化企业的80%以上。

（二）“产业化”与文化事业改制

2002年召开十六大以后，我国文化体制改革的步伐明显加快，文化体制改革的目的、意义、主要任务和实施重点更加明确。文化体制改革试点工作在党中央直接领导下积极探索，大胆试验，顺利推进。十六大第一次将文化分成文化事业和文化产业，强调要积极发展文化事业和文化产业。

2003年，中国共产党十六届三中全会通过的《中共中央关于完善社会主义市场经济体制若干问题的决定》又将文化体制改革的目标进一步深化和明确，分别提出了文化事业和文化产业的改革方向和目标：公益性文化事业单位要深化劳动人事、收入分配和社会保障制度改革，加大国家投入，增强活力，改善服务；经营性文化单位要创新体制，转换机制，面向市场，壮大实力。提出要求健

全文化市场体系，建立富有活力的文化产品生产经营体制。完善文化产业政策，鼓励多渠道资金投入，促进各类文化产业共同发展，形成一批大型文化企业集团，增强文化产业的整体实力和国际竞争力。[①]《决定》第一次明确提出文化体制改革要形成一批大型文化企业集团。

2003年6月在北京召开了全国文化体制改革试点工作会议，按照党的十六大关于深化文化体制改革的要求，专门研究部署文化体制改革试点工作。全国有包括北京、重庆、广东、深圳、沈阳、西安、丽江在内的9个省市和39个宣传文化单位参加了改革试点。

广东省第一批文化体制改革试点单位名单有：南方报业传媒集团、羊城晚报报业集团、广东南方广播影视传媒集团、广东省出版集团有限公司、广东新华发行集团股份有限公司、家庭期刊集团、珠江电影制片公司、广东岭南美术出版社、南方杂志社。为加快文化体制改革，广东组织了有关文化体制改革的专题调研，提出了一系列改革设想、新的文化体制改革方案，主要围绕以下思路展开：以理顺党政、政事、政企、事企关系为重点，建立促进产业发展的文化管理体制；以增强文化单位的活力为目标，改变文化单位事业机关色彩过浓的状况；以集团化建设为突破口，整合产业资源，壮大产业实力；建立促进文化产业发展的人才管理体制。[②]

2003年10月，广东省委、省政府发布《中共广东省委、广东省人民政府关于加快建设文化大省的决定》，强调要深化文化体制改革，解放和发展文化生产力。要以广东省列入全国文化体制改革综合试点省为契机，尽快建立党委统一领导、政府依法管理、行业自律、企事业单位自主经营有机统一的文化管理体制，实行政事分开、政企分开、管办分开，为文化事业和文化产业的发展提供良好的体制环境。实行分类指导，加快国有文化企事业单位改革。改革

① 参见《中共中央关于完善社会主义市场经济体制若干问题的决定》，《共产党员》2003年第11期。

② 参见顾万明：《广东：文化体制改革的四大思路》，《今日浙江》2003年第17期。

劳动人事制度，尽快形成优胜劣汰、能上能下、能进能出，既有竞争激励又有责任约束的用人机制。改革政府对文化事业的投入方式，由“养人”变为鼓励“干事”，由“养机构”变为“养项目”。①

2003年来，广东省大力推进文化体制改革试点工作，广州、深圳等12个市和省直21个文化单位开展了文化体制改革试点，文化体制改革取得突破性进展。广东按照十六大“积极发展文化事业和文化产业”的要求，创新宏观文化管理体制和微观运行机制，在文化体制改革和文化大省建设进程中，正确把握文化事业与文化产业的区别，坚持一手抓公益性文化事业，一手抓经营性文化产业，做到“两手抓、两加强”，注重“两轮齐驱”，既抓繁荣文化事业，又抓发展文化产业。公益性文化事业改革，重点是增加投入，搞好三项制度改革，转换机制，增强活力，改善服务，培育形成一批文化事业主体。经营性文化产业的改革，重点是遵循市场运行规律，创新体制，转换机制，面向市场，增强活力，要通过公司制、股份制改造，加快形成一批真正意义上的文化企业，塑造一批文化产业主体。广东的文化事业和文化产业进入了一个新的发展阶段，走在了全国的前列。真正把文化事业、文化产业的发展摆到了全省科学发展、和谐发展全局的战略位置。

2006年，中共中央办公厅、国务院办公厅印发了《国家“十一五”时期文化发展规划纲要》，强调推进经营性文化事业单位转制。一般艺术院团和除少数承担政治性、公益性出版任务外的出版单位及文化、艺术、生活、科普类等报刊社，新华书店、电影制片厂、影剧院、电视剧制作单位和文化经营中介机构，党政部门、人民团体、行业组织所属事业编制的影视制作和销售单位，新闻媒体中的广告、印刷、复制、发行、传输网络部分及影视剧等节目制作与销售部门，分期分批完成转制为企业的任务。规范国有文化事业

① 参见广东省人民政府：《中共广东省委、广东省人民政府关于加快建设文化大省的决定》，《广东省人民政府公报》2003年第21期。

单位的转制，加强对文化事业单位剥离企业的监管，合理确定产权归属，明确出资人权利，建立资产经营责任制，努力形成一批坚持社会主义先进文化前进方向、有较强自主创新能力和市场竞争能力的文化企业与企业集团。①

2006 年，广东省政府特意发布《广东省人民政府办公厅关于进一步明确我省文化体制改革试点中经营性文化事业单位转制为企业有关问题的通知》，针对在试点工作中遇到的一些影响试点工作顺利推进的，需要进一步明确和解决的问题，尤其是经营性文化事业单位转制为企业的有关问题，进行详细解释。

2007 年，《广东省文化事业发展“十一五”规划》明确提出深入贯彻落实《中共中央、国务院关于深化文化体制改革的若干意见》和《中共广东省委办公厅、广东省人民政府办公厅关于印发〈广东省文化体制改革试点工作方案〉的通知》精神，以激发活力、改善服务为重点，进一步深化文化事业单位的改革，积极探索文化体制创新的新模式；推进经营性文化单位转企改制，培育文化市场新型主体；培育现代文化市场体系，更好地发挥市场机制的积极作用；创新文化管理体制，不断完善文化领域的宏观调控；做好结构调整工作，建立科学的文化管理体制和文化产品生产经营机制。

（三）文化体制改革的创造性经验

广东文化体制改革虽起步较早，但仍落后于文化发展的需要，落后于人民对文化生活的需求，尤其是文化宏观调控机制等一系列问题，并未随着市场经济的深入而发生根本性转变。2002 年，广东省生产总值达 11674 亿元，占全国的 1/9，但文化产业在全国各省市的位次却在 10 位之后，广东文化产业虽然具有了一定的规模，但文化产业的发展速度低于整个经济的发展速度，广东经济增长率

① 参见《国家“十一五”时期文化发展规划纲要》，《人民日报》2006 年 9 月 14 日，第 10、12 版。

每年高于10%，但文化产业增加值的年增长率只有5%至6%，2002年文化产业出口总额不到6亿美元，仅占全省出口总额的0.5%。① 不过，自从2003广东被中央确定为全国文化体制改革综合试点省以来，情况发生了巨大的变化，广州、深圳等12个市和省直21个文化单位先后开展了文化体制改革试点，并取得了显著成效，为全国文化体制改革创造了有益经验、提供了典型示范。② 2006年上半年，在全国各显特色的文化体制改革试点工作70例经验中，广东营造了14个熠熠生辉的亮点，刚好占总数1/5。③ 综合来看，广东在确定全国文化体制改革综合试点省以来取得了以下的新鲜经验：

第一，坚持以转变政府职能为中心，创新文化宏观管理体制。广东积极转变政府职能，探索和建立与社会主义市场经济发展要求和社会主义精神文明建设特点相适应的宏观管理体制。广东省大力推进文化市场综合执法机构组建工作，成立了省文化市场管理工作领导小组及其办公室，文化管理体制创新初见成效。到2006年，广东全省20多个市完成了文化广电新闻出版局和文化市场综合执法机构组建工作，以城市为主体，统一、高效的文化市场综合执法体系基本形成。广东省新闻出版局与局属出版社、企业和杂志社，省广电局与南方广播影视传媒集团实行管办分离，实现了政事分开、政企分开、管办分离，强化了政策调节、市场监管、社会管理和公共服务等职能。从“管理脚下”到“服务天下”，走在全国前面。

第二，加快国有文化单位集团化建设步伐。广东省不断推进省优质文化资源的强强联合，成功组建了广东粤剧艺术大剧院、广东星海演艺集团、全国第一家期刊集团——家庭期刊集团。南方日报

① 参见顾万明：《广东：文化体制改革的四大思路》，《今日浙江》2003年第17期。

② 参见广东年鉴编纂委员会编：《广东年鉴》，广东年鉴社2006年版，第112页。

③ 参见中共中央宣传部文化体制改革与发展办公室：《文化体制改革试点经验70例》，学习出版社2006年版。

报业集团从“报办集团”转变为“集团办报”，更名为南方报业传媒集团。南方广播影视传媒集团组建了南方传媒控股有限公司，实行事业企业分开运行、分类管理，进行频道制改革，被誉为广电集团化改革的“南方模式”。全省首家跨媒体、跨行业的佛山传媒集团成立，并组建了佛山珠江传媒集团有限公司。到2006年，广东省拥有12个大型文化集团，名列全国榜首。

第三，深入推进公益性文化事业改革。广东粤剧艺术大剧院、星海演艺集团等省直公益性文化事业单位深化内部三项制度改革，服务能力和水平明显提高。省立中山图书馆、省博物馆建立“广东流动图书馆”和“广东流动博物馆”联合协作网，努力实现全省文献信息和文物资源的流通共享。广州市整合全市美术、雕塑、文艺创作研究资源，成立了广州艺术创作中心。东莞市积极实行公益文化活动项目招商推介，创新文化设施经营管理机制。

第四，扩大改革试点范围，进一步健全完善政策保障措施。2005年4月召开了全省文化体制改革试点工作会议，制定下发了《关于进一步扩大文化体制改革试点范围的意见》，新增珠海、佛山、惠州、中山、江门、肇庆、汕头、韶关、湛江9个市和岭南美术出版社、广东教育书店等9个单位为广东省第二批文化体制改革综合性试点市和单位。广东省财政厅、海关总署广东分署、省国税局和省地税局积极配合，为促进文化体制改革试点工作提供了有利条件。各试点地区出台了一系列配套政策措施。深圳市出台了《深圳经济特区文化产业促进条例》、《关于扶持动漫游戏产业发展的若干意见》等，珠海市制定了《珠海市文化发展规划纲要》、《关于建设文化盛市若干配套经济政策》，汕头市颁布了《汕头市文化市场管理条例》，肇庆市制定了《肇庆市文化体制改革人员分流安置办法》、《肇庆市加快发展文化产业的若干政策》等。①

下面举出部分具体的成功案例，来说明以上广东省确定全国文

① 参见广东年鉴编纂委员会编：《广东年鉴》，广东年鉴社2006年版，第112页。

化体制改革综合试点省以来文化体制改革的创造性经验：

第一，深圳市文化综合执法。深圳市组建文化稽查大队，在文化、广播电视、新闻出版领域实行综合执法。从2003年起，深圳六区在文、广、新三局合一挂牌的基础上，成立文化市场综合执法总队，对全市的歌舞娱乐、音像、书刊等九大门类文化市场实施统一的检查监督。将文化行政审批事项从102项精简到13项。和谐的文化环境和氛围，促进了深圳文化市场的繁荣。

第二，团厅合一。2004年12月3日，由广州交响乐团、广东省星海音乐厅、广东实验现代舞团合并重组的广东星海演艺集团挂牌成立。广州交响乐团和星海音乐厅是公益性事业单位。广东实验现代舞团将在5年内转制为具有粤港合资性质的国有控股的股份制文化企业。乐团与音乐厅实行捆绑式经营，乐团负责提高演出质量，把乐团的宣传推广交给音乐厅，各司其职。“团厅合一”之后，2005年星海音乐厅全年经营收入创历史最高水平，在广东省各艺术表演单位中名列前茅。广州交响乐团的年收入，演出季平均六七成的上座率，雄踞全国同行之首。

第三，广东省新闻出版局率先实现政企分开、政事分开、管办分离。2004年2月，原由省局直接管办的13家企事业单位以及广东新华发行集团的国家股一共14家单位的党组织关系、干部管理关系一并划归广东省出版集团进行战略性重组。并形成以生产服务为导向的新型管理架构，以内容生产管理、市场执法管理、行政法规管理、人才与后勤保障对应出版产业链的管理。广东省新闻出版局还推动电子政务，简化办事程序，实行“一站式”服务，完善首问责任制、限时办结制、服务承诺制和责任追究制，下放到政务办事处的审批项目已占总数的78%。广东省新闻出版局从经办文化事业的具体事务中解脱出来，把主要精力放在了定政策、做规划、抓监管，加强保护知识产权、营造良好的出版市场环境上。广东已成为我国新闻出版业最活跃地区、文化产品最大集散地之一，印刷产业总产值处于全国首位，复制产业光盘生产能力和市场占有率均占全国60%以上，广东出版物市场行情成了全国同类市场的

“恒生指数”。①

第四，南方报业传媒集团分而不断、联而不乱。南方报业传媒集团实行经营和采编分开，也可说宣传业务和经营业务分开；同时，两者之间又为实现“多品牌发展战略”的共同目标而密切联动。一方面，分而不断。集团第一把手实行党委书记、管委会主任、社长和董事长一肩挑；编辑委员会总编辑和传媒集团公司总经理都担任党委副书记和管委会副主任，让他们既针对不同业务，行使不同的职权，同时又共同做到既过问采编又过问经营的重大决策，协调好方方面面的关系，确保坚持正确舆论导向和国有资产的保值增值。另一方面，联而不乱。集团坚持每周“一会”的联席会议制度，几套领导班子成员和各行政、采编、经营部门主要负责人参会，通报和协调解决各方面问题。在 2005 年纸张价格大幅上扬、印刷成本大增以及国家宏观调控的环境下，集团实收广告总额依然逆势增长 2 亿多元。

第五，“流动”图书馆，实现资源共享。通过在粤北、粤东、粤西等贫困地区县图书馆建立分馆，由省财政每年拨 500 万元给中山图书馆为各分馆购置 1.2 万册图书，半年将书相互流动一次。10 年的时间，把政府的 5000 万元，这本来只能建一座 1 万平方米图书馆的钱，建成 100 个“流动”分馆，等于每年投入 1 亿元的效益。截至 2006 年 4 月，广东省已在 30 个县建成“流动图书馆”，在基层群众中掀起读书热潮。包括“广东流动图书馆”、“广东流动博物馆”、“广东流动服务演出网”在内的三大公共文化流动服务网络，使广东成为全国农村公共文化建设的先行者。

五、拓宽途径更上层楼

广东文化事业的发展，在为人民群众提供文化产品和文化服务

---

① 参见杨文雯：《文化体制改革试点：广东省新闻出版局服务文化大产业》，《人民日报》2006 年 3 月 25 日，第 5 版。

方面取得了有目共睹的成就，也面临着一些困境。着眼于人的现代化，文化事业的进一步发展除了要政府投资、政策支持和法规引导外，还需要拓宽发展途径，寻求文化产业的支持。

《“十五”时期广东文化事业欣欣向荣　文化产业快速发展》和《广东省文化事业发展“十一五”规划》两个文件把广东文化事业发展所面临的困难概括为十个方面：一是尚未完全建立与社会主义市场经济体制相适应的文化管理体制和运行机制；二是有待进一步完善有利于促进文化发展的政策法规体系；三是文化产品和文化服务的数量、质量不能完全满足人民群众日益增长的精神文化需求；四是区域文化发展不平衡，基层文化建设较薄弱，农民的文化生活较贫乏，山区以及东西两翼的文化建设还是远远落后于珠江三角洲地区；五是文化市场管理任务艰巨，形势依然严峻，文化市场的监管手段和能力有待进一步提高；六是文化贸易逆差较大，文化安全面临挑战；七是文化遗产保护形势严峻；八是文化创新能力不强，专业文化人才匮乏，从事文艺创作、群众文化普及、文化产业研发、展览陈列设计、文物修复等专业技术人员以及懂管理会经营的复合型人才缺口较大；九是资金投入不足，虽然广东对文化文物事业的投入连年来有较大的增长，但全省文化文物事业费占财政总支出的比重还较小，仍低于1%；十是文化基础设施建设有待进一步加强，全省仍有不少剧团、公共图书馆、群众艺术馆、文化馆、文化站、博物馆没有馆舍，影响了文化活动的开展。

《广东省文化事业发展“十一五”规划》对广东文化事业的未来发展做了指导：进一步加强对文化事业发展的政策引导，营造有利于文化事业发展的良好环境。要全面繁荣文化艺术事业；健全公共文化服务体系；完善文化市场体系；深化文化体制改革；构建文化人才体系；大力推进科技兴文。加大对公益文化事业的扶持力度；切实推动农村文化事业发展；鼓励社会资本（包括境外资本）在国家政策许可范围内，以多种形式参与兴办经营性文化企业；建立有利于促进民营文化企业发展的政策和法制保障体系；加快推进经营性文化事业单位转企改制工作；进一步建立健全与社会主义市

场经济体制和广东省实际相适应的地方文化法规体系，积极推进广东省文化事业立法工作进程；加强地方文化立法，不断强化依法管理。针对广东省文化事业发展区域不平衡的现状，要科学规划、合理布局，推进全省文化事业协调健康发展。第一层次：支持广州、深圳市发展成为全省文化事业自主创新的策源地、集聚地和辐射中心。第二层次：继续做大做强珠三角地区文化事业。第三层次：推动粤北山区和东西两翼等经济欠发达地区文化事业发展上新台阶。第四层次：加快推动农村地区文化事业发展。

促进文化事业和文化产业的协调发展，对于解决上述问题有积极意义。广东省文化厅副厅长白洁指出，文化事业的繁荣为文化产业的发展提供了重要基础，文化产业的发展为文化建设开拓了新的领域，注入了新的动力，同时也为文化事业自身的生存、发展和繁荣提供了良好的条件，两者相辅相成、缺一不可。文化事业是每个国家都关注的焦点，文化产业的发展不能离开文化事业这一根基。文化产业不仅仅是谋取经济利益的手段，其根本的着眼点应是利用一种新的形式来推动和发展文化事业，使文化意识真正地渗透到每个公民，实现文化“大众化”，增强社会效益，提升民族凝聚力，以体现人类文明演进的纽带力量。所以文化产业不能脱离群众利益、民族利益，它是文明时尚的领导者、开拓者。我国在发展文化产业的过程中，如何与文化事业建立同命运的紧密联系，如何积极调动各方力量来共办文化产业并利用其有利形势来壮大发展文化事业，宣扬中国的文化特色，是我们需要共同考虑及进一步研究的问题。①

完全有理由相信，广东在“文化大省建设”的浪潮中，进一步解放思想，发挥创造性，文化事业将会迎来又一个重要的收获期。

---

① 参见白洁：《文化产业与文化事业的“和而不同”——广东文化事业与文化产业发展的瓶颈及对策》，《中共珠海市委党校珠海市行政学院学报》2006 年第 6 期。

第三章 文化产业的跨越式发展

改革开放以来，广东的文化产业①实现了跨越式发展。1979年，广州东方宾馆开设了国内第一家营业性音乐茶座，成为我国文化市场兴起的标志。经过30年的发展，文化产业已成为广东的一个重要产业门类和国民经济新的增长点。形成了文化产品制造业、文化贸易业、文化服务业完整配套、综合发展的文化产业体系。体现广东人创新精神和品牌意识的朝阳产业在广东建设经济强省和文化大省的历史潮流中正快速发展。

一、从无到有的“朝阳产业”

改革开放30年来，广东的文化产业经历了从无到有的发展历程。改革开放初期，并没有文化产业的概念。随着经济、文化体制改革的逐步展开，文化市场不断酝酿发展，文化产业开始走进人们的视野。经历了30年的不断探索，广东的文化产业从无到有、由弱到强，进入了全面推进发展的时期。

---

① 根据广东省2006年发布的《广东省文化产业发展“十一五”规划》，文化产业是指为社会公众提供文化、娱乐产品和服务的活动及与这些活动相关联的活动的集合。主要包括新闻服务，出版发行和版权服务，广播、电视、电影服务，文化艺术服务，网络文化服务，文化休闲娱乐服务，其他文化服务，文化用品、设备及相关文化产品的生产，文化用品、设备及相关文化产品的销售等九大门类。

（一）“以文补文”的酝酿期

这一段时间从1978年到1992年。当时一些文化单位开始以有偿服务的方式，取之于“文”用之于“文”，“以文补文”成为文化产业的发端。

改革开放初期，由于受计划经济的影响，一些文化活动虽然也有成本、利润等经济指标，但并没有真正意义上的文化产业。后来，随着经济建设的发展，许多文化单位实行了“以文补文”的措施，“文化市场”逐步发展起来，文化产业在不断酝酿中呼之欲出。

“以文补文”实际上是在尝试推进文化事业单位进入市场。1980年，中宣部等部门在《关于活跃农村文化生活的几点意见》中，第一次使用了“以文补文”的提法。当时，一些文化事业单位迫于生存压力，自筹资金进行文化设施建设，开展多种文化活动如建立图书室、摄影室、游艺室、地方戏团队、电影放映队等，进行有偿服务，以改善职工生活及扩大再生产，这“可视为文化产业的发端”。[①] 据统计，1988年，全国文化事业单位开展有偿服务和“以文补文”活动的网点达11458个，全年纯收入1.8亿元，相当于当年国家所拨文化事业经费的12%左右。[②] 1988年，文化部、国家工商局联合发布了《关于加强文化市场管理工作的通知》，正式提出文化市场的概念，同时明确了文化市场的管理范围、任务、原则和方针，这标志着我国“文化市场”的地位正式得到承认。

这一阶段，广东的文化市场逐步走向繁荣。1979年，广州东方宾馆出现了我国第一支业余的轻音乐队和第一个音乐茶座，从而使广州成为国内文化市场的发源地。随后，一些新的文化消费项目如歌厅、舞厅、录像厅等文化娱乐方式也相继出现，并很快风靡全

---

① 孙丹：《新时期文化产业建设考察》，《当代中国史研究》2003年第1期。

② 曹普：《20世纪70年代末以来的中国文化体制改革》，《当代中国史研究》2007年第5期。

国。毗邻港澳的地理优势，让广东迅速成为文化市场的前沿阵地。广东文化产业的发展首先从娱乐业崛起。广州首先开创了中国流行音乐发展的先河，当时广州聚集了一批流行音乐歌手和制作人，以及按现代市场经济模式运作的制作机构。歌曲排行榜、流行音乐协会等新事物在广东相继出现。广东的流行音乐迅速辐射全国，许多歌曲响遍大江南北。

当时广东的传媒业出现了蓬勃发展的新局面。《羊城晚报》、《广州日报》及各地、市报纸先后复刊。各类专业报刊纷纷创办。1982年，《深圳特区报》创刊，《珠海特区报》、《汕头特区报》也相继创办。当时除了《南方日报》、《羊城晚报》、《广州日报》三大报外，广州还出现了一批财经类、都市生活类和实用信息类的报刊，如《南方都市报》、《南方周末》、《足球报》、《南风窗》等，这些报刊以客观、真实、前瞻的理念办报，并采用了市场化运作方式，成为当时全国较有影响的平面传媒。

总之，这一阶段，伴随改革开放政策的实施，随着社会经济的发展，人们精神文化需求增大，广东借助自身的地理优势，成为文化市场最活跃的地带。“以文补文”等措施拉开了新时期中国文化体制改革的帷幕，文化市场的发展推动了文化观念的更新，文化产业很快走进了人们的视野。

（二）“产业兴文”的探索期

这一段时间从1992年到2002年。许多文化单位开始走向市场，以产业经营的方式谋求发展，进入了“产业兴文”的探索期。

1992年邓小平同志视察南方的重要谈话发表和党的十四大的召开，标志着我国改革开放和现代化建设进入了一个新阶段。这一阶段，随着市场经济体制的确立，国家发展文化产业的思路逐步清晰，出台了一系列相关政策、法规。广东的文化产业进入了“产业兴文”阶段，在文化产业发展的道路上进行了积极的探索。

1992年，江泽民在十四大报告中明确提到要“完善文化经济政策”。同年，《中共中央国务院关于加快发展第三产业的决定》

把“文化卫生事业”当作了加快第三产业发展的重点。同年出版的国务院办公厅综合司编著的《重大战略决策——加快发展第三产业》一书，明确起用了“文化产业”的说法，这是我国政府主管部门第一次使用“文化产业”的概念。随着国民经济“九五”计划的顺利完成，我国经济告别了“短缺时代”，进入了全新的发展时期，社会对精神文化需求明显增加，党和政府对文化产业的政策进一步明朗化。1999 年，国务院发展计划委员会主任曾培炎在《关于 1998 年国民经济和社会发展计划执行情况与 1999 年国民经济和社会发展计划草案报告》中，明确提出要“推进文化、教育、非义务教育和基本医疗保健的产业化”，文化产业第一次被正式纳入国家发展计划的政策视野。2000 年 10 月，中共十五届五中全会通过了《中共中央关于制定国民经济和社会发展第十个五年计划的建议》，要求完善文化产业政策，加强文化市场建设和管理，推动文化产业发展。“文化产业”概念的提出表明，这一时期我们对文化属性的认识发生了重要转变，承认文化除了是党和国家的“事业”外，还有产业属性的一面，这是继承认“文化市场”的合法地位之后，关于文化认识的第二个重要转变，具有重要的意义。随着国家这一系列政策和意见的出台，“文化产业”正式走进人们的视野。

在国家政策的引导下，广东的文化建设发展进入了“产业兴文”阶段。文化建设发展由以政府投资为主，转向主要依靠发挥自身优势，实现自我发展。这一阶段，广东在文化产业的发展道路上进行了积极的探索，文化产业迅速发展、初具规模。到 2000 年，广东文化产业机构数 1.75 万个，从业人员 12.56 万人，总产出 52 亿元，增加值 29 亿元。其中，社会办文化产业发展迅猛，其产业机构、从业人员、总产出、增加值分别为 1.28 万个、7.86 万人、30 亿元、16 亿元，已经明显高于文化部门所属文化产业的各项指标。与此同时，随着一些新型产业领域的开辟和与其他产业交叉融合趋势的出现，一个包括演艺业、娱乐业、电影业、音像业、文化旅游业、文化信息业、文艺培训业、文艺艺术品经营业等行业，由本体产业、交叉产业、延伸产业综合构成的文化产业体系初步形成。①

这一时期，广东传媒业开始探索集团化发展之路，通过组建大型文化集团，加快文化市场的整合和结构调整。1996年，广州率先成立了广州日报报业集团，这个集团成为我国地方机关报规模化企业经营的第一艘航空母舰。随后，南方日报报业集团、羊城晚报报业集团、深圳特区报业集团、广东出版集团、广东新华发行集团、家庭期刊集团相继成立。一些产业属性较强的部门或单位由事业转制为企业，探索传媒集团化发展之路。广东的娱乐市场在探索中持续发展。娱乐业1995年已经发展到拥有资金60亿元，年营业收入30亿元，从业人员14万人，各项指标数位于全国各省、自治区之冠，分别达到全国总数15%至20%的比例。美术品的拍卖频繁，年成交额达到6000万元以上。② 广东的音像业也在摸索中迅速发展，最终占据了全国的半壁河山。随着网络信息技术的发展，网游动漫迅速进入市场，广东的对外文化贸易额不断增高。

总之，这一阶段，随着发展社会主义市场经济改革目标的确立，文化体制改革的力度进一步加大，文化与经济、科技的结合日益紧密，文化产业不断发展壮大。但是，虽然我们对文化产业地位的认识在指导思想上有所提高，但在实际工作中仍然不能充分到位，改革仍然在探索中稳步推进。经过十年的徘徊探索之后，广东文化产业的发展迎来了一个新的时期。

（三）“文化引擎”的推进期

这一段时间从2002年到2008年。此时文化产业发展迅速，已经成为国民经济新的增长点，成为推动经济社会全面发展的引擎。

十六大吹响了我国文化产业全面发展的号角，党和政府开始全

① 广东年鉴编纂委员会：《广东年鉴》（2002），广东年鉴社2002年版，第348页。

② 广东百科全书编纂委员会、中国大百科全书出版社编辑部编：《广东百科全书》，中国大百科全书出版社2008年版，第529页。

面深化和推进文化体制改革。随着中国加入世界贸易组织和国际文化竞争的日益加剧，文化产业被作为综合国力的一部分纳入国家发展的总体战略来统筹规划，文化产业的战略地位得以真正确立。此时，广东提出了建设文化大省的方针，对文化产业的发展提出了总体的规划，文化产业成为广东发展的新引擎，进入了全面快速推进的时期。

2002 年，广东省做出了建设文化大省的重大决策。《广东省建设文化大省规划纲要》指出，到 2010 年，基本建立起适应社会主义现代化要求的文化发展格局、文化管理体制及运行机制，使全省成为广大人民群众综合素质普遍提高，文化经济繁荣，科学实力雄厚，拥有先进配套的文化设施、充满活力的文化体制、拔尖的文化人才、一流的文化精品、强大的文化产业、繁荣有序的文化市场、独具特色的岭南文化、丰富多彩的群众文化生活，文化发展主要指标全国领先、文化综合实力和国际竞争力居全国前列的文化大省。

2006 年广东省出台了《广东省文化产业发展“十一五”规划》，明确提出，“十一五”期间，全省文化产业增加值力争实现年均增长 15% 以上，到 2010 年达到 3000 亿元，占全省 GDP 的比重达到 8% 左右；文化服务业增加值年均增长超过 20%，到 2010 年达到 800 亿元，占文化产业增加值的比重超过 25%。初步形成以广州和深圳等中心城市为龙头、区域布局合理、所有制结构均衡发展、产业组织体系健全、技术水平先进、质量效益较高的文化产业格局。

与此同时，地方政府也出台了相应的政策。2001 年，广州市制定了“十五”时期文化产业发展目标，至 2005 年，力争使广州市文化产业的总收入翻两番，文化产业增加值的增长速度要超过全市 GDP 的年均增长率。2006 年，广州市又将《广州市文化产业发展规划（2006—2010）》作为重点课题向社会招标，力求将“十一五”时期文化产业的发展建立在科学有效的基础上。2004 年 11 月，深圳市召开了全市文化产业工作会议，这是深圳建市以来首次就文化产业的发展召开的高规格、大规模的会议。会议全面部署了深圳市文化产业发展工作，把文化产业发展纳入到深圳经济、社会整体发展中，并提出了深圳市文化产业发展的总体目标，要把深圳发展成为具有国内领先地位和国际影响力的文化产业发展中心城市之一。会议颁布了《中共深圳市委深圳市人民政府关于大力促进文化产业发展的决定》及相关文件和经济政策，决定在"十一五"期间设立深圳市文化产业发展专项资金，成立市文化产业发展办公室。

在建设"文化大省"的浪潮中，广东文化产业迅猛发展，逐步成为国民经济新的增长点和第三产业的支柱产业之一。"十五"期末，广东文化产业的总产出翻了一番，文化产业营业收入5732亿元，资产总额4524亿元，均居中国各省市之首。[①] 2004年，全省文化产业实现增加值1205.43亿元，占全省GDP的比重为6.6%，对GDP增长的贡献率为7.7%，拉动GDP增长1.1个百分点。按照国家统计局公布的2004年我国文化产业相关数据，我省文化产业增加值、从业人员、年营业收入均居全国各省（区、市）首位，文化产业增加值占本地区GDP比重仅低于北京市。2005年，全省文化产业实现增加值1433.21亿元，占全省GDP的比重为6.4%，对GDP增长的贡献率为6.6%，拉动GDP增长0.9个百分点。[②] 2006年，全省文化产业增加值1680亿元，占全省GDP总量6.5%。广东文化产业连续3年占全省GDP的比重超过6个百分点，总量年均增长超过15个百分点，高于全省GDP同期年均增长率，对全省经济和社会发展的贡献明显增强，已经成为广东新的经济增长点和支柱产业之一。[③]

总之，这一阶段，随着文化体制改革的深入，文化产业发展的

① 广东百科全书编纂委员会、中国大百科全书出版社编辑部编：《广东百科全书》，中国大百科全书出版社2008年版，第830页。

② 方健宏、姚军毅、刘启宇：《广东文化产业发展的现状与前景》，载《2007年：中国文化产业发展报告》，社会科学文献出版社2007年版。

③ 广东百科全书编纂委员会、中国大百科全书出版社编辑部编：《广东百科全书》，中国大百科全书出版社2008年版，第1028页。

思想障碍基本消除，文化管理体制基本理顺，建立起了适合文化产业发展的管理体制。社会大量优秀人才投身文化产业，有力地支撑了文化产业的发展。文化产业成为广东发展的新引擎，此时广东的文化产业进入了全面推进的时期。

从文化产业的理论发展来看，广东也经历了一个从无到有的发展历程。在国际上，20 世纪 40 年代，法兰克福学派的学者最早注意到艺术创作在资本主义生产条件下转变为大量复制的文化生产，阿多诺和霍克海默在《启蒙的辩证法》一书中，把由传播媒介的技术化和商品化推动的主要面向大众消费的文化生产称之为“文化工业”，[①] 这是国际上首次提出关于文化产业的理论。从国内看，文化产业概念的提出则更晚。直到 20 世纪 90 年代才开始对文化产业理论进行探索和研究，并开始关注西方文化产业理论研究方面的最新发展情况。由于理论准备不足，中国文化产业应用理论的研究直接源自于实践。

广东文化产业的实践推动了理论的研究，谢名家以马克思主义的观点全面构建中国特色的文化产业和文化经济理论，李江帆从第三产业经济学出发分析了文化产业的概念及其经济影响，蒋述卓以文化建设理论观照文化产业展开研究，形成了广东理论界的三种研究力量，在理论探索、指导实践、服务决策等方面起了积极的推动作用。在研究著作方面，理论建构上最具代表性的是谢名家的《文化经济的时代审视》，该书以马克思主义为指导，从理论上全面论述了文化产业的本质、发展过程、基本结构，提出了“大文化产业”的概念以及文化产业是精神生产力发展的现代形态等重要观点，构建了一套较为完整的文化产业理论体系，是国内第一部全面系统研究文化产业的理论专著。在实践应用方面具有代表性的是方健宏的《文化产业投资指南》，该书是国内引领社会资本投资文化产业的开山之作，具有很强的实践价值和指导作用。其他专著还有单世联的《现代性与文化工业》，柯可主编的《文化产业论》

① 霍克海默、阿多诺著，洪佩郁等译：《启蒙的辩证法》，重庆出版社 1990 年版。

以及蒋述卓主编的《广东文化产业发展与对策研究》等。同时，广东理论界还举行了一系列学术活动，推进了文化产业理论的深入探讨。如2002年的“广东新世纪文化产业发展座谈会”；2005年的“文化经济理论研讨会”和“南方文化产业论坛”，以及“博鳌亚洲论坛2005国际文化产业会议”等。广东理论界对文化产业的探讨，紧密结合广东的实践，具有鲜明的实践性。[①]

总之，文化产业是21世纪的朝阳产业，改革开放30年来，广东省文化产业的发展从无到有、由弱到强，经历了跨越式发展，形成了完整的产业体系，产业规模居于全国前列。

下面分别从文化制造业、文化贸易业和文化服务业三个方面来总结、梳理广东文化产业30年的发展情况。

二、文化制造业

改革开放前，文化制造业显得比较单调和落后。改革开放后，随着人们物质生活水平的提高，文化消费开始悄然兴起。广东的文化制造业借助地利的优势，通过多种渠道吸收和借鉴境外的先进技术，使文化产品的数量和质量都获得了快速的提升。广东文化用品、设备及相关文化产品的制造业雄居全国之首。纸制品、文教体育用品、仪器仪表及文化办公用品、工艺品制造业处于全国前列。广东还是玩具制造大省，也是乐器制造强省，是最主要的乐器生产基地。广东家用视听设备制造业在全国占有重要地位。

（一）印刷造纸

广东作为文化产品制造业的重要基地，其印刷业和纸产品制造业占据了重要的位置。

1. 印刷业。

---

① 广东百科全书编纂委员会、中国大百科全书出版社编辑部编：《广东百科全书》，中国大百科全书出版社2008年版，第1273～1274页。

党的十一届三中全会以来，广东得改革开放风气之先，印刷业得到空前的发展。1978 年，广东印刷企业只有 965 家，到 2005 年，全省共有各类印刷企业 17741 家，占全国印刷企业 18.2%；其中珠三角地区 15000 家，从业人员约 69 万人。据不完全统计，全省印刷企业工业总产值 925 亿元，固定资产总额约 715.56 亿元，占全国的 1/4。①

改革开放后，广东印刷业的发展大致可以分为三个阶段。②

第一个阶段是 20 世纪 80 年代，广东印刷业的一大特点是，国有、集体所有制企业占绝对优势，其中国有企业 252 家，占总数的 11.8%；集体企业 1238 家，占 58.2%；“三资”企业 16 家，占 0.8%；个体、私营和其他企业 621 家，占 29.2%。另一个特点是在工业销售产值中，书报刊印刷产品占 50% 以上，社会零件印刷也占有一定比例，而包装装潢印刷品的产值还不很高，正处于蓄势待发阶段。

第二个阶段是 20 世纪 90 年代，全省印刷企业的发展进入了黄金时期。香港地区大批印刷企业内迁，在深圳、东莞、中山等珠江三角洲地区的市、镇设厂，并带来了先进的印刷设备和全新的经营管理观念，有效地提高了广东省印刷企业的生产水平和市场竞争能力，使全省印刷企业的质和量均发生了巨大的变化。据 1999 年底广东省在印刷业清理整顿工作中的统计，广东有各类印刷企业 10873 家（不含“三印”企业 5891 家和清理整顿中压缩的 2624 家），是新中国成立初期的 135 倍，改革开放前即 1978 年的 10.8 倍，1987 年的 5.1 倍。固定资产净值约 470 亿元，工业销售产值约 530 亿元，从业人员 39.43 万人。

第三个阶段是 2000 年以后，广东的印刷业突飞猛进。广东成为我国乃至亚太地区最大的印刷及包装基地，是名符其实的印刷大

---

① 广东年鉴编纂委员会：《广东年鉴·2006》，广东年鉴社 2006 年版，第 433 页。

② 峄柏：《世纪回眸——广东印刷业 50 年发展历史》，《广东印刷》1999 年第 5 期。

省和印刷强省。广东也是我国印刷包装原材物料、设备技术需求最大的市场。除国内市场外还加工出口了大量的印刷品，是目前中国印刷业走向国际市场、参与国际竞争的主力军。

通过广东印刷业的发展历程可以看出，它有如下几个特点：

首先，发展速度迅猛，支柱产业格局初步形成。改革开放前，广东省印刷企业不足1000家，工业销售产值仅11.2亿元，改革开放以来，平均每年以新创办500多家的速度在增长，而工业销售产值则以平均每年23.3亿元的速度递进，使印刷业成为新兴的朝阳产业、支柱产业。

其次，印刷企业数量多、种类齐全、经营范围多样化，其中多色胶印、高速胶印以及书刊高精印装是广东印刷业的强项。

再次，企业整体素质高，印刷设备先进，产品质量好。近20年来，广东省先后引进世界品牌印刷设备数千台、套，进行了大规模的技术改造，使广东从原来一个不起眼的落后省份一跃而成为印刷大省、强省。

最后，企业经营主体多样化，打破了国有、集体经营印刷业的一统天下。进入90年代，有限公司、股份公司、个体、私营和其他经济性质的印刷企业迅速发展壮大。[①]

在未来的发展过程中，广东印刷业仍需加大发展力度，发展高新技术印刷、特色印刷。同时，加快发展光盘复制业，建成若干各具特色、技术先进的印刷复制基地，使广东成为重要的国际印刷复制中心。

2. 纸产品制造业。

作为广东九大支柱产业之一，广东省造纸业近年来发展迅猛。1979年广东造纸业年产量首次突破30万吨大关，1985年达到52.63万吨。[②] 到2005年，全省371家规模以上造纸企业机制纸及

---

① 广东百科全书编纂委员会、中国大百科全书出版社编辑部编：《广东百科全书》，中国大百科全书出版社2008年版，第569页。

② 广东年鉴编纂委员会：《广东年鉴》（1987），广东人民出版社1987年版，第161页。

纸板产量691万吨，比上年增长15.55%；产品销售收入293亿元，增长20.1%；税收7.85亿元，增长20.59%；利润11.88亿元，增长17.6%。产量居全国第三位，销售收入居第二位，税收居第四位，利润居第四位；出口产值完成75.92亿元，增长31.28%，居第一位。重点品种新闻纸完成31.9万吨，增长6.33%，居全国第三位。[①] 造纸业已经成为广东的支柱产业之一。

广东造纸业目前初步形成了以珠三角为核心的产业集聚带，产业集中度提高，产业集群化趋势明显。珠三角企业数占全省85%，产量占90%以上。其中东莞规模以上企业123家，产纸能力达到800万吨，实产已达600万吨，占全省产量70%，加上下游300多家纸制品企业，造纸及纸制品企业近500家，已形成生产包装用纸、生活用纸、纸制品加工、印刷、包装、造纸机械、化学工业（助剂）相互配套、协调发展的产业链和产业集群，其规模、效益居全国同行第一位。[②]

广东是纸业大省，造纸产品总量在全国排名仅次于山东和浙江。然而与发达国家相比，广东造纸业无论从生产规模、资源利用还是从产品技术创新、清洁生产上来说，都还存在较大差距。2004年，广东制定了《广东造纸工业2005—2010年发展规划》，指出发展目标：到2010年使全省造纸工业整体素质得到较大提高，生产总量、生产规模和增长速度继续领先于全国，将广东建设成为全国造纸大省和强省。[③] 广东造纸业今后将重点培育一批强势企业，开发附加值高的特种纸品，使广东纸产品逐步向新颖化、多样化发展，满足人们对高档纸品的需求。

（二）音像制品

音像市场是广东文化市场的重要组成部分。改革开放以来，得

---

① 广东年鉴编纂委员会：《广东年鉴·2006》，广东年鉴社2006年版，第249页。

② 广东年鉴编纂委员会：《广东年鉴·2006》，广东年鉴社2006年版，第249页。

③ 广东年鉴编纂委员会：《广东年鉴》（2005），广东年鉴社2005年版，第243页。

益于得天独厚的地理位置，广东省音像业发展迅速，成为全国音像出版、制作特别是复制加工的重要基地，在全国占有举足轻重的地位。

广东是音像制品的主要产出地、集散地，中国的音像作品创作中心、生产复制加工中心和物流发送中心。中国目前市场销售的音像制品绝大多数来自广东，第一盒录影带、家庭录像带，第一张CD唱片、LD视盘、DVD视盘，都是广东率先推出。到2005年，全省拥有光盘复制企业59家，音带像带复制厂46家（其中3家兼营光盘复制）。各类复制光盘生产线447条（已投产的生产线），年复制加工光盘约50亿张。粤东可录光盘生产基地逐步形成，粤东地区有可录光盘生产线79条，年生产能力近8亿张。[①] 广东音像业为繁荣社会主义文化，满足人民群众的精神文化需求做出了重要贡献。

1. 广东音像复制业发展迅速。

随着改革开放，广东音像、电子出版业有了很大发展，带动了音像复制业的发展，许多音像、电子出版机构自己设立或与别的单位合资设立音像复录企业，生产录音带、录像带等。如中国唱片公司广州盒式节目带厂、广州新时代音像制品厂等。其后，部分音像、电子出版机构自己设立或与别的单位合资设立光盘复制企业，生产各类只读光盘。如太平洋影音公司光盘厂、广东白天鹅光盘有限公司等。1995年，全省有磁介质复录企业45家，只读类光盘复制企业19家，为广东音像电子出版机构生产各类音像、电子出版物2160.86万盒（片）；到2006年，全省有磁介质复录企业35家，只读类光盘复制企业34家，拥有只读类母盘刻录生产线22条，子盘复制生产线299条。此外，还拥有可录光盘生产企业29家，可录类光盘生产线205条。广东光盘复制业投资总额62.32亿元，光

① 广东年鉴编纂委员会：《广东年鉴·2006》，广东年鉴社2006年版，第433页。

盘生产能力和市场占有率为全国的60%。[①] 形成了粤东全国可录光盘生产基地和珠三角只读类光盘复制产业带。音像制品实现了从磁介质占统治地位逐渐向光介质发展的转变，音像经营单位开始由粗放型增长为主向集约型增长为主转变，音像业逐步走向成熟。

2. 民营音像企业已成为广东省音像市场发展的主力军。

国有音像企业曾一度占据着音像市场的大部分资源和市场份额，但近年民营音像企业异军突起并快速成长，为音像市场的发展注入了新的活力。目前大约80%的音像资源和产品的发行都集中在民营音像发行单位，民营音像企业已占据了全省音像经营总额90%以上的份额。在广东音像城销售额和销售量排行榜前30名中，除极少数为国营企业外，其余均为民营企业。[②] 可以说，民营企业已经占据了广东省音像市场的大半江山。中凯、东方红、俏佳人、飞仕等民营企业不仅已形成自己的品牌，而且逐渐由单一的发行企业向音像制品生产、销售等上下游环节延伸。除占据着国内市场绝大部分份额外，民营音像企业也积极开拓海外市场，音像制品的年均出口额逐步增加。

3. 广东音像业在挑战中艰难更新。

从最开始的盗版到HDVD压缩碟的冲击，广东音像业一直面临着挑战。最近，互联网下载和视频点播的诞生给广东音像业造成了更为沉重的打击，人们不再满足于到音像店购买音像制品，而更愿意免费或低价享受网上音乐影视节目。一些提供免费或低价的音像节目下载的互联网站，越来越多地给广大网民提供共享便利。随着计算机互联网的快速普及，更多人倾向于从互联网上下载喜爱的节目。此外，市场竞争无序和严重的盗版问题仍旧是广东音像业发展的症结所在，仍旧在很大程度上阻碍市场规模的扩大。音像业在面临巨大挑战的同时，也迎来了改革更新的机遇。在传统音像业处

---

① 广东百科全书编纂委员会、中国大百科全书出版社编辑部编：《广东百科全书》，中国大百科全书出版社2008年版，第570～571页。

② 廖小勉：《广东音像业中民营资本的崛起及现状分析》，《出版发行研究》2003年第9期。

于低迷状态时，以手机彩铃、手机音乐、付费下载等为主要形式的新媒体增值业务则快速发展，成为音像业发展的亮点。音像业说到底卖的不是载体，而是所承载的文化娱乐科教内容，依靠载体得厚利的时代已经过去。音像业中的创意环节开始为大家所重视，成为音像业未来发展的重点。

（三）玩具制造

广东是玩具制造大省，产品远销欧、美、日等国家和地区，世界玩具看中国，中国玩具看广东。广东玩具产量已经占据国际市场一半以上的份额。

改革开放后，广东玩具生产逐步发展、扩大。到1980年，广东已经有十多家玩具厂，产值达2000多万元。出口创汇约400万美元。广东玩具业充分利用毗邻港澳的地理优势，积极拓展“三来一补”业务，兴办中外合资、合作企业。到1987年，全省已经有近600家玩具厂，从业人员达7万多人，建成数百条玩具生产线，总产值达7亿元，比上年增长40%，占全国玩具总产值的30%以上；出口创汇1.2亿美元，约占全国玩具行业创汇额的一半。总产值与出口创汇额均居全国首位。① 1989年，广东玩具生产企业约有2200多家，约占全国玩具企业数的90%，玩具总产值达12.3亿元，贸易出口额约1.5亿美元，广东已经成为中国玩具出口的重要基地。② 到2005年，广东玩具制造业有生产企业5000多家，员工150多万人。全年完成总产值1075亿元，比上年增长18%。出口额119.34亿美元，增长32.8%。③ 玩具产业继续居于全国首位。同时，广东玩具产业从传统的竹木、绒毛、塑料等类型逐步向高科技、多功能、益智型转变。目前，广东玩具出口基本上

---

① 广东年鉴编纂委员会：《广东年鉴》（1998），广东人民出版社1998年版，第173页。

② 广东年鉴编纂委员会：《广东年鉴》（1990），广东人民出版社1990年版，第185页。

③ 广东年鉴编纂委员会：《广东年鉴·2006》，广东年鉴社2006年版，第253页。

步入以高科技为主的发展阶段，2005 年电视接收机配套使用的电子游戏机和其他电子游戏机，两项合计出口值达 62. 55 亿美元，占广东玩具出口总额 52. 42% 。[①]

但是，广东的玩具制造业面临着严峻的挑战，亟待转型升级。首先，款式、质量、专利是广东玩具出口的三大壁垒，只有跨越这些壁垒，广东才能继续保持优势。其次，贸易壁垒问题也困扰着中国玩具企业，美国、欧盟、俄罗斯、巴西、墨西哥、阿根廷等市场均对中国玩具设置了不同种类的贸易壁垒措施，广东玩具出口门槛大幅度提高。最后，广东出口玩具品牌少，名牌更少，出口数量虽大，却基本是以贴牌生产的方式进入市场。七成以上玩具生产企业在为国外品牌“打工”，效益明显偏低，只能收取低廉的加工费。打造自主品牌成为广东玩具业的当务之急。因此，广东玩具出口企业亟待加大自主创新力度，拥有自己的品牌产品，只有这样才有可能掌握市场和价格的主动权。

总之，从传统制造业的具体行业来讲，广东文化产品的制造能力巨大，但缺乏自主品牌，仍然处于文化产业链的底端。广东必须面对缺乏关键产业、公众品牌带动的问题，否则产品只能停留在价值链的底端位置。所以，在未来文化产业的发展过程中，广东的文化制造业要强调更多地注入文化内涵，提高制造业的创造力和竞争力，以文化品牌提升传统制造业。

三、文化贸易业

文化贸易是全球服务贸易的重要组成部分，文化出口在各国的经济社会发展中发挥着越来越重要的作用。随着文化产业的逐步壮大，广东文化贸易业发展迅速。但是，广东的文化对外贸易逆差依然非常严重，广东文化产业参与世界分工的程度还很低。因此，广东文化贸易业要持续稳定增长，必须加大改革力度，要继续更新文

① 广东年鉴编纂委员会：《广东年鉴 · 2006》，广东年鉴社 2006 年版，第 253 页。

化贸易观念，打造文化贸易平台，积极开拓国际文化市场。在吸收国外先进经验的基础上，结合广东自身的优势，走一条综合的、有特色的发展道路。

（一）更新文化贸易观念

转变文化贸易观念是推动广东文化产品走向国际市场的重要前提。广东是我国主要的文化产品制造基地，文化产品进出口稳步增长。2004 年全省海关文化类产品进出口总额 435.38 亿美元，比上年增加 78.71 亿美元，增长 22.0%。其中相关文化类产品出口达 361.02 亿美元，进口为 74.86 亿美元，比上年增长 23.7%。同时，涌现了一批进出口贸易活跃的产业领域和优势项目。其中出口方面排在前五位的是家用视听设备、游艺器材及娱乐用品、玩具产品、照相机及器材、美术工艺品。进口方面，排在前五位的分别是家用视听设备、信息化学品、照相机及器材、复印、胶印及洗印设备、纸及印刷品。[①] 虽然广东的文化贸易业发展迅速，但是内容产品对外贸易逆差非常严重。其中，文化贸易观念落后是一个重要的阻碍因素。

从国际市场的情况来看，文化经济的时代已经来临。“文化与经济相互交融”揭示了当代社会的一个重要发展趋势。国际经济学界把新世纪的知识经济称之为“文化经济”。纽约联邦银行资深经济学家雷·罗森说：“我们的经济将向何处发展？什么能够带动我们前进？——那就是文化。”[②] 当代经济也的确发生了重大变化，即经济和文化越来越密不可分，它们不断接近以至融合甚至部分重合，文化与经济的合流，成为了经济发展的新源泉与新形态。物质产品中文化内容的价值比重迅速增长，许多消费品需要附着一定的审美情趣和文化品位，而文化也通过批量复制的方式通过市场大规

① 方健宏、姚军毅、刘启宇：《广东文化产业发展的现状与前景》，载《2007 年：中国文化产业发展报告》，社会科学文献出版社 2007 年版。

② 转引自沈壮海、张发林：《中国文化软实力提升之路》，《中国教育报》2008 年 2 月 5 日，第 3 版。

模传播。正是在这种经济与文化的一体化过程中，文化产业日趋兴盛起来。

从中国当前的情况来看，我们的文化贸易观念急需更新。传统上，我们总是把文化与经济分开来，文化是文化，经济是经济。文化部部长助理丁伟在谈到我国目前文化贸易逆差严重的问题时指出，有四大原因导致了这一情况的出现，首先就是观念滞后。在传统观念中，文化就是文化，做生意就是做生意，中国人很少想到去卖文化。这跟世界上很多国家有不小的差距，如美国的文化产品就已经遍布全世界。[①] 因此，更新观念是发展文化贸易的重要前提。

广东同全国其他地区一样，在很长一段时间里，并没有把文化软件看作是重要的出口商品，缺少对文化资源的市场化开发，几乎没有在国际上被广泛认可的文化商品和服务名牌。但是，随着文化贸易的逐步发展，文化与经济的关系逐步明朗，将文化产品推销出去，从市场角度考虑广东文化产品走向世界市场的问题，成为广东文化贸易发展的一个重要方向。深圳大芬油画产业的发展模式，是更新观念、大力发展文化产品贸易的典型例子。大芬从一个素无美术基础、名不见经传的小村，一跃成为享誉四方的“中国油画第一村”，被国家文化部命名为“全国文化产业示范基地”，引起了社会各界广泛关注。大芬的这种发展模式被称之为“大芬模式”。大芬村的画师大多数懂得艺术，又善于市场营销。他们通过商业化运作提供适销对路的产品和服务，成功实现了艺术与市场的对接。并通过积极开拓国际市场，将产品远销到东南亚、欧美、非洲、澳洲等几十个国家和地区。每年售出的油画行画多达600万张，年销售额达1.4亿元。据调查，美国市场上流行的油画行画70%来自中国，而其中80%产自大芬村。[②] “大芬模式”不仅是文化产业发

① 晓边：《文化部部长助理丁伟分析我文化贸易逆差严重的四大原因》，《北方音乐》2006年第5期。

② 陈有满：《从“大芬模式”看文化产业发展》，《共产党人》2006年第21期。

展的一个成功的案例，更是走出了一条发展对外文化贸易的成功之路。

更新文化贸易观念的一个重要举措就是推动民间传统文化优势向现代商品优势转变。广东省文化产业资源丰厚，特别是中国传统艺术、民间艺术和工艺美术，如石湾和枫溪艺术陶瓷、肇庆端砚、云浮石材工艺、高州角雕、信宜玉雕、阳江漆器、阳江风筝、广州“三雕一彩一绣”、潮绣和潮州木雕、佛山剪纸和木版年画、龙门农民画等。我们应该更新观念，按照文化产业的发展规律，充分挖掘民间传统文化的资源优势，促使其实现由传统产品到现代商品“惊险的一跃”，大步跨进市场。

（二）打造会展贸易平台

对于文化贸易来说，打造一个交流的平台尤为重要。其中，会展业在广东的文化贸易中起到了重要的作用。深圳国际文博会为广东打造出一个“文化产业的广交会”；音博会吸引了大批海外音像公司；“南国书香节”成为海内外出版界开展交流与合作的重要窗口。此外，像国际记录片大会、广州艺术博览会等一系列大型文化会展和比赛，为广东的文化贸易打造了一个重要的交流平台。

1. 深圳国际文化产业博览会。

文博会是中国唯一一个国家级、国际性、综合性的大型文化产业展会，也是中国获得国际展览联盟认证的综合性文化产业博览交易会。2005 年 1 月 18 日至 22 日，首届深圳国际文化产业博览会开展，被称为中国文化领域的“广交会”。首届文博会有境外 102 家企业参展，占参展企业总数的 15%。首届“文博会”组织了多场专项展览，如数字广播电视产业展、国际动漫画及卡通游戏展、中国国粹暨当代工艺美术大师精品展、国际印刷精品暨技术设备器材展等，还组织了中国文化发展战略论坛、全球文化产业发展论坛、中国新兴媒体峰会等近十个论坛。配合中国国际儿童文化艺术周、英国电影节、中外艺术精品演出季等活动，“文博会”成为深圳市民重大的文化节日。近 700 家企业参展，在文博会上与市场直接对

话，推介项目700个，观众人数近50万人。①

第二届文博会进一步提高了国际化、市场化、专业化程度，特别是强化了展会交易功能，将之打造成为资源最丰富、种类最齐全、规模最宏大的中国文化产品和服务出口的交易平台。此次文博会以“文化中国、创意未来”为主题，以“创意”和“科技”为核心。第二届文博会主展馆展览面积增加到10.5万平方米，来自国内外的1500多家企业参展。参加与参观展会的国内外各界人士达96.77万人。本届展会期间，共签订1918个中外文化产业贸易项目，总成交275.4亿元人民币。其中，境外定单成交额占总成交额的35.71%。全国共有393个招商引资项目签约，项目投融资总额达221.79亿元。② 初步显示了文博会的品牌魅力，凸显了文博会中国文化产业交易平台的功能。

文博会打造了集文化产品博览、文化资源的市场化开发、文化内容产品、服务及产业投资合作项目的推介、文化产业信息的交流于一体的综合平台。特别强化了展会的交易功能，在招展的同时更加注重招商，吸引买卖双方共同进场洽谈交易。文博会已经成为文化产业的信息交流中心、要素交易中心、产品推广中心和投资促进中心，是广东文化贸易的重要交易平台。

2. 中国国际音像博览会。

音博会由中华人民共和国文化部和广东省人民政府共同主办。集中了音像业上中下游以及相关行业的企业机构，汇聚了世界著名的音像电影公司和国内主要的音像企业，是迄今中国规模最大、规格最高的音像展会。展会以音像制品展销、版权交易为主，附设部分音像制品生产、制作、包装等环节的高新技术产品以及音像制品新型原材料和新工艺展览，参展商主要包括世界大唱片公司在内的国内外知名音像制造企业和销售商。首届2004年音博会主要功能

① 广东年鉴编纂委员会：《广东年鉴》（2005），广东年鉴社2005年版，第144页。

② 广东百科全书编纂委员会、中国大百科全书出版社编辑部编：《广东百科全书》，中国大百科全书出版社2008年版，第1038页。

是产品展示，展览面积约1.8万平方米，境内外参展单位226家，客商达成合作意向约3.4万单，涉及金额近10亿元。①

2005年第二届音博会主要功能是推动产品和版权交易，吸引了来自美、英、法、日、新西兰、泰国、新加坡、马来西亚等国家和中国各省、市以及香港、台湾地区的近200家参展单位。观众来自全国各地及世界30多个国家和地区。三天多的展会期间，交易额达到了24.3亿元，比首届音博会增长了一倍多。②

3. 南国书香节。

书香节是广东新闻出版、印刷业的大型展会。“2005南国书香节”11月10至13日在广州花城会展中心举行，这届书香节由中共广东省委宣传部、广东省新闻出版局、共青团广东省委联合主办，泛珠三角各省新闻出版行政部门共同协办，以“文化荟南国，书香飘岭南”为主题。本次书香节组织规格高、规模大、范围广，将出版物展示、交易与文化活动结合起来。历时4天，展出的图书和音像制品达10多万种，共接待读者及社会各界人士120多万人次，成交额近2500万元。③书香节不仅展出图书，还延伸到造纸、印刷机械等图书出版业的整条产业链，书香节设立的“南国印刷包装复制设备展”也取得了较好的成果，成交额达到500多万元。书展打造了文化交流的平台，促进了出版、印刷等贸易的增长。

广东是我国会展中心之一，进入90年代，广东会展的数量、规模均以每年20%以上的速度增长。目前全省从事会展业的企业已达2000多家，每年举办的会展超过1000余个，发展势头强劲。④现在广东已经初步形成了以广州—东莞—深圳为中轴，包括佛山、珠海在内的“珠三角”展览带，以“中国出口商品交易会”为切

---

① 广东年鉴编纂委员会：《广东年鉴》（2005），广东年鉴社2005年版，第410页。

② 广东年鉴编纂委员会：《广东年鉴·2006》，广东年鉴社2006年版，第428页。

③ 广东年鉴编纂委员会：《广东年鉴·2006》，广东年鉴社2006年版，第434页。

④ 池新旺：《会展业——广东新兴支柱产业》，《广东技术师范学院学报》2005年第2期。

入点的两个展会高峰期，以民营展览企业为主力，以及其他延伸服务的“第三产业消费链”。[①] 随着会展业竞争越来越激烈，广东会展正逐步从规模扩张向内涵充实转变。广东省建设文化大省规划纲要指出，广东今后要加强与国际会展业权威机构的合作，促使广东会展业尽快走向国际化。加快培养专业人才，不断提高会展业的专业水平。统筹规划，加强管理和指导，发挥行业协会的作用，规范会展业发展。

（三）开拓国际文化市场

参与国际竞争、开拓国际文化市场是广东文化贸易业的发展方向。2004 年广东文化产品国际贸易顺差为 286.16 亿美元，但贸易顺差是建立在文化用品和设备制造业大量出口基础之上的。文化产业的核心部分，如新闻服务、出版发行与版权服务、广播影视服务、文化艺术服务等内容文化行业存在着巨额贸易逆差。与全国一样，广东内容产品中图书、期刊、报纸、音像和电子出版物等均为进口额大于出口额，2003 年进出口比例为 7∶1，其中引进和输出版权件数的比例将近 11∶1，国际贸易逆差严重。广东广播影视业、音像业、文化艺术业、休闲娱乐业的内容生产能力和原创能力也相当薄弱，大量节目购自港台和海外。[②] 因此，积极开拓国际市场是广东文化贸易业发展的重心所在。

在经济全球化和我国加入世贸组织的背景下，广东要进一步扩大对外文化贸易，一是要建立新的文化外贸制度。采取灵活、宽松、自由的外贸政策，放宽文化产品和文化服务的出口审批权，简化出口手续，大力鼓励文化产品出口。二是要积极发展外向型文化企业，用先进的科学技术打造广东文化品牌，增强广东文化产业的国际影响力。鼓励支持广东更多的文化特色产品打入国际市场，扩

---

① 方健宏主编：《广东文化产业投资指南》，广东人民出版社 2006 年版，第 3 页。

② 方健宏、姚军毅、刘启宇：《广东文化产业发展的现状与前景》，载《2007 年：中国文化产业发展报告》，社会科学文献出版社 2007 年版。

大广东民间艺术、工艺美术等传统文化产品在海外的知名度和市场占有份额。三是要积极开展与跨国媒体集团的合作，合资兴办娱乐、旅游、影像制作、工艺美术等项目，学习他们的先进的技术和有效的管理经验，利用他们雄厚的资金实力和全球性的市场网络系统，开拓国际市场，参与国际文化竞争。

广东省在实施“走出去”战略的过程中，采取了分步走的策略。一是瞄准国内文化市场，争取在国内文化市场保持市场主体地位；二是利用文化亲和力，辐射港澳台、东南亚华人文化圈，韩国、日本等亚洲汉字文化圈；三是进军文化产品国际贸易的主流市场欧美，实施“科技提升战略”和“精品推进战略”，积极开发和培育具有国内国际竞争力和影响力的文化品牌，树立广东文化形象。主要采取如下四项措施：

首先，努力构建粤港澳“金三角”的文化交流网，以实现更大的“互补”和“双赢”。充分利用广东丰富的人文资源和文化品牌，建立完善粤港澳三地文化合作机制。音像、出版等产品的生产和出口，与港澳的合作规模大，成交畅旺。

其次，按照“多出进好”的原则，巩固、发展港澳台和东南亚文艺演出市场，大力拓展欧美等文艺演出市场，积极引进境外优秀文化品牌和优秀文化项目。鼓励有条件的文化企事业单位与境外知名文化机构合作，在境外合办报刊、出版社、频道、节目和展览。拓宽广东广播影视节目和频道（频率）在海外落地的渠道，增加落点。

再次，推进文化产品及服务进出口的迅速发展。广东凭借已成为中国音像制品制作、出版、复制、包装和发行中心的优势，突出发展外向型文化产业，使之呈现出快速增长的良好势头。2004 年，广东省海关文化类产品进出口总额 453.38 亿美元，比上年增加 78.71 亿美元，增长 22.0%；全省进口报刊销售总额为 14.7 亿元，进口图书超过 10 万种，期刊超过 5000 种，约占全国进口总量的 13.6%，居全国第一。

最后，大力推进具有民族特色、岭南特色和市场竞争力的文化

产品和文化项目走向国际市场。广东对外商业性演出、展销等文化交流项目的创汇额一直居于全国各省市、区的前列。广东的会展业更是独树一帜，2005 年，广东会展业收入占国内会展总收入的 1/3，正成为推动广东经济发展的新产业引擎。①

总之，改革开放以来，广东的文化贸易业不断增长，虽然内容产品国际贸易逆差严重，但相信随着文化市场的进一步成熟，文化贸易通道的更加畅通，广东参与国际文化竞争的力度将会加强。

四、文化服务业

文化服务业是文化产业的核心层，文化服务业发展水平的高低是衡量一个地区文化产业发达与否的主要标志之一。30 年来，广东的文化服务业快速发展，广播影视、文化艺术、报刊出版、网络文化等在产业发展之路上进行了创造性的探索。

（一）广播影视

广播影视业是广东文化产业发展的重点行业。广东的广播影视业经营探索起步早，产业发展步伐比较快，市场化程度比较高，已经成为广东文化产业发展新的增长点。

1. 广播电视业已经成为广东省文化产业发展的新亮点和新增长点。

1989 年广播电视行业开始实行“事业单位、企业管理”，此后，发展势头强劲。1991 年，全省共有 90 座广播电台，平均每日播音总时间达 937 小时 57 分，居全国第一。全省拥有电视台 38 座，平均每周播出总时间达 2140 小时 31 分，占全国第一位。全省共有有限电视台（站）394 个，入户总数约 180 万户，台（站）数

① 广东百科全书编纂委员会、中国大百科全书出版社编辑部编：《广东百科全书》，中国大百科全书出版社 2008 年版，第 833 ~ 834 页。

和入户数均居全国首位。[①] 赛立信公司和央视索福瑞公司收听数据调查结果显示，2004 年广东电台在全省及广州市场占有率高达 73.6 以上，成为全省及广州地区广播市场的主导者，广告经营在全国行业排名中仅次于北京，列第二位。2003 年国家广电总局公布的全国省级广电系统统计数据显示：广东广电主营收入、总资产、净资产、有线电视用户连续 5 年稳步增长，连续 4 年居全国首位。[②] 到 2005 年底，全省共有广播电台 22 座，电视台 24 座，广播电视台 76 座。全年广播电视经营创收 78.84 亿元，比上年增加 8.84 亿元。[③]

广东是全国电视频道最多最集中的省份，也是竞争最激烈的地区。美国时代华纳、维亚康姆、新闻集团等国际传媒巨头和邵氏影业、TOM 等香港财团纷纷落地广东。面对这种咄咄逼人的竞争格局，广东电视媒体深化改革，创新体制机制，经过数年激烈的市场竞争和角逐，到 2004 年底，已经从根本上改变了收视格局。2005 年，南方广播影视传媒集团的收视市场份额跃居所有境内外电视的首位，结束了境外电视 20 多年来占据广东收视市场优势的历史。据央视索福瑞公司调查显示：在全省地区，集团属下的广东电视台、南方电视台和 19 个地市广播电视台的总体收视市场份额高达 44.8%，全面超越境外电子媒体。在竞争最激烈的广州地区，南方传媒集团也实现新的历史性跨越：据国际权威收视调查机构尼尔森公司调查统计，2005 年集团在广州地区的收视市场份额为 30%，比 2004 年增长了 4.4 个百分点，超过 8 个境外电视市场份额总和。[④] 特别是广东南方电视台和广东电视台，通过定位调整、打造本土化节目、品牌推广和整合营销等一系列竞争举措，成为广东市

---

① 广东年鉴编纂委员会：《广东年鉴》（1992），广东人民出版社 1992 年版，第 587 页。

② 方健宏主编：《广东文化产业投资指南》，广东人民出版社 2006 年版，第 12 页。

③ 广东年鉴编纂委员会：《广东年鉴·2006》，广东年鉴社 2006 年版，第 435 页。

④ 广东年鉴编纂委员会：《广东年鉴·2006》，广东年鉴社 2006 年版，第 436 页。

场上收视份额增长最快、升幅最大的生力军。

在广东广播影视业的发展过程中，南方广播影视传媒集团是整合媒体文化资源的一个典型。南方广播影视传媒集团是全国第一个由省、市、县三级广电系统联合组成的全省广电传媒集团，也是中国规模最大、实力最强的广电集团之一。集团于 2004 年 1 月正式组建。集团以开放、联合为主要特征，坚持从广东的实际出发，坚持联合发展、联合经营，实现了省、市、县三级贯通，在实践中初步确立了以联合发展为核心内容的“南方模式”。2005 年，集团全年实际收入为 46.1 亿元，集团总部经营收入为 20.12 亿元，一跃成为全国规模最大、实力最强的省级广电传媒集团。①

2. 院线制为广东电影发行、放映带来了全新的变革。

改革开放以来，广东电影市场一直名列全国前茅。80 年代中期，省电影公司每年向全省发行影片 100 多部，放映超过百万场次，全省电影票房最高年份过亿，观众超过 10 亿人次。② 1993 年全国电影行业机制改革以来，全省电影经营逐步走向市场，电影市场严重衰落，电影行业困难重重，广东电影业在探索中艰难发展。1999 年以后的院线制改革为广东电影业的发展带来了生机与活力。

1999 年由省电影公司组建的全国超大银幕院线“SBS”宣布成立，这是全国首家电影院线注册品牌，并迅速发展成为全国电影界的知名品牌。2002 年，广东华影南方电影院线有限公司、珠江电影院线有限公司和深圳市深影电影院线有限公司等先后成立。院线制改革对广东电影发行放映业产生了巨大的冲击力，此前沿用的省市发行框架完全瓦解。院线制改革使广东电影市场的潜力得到更大的释放。

首先，广东电影院线呈现持续发展态势。2005 年，广东共有院线 5 条，126 家电影院，232 个放映厅，座位 101010 个；至 2007

---

① 广东百科全书编纂委员会、中国大百科全书出版社编辑部编：《广东百科全书》，中国大百科全书出版社 2008 年版，第 559～560 页。

② 广东年鉴编纂委员会：《广东年鉴》（1989），广东人民出版社 1989 年版，第 391 页。

年，已有院线6条，影院225家，放映厅403个，座位173463个，其中约16%在广州，70%分布在珠江三角洲，同时延伸到了粤东、粤西和粤北部分地区，南方新干线和珠江院线，还有近10家影院打进了省外。广东目前的6条院线，包括在广东注册的4条，分别为中影南方电影新干线、广东珠江电影院线、深圳电影院线、广东大地数字电影院线，外地打入广东的2条则是中影星美电影院线、万达电影院线。6条院线的影城建造，有多种资本形式：国资的，民资的，港资乃至外资的，或独资，或合股进行运作。其中仅珠江三角洲，港资的投入已超过一个亿，民资在东莞、中山、惠州三地已投入近7000万元。拥有影院最多的是中影南方电影新干线，103家，其次是广东珠江电影院线，39家。①

其次，广东院线通过多种方式增加票房收入。广东院线既有贵族价格，也有草根价位。院线影院是营业性放映的，票价通常要四五十元，对低收入人群如打工一族、学生、外来工等来说，颇感吃力。各院线于是设立了各种优惠方式，降低门槛。如，本来就瞄准草根阶层、以价格低廉显示优势的大地数字电影院线，票价最便宜，2007年5月2日，全球同步上映的美国大片《蜘蛛侠3》，一张票15元；8月11日，全球同步上映的美国大片《哈利·波特5》，降至10元！创下了全国进口大片的最低票价，赢得了大量观众。这些措施保证了广东电影票房的收入。2007年，广东全省电影放映票房收入达4.9946亿元，超过了北京、上海，居中国大陆首位，这个佳绩，95%是近几年推行的电影院线创造的；2007年，全国电影院年度票房排名十强中，广东占了三家，全是院线旗下的影院。院线，激活了广东电影市场。②

（二）文化艺术

从广州开设国内第一家音乐茶座以来，广东的文化艺术业发展

---

① 《登上票房冠军幕后几多“推手”》，《羊城晚报》2008年3月9日，A06版。

② 《登上票房冠军幕后几多“推手”》，《羊城晚报》2008年3月9日，A06版。

在全国一直处于领先地位，市场化程度也比较高。星海音乐厅、广州美术馆、广州艺术博物院等一大批充满现代气息的建筑拔地而起，群众艺术馆、图书馆等公共文化设施遍布城乡，尤其是演出业充满活力。

新中国建立后，由于计划经济和对市场经济认识的误区，致使演出在相当长时间作为宣传工具使用，在20世纪80年代末期之前一直没有形成独立的市场体系。尽管国有艺术表演团体和演出场所的演出活动也收取费用，但不是完全的市场交换行为，还是计划经济体制下的经营行为。这一时期演出行业中的艺术表演团体、演出场所、文化场馆都是全民所有制，主要经费来源都依靠国家财政支持。20世纪90年代中期演出市场才全面展开，最后终于走向结构合理、稳步发展的道路，形成了规范有序而又充满生机活力的演出市场体系，呈现出良好的整体发展态势。广州成为与北京、上海相并列的演出重镇。

首先，演出的基础设施相对完善。广东先后建成了星海音乐厅、广东粤剧艺术大剧院、东莞玉兰大剧院等多个标志性文化设施，大大提升了广东文化娱乐业的知名度和竞争力，吸引了很多国际、国内名团、明星和名家到广东演出。世界级的俄罗斯国家交响乐团以及国内著名的中国交响乐团、中央民族乐团等都曾莅临演出。完善的设施也打造了广东自己的演出团体，广州交响乐团、广州杂技团、广州芭蕾舞团等，以先进的管理经营理念、高品质的艺术水准，努力开拓国内外演出市场，积极参与国际文化交流，成为国内外享有盛誉的实力名团。

其次，创造了自己的演出品牌。随着演出市场的逐步成熟，广东逐渐打造出属于自己的演出品牌。星海音乐厅的新年音乐会、“广州之夜”系列精品演出不仅在本地家喻户晓，而且在全国都拥有广泛的知名度。为了振兴粤剧，广东省文化厅还于2001年元旦起在广州友谊剧院隆重推出“粤剧粤曲名伶新年盛会”，社会影响良好。在传统粤剧日益受冷落的情形下，粤剧《睿王与庄妃》、《花月影》锐意创新，大获成功，为传统戏剧的未来进行了有意义的探索。

再次，对高层次文化产品的消费需求剧增。近年来，随着经济的发展，人们对高雅艺术的消费需求逐年上升。据专家推测，到2010年，广东省文化消费需求总量将达800亿到1200亿元的规模。目前，广东国内外优秀剧目的演出已经超过了港台歌星的演唱会。以省星海音乐厅为例，2004星海音乐厅年共举办演出152场，其中国内演出116场，涉外及港澳台演出36场，大约平均2.4天就有一台高雅演出在此上演，观众人数近10万人，全年平均上座率51.35%，全年票房收入834.7万元。①

最后，"广州之夜"的低票价运作机制是演出业的一大创新。高票价是制约整个国内演出业发展的瓶颈，严重阻碍了演出业的健康、快速发展。目前，市场化的演出业因为高票价将大量的普通观众拒之门外。"广州之夜"品牌的出发点和根本目的是让所有的市民都看得起、看得到专业文艺演出，为此，"广州之夜"实行低票价运作，除保留少量贵宾票允许以100元以上的票价销售之外，票价均确定为30元、50元或60元。"广州之夜"的运作机制为解决我国演出业高票价这一瓶颈问题做出了有益的探索。

（三）报刊出版

报刊和出版发行业是传统的文化产业，改革开放以后随着经济的发展，广东的报业和出版业与时俱进、改革创新，走在了全国前列。

1. 领跑全国的报刊业。

改革开放以来，广东省报业经历了三个阶段的发展。②

第一个阶段：1978年到1986年，各类型各层次的报纸相继复刊或创办。1978年全省仅有报纸11家，而至1989年，全省有机关

① 方健宏主编：《广东文化产业投资指南》，广东人民出版社2006年版，第21页。

② 李子彪：《广东报业的现状与发展》，《新闻战线》2000年第2期。

报25家，经济、科技、教育、法制等专业报纸93家，企业报63家。全省报纸期发行量830多万份。

第二个阶段：从1987年到1995年，体制改革、版面改革、发行改革和经营改革等相继开始，报业由此获得新的发展空间。1987年初，《广州日报》在全国省市报纸中率先扩版，《南方日报》、《羊城晚报》等也纷纷增张扩版和采用彩色印刷，其他经济、文化、体育、娱乐等专业性报纸也普遍扩版至两大张以上。与此同时，各种报纸积极开展新闻改革，增强采编人员的社会责任感，调动了他们的积极性、主动性、创造性，丰富报道内容，提高了报纸的可读性，越来越受广大读者的欢迎。

第三个阶段：从1996年开始，广东报业进入集约化、规模化经营阶段。1996年《广州日报》成为我国首家报业集团。1998年《南方日报》和《羊城晚报》同时成立报业集团。1999年深圳特区报业集团挂牌。广东的报业集团在发展中逐步形成了如下两种模式：

第一种是以党委机关报为集团中心的“广州日报模式”。以“追求最出色的新闻”为理念，在头版和要闻版，做深做好指导性的新闻，在其他版面上，做好格调健康、体现“三贴近”的可读性新闻。结合重大新闻事件不时推出有重大影响力的特刊专辑，既体现了市委机关报的政治高度，又满足了不同读者的要求。广州日报报业集团现在拥有15种报纸和5家杂志以及广州出版社和大洋网，另外还有广东九州阳光传媒股份有限公司等十几家公司。集团还有3800多人的专职投递员队伍，已经在广州及珠江三角洲地区建立了高效完善的发行网络。

第二种是以“媒体发展多品牌战略”为集团理念的“南方报业模式”。首先培育出品牌报纸，以品牌报纸为龙头来孵化新的子报刊。目前，南方报业传媒集团拥有“九报六刊”，已经形成平面媒体、网络媒体、移动媒体、文化出版、文化发展、文化视野和传媒的公益活动等七大业务板块，实现了从报业到多媒体全方位、立体化的跨越。同时，南方报业传媒集团开发网络杂志和手机报纸，摸索第二代网络媒体集群的路径，引领3G时代新闻内容走向，努

力打造“南方新闻数码港”。①

广东期刊在80年代风靡全国，成为行业的标兵，像《家庭》、《黄金时代》、《花城》、《少男少女》、《家庭医生》等很多期刊，无论从发行量、读者量还是影响力方面，在全国都名列前茅。但是进入2000年之后，由于受互联网等新媒体的影响，广东的期刊大多走下坡路。不过，从期刊数量来看，广东依然位居全国前列，但能够在全国有较大影响力，发行量、广告收入较高的只有10多种。

《家庭》期刊集团是中国首家期刊集团，成立于2002年1月。其核心刊物《家庭》是非常有影响力的文化品牌，是中国最畅销的杂志之一。集团实施品牌多元化发展战略，积极拓展产业规模，先后创办了《孩子》、《私人理财》等刊物，成立了影视音像制作公司和家庭网站，参与筹办广东女子职业技术学院。这种在报刊主业的强有力支撑下，向其他行业拓展，进行多元化发展的盈利模式被称为报刊发展的辐射拓展型模式。《家庭》期刊集团以刊物为主体，以创办经济实体、举办社会文化公益事业活动为两翼的“一体两翼”的发展格局，正是这种模式的典型代表。

经过改革开放30年的努力，广东的报刊业已经形成了一个以报业集团为龙头、多报种蓬勃发展、能适应各个阶层读者需求的报业结构。并且逐步形成了以广州报业为中心，以深圳报业为次中心，以地市报业为外围的基本格局。广东报业发展速度快，产业化程度高，经济实力强，已成为广东文化产业的品牌，也是全国报业产业的龙头。

2. 集团化发展的出版业。

改革开放以来，广东出版业取得了巨大的进步。广东图书出版机构由1978年的3家，发展到2006年的21家，出版机构数量位居北京、上海之后。20世纪80年代，粤版图书曾以观念新、装帧美和社会影响大等特色一度领先全国。20世纪90年代以来，随着

① 广东百科全书编纂委员会、中国大百科全书出版社编辑部编：《广东百科全书》，中国大百科全书出版社2008年版，第554～557页。

一批高质量、高品质的精品双效图书的推出，广东图书的整体质量和影响力有了较大的提高。

广东音像电子出版机构由1978年的1家，发展到2006年的29家。出版机构数量位居北京之后。借助有利的地理位置，广东的音像电子出版业得以迅速发展，先后创造了多项全国第一，并且始终位于全国前列。

广东互联网出版机构从无到有，2003年11月，广东3家涉足网络运营的软件机构获得互联网出版许可证，成为互联网出版机构。①

广东出版集团有限公司的重组是广东出版业发展中的一个重大事件。广东省出版集团有限公司1999年成立，下属8个图书、音像电子出版社，12个与出版业相关的各类公司，4家杂志社，并控股广东新华发行集团股份有限公司。2004年，广东省出版集团公司先后进行了重组，整体转制为企业并获得国资经营授权，着力构建编印发一条龙、产供销一体化的大型出版文化产业集团。广东省新闻出版局将广东科技出版社等13家企事业单位划转至广东省出版集团主管主办；将广东新华发行集团股份有限公司的国家股划归广东省出版集团有限公司，作为广东省政府授权经营的国有资产。同年，广东省政府批复同意广东省出版集团有限公司对广东省出版集团内所属成员单位占有的国有资产和广东新华发行集团股份有限公司的国有股行使出资人权利，依法实施经营、管理和监督，承担保值增值责任。至此，出版重组后的广东省出版集团有限公司发展势头良好，集约化经营改变了单一的产品结构，在品牌建设、印刷复制、物资贸易等方面产生了明显的规模效益。2006年销售收入汇总数28.53亿元；利润汇总数1.63亿元；总资产39.15亿元，净资产25.52亿元。②

---

① 广东百科全书编纂委员会、中国大百科全书出版社编辑部编：《广东百科全书》，中国大百科全书出版社2008年版，第552页。

② 广东百科全书编纂委员会、中国大百科全书出版社编辑部编：《广东百科全书》，中国大百科全书出版社2008年版，第565～566页。

按照《国家“十一五”时期文化发展规划纲要》的要求，今后，广东出版业将继续推动产业结构调整和升级，加快从主要依赖传统纸介质出版物向多种介质形态出版物共存的现代出版产业转变，从主要依赖区域性市场向综合开拓国际国内市场转变。培育一批具有较强竞争力和实力的出版企业集团，打造一批社会效益和经济效益显著、具有较强影响力的出版品牌。

（四）网络文化

以互联网信息服务为主体的网络文化服务业是当今世界发展最快的新兴产业之一。网络文化是一种具有数字化特征和虚拟现实性特征并受网络技术影响的文化资本。网络服务市场需求旺盛，产业发展空间广阔。以动画卡通、网络游戏、手机游戏等为代表的动漫游戏产业，已成为广东文化产业中的新兴支柱力量。2005 年，广东有 60 多家从事网游、动漫产品开发和经营的公司，年产值超 20 亿元，约占全国网络游戏动漫总产值的 30% 。[①]

1. 前景广阔的网游业。

游戏产业是我国新兴的高新技术产业之一。网络游戏综合了文本、图像、音频、视频等各种媒介符号形式，允许使用者进行多层次的信息传播和交互行为，最大限度地满足了现代社会中年轻人的体验需求，因而发展非产迅速。

近年来，我国网游产业迅速发展，作为经济增长的一个亮点，已经成为经济腾飞的“第四产业”，前景广阔。广东政府近年来大力扶持本地游戏产业，2003 年组织召开了“广东首届网络游戏文化高层研讨会”、“广州国际网络游戏嘉年华”，2005 年又在广州召开了首届中国游戏产业年会。国家 861 计划出台后，省政府办公厅紧跟着在《2003 年广东省关键领域重点突破项目招标公告》中设置了“互联网文化娱乐软件开发”一项，该项目提供的扶持资金高达 1000 万，比国家 863 计划的 500 万翻了一倍。

① 广东年鉴编纂委员会：《广东年鉴 · 2006》，广东年鉴社 2006 年版，第 433 页。

在广东网络游戏的发展中，网易和腾讯QQ走出了各具特色的两条道路。2001年，网易率先推出了首款自主研发的大型网络角色扮演游戏《大话西游Online》，2002年开发了《大话西游Online Ⅱ》，2003年推出大型Q版网络游戏《梦幻西游Online》，目前，后两款游戏位居国内所有运营网络游戏三甲之列。而腾讯QQ依靠QQ用户群主营休闲游戏。虽然以打怪、练级、换装备以及PK为主的角色扮演类游戏还是市场的主导产品，但是，近几年在政府网络游戏产品结构调整的政策影响下，再加之网络游戏用户的多元化倾向，即越来越多的上班族和女性加入了这个队伍，棋牌类游戏和Q版等休闲类游戏出现了很好的发展势头。目前QQ游戏平台提供超过30种休闲游戏，实现了同时在线超百万的市场业绩，最高同时在线数达到188万人。2005年7月文化部游戏产品内容审查委员会向社会推荐的15款游戏全部是Q版游戏和棋牌类休闲游戏。[①]

2. 初具规模的动漫业。

广东从1993年开始发展动漫产业，到2006年，广东动漫产业取得了长足进展。全年广东原创动漫时长达到18121分钟，占全国约1/4。2006年全年产量甚至是1993—2004年的两倍多。到2006年底，广东省经批准领取《广播电视节目制作经营许可证》，并具有独立原创制作能力的动画片制作单位已经达到15家，有13部动画片被国家广电总局推荐进优秀国产动画片目录。与此同时，中国动漫界的最高奖项金龙奖，也永久性落户广州。[②] 以金龙奖颁奖典礼系列活动为代表的广州动漫已经成为广州市的一张文化名片，广州被誉为“华南动漫之都”。

2006年，广东出产的动画片进入了国内各大院线，这是自上海美术电影制片厂逐渐退出院线舞台之后，近年来出现的唯一一批动漫电影。其中，由广州统一数码特技制作公司制作的动画电影

---

① 孙家正主编：《2006中国文化年鉴》，新华出版社2007年版，第225页。

② 广东百科全书编纂委员会、中国大百科全书出版社编辑部编：《广东百科全书》，中国大百科全书出版社2008年版，第813页。

《勇闯天下》，在2006年春节档期进入院线，受到了青少年的热烈欢迎。这部影片制作精良，是国内第一部二维技术和三维电脑绘画相结合的电影作品。除设计创作原创动漫形象之外，广东动漫界还率先开辟了改编经典电影故事片的先河。2006年，深圳方块数码获得了八一厂经典电影《闪闪的红星》的改编权，准备将“潘冬子”这一经典形象变成卡通人物搬上银幕。

此外，广东动漫的原创性值得关注。广东原创动漫《神探威威猫》系列、《老夫子》系列、《智谋家族》系列、《古语新说》系列等多部动画片深受少年儿童喜爱，被国家广电总局列为2006年国产优秀动画片。深圳本土动漫在近几年迅速崛起。深圳是我国动画加工制作起步最早的城市之一。过去，深圳动画企业一直从事“来料加工”，其竞争力主要集中于动画制作环节上。全市有动漫加工生产企业200多家，从业人员数千，是国内最大的动画制作基地之一。主要承接来自欧、美、日的动画加工业务，许多著名的动画片都曾在深圳制作，如迪斯尼的《花木兰》、《狮子王》、《人猿泰山》等大片，每年创造产值2亿元以上。虽然这些外包制作业务给深圳带来了原始资金、管理经验和人才的积累，但也造成了原创动画片的缺乏。这种情况在最近几年得到了改善，本土动漫开始崛起。《猫王和嘎嘣豆》、《藏獒的天空》、《水果部落》、《薯仔的天空》、《梦和世纪》等作品引起了众多动漫迷的关注。原创性也让深圳漫画走向全国，走向世界。如深圳南方盛美动画设计有限公司的作品《水果部落》，参加韩国春川国际动画片的评选获得大奖，被美国迪斯尼公司选中投资制作。

深圳本土动漫的崛起表明，我国的动漫业要走出低端的发展，必须充分挖掘本土资源，开发原创动漫作品。按照《国家“十一五”时期文化发展纲要》的要求，积极发展以数字化生产、网络化传播为主要特征的数字内容产业。加快发展民族动漫产业，大幅度提高国产动漫产品的数量和质量。积极发展网络文化产业，鼓励扶持民族原创的、健康向上的网络文化产品的创作和研发，拓展民族网络文化发展空间。

此外，文化服务业中的旅游业已经成为广东经济发展的重要力量；游艺、录像、网吧、电子游戏等文化经营业发展态势良好；广东的健身休闲业方兴未艾；广东省的报纸广告、电视广告、广播广告、网络广告营业额，多年来一直位居全国前三名；文化艺术及贸易经济代理以及各种文化中介服务快速发展。

总之，改革开放以来，广东的文化服务业发展迅速，但与文化制造业相比，文化服务业发展相对滞后。统计显示，广东文化服务业所占比重低于全国平均水平，2004 年，全省文化服务业实现增加值 226.74 亿元，占文化产业增加值的比重仅为 18.8%，占 GDP 的比重仅为 1.2%，低于全国 1.5% 的平均水平，与先进兄弟省市的指标相比差距较大。[①] 因此，广东的文化服务业必须继续改革创新，加快发展力度，整合资源优势，走集团化发展的道路。同时，推进精品建设工程，实行品牌战略，促进广东文化服务业的快速、高效发展。

五、创新精神和品牌意识

经过了 30 年的发展，广东的文化产业不仅从无到有，而且实现了跨越式的发展，充分体现了广东人的创新精神。但是，文化品牌建设相对滞后的问题也日益凸现出来。增强品牌意识、实行品牌战略成为广东文化产业进一步发展的重点。只有把创新精神和品牌意识结合起来，相辅相成、相得益彰，才能共同推进广东文化产业的发展。

（一）创新精神

文化产业在西方一些发达国家也被称为创意产业，“创意产业”这个概念本身就表明了创新精神对文化产业的重要意义。“创

① 方健宏、姚军毅、刘启宇：《广东文化产业发展的现状与前景》，载《2007 年：中国文化产业发展报告》，社会科学文献出版社 2007 年版。

意”是文化产业的核心属性。除去市场化程度这个因素，文化产业区别于其他产业的关键点就在于创造性和精神性。在“第四届中国文化产业新年论坛”上，国家新闻出版总署党组副书记、副署长柳斌杰说，创意是文化产业的灵魂。一旦文化没有创意，一件作品也就没有了自己的特色，也就没有了生命力。创造是文化产业的核心。把文化变成产业，把创意变成产品，把知识变成物资，需要的就是创造。①

广东文化产业在改革开放30年的发展中，充分发扬了敢闯、敢干、敢为人先的创新精神，在观念创新、体制和机制创新、内容创新等方面进行了积极的探索。

首先是观念创新。就是要充分认识文化产业在整个社会发展中的作用。文化产业的发展离不开观念的更新，我们的认识不能停留在过去，必须与时俱进。要充分认识当前发展文化产业的重要性、必要性，适应社会主义市场经济发展的需求，树立全新的文化产业意识。

从国际视野看，在全球化时代，文化与经济和政治相互交融，在综合国力竞争中的地位和作用越来越突出。经济上的闭关自守已经不可能，文化上的自给自足也已经成为历史。在全球一体化的背景下，各个不同民族的精神产品成了公共的财产，文化产业的生产要素不再局限于一个国家或一个地区，任何一个国家都可以利用其他国家的文化资源生产文化产品，如，1998年美国迪斯尼影片公司以中国古代关于花木兰的民歌为素材，拍出了动画电影《花木兰》，在市场上获得成功。因此，面对全球各种文化相互激荡的局面，要参与国际经济竞争、文化竞争，弘扬传统文化必须大力发展文化产业。

从国内情况看，落实科学发展观，构建和谐社会，经济是基础，文化是灵魂。因此，更新观念、大力发展文化产业既是满足人民群众精神生活的需要，也是实现社会经济效益的有效途径。对于文化产业的性质，既要注重它的意识形态属性，又要注重它的产业

① 《文化产业舞台如何唱响中国风》，《新华日报》2007年1月9日，D03版。

属性。树立全新的文化产业意识，坚持以发展繁荣为中心，满足人民群众精神文化生活需求为目的，完善文化产业发展政策。

对广东而言，观念创新是发展文化产业的先决条件，是广东文化产业发展不竭的动力和源泉。从历史上看，岭南文化的重要精神传统之一，就是敢为人先、务实进取。近代，岭南文化融入了先进性和多样性，使岭南文化在反对保守、僵化，积极解放思想，敢于开风气之先等方面显示出更多的主动性。尤其是改革开放30年来，广东率先经历了改革开放的浪潮，思想观念活跃，不拘陈规，敢闯敢干，广东人“敢吃螃蟹，会吃螃蟹”，向来为全国人民所称道，形成了以“敢为人先、务实进取、开放兼容、敬业奉献”为要旨的新时期“广东人精神”。此外，在中外文化交流的过程中，广东人逐步形成了新型的文化价值观念，比如“时间就是金钱，效益就是生命”、竞争意识、竞争而又合作的“竞合观念”、契约意识、权利意识、公正意识、法制观念，等等，同时，在长期的中外文化交流、碰撞中形成了“开放兼容”的心态。[①] 可以说，广东改革开放30年的发展过程，就是岭南文化更新的过程，是广东人观念创新的过程。从广东文化产业的发展方面看，从文化市场的逐步开放到文化产业的跨越腾飞，这一过程鲜明地反映了广东人勇于创新、敢于创新的精神。“敢为天下先”的观念创新，为广东文化产业的发展提供了思想基础。

其次是体制与机制创新。最近几年来，广东文化体制改革和机制改革已经取得了一定的成绩，但是和飞速发展的文化产业形势要求还不适应。实践证明，文化产业发展只有不断突破原有的体制和机制，才会产生良好的社会和经济效益。

在体制创新方面，继续推动国有经营性文化事业单位转制改企，使它们逐步走向市场，把它们培育成为自主经营、自负盈亏、自我发展、自我约束的市场主体。理顺政府和文化企事业单位之间的关系，把政府办文化转向为管文化，把精力集中到加强文化法制

---

① 李宗桂：《充分利用广东的文化资源》，《南方》2004年第2期。

建设和文化市场的培育和管理上来，建立与社会主义市场经济相适应的文化产业体制。在这方面，广东进行了一系列的探索。如2005年，广州芭蕾舞团、广州歌舞团、广州艺术学校并入广州大学，“二团一校”并入广州大学后，牌子不变，与原来所属的广州市文化局脱钩，行政人事归广州大学领导。广州市文化局只对“两团”在经费、场地、承接演出任务等方面给予支持和倾斜，市财政对广州芭蕾舞团和广州歌舞团的事业经费投入不减少。这种“团校合一”的文化体制改革模式在全国开了先河。再比如深圳市的“文化综合执法”和广州市的“三局合一”文化市场综合执法，都精简了办事手续，统一了执法文书、依据、程序和量化处罚标准，这些都是体制创新的举措。

运行机制的创新对广东文化产业发展来说尤为重要。广东的文化产业在总体上缺乏竞争力，其中一个重要的原因就是企业规模相对较小，经营单位众多，资源高度分散，缺乏有效整合利用。因此，广东省在发展文化产业的过程中，要建立健全文化经济政策，调动一切积极因素，发挥多种所有制经济成分兴办文化产业的积极性。整合各种资源，构建顺畅、高效的运行机制。在这方面，广东也进行了大胆的探索。如2004年，广州交响乐团、广东省星海音乐厅、广东实验现代舞团合并重组成了广东星海演艺集团，团厅合一实现了一个集团，多种体制。“团厅合一”之后，三方均实现了迅速发展。其他如南方报业传媒集团实行的“分而不断、联而不乱”管理机制，深圳报业集团实行的“统分结合”机制，都有效地整合了集团资源，促进了企业的发展。

最后是内容创新。内容创新是文化产业发展的关键。过去，我们一直把重心放在文化体制改革上，认为要市场化了就等于产业化了。实际上，只有在内容上下功夫，才会突破单纯文化资源的挖掘，进入产业发展的轨道。依托深厚的岭南文化、应用先进的科技手段、继承传统与发展创新相结合是广东文化产业内容创新的必由之路。

民族文化的传承与创新是文化产业内容创新的重要途径。岭南文化是广东文化产业的丰富宝藏，“海上丝绸之路”、开平碉楼、

广州陈家祠、南越王墓、“千年古道”、“八和会馆”等，历史底蕴丰厚；戏曲艺术、饮食习惯、生活习俗、风土人情及其价值观念、审美情趣等，别具特色。当然，立足岭南文化，不等于裹足不前，我们要立足于本土文化资源，同时也要与时代同步，与现实同步，与人们的审美需求同步，与国际国内的文化市场需求同步，用现代意识推陈出新，以创新精神整合文化资源。将各地市蕴藏的文化资源优势和潜力挖掘出来，合理配置，将资源优势转化为产业优势。在对文化资源保护、开发利用中，打造跨地区、跨行业、跨部门、跨所有制的，拥有知名品牌和创新能力的文化产业集团，形成文化产业的发展合力。

依托科技发展推动文化产业内容创新是文化产业的发展趋势。现代文化产业是一个与科技日益融合的产业，特别是一个与信息产业相互关联、互为表里的产业。近年来，我国信息产业与文化产业的互动关联出现了新格局，电信、广电和计算机三个产业融合趋势日益明显，技术创新正成为推动文化产业创新的重要力量。面对发展机遇，广东应当抓住重点，以科技创新引领广电、通讯、信息等产业突进，以内容生产为纽带，推动产业格局重组，使文化产业真正成为信息产业的高端。

从总体上看，广东的创新精神推动了文化产业的发展，但同时我们也要看到，广东的创新意识、创新能力还与文化产业的快速发展不相适应。广东文化产业尚未形成引进、消化、吸收、创新的产业链体系，真正具有核心版权和自主创新的文化产品和服务还比较缺乏，而且，文化产业吸纳和应用高新技术的能力不足，难以形成拥有独立知识产权、具有强竞争力的高端产业。因此广东文化产业在自主创新能力方面还有待加强。

（二）品牌意识

文化品牌是文化产业发展的重要条件和动力，拥有一批特色鲜明的优秀文化品牌，才能真正走出产业链的低端，推动文化产业的发展。改革开放30年来，广东的文化品牌建设取得了不错的进展，但是总体上看品牌意识不强，品牌建设是今后广东文化产业发展的重点。

文化品牌建设在文化产业的发展中占据了越来越重要的地位。从文化产业的发展过程来看，同其他产业形态一样，文化产业在经历了粗放、自然的发展阶段之后，必然向集约、扩张的阶段迈进。在这一阶段，体现文化企业核心竞争力和综合实力的文化品牌建设变得极为重要，成为文化产业由自发走向自觉的关键。随着社会对文化产品和服务需求的增大以及国外文化产品的大规模涌入，竞争更加激烈，文化品牌的重要性也愈发彰显出来。从文化产业的竞争趋势来看，当今国际市场的竞争，已经跨越了产品竞争的阶段，进入了品牌竞争的时代。品牌是产品的卖点，是企业的标志，也是文化产业的发展归宿。文化产业要赢得市场，参与国际国内文化资本的激烈竞争，就必须走品牌化建设之路，就必须打造具有强大竞争力的文化品牌。

广东的文化品牌建设取得了一定的进展，尤其在平面传媒和文化服务方面。首届“中国文化产业品牌榜”评选活动中，中国纸媒文化九大品牌中，广东占了三个，分别是广州日报报业集团、南方报业传媒集团和《家庭》杂志；中国文化服务九大品牌，广东上榜的有深圳文博会、中国国际音像博览会和广州盛世长城国际广告有限公司。但是，除此之外，广东在动漫游戏品牌、文化制品品牌、文化产业名人、电视文化品牌、演艺文化品牌、旅游文化品牌等方面，却远远落后于其他省市。[①] 文化品牌建设滞后，不仅会直接影响广东文化产业的竞争力，而且也制约了广东文化产业的健康、快速发展。

因此，广东文化产业发展必须增强品牌意识。改革开放后，广

① 首届“中国文化产业品牌榜”评选活动中，遴选出了78个文化品牌，广东只占了九个。中国纸媒文化九大品牌中，广东占了三个，分别是广州日报报业集团、南方报业传媒集团和《家庭》杂志；中国动漫游戏文化八大文化品牌，广东只有宇航鼠上榜；中国文化服务九大品牌，广东有深圳文博会和中国国际音像博览会，以及广州盛世长城国际广告有限公司；中国文化制品七大品牌，上榜的是深圳大芬油画村；中国新媒体六大品牌，广州网易上榜。而中国文化产业十大领军人物、中国电视文化十大品牌、中国演艺文化九大品牌、中国文化旅游十大品牌榜上，却不见广东的身影。

东经济快速发展，但不少企业却长期处于“贴牌生产”的境地，成为世界知名品牌的“生产车间”，处于价值链的底层。长期以来，广东的品牌意识比较淡薄，对于品牌建设的重要性认识不足。而文化产业的业态支撑点在于文化品牌，文化品牌体现了一种文化的精神影响力和一个文化企业的核心竞争力，广东文化产业的发展必须要走品牌化建设之路。现代商业竞争，某种意义上说就是品牌之争，谁能拥有“金字招牌”，谁就能站在价值链的顶端，获得丰厚的品牌附加值。以传媒业为例，支配着全球传媒文化产业市场的主要是九大传媒巨头：时代华纳、迪斯尼、贝塔斯曼、维康、新闻集团、索尼、通信公司、环球影业和日本广播公司。这些品牌企业的年收入都在数百亿美元。当前，世界上95%的娱乐市场是被全球最大的50家媒体娱乐公司占据着，90%以上的新闻制作被美国和西方的文化集团所垄断。[①] 广东的文化产业要做大、做强，走向国际市场，增强品牌意识、实行品牌战略是当务之急。

广东要加强文化品牌建设，首先要推行精品战略，依托本土文化资源，打造广东气派的文化精品；其次是实施人才战略，重视人才培养，以文化名人提升广东的文化形象。

首先，推行精品战略。所有品牌都有一个原生文化背景在支撑着，从历史的、民族的、民间的、现有的各种文化资源中发掘出具有深厚文化内涵与底蕴的文化品牌，是品牌战略的必由之路。广东拥有丰富的历史文化资源，从历史古迹方面看，古代的海上丝绸之路、阳江“南海一号”、南越王墓等；近现代的万木草堂、黄花岗七十二烈士墓、大元帅府，农民运动讲习所、黄埔军校等，都是广东著名的历史文化遗迹。广东历史文化名人辈出，如古代的葛洪、惠能等；近现代的郑观应、容闳等。广东的生活方式颇具特色，比如西关小姐、骑楼文化、竹筒屋和西关大屋等，现在还远远没有发掘出来。广东的粤菜天下闻名，广东的凉茶独树一帜。粤剧、潮

---

① 雷光华：《西方国家文化产业发展模式与发展趋向探讨》，《湘潭大学学报》（哲学社会科学版）2004年第2期。

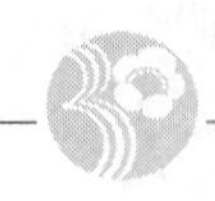

歌、木偶戏、飘色等等，广东的民间文艺资源丰富多彩。客家文化、潮汕文化、广府文化、香山文化，每种文化都各具特色，各有优势，这些都是广东打造文化品牌的优质资源。广东应该充分发掘这些文化资源，发展特色文化，打造具有现代岭南风格和广东气派的文化精品。

《广东省建设文化大省规划纲要》指出，要充分发掘广东历史文化资源，发展特色文化，打造具有现代岭南风格和广东气派的文化精品，积极开发和培育具有国内国际竞争力和影响力的文化品牌，树立广东文化形象，提升广东文化地位，提高广东文化发展水平。一方面要通过锐意改革创新，内练功夫，外树形象，强化市场意识和服务功能，推动品牌战略的实施。另一方面还要注重借鉴西方发达国家娱乐业品牌创建经验，为广东的优秀传统文化资源，注入现代化思想，以植根深远而又富于生机的文化形态，造出新型或综合型的高效益文化产业品牌，推动"广东制造"向"广东创造"的转变。

其次，实行人才战略。品牌建设离不开高素质、高层次人才的支撑，因此，广东要牢固树立人才是第一文化资源的观念，加快文化人才队伍的建设。中国文化产业之所以缺乏强大的竞争力，原因之一就是缺少一批懂市场、懂经营、懂管理、懂技术、懂艺术、有品味的专门人才。国外文化产业的成功无不借助于一批专业、优秀的人才。以游戏产业为例，2003 年，美国设有游戏专业的大学（学院）有 540 所，日本有 200 所，韩国有 288 所，其中政府指定赞助的大学及研究院就有 106 个。① 而当前广东文化产业的人才队伍学历偏低、专业技术人员年龄偏大、人才队伍专业结构不合理，并且队伍分布失衡。广东已经意识到文化产业人才培养的重要性，设立了文化产业研究机构，并开设了相关专业培养专门人才，但是，总体上人才培养呈现散、小、弱的态势。因此，广东下一步要着力解决人才短缺问题，建立、健全文化人才培养、引进、选拔和激励机制。而且，人才本身就是知名文化品牌，要以杰出的文化专

① 吴红：《我国创意产业存在的主要问题及发展对策》，《当代经济》2007 年第 10 期。

门人才促进创作繁荣和成果涌现，以优秀的经营管理人才推动文化产业发展，以文化名人、名家提升广东文化品位和形象。

当然，品牌战略是一项系统工程，是一项长期的发展战略。除了依托资源优势外，还涉及诸多因素和条件，比如明确思路、选择重点、体制改革和机制创新、政策环境、人才队伍建设等等，这些要素相互依存，相互作用，不可或缺。因此，不能奢望品牌战略在短时期就能达到效果，需要持之以恒。当前广东有绝对影响力的文化品牌不多，虽然广州日报、大芬油画等已经对广东的文化产业产生了巨大的影响，成为有名的文化品牌，但是，对于正在建设文化大省的广东而言，其文化品牌之旅还很漫长。

总之，在广东文化产业的发展过程中，必须将创新精神和品牌意识密切结合起来。品牌之路必须依靠改革、创新，而不断的创新、发展必将打造出优秀的文化品牌。

综上所述，改革开放 30 年来，广东的文化产业从无到有、由弱到强，实现了跨越式发展，已经成为广东的支柱产业之一，形成了文化产品制造业、文化贸易业、文化服务业完整配套、综合发展的文化产业体系。既取得了辉煌的成就，也存在着许多问题，如文化服务业发展相对滞后、文化产业集约化程度不高、文化产业区域布局失衡、内容产品国际贸易逆差严重等。作为 21 世纪的朝阳产业，广东文化产业的发展道路还很漫长。今后，广东将继续改革开放以来的发展路径，进一步提升文化产业的国际化水平，并和香港加强合作，在金融、营销等方面服务全国，成为宏观文化产业全球化的跳板。广东、北京、上海成为我国东部地区各具特色的三大文化产业发展中心：北京推动“中国制造”走向“中国创造”，上海侧重从“中国创造”走向“中国设计”，广东则着眼于从“中国创造”和“中国设计”走向“中国营销”。① 随着改革开放的不断深入，广东的文化产业发展必将更上一层楼！

---

① 张晓明、胡惠林、章建刚执笔：《走进“十一五”：发展文化事业的新综合与新视野》，载《2006：中国文化产业发展报告》，社会科学文献出版社 2006 年版。

第四章
大众文化的兴盛

随着文化事业和文化产业的长足发展，广东大众文化[①]也逐渐兴盛起来。作为改革开放的前沿，广东在大众文化的发展过程中，得风气之先，又开风气之先，一度成为全国大众文化的发源地和风向标。其雅俗共赏的流行文化、敢为人先的大众传媒和开放共赢的休闲文化，不断借鉴外来的经验和技术，在借鉴中进行调整创新，在创新整合中走向全国。广东大众文化的发展也并非一路凯歌、一帆风顺，也曾出现过困顿、遇到过挫折，只是广东人“敢为人先、务实进取、开放兼容、敬业奉献”的精神，以及岭南文化特有的务实、开放、兼容、创新特质，往往能使它不断调整、不断求新，最终“杀出一条血路”。

一、从“拿来”到创新的大众文化

同全国其他地方一样，广东在“文革”“左”倾思想的影响下，大众文化一度非常贫乏。改革开放后，利用地理位置的优势以

---

① 大众文化是一种现代消费文化，是指“兴起于当代都市的，与当代大工业密切相关的，以全球化的现代传媒（特别是电子传媒）为介质大批量生产的当代文化形态，是处于消费时代或准消费时代的，由消费意识形态来筹划、引导大众的，采取时尚化运作方式的当代文化消费形态”。金元浦：《定义大众文化》，《中华读书报》2001 年 7 月 25 日，第 20 版。

及与港台存在的文化势差，广东在不断借鉴港台先进经验和技术的基础上摸索创新，推动大众文化较早走上正常的发展道路，并取得可喜成绩。这一过程大致经历了四个阶段，即 1978 年至 1985 年的乘势而起阶段，1986 年至 1996 年的高歌猛进阶段，1997 年至 2001 年的徘徊调整阶段，以及 2002 年至今的整合创新阶段。

（一）乘势而起

1978 年前后，全国文化工作在揭批“四人帮”及其文化政策的危害中逐步走向正常化，相关文化机构和文化组织也逐渐恢复工作。1977 年下半年，广东便在全国率先恢复文联和作协等文学艺术团体活动，同时还恢复了文学、电影、戏剧等文艺作品的出版、演出活动。“文革”之后，全国出现了文化消费日趋高涨和资源相对匮乏的矛盾，对大众文化的发展提出更高要求。

此时的港澳，均已经形成现代意义的大众文化。人民群众切实的文化需求与港澳的文化优势一起，使得广东充分发挥与港澳文化同根同源和地理位置临近的优势，通过对港澳大众文化的学习在全国率先迈开发展大众文化的步伐。“拿来”，是这一时期广东大众文化发展的典型特征。

在流行文化方面，风靡一时的“伤痕文学”通过对“文革”的反思、对人生的思考满足刚刚人们思想解放的需要，成为广东大众文化乘势而起的开始。反映时代精神的“打工文学”也在这一时期进入人们的视野。广东不仅发掘出港台通俗文学和流行音乐的优势，在全国掀起新武侠小说热和流行歌曲热，打造了一批非常受欢迎的杂志和靠模仿起家的流行歌手，1985 年还成功举办了“红棉杯”新歌新风新人大奖赛。同时，广东还利用港澳的时尚信息与资源，将广州迅速变成全国的时尚之都，在服饰和发型方面引领全国，1979 年高第街诞生了广州第一家个体发廊——罗维丽莎。在大众传媒方面，不仅从港澳和西方国家“拿来”了办报和策划电视节目的经验与运作方式，在节目题材上紧跟改革开放的步伐，而且还大量引进先进的技术和设备，1978 年广东电视台就有针对性地开播了《企业之窗》，1979年广东太平洋影音公司成立。在休闲文化方面，不仅引进异域的饮食文化、旅游观念，而且还“拿来”先进的商业广场文化理念。

总之，广东以开放的胸怀，兼容的气度，务实的作风，将得天独厚的地理位置优势和国家给予的政策优势发挥得淋漓尽致，率先以港澳为榜样，通过大量引进相关资源和经验技术，促进了大众文化的恢复和发展。

（二）高歌猛进

1986年是全国文化建设的一个关节点。重视精神文明建设，是文化建设新生面、新思路的体现。[①] 1992年邓小平同志南方视察和中国共产党第十四次全国代表大会召开，解决了改革开放以来困扰人们的一些重要理论问题，并把市场经济体制确定为中国经济体制改革的目标。这就为广东大众文化的活跃、发展提供了契机。而在“拿来”基础上进行的综合创新，最终促使它向全国一路高歌猛进。

国内文化市场逐渐形成和广东大众文化优势凸显，是这一阶段大众文化能够高歌猛进的主要原因。80年代末国内文化市场逐渐形成，不仅为大众文化的蓬勃发展奠定了基础，而且也为地方性文化间的竞技提供了舞台。同改革开放初期广东与港澳大众文化的关系一样。[②] 广东大众文化的乘势而起和充分利用发展先机，使它在同港澳学习和交流的过程中脱颖而出，对内地形成明显的优势和吸引力。

在通俗文学方面，继武侠小说热之后，花城出版社对琼瑶小说的推广又在全国掀起了“琼瑶热”，打工文学在这一时期获得较大

---

① 1986年，中共中央第十二届六中全会通过了《中共中央关于社会主义精神文明建设指导方针的决议》。精神文明建设，本质上就是文化建设。详见本书第八章相关论述。

② 谭庭浩：《站在城头看风景——当代都市文化的散点透视》，花城出版社1995年版，第5页。

发展，热潮诗也在这一时期登场。这一时期，在影视精品的带动下，广东大众文化席卷全国。90 年代中期，广东电视剧《情满珠江》在中央电视台第一套黄金时段播出，在全国产生巨大影响，获得第三届中宣部精神文明建设“五个一工程”入选作品奖，第十二届大众电视“金鹰奖”长篇电视剧一等奖，第十四届全国电视“飞天奖”一等奖。广东策划创作电视剧《和平年代》、《英雄无悔》，歌曲《弯弯的月亮》、《涛声依旧》、《小芳》等传唱大江南北……广播领域的“珠江模式”出现，商业互联网在广东出现，快餐业进入广东并迅速发展，广东旅游业进入自觉发展阶段，深圳“世界之窗”文化旅游景区隆重开业，广场文化兴起……广东大众文化在各个领域都有长足发展，呈现出全面繁荣之势。

广东大众文化在经过一段时间照搬照抄之后，逐渐具备了自主创新的条件。通过发挥自身优势，发掘本地特色，努力创新，广东大众文化出现了空前的繁荣。文化市场的形成和文化势差的存在，使广东流行文化、大众传媒和休闲文化，一路高歌涌向内地，并在全国掀起粤文化流行潮，确立了其在国内当之无愧的主导地位。

（三）调整徘徊

在 1997 年到 2001 年期间，中国经济社会在持续发展的同时出现了较大的变动。首先是国内经济由于前一时期的过热，出现了一定程度上的起伏；其次是香港和澳门的相继回归、1998 年我国南方发生特大洪涝灾害和东南亚爆发了波及广泛的金融风暴；最后是我国最终加入 WTO，成为成员国。由此带来的经济增长模式的转换需要，以及国内文化市场竞争的升级，促使广东大众文化在多数领域出现大幅度调整，从而出现了暂时的徘徊。

与前一时期相比，广东大众文化的发展势头明显降低，有影响的作品较少。国内外经济环境变化和创作人才的缺失，是这一时期促使广东大众文化调整的主要因素。广东作为中国改革开放的前沿和窗口，不仅较全国其他地方容易受到国家政策和国外经济环境变动的影响，而且由于广东与港澳及东南亚地区经济关系日趋紧密，国际经济环境的变化对广东大众文化的影响尤其明显。而大众文化作为商业文化和工业文化，本身比其他形态的文化容易受到经济环境的影响。因此，伴随着国内外经济大环境的变动，感知一向敏感的广东大众文化首当其冲。

调整发展，是这一阶段广东大众文化的主要特征。发展思路上的调整，首先表现在广东省政府相继启动南粤锦绣工程和山区文化建设工程，以努力完善基础文化设施建设，为大众文化的发展提供坚实的基础。其次表现在文化企事业单位开始谋求相互合作和规模发展，在国家文化体制改革试点省的有利条件下，较早呈现以集团化为方向的发展趋势。最后是促使各种文化消费形式之间的不断整合，如数码文化的出现。① 广场文化在这一时期获得较大发展，在物质与精神都具备的基础上，在政府提倡、引导和市民主动参与的双重推动中展开。②

广东大众文化在这一时期出现的调整性徘徊，主要是由于经济环境的影响。因此在经济持续高速发展的总体走势，以及广东应对国际经济环境变动能力不断增强的情况下，徘徊是暂时的。而且由于其调整的方向符合文化发展的大方向，也为下一阶段在更高基础上的整合创新奠定了基础。

（四）整合创新

2002 年至今，是广东大众文化崭新的发展时期。自 2002 年起，随着全面建设小康社会战略任务提出和认识的逐渐深化，国家对文化建设和文化体制改革的支持力度不断加大，这就为大众文化的发展和繁荣提供了良好的政治大环境。与此同时，广东也提出了建设文化大省的发展战略。有利的环境，最终促使广东大众文化在创新与整合中开始了新一轮的快速发展。

---

① 孔杰、曾维和：《广东信息产业的“核心竞争力”——数码文化》，《特区经济》2003 年第 11 期。

② 参见蒋述卓：《广场文化：城市文化的新资源》，《广东社会科学》2003 年第 4 期。

政策扶植力度逐渐减弱，也是这一时期广东大众文化走上整合创新之路的主要因素。广东依靠经济特区的窗口优势和先行一步的政策优势，能够率先从港澳台和欧美国家引进具有推广潜力的文化消费品。随着港澳回归，内地大众文化水平逐渐与港澳持平，使广东地缘优势逐渐淡化，而且全国其他地方，尤其是沿海开放城市，也同样具有了引进的权利，于是广东大众文化发展上的优势遭到全面挑战。这就迫使相应的文化企事业单位不得不在自主创新上苦练功夫，最终走上以创新求生存的发展道路。

综合开发各种资源并进行有效整合，是这一时期广东大众文化发展的亮点。一方面，随着广东经济社会的持续、高速发展，生活节奏也明显加快，而人们对生活质量、品味、情趣的要求越来越高，于是对综合性的文化休闲项目产生了越来越强烈的需求；另一方面，随着互联网技术的发展、成熟及互联网覆盖面的迅速扩张，不仅使综合开发和有效整合各种文化消费资源成为可能，而且也使合作共赢更易实现。于是大众传媒沿着集团化发展的道路走出了自己的特色；[①] 休闲文化也有效整合、利用各种节庆文化资源和历史民俗资源，使大众文化呈现出淡化领域界限的整体繁荣趋势。广东美食节、广东国际旅游文化节等知名品牌，成为广东大众文化再次繁荣的基础。

总之，自2002年以来，广东大众文化在自主创新中开始了新的征程。通过资源和优势的有效整合，形成了良好的发展态势，促成了大众文化的整体兴盛。

二、雅俗共赏的流行文化

标准化、程式化和机械复制的制作方式，[②] 以及在消费意识引

① 参见本书第二章相关论述。

② 麦克唐纳：大众文化标准化的、程式化的和机械复制产品，被认为是刻板、琐细和流水线生产方式的必然产物，是文化商品化以后的必然结果。转引自陆扬、王毅：《大众文化与传媒》，上海三联书店2000年版，第20页。

导下的时尚化运作机制，使大众文化以流行文化的形态在社会上传播开来。通俗文学、流行音乐、时尚装扮等流行文化，是改革开放后广东大众文化孕育出的一支轻骑兵。它们以前沿的观念、平民的姿态、雅俗共赏的内容，在大众传媒的推波助澜下异军突起，不仅促成了广东大众文化发展的第一个高潮，也一度引领全国大众文化发展的潮流。

（一）通俗文学

通俗文学全国流行是改革开放初期特有的现象，这不仅与当时人们的精神文化生活相对贫乏有关，更与通俗文学对社会和人生的温情关注分不开。通观曾经流行一时的作品，探究其掀起热潮的根源，莫不是它们道出了人们的心声，唤起了潜藏在人们内心深处的某种情愫。改革开放先行一步的优势、浓郁商业氛围和敏锐市场眼光的共同作用，使广东不仅参与通俗文学在全国流行，甚至还是流行的始作俑者。

在粉碎“四人帮”之后兴起的第一个文学思潮——伤痕文学中，广东已侧身其中，陈国凯的《我该怎么办》成为重要代表作。《代价》、《姻缘》、《南方的岸》、《在小河那边》、《火红的云霞》等作品，也由于对现实人生的展示或暴露，引起了许多从“文革”中走来的人们的共鸣，广东通俗文学的社会反响一时大增。如果考虑到当时人们抄书的习惯，那么广东文学杂志《作品》在当时高达70万册的销量,[①] 就足见其时人们对通俗文学的认可和接纳，以及广东对通俗文学在全国流行的推广传播之力。然而伤痕文学关注的题材终究过于沉重，这也决定了它可以风行一时，而难以长久。

真正开始掀起通俗文学风潮的，是港台新武侠小说的传入，始作俑者正是广东。有人曾言，“从上世纪80年代走过来的人，尤其

① 唐孝祥、袁忠、温朝霞：《万紫千红：广东人的艺术精神》，广东人民出版社2005年版，第172页。

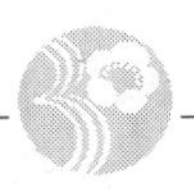

是所谓生于70年代者，大概没有一个人未曾受到武术狂热的洗礼。”[①] 此说虽然夸张，但也基本反映了80年代新武侠小说对人们的影响。因为地缘与历史的关系，广东成为港台新武侠小说进入的第一站。不仅率先以连载的形式向人们推荐了梁羽生的《白发魔女传》和金庸的《射雕英雄传》，而且还出版了内地第一本新武侠小说《萍踪侠影》。由此导致的《南风》炙手可热和《武林》1983年高达350万册的发行量[②]，不仅表明人们对新武侠小说的接受和喜爱程度，也显现出新武侠小说在全国强劲的流行势头，从一个侧面反映出广东对这一流行的导引作用。

如果说新武侠小说的引入主要满足了男性读者群的需要，那么以琼瑶为代表的言情小说的传入，则迅速受到年轻女性的青睐。随着国家对港台文学作品出版管制的放宽，早在1986年，花城出版社就推出了琼瑶小说《菟丝花》，反复复印多达几十万册。此后不仅连续几次获得琼瑶的出版授权，而且在1996年较早获权出版琼瑶作品全集，并取得巨大成功。仅1986年，就有超过20家出版社在同时出版琼瑶的言情小说，而流传最广的正是花城出版社所出版本。至于“二十几家出版社到底印了多少本，每本印了多少册，已经无从计算”，再加上“那个年代租书店很多，小说的传阅率很高，读过琼瑶的人数大概要以千万计，说琼瑶在一夜之间红遍中国，并不算是夸张。”[③] 一时间，“从初中生到中年人对于她的言情小说都痴迷不已，很多母亲对琼瑶又爱又恨，在严禁子女看琼瑶小说的同时，她自己的枕头下却放着一本琼瑶的书。”[④] 所以有人说，琼瑶“已不单是个女性的名字，某个作家的名字，它变成几代中国人不可抹杀的集体记忆符号”。[⑤] 广东以对人们文化需求的敏锐

---

① 《新派武侠小说传入内地，南风窗开新武侠长驱直入》，《南方都市报》2004年3月26日，D92版。

② 《〈武林〉杂志二十三年侠客梦　中国功夫天下名》，《南方都市报》2004年4月28日，D104版。

③ 《几度琼瑶红》，《南方人物周刊》2007年第21期。

④ 刘琨亚：《琼瑶，不老的传奇》，《深圳晚报》2007年9月3日，B15版。

⑤ 刘雨虹：《琼瑶，永远留在青春时代》，《深圳晚报》2007年9月3日，B16版。

把握和出版之力，在琼瑶热扩散的过程中起到了重要的推动作用。

就读者群而言，诗歌本不在通俗文学之列，但鉴于其在80年代后期至90年代前中期曾风行一时，因此讲到流行文化也不能不提及。《南方都市报》在2004年4月9日《诗歌流行化诗歌曾经的“黄金”年代》一文中坦言：改革开放以来，在诗歌界曾有一个不被认同的“黄金”时期，即“凭借诗歌获得经济效益的时期”。这一时期，席慕容的纯情、汪国真的小哲理、洛湃的“浪子”情结，风行于少男少女之间。而这段“黄金”时期的铸成，与广东编辑兼诗人杨光治的发现与推广紧密相联。可查的资料显示，正是由于他独具慧眼的推介，席慕容的《七色香》、汪国真的《年轻的心》和洛湃的《浪子情怀》走入了人们视野。从此广袤的中华大地相继掀起了“席慕容热”、“汪国真热”和“洛湃热”，同时还创造了诗集销售超过百万册的出版神话。

事实上，在这些强劲的流行风背后，更多的作品虽在当时掀起了波澜，引起了关注，但影响略有不及。如以吕雷《海风轻轻吹》为代表的爱情题材小说，以郭小东《中国知青部落》为代表的知青小说，以《中国铁路协奏曲》、《中国高第街》、《没有家园的灵魂》、《天地男儿》为代表的报告文学，以《新三字经》为代表的道德教育读本，以郁秀《花季·雨季》为代表的学生题材小说，以安子《青春驿站——深圳打工妹写真》为代表的打工小说，以及张欣、张梅等为代表的新市民小说、女性小说等等，无不如此。还有一些作品虽影响够大，但因属于严肃文学，影响面有限，无法形成流行的趋势，如广东首获茅盾文学奖的历史小说《白门柳》，以及《商界》、《世纪贵族》、《大风起兮》、《国运》等改革小说，《艺海拾贝》、《当你还是一朵花》、《雾失楼台》、《珍藏起一个名字：母亲》等散文，等等。

纵观30年的发展历程可以发现，广东通俗文学除了一般通俗文学所具有的平民性、世俗性和商业性等特征之外，还具有如下明显的特征：

第一，敏锐的风向感。广东素有的重商传统，地缘上与港澳毗

邻，再加上是改革开放的前沿，广东文学界人士的思想相对比较开放，思路也相对比较开阔。所以，在国内文学界尚不活跃的情况下，广东以其敏锐的触角，不仅在第一波文学思潮中挺立潮头，而且还开启了新武侠小说在全国的一路畅销，推动了以琼瑶为代表的言情小说在国内的传播，一手缔造了新潮诗在全国的流行，同时也造就了广东在知青小说、报告文学、打工文学，以及道德教育读物等方面，具有不可多得的宏阔视野和超前意识。而这正是广东通俗文学能够风行全国的有力保障。

第二，广泛的包容性。虽然自古文人相轻，但在广东文学界，包容的态度不仅为外国、港台和国内其他地方的作品提供了同台竞技的平台，也使各种文学体裁都有自己的生长空间，各种题材的作品都能得到重视。典型的如打工文学在广东的出现。早在1984年深圳《特区文学》就开始发表一些反映打工者生活的作品。1988年《大鹏湾》杂志开始明确关注打工文学。随后，不但广东主要报刊开辟有打工文学专栏，《佛山文艺》还专门举行过打工文学小说征文，并刊登其中的作品。

第三，积极的价值取向。通俗文学由于通俗而易于为人们所接受，但也容易因此而流于低俗。广东作为改革开放的窗口，在引进优秀作品的同时，也不可避免地为低俗文学提供了市场。但纵观广东倡导和推动的全国通俗作品热，其价值取向无一例外是积极健康的，并在一定程度上符合人们对真、善、美的追求。以新武侠小说为例，新武侠小说之所以备受人们的关注和喜爱，其中一个重要原因，就是它在内容上突破了传统武侠小说或为朝廷服务，或快意恩仇等种种局限，“往往充满了爱国、民族、正义这样积极的感情，而且能够表现丰富的人性和文化内涵。”①

机遇与挑战从来都是双生子。改革开放催生的巨大市场需求，一方面为广东通俗文学注入了新的活力；另一方面必须面对市场求

① 《新派武侠小说传入内地，南风窗开新武侠长驱直入》，《南方都市报》2004年3月26日，D93版。

生存的现实，也使文学创作遇到了前所未有的挑战。进入新世纪之后，广东通俗文学在不断调整的基础上出现了百花齐放的局面，但在文化消费日趋多元化和文化市场逐渐兴盛的今天，任何一种消费文化都已难以雄视天下，通俗文学也不例外。如何在现有的格局中保持和发扬特色，不仅事关当下的生存，也关涉长远的发展，因此值得业界继续探索和努力。

（二）流行音乐

流行音乐是流行文化中的绚烂奇葩，也是紧随通俗文学之后，广东在全国影响最大的文化。它以清新、欢快、雅俗共赏的特色，在中国流行音乐史上写下了浓重的一笔。从最初由港台引入，到本土歌曲风靡全国，再到最后铅华洗尽，广东流行音乐大致经历了从引进模仿到自主创新，从本土推向全国的探索与发展过程。

改革开放初期，与港台的往来使广东音乐爱好者最早接触到了与当时内地风格迥异的音乐。音乐界的注意力就此开始转移。随着第一个音乐茶座出现，诸如刘欣如、李华勇、吕念祖、张燕妮等靠模仿起家的歌手，以“广州邓丽君”、“广州罗文”、“广州刘文正”、“广州苏芮”的名义迅速走红。在有意识地模仿港台歌手，并源源不断地转手“兜售”从港台引入的流行音乐之余，广东音乐人开始感到“写自己的歌，走自己的路”的必要，由模仿转向创作的序幕由此拉开。①

1985年的“红棉杯”新歌新风新人大奖赛，既是广东流行音乐本土创作的一次检阅，也是其走向全国的一次集结。这次大赛不仅使刘欣如、安李、吕念祖、唐彪等流行歌曲歌手获得音乐界的认可，而且也使陈小奇、李海鹰、解承强、兰斋等优秀音乐人脱颖而出，显示了广东流行歌坛的实力，也为其向内地进军准备了

① 《音乐作曲人　写自己的歌　走自己的路》，《南方都市报》2004年2月12日，D89版。

条件。①

1986年是广东流行音乐成功向内地进军的开始，也是广东流行音乐被内地认可和接受的开始。这一年发生了一件中国流行音乐史上的大事，即“让世界充满爱”第一届中国百名歌星演唱会在北京工人体育馆举行，这是全国歌手首次出现在同一个舞台上。广东在这次演唱会上出尽风头，不仅送出了刘欣如、吕念祖、陈汝佳、张燕妮、曾咏贤、王强、彭萍和音乐人歌唱组合“新空气”的毕晓世、解承强、张全复等实力派歌手，而且庞大的阵容也使广东成为北京以外出席歌手最多的地区。② 在1990年全国第四届“中国青年歌手电视大奖赛”和北京亚运征歌等活动中，广东的创作实力开始得到了全面展示。③

在90年代初成功包装并捧红杨钰莹之后，广东开始了声势浩大的造星运动，“从1993年到1998年，广东流行乐坛在五年间成就了数十位‘星级’歌手，同时也向广大乐迷贡献了无数传唱至今的经典金曲。这个时段，大部分音乐人都进入了创作的高潮期，每人每年平均能够推出30首知名歌曲。”④ 强劲的实力，最终使广东流行音乐风靡全国。

广东流行音乐之所以能够风靡全国，得益于它如下的特点：

首先，曲调轻快、清朗，旋律优美。从早期的《我爱你中国》到第一首原创流行歌曲《请到天涯海角来》，广东流行音乐的轻柔欢快、清新明朗以及旋律的优美婉转，就已经呈现了出来。后来风靡一时的《蓝蓝的夜，蓝蓝的梦》、《为我们的今天喝彩》、《轻轻地告诉你》、《我不想说》、《真的好想你》、《小芳》、《爱情鸟》、

① 《流行音乐大奖赛刺破羊城冬暮的春歌》，《南方都市报》2004年2月20日，D89版。

② 《广州歌手他们让回忆变得灿烂无比》，《南方都市报》2004年2月18日，D88版。

③ 《音乐作词人月落不闻乌啼涛声何以依旧》，《南方都市报》2004年2月13日，D89版。

④ 《音乐作曲人写自己的歌走自己的路》，《南方都市报》2004年2月12日，D88版。

《蓝精灵之歌》等等，无不反映出广东流行音乐清新婉约的南国风情。

其次，歌词富有诗意、琅琅上口。孔子说："言之无文，行而不远。"这对流行音乐也一样适用。同今天流行音乐在歌词创作上的整体世俗化、口水化不同，广东流行音乐的取胜，在于歌词既简洁、凝练、琅琅上口，同时也文气十足、富于诗意。从家喻户晓的《在希望的田野上》，到后来的《涛声依旧》、《晚秋》、《弯弯的月亮》，广东流行音乐雅俗共赏的一面得到了很好的演绎。因此，人们从广东流行歌曲中，听到的往往不仅是清新的曲调和优美的旋律，而且还有美好的意境、时代的声音，以及现代手段演绎的古典文化魅力。

最后，内容富有强烈的时代感。有人说："几乎是广东的改革开放发展到哪一步，都有一部较优秀的电视剧起了档案的作用，一个记录了真实的社会现象且有待深入其中的社会档案，或者也可称为'平民的传记'——平民第一次以自己的生存、自己的奋斗、自己的力量写就了历史。"① 其实在流行音乐发展的过程中也是这样。从早期反映环保题材的《一个真实的故事》，到以打工为背景的《你在他乡还好吗》、《一封家书》，再到直面反映改革的《春天的故事》、《走进新时代》，人们从广东流行歌曲中即能感受到时代的强音和历史的变迁。

事实上，广东流行音乐既得益于港台流行音乐的启蒙，但在发展的过程中也受到相应的挤压，之所以能够在港台流行音乐的夹缝中异军突起，首先缘于自觉的音乐创新追求。从80年代中后期到90年代初，"当内地许多城市还在'配音'的港产电视剧和粤语歌中想象香港的时候，广州人已经开始思考怎样从亦步亦趋的'港

---

① 钟晓毅：《"头啖汤"效应与"边缘"文化挑战——论广东现实题材电视剧》，载钟晓毅：《穿过林子便是海——漫步"边缘文化"》，花城出版社1995年版，第199页。

式’文化模式中找到属于自己的发展之路。”[①]“唱自己的歌，走自己的路”较早成为广东音乐界的共识。

其次缘于广东集聚了一批富有责任感、开拓精神和文化底蕴的音乐人。从听港台歌曲到走上独立创作之路，广东音乐界在这一过程中逐渐汇集了吕念祖、廖百威、汤莉、麦子杰等本地歌手和杨钰莹、毛宁、林萍、甘苹、程琳、光头李进、李春波等签约歌手，解承强、李海鹰、毕晓世、张全复等音乐作曲人，陈小奇、陈洁明、杨湘粤、李广平等词作人，以及陈珞、朱德荣、许建强等制作人。这批音乐人的共同特点，就是既有深厚文化底蕴和对流行音乐的挚爱，又具有开拓精神以及对流行音乐发展的责任感。[②]

再次得益于运作机制领先的优势。在探索流行音乐创作的过程中，广东音乐人在借鉴港台流行音乐制作、推广经验的基础上，摸索出能够灵活操作，并推动原创音乐发展的运行机制。80 年代末 90 年代初，从出现音乐制作人开始，广东音乐界的运作机制便悄然发生变化，首先是签约歌手制的出炉，接着成立企划部，随之便是声势浩大的“造星”运动，最终形成了由“签约歌手—音乐制作人—唱片公司—歌迷的艺术生产和艺术消费的良性循环机制”。[③]

最后是与传媒的通力合作。大众传媒在广东流行音乐的传播发展过程中起到了至关重要的作用。第一，电子传媒推出的歌榜，如“广东创作歌曲排行榜”、“岭南新歌榜”、“广州新音乐十大金曲排行榜”以及“歌坛新人榜”等，对原创音乐的鼎力支持；第二，《南方日报》、《羊城晚报》、《南方周末》、《粤港信息日报》、《广州青年报》、《舞台与银幕》、《新舞台》、《声报》等报纸，对原创流行音乐的推介和提升。因此有人直言，“广东的流行音乐如果没有传媒的鼎力相助、推波助澜，恐怕还在襁褓中嗷嗷待哺呢，哪有

① 《流行文化广州从复制“港式”到找回自我》，《信息时报》2007 年 6 月 29 日，A20 版。

② 冯健聪：《陈小奇想复兴广东流行乐》，《羊城晚报》2002 年 1 月 7 日，B2 版。

③ 《音乐制作人　带来新空气　开创新时代》，《南方都市报》2004 年 2 月 11 日，D88 版。

今天飘满祖国大地的风光?"①

90年代末以来，广东大批音乐人或北上，或出国，或转行，推动流行音乐发展的创作基础随之消失，广东原创流行音乐也随之淡出人们的视野。2003年，全国音乐界综合性专业大奖"金钟奖"永久落户广州，这又为广东音乐的再次崛起提供了难得的契机。

（三）生活时尚

时尚源于城市，源于对精致生活的追求，源于对社会文化心理的敏锐捕捉和艺术表达。因此，时尚涵括生活的各个方面，本质上属于小众，与大众无关。然而由广东引领的各种时尚风潮，却往往具有大众化和平民化性格。这就使它能够既站在流行最前沿，又得以风靡全国，成为全国时尚的风向标。

1. 广州服饰。

"广州服饰"是作为时尚的标志、时髦的代名词走进人们视野的。② 这不仅与人们服饰观念的变化有关，而且也同广东是改革开放后中国最大的服装加工地密切相关。改革开放前后，广州人的着装观念悄然发生变化，迅速接受了款式多样、色泽鲜艳的各式服装，而且还以无数服装加工厂为后盾，以成衣批发市场的开辟为契机，将这种追求美的观念和各色服装一起，推向了内地。

在众多服饰当中，首先被人们接受的是时装。爱美之心人皆有之。当改革开放使追求美不再是一种负担，新颖、时髦的时装一下子便闯进人们的视野。只要试想一下举国上下对喇叭裤、蝙蝠衫的痴迷，对西服、百褶裙的钟爱，对健美裤、职业装的追捧，就不难想象"广州时装"在当时对人们的吸引力和号召力。在这些流行时

---

① 杨苗燕：《轻轻地告诉你——一份对广东流行乐坛的关注和理解》，载杨苗燕：《别等我在老地方——新时期新文化景观》，花城出版社1995年版，第103页。

② "不知道现在是不是，但广州至少曾经是中国最为时髦的地方（现在时髦这个词已经被时尚所替代了），尤其是上世纪80年代，这一点，我们在贾樟柯的系列电影中可以看得很清楚。当时到过广州的人，回到内地之后，已经可以宣称自己是开过眼界的人了，会得到许多艳羡的眼光和无法用价值体现的虚荣。"《休闲装扮　我怎么穿　我就怎么活》，《南方都市报》2004年3月11日，D93版。

装当中，绝大多数是广东从毗邻的港澳引进并转手批发给内地的。

紧接着是以T恤衫、牛仔裤为代表的休闲服。我们不用去考虑广州的审美观念和处事风格是否与美国有相似之处，只需放眼看看80年代中期起牛仔装、T恤衫、文化衫在国内掀起的休闲热，看看这一系列休闲服及其后衍生装的丰富多彩，就可以明白人们对休闲服的认可和乐纳。而无论是国内第一批牛仔服的拥趸，还是第一家牛仔裤生产工厂，还是今天最大规模的牛仔服生产基地，都是在广东。究其根源，仍与广东毗邻港澳有关。①

然后是婚纱。广东人最早接触婚纱也来自国外或者香港，而婚纱最终进入广东市场，也源自于香港潮流的带动。虽然一开始昂贵的价格使它与一般民众有一定距离，然而随着婚纱制造厂商的大量增加，尤其在婚纱摄影这一特殊方式的带动下，终究还是促使它走上了平民化的发展道路，“带起了在90年代风靡中国内地的大中城市乃至中小城镇的婚纱摄影之盛行”，使大多数女孩可以憧憬：“至少有一天是最幸福的新娘”。②

广东业内人士曾经坦言：“广州不是出设计师的地方，至少近期内是如此。”原因是广州服饰市场发达的是中档和低档市场，“做这些衣服不用设计师，只需要打版师傅就行了。服装厂老板定期到香港等地搜罗些最新款式回来，打版师傅拆开一起新版，就能批量生产了。”③ 今天情况已经发生了很大变化，广东有了自己的服装品牌，如李宁、群豪、以纯、歌莉娅、淑女屋等，但中、低档市场发达的局面并没有在总体上得到改善。当然，这也正是广东能够成为全国流行服饰发源地的重要原因。

2. 美容美发。

在大众流行时尚当中，广东尤其是广州在美容美发方面也具有

---

① 《休闲装扮　我怎么穿　我就怎么活》，《南方都市报》2004年3月11日，D92版。

② 《婚纱平民化　至少有一天是最幸福的新娘》，《南方都市报》2004年3月12日，D92版。

③ 《本土设计师　把生活做成一场秀》，《南方都市报》2004年3月9日，D88版。

绝对的权威地位。由于毗邻港澳，再加上业内人士的积极探索、勇于革新，广州自改革开放之初就在美容美发方面走在了全国前列，并进而引发了席卷全国的美容美发浪潮。“广州发廊”一度是叫响全国的时尚发型标志，“广州美容院”也在全国具有广泛的号召力和影响力。

美发的出现较美容要早。自1979年高第街诞生了广州第一家个体发廊——罗维丽莎开始，美发不仅被广东业界人士当作一项事业兢兢业业地经营，而且凭借着优越的地理位置和不断革新的努力，广州的发型艺术在全国其他地方上不注意的时候，迅速成为时尚潮流中的先锋。

首先是硬件技术和美发用品不断更新。无论是在美发技术上，还是在美发用品上，广东所做的不断更新，往往同港澳有关。换言之，广东不断更新的美发技术和美发用品往往来自港澳。技术上，从最早吸引人们眼球的“冷烫”技术，一直到今天的数码烫、离子烫；美发产品上，从染发产品，到发型定型产品，再到头发护理产品，广东发型师都勇于向外学习，也乐于拿来为己所用。

其次是发型不断革新。技术的进步虽然很重要，但是作为消费者，人们更关心的是发型的不断变化。无论是模仿自香港电视剧中的人物造型，还是从香港带回来的时尚杂志中的发式，还是后来直接从香港美发师那里求来的“真经”，广东地理位置上的优势，在早期发型革新上起着关键性作用。比如早期流行的“秀枝头”、“爆炸头”、“奔头”、“蘑菇头”等都与此有关。当然，广东发型的不断革新，又不全然复制自港澳台，还和本地发型师的不断摸索与大胆创新分不开。比如风行一时的“西装头”和经久不衰的“碎发”，就是本地发型师的杰作。①

再次是造型不断升级。从飞发，到做头，到美发，到造型艺术，从对理发称谓的变迁上，既可以看出技术含量的不断提升，也可以看出审美观念的逐渐变化。飞发只是关心头发长了乱了，需要

---

① 《广州发廊 从“头”开始变靓》，《南方都市报》2004年3月3日，D92版。

修剪一下。做头“很明显，头发已经成了一种‘工程’，要花点金钱、功夫去‘做’好了。”[①] 美发主要是出于靓丽的考虑，做个造型或者做下头发护理，头发已经晋升为“美丽”工程的一部分。造型艺术则更进一步，不仅考虑做出漂亮的头发造型，还要将顾客的脸型、肤色、气质等个人整体形象一并考虑在内，使所做的发型能够从整体上提升个人的形象。

最后是服务越来越人性化。这既体现在硬件上，如在发廊里安装上空调，换上新式舒适的座椅和先进的工具，用上当时被人们认可的质量较好的洗发水护发素，也体现在软件上，如不断提高洗头技术，注意从护理头部皮肤的角度，选择用指头肚去按摩而不是用指甲去抓挠，增加头部和肩部、上肢的按摩，从保护头发的角度不用削发器削头发，而用剪刀一下下去修剪等等。

与美发一起在全国产生巨大影响的是美容业。

80 年代中期，一批香港人最早开始在广东传授美容技术。此后不久，广东不仅大大小小的美容院多了起来，而且由广东人仿效港台创办的美容学校也渐渐多了起来。从早期简单的脸部皮肤护理、按摩，文眉、眼线和唇线，到后来 SPA、美体，祛皱、祛斑、整形、隆胸，美容逐渐突破了面部，扩展到形体的塑造；也突破了原有的简单按摩，发展为技术美容；更突破了女性专有，逐渐为男士所接受。在这一过程中，广州之所以能够一直挺立潮头，既与它拥有丰富的化妆品品牌有关，也与广州一直拥有的时尚地位有关，还与广州在这一过程中形成的美容权威有关。[②]

广州的化妆品除了广东本土生产的之外，还有许多国外品牌的高级化妆品。早在改革开放初期，广东友谊商店就仿照香港的商场设置了化妆品柜台，从 80 年代中期起，国外的露华浓、蜜丝佛陀、CD，以及 SK-Ⅱ等品牌就已经在这些柜台上出现。在直销尚不违法

---

① 《广州发廊　从“头”开始变靓》，《南方都市报》2004 年 3 月 3 日，D92 版。

② 《做美容　构筑在面子上的美丽工程》，《南方都市报》2004 年 3 月 4 日，D92 版。

的时候，雅芳化妆品，尤其是雅芳小姐，一度是美容化妆的时尚引领者，普通市民，特别是一些现在所谓的“白领”，她们很多有关美容的概念都来自优雅时尚的雅芳小姐。[①] 当然，在转型期一切都还不太正规的情况下，国外高级化妆品的“水货”也同样在广州拥有一定的市场。

将广东的美容美发业推广出去，并在全国产生巨大影响力的，是广州的美容美发学校。广东省美容美发培训中心、广东省智力开发学校（后并入广东省美容美发培训中心）、蒙妮坦美容美发培训学院、金莎国际美容美发学院，正是这些在美容美发道路上不断探索、不断开拓、不断创新的培训机构，培育了中国早期的美容美发行业，也推动了整个行业的不断升级和革新，并在这一过程中确立了广东美容美发在技术和潮流上的权威地位。

在确立广东美容美发权威和时尚地位方面，还不能不提到最早在广州举办的发型化妆大赛。从早期行业内并不正规的技术切磋比赛，到90年代中期的国际性发型化妆大赛，广州以其大量的外地学员和国外化妆品品牌，以及与港澳临近，容易抓住世界时尚潮流，而且自身又对时尚信息反应敏捷等优势，往往能使这些比赛引起众多业内人士的密切关注。正是通过这些比赛，“令一些新的技术和思潮得到充分发展，引领了一个时代的美容美发行业的发展。”[②]

纵观广东时尚装扮在改革开放以来制造的大众时尚潮流，既可以清晰看到港澳台，尤其是香港对广东时尚的深刻影响，也可以发现广东业界人士的勤奋好学和乐于钻研，更可以发现以广州为代表的广东时尚的特点——“广州的时尚是民间的、是市井的。只要一出现，就会以批发的规模，立刻席卷全城，然后扑向全国。”[③]

---

① 《化妆品专柜　雅芳小姐　给广州人上了美丽第一课》，《南方都市报》2004年3月5日，D92版。

② 《发型化妆大赛　以专业的眼光评判时尚》，《南方都市报》2004年3月19日，D92版。

③ 《化妆品专柜　雅芳小姐　给广州人上了美丽第一课》，《南方都市报》2004年3月5日，D92版。

毫无疑问，广东通俗文学、流行音乐和时尚装扮一度引发全国性的流行热浪，既得益于它们对时代变迁的敏感和对社会心理的敏锐把握，也得益于港澳台的深度影响。然而这也仅能说明广东流行文化之所以站在流行前沿的原因，不足以说明它能够在全国引起流行风潮的根由。广东流行文化在全国流行的根本原因，在于它雅俗共赏的特质。雅，决定了广东通俗文学对社会问题和社会心理的准确把握与反映，决定了流行音乐曲调的优美和歌词的文化内涵，决定了时尚装扮的雅致与新潮，决定了流行文化可以在全国流行；俗，则决定了广东流行文化的市井性与大众性，决定了它最终能够在全国流行开来。

三、敢为人先的大众传媒

大众传媒是大众文化的传播载体，是大众文化的孵化器，也是大众文化的重要组成部分。广东是传媒大省，不仅传统传媒在国内处于优势地位，而且新兴传媒也表现不俗。改革开放之后，广东大众传媒在谋求发展的过程中敢为人先，率先将目光转向市井生活，围绕着服务生活不断进行开创性探索，在激烈的竞争中形成了自身的优势，赢得了发展空间，为广东大众文化的繁荣与发展作出了巨大贡献。

（一）传统传媒

广东在传统传媒上的优势，从近代传媒技术传入之初就已经显露出来。虽然中间一度落后，[①] 但广东在改革开放中“先走一步”的政策优势，使其在传统传媒上的天赋和发展优势又迅速得以呈现，在引领和创新传媒理念、促进自身抢先发展的同时，推动了大

① 由于与港澳相邻，广东在近代报刊技术传入时占了先机并走在全国的前列；但随着近代资产阶级革命中心于19世纪末到20世纪初逐渐在上海和北京形成，广东在报刊上的优势逐渐丧失，只能从当时来自广东的优秀报人身上看出广东在这方面的优势。参见方汉奇：《中国近代报刊史》（上、下册），山西人民出版社1981年版。

众文化的培育和传播。

1. 报刊。

改革开放以来，广东报刊业和印刷业的崛起与迅速发展，使广东报刊的种类与质量均有了显著变化。其中在内容、导向和风格上的大胆探索与改进，不但塑造了个性鲜明的形象，促进了自身的发展，而且也繁荣了大众文化，丰富了人们的文化生活。

这首先表现在报刊数量的大幅增加。1978 年广东具有国内统一刊号的报刊共有 19 种，印数共 3.3 亿份/册。经过短短的 5 年时间，1982 年广东具有全国统一刊号的报刊就超过了 130 种，印数则超过 10 亿份/册。[①] 至 2000 年，仅报刊就有 101 种，总印数超过 34 亿份，杂志有 337 种，总印数达到 2.6 亿册。到 2006 年，杂志种数达到 360 种，报刊则达 131 种。[②] 其增长速度可见一斑。

其次是种类的迅速增加。伴随着报刊数量的大幅增加，报刊的种类也迅速增加，几乎涵盖了各个领域。除了老牌的《南方日报》、《广州日报》等党报，以及风格成熟的综合性大报《羊城晚报》外，还有文学性的《花城》、《随笔》、《诗词报》，社会性的《南风窗》、《粤海风》，婚姻家庭类的《人之初》、《家庭》、《家庭医生》，专业爱好类的《花鸟世界报》、《足球》、《武林》、《南国红豆》，信息金融类的《信息时报》、《医药经济报》、《金融早报》、《证券时报》等等，它们从不同方面丰富着人们的文化生活。

再次是覆盖面和分量逐渐加大。有人说，报业市场竞争有三个阶段，在经过初期经营者之间的胆识竞争后，便进入了实力较量阶段。[③] 集团化是实力较量的一种方式，截止到目前，广东已经有广州日报报业集团、《家庭》期刊集团等 6 家以报刊为主的传媒集

---

① 广东省统计局编：《广东统计年鉴》（1984），香港经济导报出版社 1984 年版，第 334 ~ 335 页。

② 广东省统计局编：《广东统计年鉴》（2007），中国统计出版社 2007 年版，第 521 页。

③ 黄升民等编著：《中国传媒市场大变局》，中信出版社 2003 年版，第 153 ~ 154 页。

团。扩版是另外一种方式。从1987年《广州日报》首开地方报纸扩版之风后，人们手中的报刊分量就从此开始不断增加。2000年，《广州日报》更以200个版面刷新了中国报业史上的单日版面之最。集团化发展和持续的扩版，显著扩大了报刊的读者覆盖面，增加了报刊内容的分量。事实上，早在80年代末，广东报刊的人均拥有量已经达到了每3人一份。①

最后是市场定位逐渐明朗化。将近500种公开发行的报刊在广东省参与竞争，可想而知竞争的激烈程度。比如有人曾言："像广州这样的城市，能容纳两张综合性日报的生存就不错了。国内还没有哪个城市，像广州这样有6张综合性报纸竞争同一个市场。"②只要我们知道了它们的市场定位，或许就不难理解了。以目前广州的几大报为例，《羊城晚报》面向知识分子，《南方日报》、《广州日报》是省、市委党报，《新快报》针对精英白领，《南方都市报》偏向普通市民，《信息时报》定位新财富人群、新生活人群、新思维人群、新权力人群。

量变积累到一定程度，质变总是随之发生。在激烈的市场竞争中，广东报刊能够挺立不倒，最终以别具特色的风格在全国同行中遥遥领先，这不能不引起人们的好奇。从经营之道、市场策略、体制创新等角度，能看出背后深层的原因，从内容、导向和风格上，也可以窥察它的与众不同。

首先是善变。无论是内容，还是版式、版面，广东报刊的善变是出了名的。从简单的改名称，如《广东妇女》成为《家庭》，《广东青年》成为《黄金时代》，到办副刊，如《羊城晚报》的《花地》和《晚会》，到《南方日报》派生出《南方周末》，再到今天报业集团的众多子报。从为了应对生存压力将4开4版日报扩为对开8版，再到为了市场竞争扩为40版、48版、52版，乃至97

① 田炳信：《风从南方来——广东社会报刊走向透视》，《瞭望新闻周刊》1990年第34期。

② 黄升民等编著：《中国传媒市场大变局》，中信出版社2003年版，第191页。

版、200版，不断刷新中国报业版面的记录。[①] 还有从统一发行到自办发行，从黑白印刷到彩色印刷，从版面中规中矩到采用国际通用“黄金报型”，从铅字排版到数码排版，如此等等。广东报纸杂志给人的感觉是一直在变化出新，只要能够获得读者的青睐，它们便义无反顾、勇往直前，许多个第一就是由此创造出来的。[②]

其次是敢言深思。敢于直面社会问题，是广东报刊的一大特色。从改革开放之初对刘少奇最后日子的追忆，到对希望工程捐款问题的追问，再到黑砖窑问题的揭露，广东报刊总能以理性的报道和深度的挖掘，将严酷的社会问题摆在人们面前，引起人们的关注和反思。有人说“在进取型读者看来，‘匕首投枪’式新闻、舆论监督型报道是《南方周末》的面孔，其民间‘焦点访谈’的角色多年来没什么变化，有些不思进取；在保守的人眼里，那个激浊扬清、富有社会责任感与正义感的《南方周末》正渐行渐远，新的《南方周末》有沦为一张娱乐休闲小报的危险。”[③] 虽然讲的是《南方周末》的变化，但从这其中也可以看出人们对以《南方周末》为代表的广东报纸杂志的印象和企求。由此我们便不难理解，《南方周末》对载人航天工程的另眼审视，正是它一如既往的风格展现。[④]

最后是生活化。围绕生活做文章，服务意识强，是广东报刊的一个普遍特色。生活化首先意味适应人们的生活习惯。广东人有饮早茶的习惯，于是《广州日报》就通过自办发行，实现了“比太阳更早”的追求，一度使喝早茶看《广州日报》成为一道别具风格的城市风景。《21世纪经济报道》则不惜反叛传统，以长标题为读者节约时间成本。其次意味着服务生活。这一点从广东报刊大量

---

① 广东百科全书编纂委员会、中国大百科全书出版社编辑部编：《广东百科全书》，中国大百科全书出版社2008年版，第557页。

② 张耀年、陆碧霞：《近年广东报刊扫描》，《图书馆论坛》1996年第6期。

③ 黄升民等编著：《中国传媒市场大变局》，中信出版社2003年版，第172页。

④ 《为经济，为国防，还是为复兴？——中国载人航天工程的意义》，《南方周末》2008年9月25日，A05版。

的实用资讯和便民栏目的开设就可以看出来。最后还意味着引导生活。《家庭》、《家庭医生》、《人之初》、《黄金时代》、《少男少女》等杂志的红火，不仅在于告诉人们家庭、婚姻和成长中的一些知识，更重要的是告诉人们现代的家庭婚姻、现代的青年人应该怎么样，从而在思想上引导人们不断进步。生活化在广东还意味着娱乐化，所以在广东的报刊中，追踪娱乐信息、倡导时尚生活的娱乐时尚版始终广受欢迎。

2. 图书。

广东是南方的出版大省。[①] 伴随着图书出版业的繁荣与发展，粤版图书以其数量多、种类全和勇于在发展的过程中不断培育自己的特色，在80年代前中期一度领先全国，[②] 推动了大众文化的广泛传播。

粤版书在30年来的发展中，形成了如下特色：

第一是以通俗、实用为主。广东是个实用主义盛行的地方，其所出版的图书，不仅多以通俗使用为主，而且也以实用性见长。通俗读物如《少女必读》、《幸福家庭的奥秘》、《金色童年》、《新三字经》、《非常时期非常感动》等，实用读物如《编制技艺百科》、《触电与急救》、《海水养殖技术手册》、《饭店管理》丛书、《深圳投资指南》、《非典型肺炎防治指南》、《健康忠告》等，均受到广大读者的欢迎。

第二是推重地方文化。广东不仅出版了大批本省作家的作品，如《三家巷》、《香飘四季》、《黎雄才画集》等，而且出版了大量反映岭南文化的优秀图书，如《深圳传奇》、《广州大典》、《岭南文化知识书系》、《广东历史文化名人丛书》、《广东地方文献丛书》、《广东人精神丛书》、《岭南文库》等，对大众文化品位的提升，起到了重要的推动作用。

---

① 由于另有专书研究“广东出版30年”，故本章从略。

② 广东百科全书编纂委员会、中国大百科全书出版社编辑部编：《广东百科全书》，中国大百科全书出版社2008年版，第552页。

第三是紧扣时代需求。在政治学习是人们日常生活的一部分时，广东出版了《马克思主义哲学简要读本》、《科学社会主义常识》等通俗读本，当文化自觉意识悄然萌动的时候，广东又将《人啊，人!》、《丑陋的中国人》等读物呈现在人们面前，当武侠热汹涌而来的时候，《三侠五义》、《封神演义》等应时而出，文化热则有《沈从文文集》、《郁达夫文集》等，思想道德建设刚提出则有《新三字经》、《社会公德四字歌》、《职业道德新格言》、《家庭美德五字谣》、《农民道德歌》等的先后问世。其对时代风尚的捕捉，以及反应之快，令人惊叹。

另外值得一提的，是广东人对图书的热爱和对图书消费的热情。如果说80年代人们对图书的渴望和追逐，尚属带有时代印记的全国性行为，那么自90年代以来广东人对图书消费的持续热情，则较为典型地显现出广东在文化发展与消费上的独特现象。以广州和深圳为例。1994年，广东建成全国第一个超级书店——广州天河购书中心，“开张那天早上，数万读者一下子涌进，瞬间就塞满了人。来买书的人都很疯狂，几乎每人都选购了一大沓书。”① 事实上，若没有能将2毛钱的书市门票炒到10块钱一张，并且10天之内超过55万人光顾书市的热情市民，不仅无法想象能有如此火爆的购书场面，而且也难以理解营业面积超过1.5万平方米的购书中心落成。深圳虽是一个典型的移民城市，一个充满朝气但又往往被指责没有文化的城市，但一个无法否认的事实是，自1989年起，连续19年人均图书消费稳居全国内地城市之首。② 联系人们对广东的文化印象，这种现象尤其值得寻味!

进入新世纪以来，中国国民图书阅读率持续走低，2007年已下降至20%!③ 考虑导致下降的诸种因素，广东出版界同全国同行

---

① 《“广式图书模式”领跑全国》，《广州日报》2004年11月23日，A4版。

② 《人均12元　成都人半年买不到半本书》，《成都商报》2008年9月11日，第21版。

③ 陈熙涵：《全国书市高层论坛呼吁　全民阅读率亟待提高》，《文汇报》2007年4月27日，第9版。

一道，开始在图书质量上狠下工夫，使精品意识成为图书生产过程中的一大亮点。[①] 然而回顾广东改革开放以来的图书出版情况则不难发现，粤版书的优势和长处在服务现实生活，因此，在图书市场竞争越来越激烈的形势下，有必要将精品意识与固有的长处相结合，以利于将“精品”落在实处，优势长久保持。

（二）新兴传媒

在以电视和互联网为代表的新兴媒体的发展过程中，广东后来者居上。伴随着经济的持续、高速发展，广东的文化事业和文化产业也迅速跟进，这就为新兴媒体的长足发展和在大众文化的培育与传播中大展宏图，提供了坚实的物质条件。从上世纪 80 年代中期开始，广东新兴传媒以浓郁的地方特色和果敢的创新精神走入人们的视野。

1. 广播电视。

在众多的传媒当中，广播是最便宜的一种。在对这种实用传播媒介的开发利用上，广东的起步虽然比较晚，但在改革开放之后不久就成为佼佼者，开创国内不少广播节目制作上的先河。如最早以主持人形式进行广播；创办全国第一个大板块节目；建立全国第一座调频立体声广播电台和全国第一家经济电台、交通电台、股市电台以及全国第一家省级教育电台和英语电台等；最早提出系列台的构想及实践；创造了“以大板块节目结构，新闻、经济信息为节目骨架，主持人直播，热线电话互动”为主要特征的新广播模式——“珠江模式”，[②] 被称誉为“中国广播改革新的里程碑”；[③] 建立中国首家广播电台网站等等。

---

① 苏毅：《用精品擦亮出版社的招牌——广东出版业精品图书生产 10 年综述》，《中国出版》1998 年第 9 期。

② 林洁：《南粤电波“霸主”捧回成就大奖》，《羊城晚报》2008 年 9 月 25 日，A6 版。

③ 广东百科全书编纂委员会、中国大百科全书出版社编辑部编：《广东百科全书》，中国大百科全书出版社 2008 年版，第 577 页。

广东电台不断探索的过程，在相当程度上也是与香港电台争夺听众的过程。随着本地广播节目越来越受到当地听众的喜欢，从1988年起香港的电台不再使用中波对外播音，只在香港本土播出，这标志着广东电台在争夺听众的竞争中完全胜出。[①] 争夺听众的资本就是办好本土化的节目。从珠江经济台的《珠江晨曲》开始，广东电台逐渐培育出一批深受听众喜爱的特色节目，如卫星广播的《民生热线》，城市台的《关不掉的收音机》，音乐台的《天生快活人》、《音乐先锋榜》，南粤之声的《十分流行十分Q》，文体广播的《谢亮足球世界》，南方生活广播的《936新视点》，股市广播的《股市大家谈》，珠江经济台的《小说连播》以及广州台的《零点一加一》、《马路福星》、《穿梭孖宝》（后转至珠江经济台，改名为《孖宝制造》），深圳台的《夜空不寂寞》，佛山台的《大班青年》等等都是本土化制作相当出色的栏目，均拥有大量的听众。

同电台一样，广东在电视节目制作技术和栏目革新方面也一直走在全国的前列。早在1978年，广东电视台就有针对性地开播了《企业之窗》栏目。随后更不断进行调整和创新，增设了体育、文艺、科技等专栏；加大新闻播放力度、增加新闻栏目，率先实现早、中、晚均有新闻播放，并率先对群众关注的重大新闻进行现场直播；不断增进节目的针对性和社会服务功能。开播以弘扬精神文明和新的道德风尚为主的栏目《文明之花》，以报道群众衣食住行方面新信息的栏目《市场漫步》，社会批评性质的栏目《立此存照》，服务于日常生活的栏目《家庭百事通》，全新杂志型专栏文艺节目《万紫千红》等。这些改进与创新，在当时极为难能可贵。

自80年代中期开始，电视在节目增加、栏目增设以及不断调整、整合方面，力度进一步加强。《聋人手语》、《口语三合一》、《房地产知识讲座》、经济专栏等实用性栏目、专栏不断开设；与现实生活密切相关的节目，如系列电视小品《万花筒》、系列短剧《人与人》、《乐叔与虾仔》深受广大观众的喜爱；继续设置或改进

① 《电台直播　关不掉的收音机》，《南方都市报》2004年2月24日，D89版。

了如《艺术长廊》、《体坛内外》等综合性、娱乐性以及《社会聚焦》、《社会纵横》等社会性栏目。同时还通过举办各种活动拉近媒体与受众的距离、促进文化交流与传播，如广东省“现代好丈夫”竞选活动等。而派出采访组现场报道北京亚运会、奥运会，以及与港澳电视台互送、直播贺岁节目，与其他省台联合制作大型文艺晚会节目，购买路透社和 CNN 国际新闻等举动，在丰富节目内容同时，起到了文化交流的作用。

2. 影视音像。

早在 60、70 年代，广东的影视作品就曾风光一时，推出了广受欢迎的《南海潮》、《七十二家房客》、《大浪淘沙》、《跟踪追击》等展现岭南独特风情的作品。① 改革开放后，广东影视继续以岭南特色为卖点，成功拍摄了一批优秀的作品，造就了 80、90 年代广东影视作品空前繁荣的局面。进入 21 世纪，在多种因素的交织作用下，广东影视不得不进行新一轮的革新和突围。

改革开放后，广东影视业经过整合找准突破点，迅速占领大众文化的消费市场。进而又以鲜明的特色、明确的主题、朴实的风格、先进的制作方式和市场化的运作途径，将市场扩展至全国并获得了广泛的赞誉，使岭南影视成为更多人文化消费的主要选择。20 世纪 80 年代的影视作品如《虾球传》、《雅马哈鱼档》、《商界》、《公关小姐》、《特区打工妹》和《联手警探》等等，从不同的角度、以不同的方式、通过不同的人物，展示了广东文化背景下的人生百态，用流动的画面呈现出广东的风土人情和文化魅力。

如果说 80 年代的影视作品是以地域特色和生活气息受老百姓欢迎的话，那么 90 年代的作品则主要是以精品意识取胜。在这一时期的作品中，既不乏轰动一时的作品，如反映打工者的生活与精神面貌的《外来妹》，全景式描述改革开放背景下社会和情感变迁的《情满珠江》，展示和平年代军人生活的《和平年代》，以及深

---

① 《走过的 45 个银幕春秋　珠影要打造“电影集团”》，《南方日报》2003 年 4 月 24 日，B5 版；《“传奇”从这里开始》，《广州日报》2008 年 7 月 13 日，B2 版。

入揭示改革开放后新刑侦问题的《英雄无悔》等，亦不乏富于南方气息与时代气息的《古国悲风》、《一路黄昏》、《离婚合同》、《一家两制》、《过年》、《泥腿子大亨》、《特区女子军乐队》等优秀作品。

近年来，深受观众喜爱的作品虽仍在推出，如《外来媳妇本地郎》、《走出硝烟的女神》、《荔枝红了》、《邓小平》、《因为有爱》、《当代风流》等，也一如既往的体现了浓厚的岭南文化特色，但在整体数量上明显出现下滑。这虽然可以从网络时代的到来对既有影视作品受众的争夺上去解释，但与内地影视市场的繁荣相比，并不能从根本上说明问题之所在。面对这种情况，广东影视确实需要"思想大解放，促进新发展"。

在以音像制品推动大众文化的迅速传播方面，广东同样走在了全国的前列。早期的太平洋、新时代、白天鹅、中唱广州公司，以及后起之秀中凯、俏佳人、东方红、飞仕等，都曾是一时制造神话的梦工厂。我们不妨以太平洋影音公司为例，对广东30年来的音像制品特点作一分析。

首先是开创性和原创性较强。1979年1月广东太平洋影音公司成立，1979年5月便利用引进的音像复制设备录制出版了新中国第一盒立体声录音带《蔷薇处处开》；10月生产出版了新中国第一盒录像带《中国录影集》；1982年7月推红国内第一个歌坛新秀沈小岑，使《请到天涯海角来》传唱大江南北；1985年1月出版中国大陆第一次采用数码录音的立体声录音带；1987年10月与新加坡客商合作，出版了中国大陆第一张激光唱片《蒋大为电视主题歌》；率先与香港公司合作，推红海外歌星费翔，在全国掀起"费翔热"；1990年6月太平洋艺术团在北京首都体育馆举行迎亚运盛大演唱会；1994年7月推出我国第一个少数民族歌手组合"山鹰组合"第一辑《走出大凉山》，开启了少数民族音乐与流行音乐的全新接触；1999年推出国内第一张歌颂澳门回归主题的唱片《澳门1999》；2004年推出中国第一张5.1环绕声交响乐《龙凤呈祥》等。无不是以第一的身份出现的。

其次是以音乐和影视作品为主，娱乐性强。早期推出的《何日才相会》、《乡恋》等歌曲选，电视连续剧《短裙子》，歌剧《伤逝》，专题片《邓小平同志在广东》，到后来制作的《亲亲美人鱼》、《中国人民解放军驻香港部队歌曲集》、《香港一九九七——可爱的中国颂歌》、《原唱经典名曲珍藏》、《歌声伴随光辉的五十年——建国50年优秀歌曲选》，再到曾引起巨大反响的《中国合唱极品》、《彭丽媛·中国歌剧经典唱段》、《流淌的歌声》、《马思聪音乐作品精选》等，均反映出这一特征。

尽管今天的文化消费市场已经大不同从前，人们的消费方式也越来越丰富，但透过广东音像制品锐意革新的发展历程，仍旧足以让人坚信，音像制品应当有精品意识，更应当有原创意识。只有二者结合，才能真正在音像制品的庞大市场中拥有一席之地，并一路走好。

3. 互联网。

互联网的发展与电信业的发展密切相关。改革开放以来，伴随国家信息化建设进程，尤其是世纪之交政府上网、家庭上网和企业上网三大工程的启动，互联网逐渐走进人们的日常生活。广东通讯设施在80年代末至90年代中期的快速发展，为90年代中期商业互联网的出现和发展奠定了坚实的基础。也正是商业互联网的大规模出现和迅速发展，为大众文化的发展和传播开辟了一条新的途径。

首先，互联网整合了既有传媒的资源和优势，加快了文化传播的速度。一般而言，互联网具有数字化、多元化、全球化、虚拟性、交互性和及时性的特征。这些特征使大众文化的传播突破了时间、空间和地域的限制，也突破了传统媒体之间的界限，不但充分整合了不同地域和风格的传统传播媒介所涵盖的信息资源，极大地拓展了信息量，而且还将报刊、广播和电视的优势糅合在一起，使信息的可接受度大为提高，这势必大大提高文化传播的速度。对同一则文化事件，在互联网没有出现之前，人们只是被动地接受；在今天，不但世界任何角落的人们都可以借助互联网获知，而且可以选择自己喜欢的方式去了解，比如文档、声音、图片、视频，还可以在信息的汇集中获得与事件相关的周边信息，以关注的力量推动事件向前发展。比如厦门PX事件、华南虎事件等。

其次，互联网改变了人们固有的生活样态，而人们对它的依赖又反过来强化了它的影响力，这就为大众文化通过互联网走向繁荣成为可能。有人说，互联网的出现给人类社会带来六大革命：信息传播方式的革命、交往方式的革命、教育的革命、消费方式的革命、闲暇方式的革命以及社会组织方式的革命。[①] 其实不止如此，互联网的日益发达从根本上改变了人们的生存样态和生活方式。没有互联网的出现，很难想象“宅男”、“宅女”的存在，也很难想象“木子美”、“芙蓉姐姐”的出现。事实上，正是人们对互联网的依赖——购物、交友、休闲、工作，使互联网以一种群众性的力量，反过来影响着人们选择和决策。为什么会有轰动性事件的产生？因为大家在关注。大家关注什么？关注大家的关注。这既可以是恶性循环，如“艳照门”事件，也可以是良性循环，如重庆“最牛钉子户”事件，但不管怎样，都为大众文化的迅速发展提供了可能。

最后，互联网孕育了网络文化，丰富了大众文化的内涵。中国的网络发展历程同西方国家的不太相同。西方国家在1992年之前，网络被严格限制在科学研究和教育领域内，之后由于规模的迅速扩大才开始进入商业化运作时代，[②] 而中国则几乎是从一开始，商业网络便参与进来。因此，中国虽没有像西方尤其是美国那样，在网络运行机制成熟之后才向民众开放，但这并不妨碍中国网络的蓬勃发展。正是在网络的不断发展中，一种不同于既有文化形态的新型文化——网络文化诞生了。从内容上看，网络文化远比此前出现的任何一种文化丰富。它包括文档类的各种新闻、实用资讯和文学艺

---

① 鲍宗豪：《互联网：给人类社会带来六大革命》，载鲍宗豪主编：《网络与当代社会文化》，上海三联书店2001年版，第79～93页。

② 漆小萍等主编：《解读网络》，中山大学出版社2003年版，第5页。

术，声音类的各种广播和音乐，视频类的影视、动漫、游戏、新闻报道，以及各种工具和图片等等。无论是从其产生的过程，制作的动机，还是传播的方式，网络文化都毫无疑问属于大众文化的范畴。不过也是一种形式更为自由，内容更为丰富，消费群体更为庞大的大众文化。

只要我们了解一下深圳腾讯公司的发展业绩，或者看一看广东几大传媒集团对互联网的利用和开发，或者关注一下北京奥运会期间几大网站之间的时间战，或者回顾一下华南虎事件的始末，就有理由相信互联网已经成为今天大众文化的温床和传送带，在大众文化的发展与传播中具有不可替代的作用和地位。虽然网络的负面影响和网络中的恶俗内容，在今后相当长一段时间还会存在，但网络文化作为一种因技术而生的文化，也必将随着技术的不断进步而更加繁荣和兴盛。

纵观30年来广东大众传媒的发展，一方面，它以敢为人先的开拓精神，既勇于进行各种开创性尝试，也乐于接受港台大众传媒的影响；既不排斥大量引进先进的经验和技术，而且还擅于将这些经验技术与本地文化嫁接，因此能够青出于蓝而胜于蓝，促进大众文化的繁荣和发展；① 另一方面，广东大众传媒，尤其是新兴媒体，在展示地方文化特色、传递文化观念、推动新的文化精神的产生等方面，也充分展示了自己的优势。

四、开放共赢的休闲文化

提倡文化消费，倡导休闲理念，营造休闲气氛，是大众文化在发展和传播中的一个重要特色。伴随着广东经济的快速发展和大众传媒的宣传推动，饮食文化、旅游文化和广场文化等休闲文化也得到了蓬勃发展。开放的文化心态和相对发达的商业文明，使广东休

① 《流行文化：广州从复制“港式”到找回自我》，《信息时报》2007年6月29日，A20版。

闲文化形成了开放共赢的发展模式，推动了休闲文化的繁荣与发展。一方面，休闲文化借助商业，不仅内容和种类更加丰富，而且质量也得到显著提高；另一方面，商业借助休闲文化，也扩大了影响。在休闲与商业的互动中，广东休闲文化呈现出勃勃生机。

（一）饮食文化

广东饮食饮誉世界。改革开放后，餐饮业的恢复与发展，使广东饮食文化空前繁荣起来。从菜系上讲，广东饮食包括用料繁杂、主清淡的粤菜或广府菜，以海鲜为主、以甜味见称的潮汕菜以及以味道浓郁见长的客家菜（又称东江菜）；从场所来讲，既有经久不衰的茶楼、酒楼，也有充满现代气息的大酒店，还有讲究格调的咖啡屋，更有简单便捷的大排档；就种类而言，既有菜品丰富、口味不同的中餐，也有讲究迥异、风味不同的西餐，更有方便快捷、随叫随到的快餐。各种形式的美食节，又把广东饮食文化有香有色地呈现在人们面前。

改革开放初期，随着饮食业体制改革的进行和饮食市场逐渐放开，广东饮食业也得以恢复。一方面主要酒楼、饭店开始恢复注重招牌菜的开发和研制，逐步满足人们由“吃得饱”到“吃得好”的要求；另一方面还积极引进京津、四川等各地风味菜点和意大利、法国等国外特色菜，丰富了饮食种类，扩大了饮食市场。竞争的出现和日益激烈，使各大饮食机构不断在菜品上用功的同时，还在服务内容与饮食环境方面不断改进。饮食文化由此开始丰富起来。

90年代经济发展的波动使传统餐饮业受到直接影响，但生活节奏越来越快，又使快餐业异军突起。自1990年深圳第一家麦当劳开业之后，广东饮食市场因西餐快餐的加入显得格外繁荣。短短几年间，麦当劳、大快活、鹰将军、食必批、肯德基等纷至沓来，促使了“快餐热”在广东的兴起。在西式快餐的冲击之下，广东既推出了自己的快餐品牌，如真功夫、嘉旺、深圳面点王等，也迫使固有的酒楼、宾馆、大排档等增加食品供应，改善就餐环境，广

东饮食文化得以持续丰富和发展。

2003 年一场突如其来的“非典”引发了人们对广东饮食的质疑。不少人调侃，在广东的食谱中，天上飞的除了飞机，地上四条腿的除了桌椅，都可以被人们宰杀整治端上餐桌。除了一夜之间臭名昭著的果子狸，其他如蛇、禾虫、蚕蛹、水蟑螂、猫、老鼠、青蛙、蚯蚓等只要想得到，就能吃得到。[①] 如果说广东饮食以其清淡和营养一度广受欢迎的话，它的生猛则在提倡人与自然尤其是与动物和谐共处的今天，又成为一种不利的发展因素。

改革开放以来，广东饮食文化在不断发展与调整中呈现出如下特色。

第一是彰显文化情趣。广东饮食中的文化内涵非常丰富。首先表现在餐饮环境。传统的茶楼、酒楼虽极为热闹，但格调和品味又总在别致的装修中悄然提升。其次是表现在菜名的选取。一盘普通的菠菜可以有一个很雅的名字——“红嘴绿鹦哥”，红烧鸽仔可以称为“红烧妙龄乳鸽”，其他如“龙虎斗”、“荔熟蝉鸣”、“百年好合”等，画意诗情跃然而出。赋予传统菜点美丽的传说，是另外一种表现，如护国菜、佛跳墙、白云猪手等。

第二是富有地域特色。广东人会吃，也敢吃。虽然所吃生猛驳杂，却也不妨碍饮食上的讲究。受季风海洋气候影响，广东的冬季干燥寒冷，夏季炎热潮湿。因此广东饮食重季节性，强调夏秋清淡，冬春香浓；冬春多煲，夏秋多滚煨；至于老火靓汤，四季常用，各取所需，适时进补。粥品也由此异常丰富，状元及第粥、皮蛋瘦肉粥、鱼片粥、鸡仔粥、田鸡粥等原料虽异，美味则同。[②]

第三是在包容中共赢。广东饮食文化有一种天生的平民气质，既坚守自我，又奉行拿来主义。不管是西式快餐，还是传统席宴；不管是本地菜系，还是外来菜点；不管是充满异域风情的西餐厅、

① 劳骥：《老鼠过街　人人喊“吃”》，《瞭望新闻周刊》2004 年第 2 期。

② 韩伯泉：《广东传统饮食风俗概观》，《广东民族学院学报（社会科学版）》1989 年第 1 期。

咖啡厅和酒吧，还是富于浓郁地方特色的大排档……只要有人需要，便能在这里安家落户，并从市场上分得一杯羹。

第四是在开放中创新。广东饮食素以求新、善变闻名。为了在激烈的竞争中胜出，广东饮食一方面积极引进外来菜式、菜点，另一方面也不断在烹饪方法上进行创新和改良，如中菜西做、西餐中式化，以及不断探索、改良鸡的制作方法，最终创制出白切鸡、口水鸡、柱侯鸡等众多名鸡。

主动将饮食文化与节庆文化联姻，是广东饮食文化升华和传播的一个重要途径。早在1956年，广州市饮食业就举办了第一次大规模的名菜美点评比展览。1983年第二次名菜美点评比展览举行，有效促进了粤菜传统特色的恢复。80年代中期以后，饮食文化作为旅游的一个重要项目越来越被重视。各种形式、各种级别的饮食节时有举办，进入新世纪之后更加频繁。2007年9月，由广东省旅游局、广东省部分地市政府主办、广东省烹饪协会等协办的为期一年的首届广东美食节盛大开幕。这次美食节不仅是广东省内第一次全省性的美食节，而且活动内容极其丰富，充分展示了广东近年来饮食文化发展的盛况和成绩，同时也使更多人了解和感受广东饮食文化独特魅力。

（二）旅游文化

广东是旅游大省。优越的地理位置和特殊的地文地貌，为广东旅游文化的发展提供了得天独厚的优势。“文革”期间由于受极左思想的影响，旅游业一度萎靡不振。① 改革开放后，广东利用地理位置的优势，很快突破旧有观念的束缚，在推动旅游业蓬勃发展的过程中，旅游文化也逐渐繁荣起来。

旅游文化在改革开放后的发展过程中，经历了一个从无意识到自觉培育的过程。1978年，广东省旅行游览事业管理局设立，广

① 广东省地方史志编纂委员会编：《广东省志·旅游志》，广东人民出版社1999年版，第12页。

东旅游业从此步入正轨。“六五”期间，广东充分利用政策优势和地缘优势，在旅游设施以及度假村、游乐园和高尔夫球场的建设上，走在了全国的前列。“七五”规划时期又在旅游资源的开发建设上加大投入，重点开发建设了从广州到深圳、珠海、韶关三条旅游线路、肇庆星湖、惠州西湖以及海南岛等旅游点建设。云浮蟠龙洞、仁化丹霞山、天涯海角风景名胜区、亚龙湾风景名胜区等也都进行了相应开发和维护。[①] 在这期间，广东发展旅游的意识较强，而且在硬件设施建设和资源开发中也注意到了对广东文化特色的反映，但就整体旅游文化观念的培育来讲，还处于无意识阶段。

广东旅游文化进入自觉培育和开发阶段是在90年代。1993年，广东省政府发出《关于加快发展我省旅游业的通知》，广东旅游业由此进入快速发展时期。而随着文化意识在80年代末的逐渐觉醒，广东在对旅游资源的开发和建设上开始表现出鲜明的文化规划和发展意识，如珠海“圆明新园”，深圳“中华民俗文化村”和“世界之窗”的开发建设即是典型代表。也正是从这一时期起，广东在开发旅游资源的过程中，开始有意识地进行文化定位与阐释，[②] 如依据文化类型对旅游资源进行分类等。节庆文化也开始在这一阶段得到开发并受到重视。

进入新世纪后，广东的旅游文化步入全面发展时期。首先是旅游资源得到了很好的开发。广深珠等城市游，滨海、温泉、山地、乡村等度假方面的生态游，修学、生态、探险、体育、高尔夫等方面的专业游，以及主题公园等等，得到了全面开发和建设。其次是在特色产品上开始向纵深方向发展，[③] 如欢乐谷等主题公园的二期、三期项目建设。再次是对重点产品和新的增长点进行重点建设和推介，比如深圳华侨城旅游度假区以及粤港澳旅游区等。最后是

① 广东省地方史志编纂委员会编：《广东省志·旅游志》，广东人民出版社1999年版，第15页。

② 王炎：《广东旅游文化何以迅速发展》，《中国文化报》2001年6月25日，第003版。

③ 跃文：《主题细分越玩越专》，《中国文化报》2006年1月9日，第003版。

品牌意识增强，对旅游宣传和旅游市场开拓的力度明显加大。在国家A级景区和全国优秀旅游城市的建设上，取得了显著成绩。

广东旅游文化在从自发到自觉的发展过程中，主要致力于以下几个方面：

第一是注重开发历史文化资源。即便从秦朝正式设立郡县算起，广东有记载的历史也已经超过2200年。漫长的历史发展，不仅为广东的旅游留下了丰富的历史资源，如南越王墓、南海一号，还留下了别具特色的人文景观，如梅州的客家围龙屋、开平碉楼等。伴随着旅游文化意识的觉醒，广东对这些历史文化资源也从最初的单纯利用，转向了积极的开发与维护。

第二是努力发掘地域文化魅力。广东具有丰富的自然资源和独特的民俗文化，旅游业的长足发展，使这些资源的魅力得到了很好的挖掘。就自然景观而言，不仅开发出俊秀的山岳景观，神秘的溶洞奇观，险峻的江流峡谷，旖旎的湖库水景，健康的地下温泉，还有美丽的海岸海滩和丰富的观赏性动植物。① 就民俗文化而言，不仅极大地渲染了中秋追月、重阳登高等民俗文化的氛围，还使广州的早茶、迎春花市、南海的波罗诞、潮州的功夫茶、客家的山歌，以及沙湾飘色、市桥水色、佛山秋色等享誉中外。②

第三是积极拓展异域文化风情。受地理位置和历史传统的影响，广东与外界的交往一直比较多。早在60年代，广东就首开香港—广州游。1983年，从广州出发到香港的第一批“香港游”，不仅改变了过去限制内地居民走出去、接触外面世界的情况，也从此为广东境外游打开了市场。香港游、澳门游、新马泰游成为90年代的黄金旅游线路，进入新世纪之后的欧洲游和目前的美国游、台湾游，都极具吸引力。至2006年，不仅广东省各市旅行团组团出

---

① 广东省地方史志编纂委员会编：《广东省志·旅游志》，广东人民出版社1999年版，第31~38页。

② 广东百科全书编纂委员会、中国大百科全书出版社编辑部编：《广东百科全书》，中国大百科全书出版社2008年版，第714~724页。

境游的人数超过了256万，同时也吸引了超过1亿人次的国外游客。①

第四是整合利用各种节庆文化。广东有丰富的节庆文化资源，在整合利用文化资源上，广东也表现出不同寻常的能力和开放心态。90年代配合国家旅游局举办的“中国旅游购物节”、“中国旅游艺术节”以及历年的主题旅游等活动就不用说了，无论是80年代的“文化搭台，经济唱戏”，还是新世纪之后的“经济搭台，文化唱戏”，都是广东旅游文化重要的组成部分。“广东民间欢乐节”、“广东艺术节”、“羊城国际粤剧节”、“羊城艺术博览会”、“国际舞蹈节”、“广东音乐节”、“广东茶艺术节”，以及深圳“啤酒节”、阳江“风筝节”、梅州“山歌节”、番禺“醒狮会”、南山“荔枝节”、连南“盘王节”、珠村的“乞巧文化节”等等热热闹闹的节庆活动，使广东的旅游文化也空前地繁荣起来。

（三）广场文化

一般认为，广场文化是“城市广场所呈现的文化现象以及在广场之中所展示出来的文化”，② 简言之，广场文化就是以广场为依托的文化形态。从整体上看，广场文化主要兴起于十四届六中全会作出《中共中央关于加强社会主义精神文明建设若干重要问题的决议》之后，因此有人认为广场文化是“精神文明建设的载体。”③ 这虽然也符合广场文化发展的实际情况，但对于广东而言又不尽然。广东在改革开放之后出现的广场文化，包括两种形态：一种是商业主导的娱乐活动，如声势浩大的“美在花城”选美活动以及大型商场内的广场文化；一种是政府主导的文化活动，如深圳“大家乐舞台”活动。广场文化的诞生，既是经济社会发展到一定阶段的产物，也是大众传媒在商业利益的推动下积极倡导休闲

① 广东省统计局编：《广东统计年鉴·2007》，中国统计出版社2007年版，第490、487页。

② 蒋述卓：《广场文化：城市文化的新资源》，《广东社会科学》2003年第4期。

③ 梁叶蓉：《广场文化：精神文明建设的载体》，《广东艺术》2002年第4期。

生活的产物。

得益于发达的商业文明，广东商业广场文化的兴起较群众广场文化要早，而且就实际影响力来讲，也远远超过后者。从80年代中后期起，随着经济体制改革的不断推进，商品经济逐渐深入人心，商业出现了迅猛发展的势头。为了在竞争中站稳脚跟，不但一些商场开始借鉴港澳的做法，开始以新颖的广场展销方式进行促销，一些事业单位也加入了进来。比如广州电视台。

1988年，广州电视台为了扩大影响，率先举起了广告选美的大旗，策划了第一届“美在花城”广告选美活动。由于宣传到位，8天报名时间共吸引了广州6000多人前来报名。在具体的操作上，“美在花城”借鉴了当时香港一些做法，由时装表演、现场问答、广告小品等环节组成，邀请了影视界、美术界、摄影界、舞蹈界、广告界及美容界人士作评委。总决赛进行时，不仅广州体育馆内座无虚席，连走道上也涌满人群；次日播出实况录像，也同样盛况空前。其产生的社会和经济效益，远远超出了举办活动的预期。于是在1990年第二届“美在花城”举办的时候，广州电视台更早早地通过各种传媒大造声势，推动市民的广泛参与。从1999年改为一年一届，并在2003年取消了男子组，[①] 一直持续至今。

“美在花城”广告选美大赛的成功，预示着人们审美意识的觉醒和对美好生活的追求，[②] 也意味着商业对这一信号的敏锐捕捉。[③] 作为商业与文化的一次成功合作，它所取得的经济效益和社会效益固然可观，但对商业社会的暗示和引导作用同样不可忽视。如果说“美在花城”还只是一种信号，一种导向和模式，那么集购物、美食、娱乐、休闲、商业活动等于一身的商业广场的出现，无疑大大促进了商业广场文化的繁荣与发展。

---

① 《“美在花城” 每个城市都需要美女》，《南方都市报》2004年3月1日，C73、C74版。

② 黄小雪：《“美在花城”之美》，《当代电视》2002年第8期。

③ 刘平：《剖析“美在花城”电视综艺品牌的经济效应》，《新经济杂志》2007年第7期。

进入新世纪以来，广东各种集购物、休闲、娱乐于一体的大型综合商场拔地而起，举办各种文化、公益、娱乐活动，已成为商家推销自身品牌、提高知名度的共识性途径。各种知识讲座、时装表演、文艺晚会、歌唱比赛活动精彩纷呈，吸引了大量的市民观看和参与。以天河城广场为例，可以容纳四五千人的天河城广场每年都要举办四五十场活动。除两次固定的春夏、秋冬时装节外，还有家具节、皮具节、美食节以及一些公益性活动和文艺晚会等。2005年天河城广场正式成为广东青年文化广场。自此，青年文化广场坚持每月奉献一场高水准的文艺演出，先后推出广东省首场广场交响音乐会，首次舞蹈家室外独舞专场，第一次把芭蕾艺术带到了街头，成功举办了粤新港澳四地青年迎新年大联欢以及杂技、民乐、青少年科普广场等活动，受到社会的广泛关注和赞誉。其浓厚的文化气息，已渐渐提升了商业的品味，成为商业广场文化的一个典范。

广东的群众性广场文化，正是一般研究视域里所说的广场文化。80 年代中期之前，广东群众性广场文化还处于自发状态。由于城市广场建设的重要性尚没有受到普遍的重视，而且经济刚刚恢复，人们对文化生活还没有太多的要求。不过作为改革开放窗口的深圳，由于外来务工人员的大量涌入，群众广场文化已经开始有声有色地发展起来。1986 年，为满足特区群众尤其是外来打工者文化娱乐的需求，深圳团市委设立了“大家乐”舞台。“大家乐”以青年为主体，不仅有明确的开设宗旨——开拓群众文化广阔舞台，鼓励青年参与文化建设，还有鲜明的特色——自发、自主、参与、互动、寓教于乐、海纳百川。① 这种开放性、参与性及广纳宽容的特性，使“大家乐”一产生即受到社会的认可和群众的欢迎。② 如今，“大家乐”已经成为闻名全国的广东广场文化名片。

---

① 陈乃刚：《略谈深圳游艺民俗的特色和发展前景》，《深圳大学学报（人文社会科学版）》1991 年第 1 期。

② 史继中：《难忘深圳“大家乐”》，《前线》1996 年第 9 期。

90年代中期之后，随着市场经济体制目标的确立，广东经济又获得了新的发展机遇。1996年每周双休日制的实施，逐渐富裕起来的人们有了进一步的文化生活的需求。而伴随着南粤锦绣工程和山区文化建设工程的实施，尤其是广东文化大省建设的提出，群众广场文化蓬蓬勃勃地发展了起来。2001年广州市举行“都市热浪——群众文化广场文化活动”，在各区和社区的努力下，全年共举行广场文化活动达60场，参加人次达30万。[①] 至2003年，“都市热浪”已经发展成为广州市群众广场文化的一个品牌。2007年，借助首届广东美食节以及广东国际旅游文化节等节庆活动的举办，广东群众广场文化也融入了新的元素，在一定程度上出现了商业广场文化和群众广场文化的汇合。

除了上述有组织的各种广场文化活动外，更频繁的是群众自发的文化娱乐活动。就其形式和性质而言，有出于健身目的的跳舞、踢毽子、跳绳、打球等，更有出于爱好和娱乐的各种“私伙局”、红歌会、棋局、牌局等。其中私伙局和红歌会是颇有特色的活动。中央电视台《百家讲坛》开播和广受欢迎，又逐渐使举办各种文化讲坛成为群众广场文化的重要组成部分。

纵观30年来休闲文化的发展，不由得使人惊叹于广东商业心态的开放与商业文化的成熟。休闲作为一种生活方式，本来是人们在物质生活富裕之后的自然追求。围绕着这种生活方式，广东商业界不仅能够通力合作把它包装得极具诱惑力，而且还在相互合作中实现了共赢发展：通过商业的推动，休闲文化获得了迅速的发展与繁荣；借助文化的招牌，商家也赚了个钵满盆满；而普通大众则在商业与文化的合作中，既享受了越来越丰富的文化，也消费了称心如意的商品。

---

① 蒋述卓：《广场文化：城市文化的新资源》，《广东社会科学》2003年第4期。

五、“拿来主义”与综合创新

“拿来主义”一度使广东大众文化获益匪浅，走在全国前列。对广东而言，“拿来”并非纯粹的照搬照抄，而是意味着结合本地的实际情况进行必要的加工改造。因此，广东的“拿来主义”在某种意义上，又和综合创新密切相关。

（一）“拿来主义”

“拿来主义”是鲁迅先生在 70 多年前倡导的一种行动哲学。奉行“拿来主义”，正是广东大众文化在形成、发展过程中的一个显著特征。这种特征不仅表现在从流行音乐到影视作品，从报刊到电视栏目的各个领域，还表现在从体制到模式，从工艺到技术，从形式到内容的各个方面。“拿来主义”的做法不仅促进了广东大众文化的兴盛，也彰显出广东大众文化的独特品质。

广东大众文化对“拿来主义”的奉行与实践，首先得益于改革开放的先行一步。改革开放之初，中央就提出要广东在实践探索上先行一步。深圳、珠海、汕头等经济特区的率先设立，打开了广东连接国外的窗口；优惠政策的制定与实施，又使广东最早有机会从国外学习先进的经验技术，“拿来”先进的文化。

其次得益于地理位置的优势。金三角的地理位置，使广东具备奉行“拿来主义”基础和条件，也使广东大众文化的发展受益无穷。“广东特别是广州与香港本就有着深刻的地理的、历史的和人文的联系，当它有了对大众文化的需求时，首先直接地从香港‘拿来’，实在是顺理成章的事儿。”①

最后符合文化发展中先进文化对落后文化具有吸引力的一般规律。大众文化作为一种现代文化，它的产生与现代化的过程具有同

---

① 谭庭浩：《站在城头看风景——当代都市文化的散点透视》，花城出版社 1995 年版，第 5 页。

一性。中国的改革开放，从本质上讲就是对现代化的认同与追求。因此“现代化的进程必然带来对大众文化——现代文化的渴求。”“香港影响广东，与广东影响内地，都是基于后者对现代化和现代文化的渴望。”①

广东对香港大众文化的“拿来”，实质上是广东大众文化对香港大众文化的吸纳与借鉴，是两种文化之间的交流与融合。因此，广东能够“拿来”香港大众文化，并在“拿来”之后产生良好的经济和社会效应，除了二者在历史和人文上的密切关系外，也反映出广东大众文化的一些可贵特质。

首先是平民性。平民性，也就是大众性、世俗性，是广东大众文化的显著特征。一切以大众为中心，一切以生活为中心，正是广东大众文化的追求。所以，在广东大众文化的视野里，“人生过程之外别无原则。一切有利人生过程的，都在可探讨之列，一切不利于人生过程的，都在可反叛之列。”② 拿来和创新也顺理成章了。

其次是包容性。广东大众文化的包容性既表现在对外来文化的波澜不惊，也表现在对各种层次文化需求的一视同仁。在过去30年的发展过程中，广东大众文化不断从四面八方“拿来”所需之物，非但不见有排外现象出现，相反，还要为弥补空白欣喜一番。引进地方小吃和引进西式大餐，在广东大众文化看来，并没有实质和意义的不同。

再次是实用性。一切从实际需要出发，是广东大众文化在发展过程中表现出的另一个显著特征。在利益的驱动下，广东大众文化在文化交流与传播中往往扮演先行者角色，能够率先将有利可图的先进技术和经营方式引入自己的生产和经营当中，并不吝于对之作必要的改动和创新。至于是引进还是创新，则是唯利益马首是瞻。

最后是商业性。大众文化本质上是一种消费文化，因此具有商

① 谭庭浩：《站在城头看风景——当代都市文化的散点透视》，花城出版社1995年版，第5页。

② 程文超：《边缘的精灵——广东文化中的平民性》，载程文超：《寻找一种谈论方式——“文革”后文学思绪》，中山大学出版社1997年版，第501页。

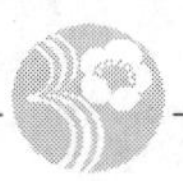

业性也在情理之中。然而广东大众文化的商业性，是商业文明发达的一种自然流露。无论是流行文化，还是广场文化，只要与推广有关，进行商业性炒作被看做首选途径。正是这种内在的商业性，使求新求变成为广东大众文化的不变追求。

（二）综合创新

纵观30年来广东大众文化的发展历程，则不难发现它对西方尤其是香港大众文化的“拿来”，是如鲁迅先生在《拿来主义》中要求的那样，是“运用脑髓，放出眼光，自己来拿的”，是在“沉着，勇猛，有辨别，不自私”的前提下“拿来”的。因此这种“拿来”，实际与大众文化的综合创新密切相关。

“拿来”意味着模仿，意味着付诸实践，而这正是创新的第一步。在改革开放初期，广东对西方大众文化，尤其是香港大众文化的模仿和搬用是必然的，也是必要的。如前文所述，这不仅与中国内地大众文化发展的程度有关，而且也与港澳大众文化的发展水平分不开。因此，当改革开放打开了国门，文化上的势差以及原有对西方认识上的偏差，就导致西方大众文化得以大举进入。在这种情况下，不仅“拿来”需要魄力、勇气和胆识，模仿并将之付诸实践尤显可贵。

广东大众文化的很多方面都是从模仿起步的。流行音乐、时尚装扮、报刊、影视等方面，在成功的背后往往与模仿有关。以流行音乐为例，广东首先是将轻音乐复制到自己的宾馆当中，其后便开始对港台流行歌曲的复制，歌手的出名也是因模仿似真，如“广州邓丽君”、“广州罗文”等等。至于太平洋影音公司生产出新中国第一盒录音带、第一盒录像带、第一张激光唱片等等，基本上是与引进西方先进生产线有关。而对歌手进行包装宣传和启用歌手签约制度等运作方式，则大多学自港台。不过，正是大量的引用和借鉴，广东流行音乐才能够在较高的基础上推出自己的原创音乐，成就一段辉煌的发展历史。

在模仿中提升自主创新的能力，是广东大众文化繁荣的根本。

广东在改革开放过程中，之所以在相当长的一段时间内，于大众文化的很多方面领先国内，在很大程度上得益于引进借鉴之后的综合性创新。流行音乐、时尚装扮、影视作品等无不如此。但是我们也应当承认，广东在大众文化领域内所做的综合创新，往往不过是引进一些经验，或者把技术改造得更适合国人的审美口味和社会需求，实质上是一种改良举措，而不是真正意义上创新，最起码是不能产生核心竞争力和持久发展动力的创新。这也正是广东大众文化在许多领域，如通俗文学、流行音乐、影视作品等，都只是昙花一现，而积淀不多的原因。值得欣慰的是，这种情况在转变经济增长模式和建设文化大省的过程中，已经开始有所改善。相信在科学发展观的指引下，在以“思想大解放，推动大发展”的发展战略中，文化创新问题能有根本改观。

纵观30年的发展历程，广东大众文化在总体上模仿多于创造。虽然这具有历史必然性，但也不能不说与广东大众文化本身的实用性有关。实用性以其强烈的现实指向，在一定程度上有利于大众文化的迅速发展，但实用性也容易导向功利主义，只顾及眼前的实惠而不能作长远的计划。表现在大众文化的发展上，便是只看到引进、拿来的便宜和自主创新的艰辛，而看不到前者的短效性和后者的持久价值，最终致使大众文化的发展缺乏核心支撑和竞争力。勇于拿来，善于模仿，是广东大众文化的长处，如何利用这些长处，在自主创新的道路上走得更稳、更远，是广东大众文化面临的主要问题。

第五章
企业文化的拓展

“企业文化”[①] 成为一种理论，主要缘于美国人在80年代初期对日本企业和美国企业管理差异的比较，这种研究启迪人们：在知识经济时代，只有保持企业文化的活力，才能充分调动人的积极性，提高企业的生产力和竞争力。在这个意义上，很多人认为企业文化是舶来品，源于美国，根于日本。企业文化作为一种管理理论在1984年前后被引进中国；从实践层面看，企业文化建设在改革开放初期就发生在一些先进企业中。突出对人的关心，调正企业追逐利润的本性，是企业文化建设的主要目标。[②] 广东企业文化的实践和研究，是广东文化建设的重要组成部分。“人本”理念和“创新”意识作为广东企业文化的核心，有效地沟通了传统文化与现代精神，平衡了科技文化与人文关怀，成为社会文化的新生长点。

---

① 对“企业文化”的界定可以从广义和狭义两个角度进行。一般认为，广义的企业文化包括企业的物质设施、制度规范和思想观念三个层次的内容；狭义的企业文化则是指企业在长期市场实践中经过提炼和筛选所形成的以企业精神为核心，以企业使命、企业目标和企业道德规范为主要内容，通过价值引导来凝聚人心、激发力量，为企业发展提供精神动力和智力支持的精神成果之总和。

② 企业文化的本质在于强调：企业除了单纯追求利益之外，也应当追求人的发展；企业在满足人的物质需要的同时也应考虑人的精神需要。在这个意义上讲，人文关怀是企业文化天然具有的品性。

一、"学行并举"的广东企业文化

以推动企业发展为目标的企业文化建设，其步伐与企业改革节奏基本一致。广东企业文化建设在开始之初，呈现出从经济特区向珠江三角洲扩展，从"三资"企业向国有企业和民营企业延伸的特点，其中"三资"企业的示范作用在广东企业文化的兴起中发挥了重要作用。① 以1992年邓小平视察南方和党的十四大召开为标志，广东企业文化建设与精神文明建设、追求社会全面发展的发展观结合在一起，成为社会文化的新的生长点，建设中国特色社会主义企业文化成为广东企业文化的自觉追求。② 从自发借鉴到自主开发，广东企业文化"学行并举"的发展历程可以划分为三个阶段：从1978年到1991年，是广东企业文化蓬勃兴起的时期，鼓舞精神、激励志气是这一时期企业文化建设的关键；从1992年到2001年，是广东企业文化建设的理性转型期，制度建设是核心；从2002年开始，广东企业文化进入自我提升阶段，承担社会责任是企业文化走向成熟的标志。

（一）在精神力量的迸发中兴起

广东凭借得改革开放风气之先的优势，成为全国最早吸引外商投资的地区之一。1979年，中国开始允许在"四个特区"兴办外商独资企业，"三资"企业进入我国市场。对这些企业来讲，通过企业文化的建设来建立和谐环境，是它们正常运作和提高管理的关键。基于此，广东"三资"企业在企业文化的实践方面率先迈出了一步，引起企业界、学术界和政界的重视，掀起一股企业文化建

① 参见广东企业文化课题组：《广东企业文化：它的成长和走向》，《现代哲学》1989年第4期。

② 参见田丰、夏辉：《新阶段广东企业文化建设的回顾与展望》，载广东省社会科学院主编：《21世纪中国企业文化论坛》（下卷），中国和平出版社2001年版，第623～636页。

设的热潮，企业文化研究也在这一阶段兴起。

1981 年，深港合资企业光明华侨电子工业公司（康佳公司的前身）为了缓解劳资双方的矛盾，创造和睦共处的环境，开始了“爱国爱厂，团结协作，遵纪守法，好学上进”的十六字厂风建设，在全体职工中初步建立起了共同的意识和信念，营造团结向上的良好风气，企业经营状况也大为好转，1982 年便实现了扭亏为盈。这种发展，充分展示出企业文化的魅力，这“十六字”厂风建设的实践，被广东省宣传部誉为康佳企业文化的萌芽，该公司也被誉为“广东企业文化的摇篮”，开始了广东乃至全国企业文化实践的先河。在国有企业中，提炼企业精神的活动也很快兴起。广深铁路公司是全国铁路系统中经国务院批准的第一家实行“自主经营、自负盈亏、自我改造、自我发展”的企业。在探索改革、艰苦创业的过程中，广深公司用“献身公司、立志改革、服务社会”的精神凝聚人心、鼓舞斗志，并在 1986 年初把这种精神作为“深铁精神”。以这种精神为中心谱写成的《特区铁路工人之歌》，把企业改革和企业精神的培育结合起来，引发职工的进取意识。正是在企业精神的作用下，深铁公司树立了良好的企业形象，被铁道部誉为铁路改革的“第一号种子”。在此期间，深圳华强集团有限公司提出“诚信、创新、和谐、共赢”的“华强精神”，深圳中华自行车有限公司也提出 CBC 精神：“互相信赖，群策群力；尊重个人，上下同心；研究创新，开发技术；品质优异，挑战竞争；服务顾客，兼重协作；自我管理，和亲一致”。企业精神的提炼使企业文化在开始之初就以强劲的势头在企业界发展开来。

与此同时，理论界和政界也对企业文化予以充分关注。1982 年 8 月，广东省企业文化建设协会成立，又称广东职工思想政治工作研究会，开始研究国内外企业文化建设的经验。1984 年前后，企业文化理论从美国传到中国，越来越多的企业家和理论工作者认识到企业文化研究的重要意义，广东省市各级领导也把企业文化建设作为一项重要工作来落实。在广州市 1987 年 8 月通过的《广州文化发展战略纲要》中，把企业文化建设提上议事日程。1988 年

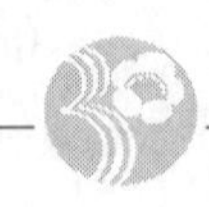

初，原广州市委经济工作部发出要在企业开展企业文化试点工作的通知，开始探索企业文化建设的经验。1989年2月，广州市市长朱森林在广州市委五届五次全会中，把企业文化建设作为促进物质文明建设和精神文明建设相结合、促进生产经营和思想政治工作相结合的有效途径。1989年4月，广州市委宣传部组织了广州市首次外商投资企业文化座谈会。1989年9月，为了配合各企业学习和宣传党的十三届四中全会精神，开展企业文化建设，加强和改进思想政治工作，广东省组建了企业文化讲师团。①

在广东企业文化蓬勃兴起的时期，企业注重企业精神的概括和提炼，尤其重视用精神力量鼓舞人和感召人，从个别企业的自发实践逐步形成一种行业风气；企业文化研究也以博采众长、洋为中用的精神吸收西方企业文化理论的精华。但是，由于企业对自身的特色缺乏透彻了解和把握，对自身的发展方向和发展模式没有清晰的思路和认识，提出的标语、口号往往缺少与市场相结合、靠近产品和经营管理的内涵，不能真正体现企业的个性特征而难以落到实处；企业文化研究也较多地停留在对西方企业文化理论的引进和介绍层面上。

（二）在管理文化的塑造中转型

改革开放之初的十余年间，企业文化凭借其新生优势成为广东企业界和学术界的时髦话题。接下来的十年，则是广东企业文化建设向制度化建设迈进的转型、进入管理文化的塑造时期。② 经过多年实践积累，很多企业都出台了本企业关于企业文化建设的纲领性文件，以更加理性的态度总结企业文化建设的经验，规划企业的未

---

① 参见中国企业文化研究会编：《中国企业文化年鉴》（2004），中国大百科全书出版社2004年版，第467页。

② 有学者指出，企业管理文化塑造就是在提炼企业价值观的基础上，采取各种有效途径和方法来贯彻这一价值系统，并在贯彻的过程中，使这一系统渗透到企业精神生活、物质生活和行为活动的各个方面，最终使企业价值观得到多数员工的充分认同。参见强以华：《企业：文化与价值》，中国社会科学出版社2004年版，第389页。

来发展。

从1991年到2002年，中国消费品市场逐渐扩大，经历了由卖方市场向买方市场的过渡，企业间争夺市场份额的竞争日益激烈，企业生命周期越来越向两极分化。市场的严酷现实，使越来越多的企业认识到，企业文化建设作为企业发展的一部分，必须紧密结合企业自身的实际状况，建构全体员工自觉认同的共同价值观。这种结合不仅需要经过长期的沉淀、积累和总结，还需要通过制度、规范的建设来保证。[①] 中共十四届三中全会通过的《中共中央关于建立社会主义市场经济体制若干问题的决定》，要求加强企业文化建设，培育优良的企业道德，树立敬业爱厂、遵法守信、开拓创新的精神，同时把“管理科学”作为现代企业制度的一个重要内容加以明确，极大地推动了全国企业文化的建设。1993年12月，为适应建立现代企业制度的需要，八届人大五次会议通过了《中华人民共和国公司法》。《中华人民共和国公司法》与1997年颁布的《合伙企业法》基本构建了市场经济下的企业制度。

把企业文化建设引向制度化，也是外商投资带给广东企业文化实践的启发和动力。在这方面的实践中，广州标致由于文化整合不成功而导致企业解体与广州本田依赖文化整合而获得的成功为“三资企业”的企业文化建设提供了正反两方面的经验和借鉴。民营企业是改革开放的产物，随着市场经济的发展日趋完善，成为我国国民经济的重要组成部分。在广东地区，民营企业的发展获得了更多的鼓励和扶植，民营企业的企业文化建设是广东企业文化实践中最具活力和特色的部分，也为现代企业的出现创造了丰富的土壤。1994年以前，广东民营企业一般以价格策略和市场营销来打

---

① 沙因提出的企业文化塑造中“规范、信念形成模型”可以有效地解释这一问题。他认为，在组织中塑造文化主要有三种情形：重大事件、领导认同、文化套入。根据这一模型，重大事件（包括外界事件、企业变故、员工冲突等）是塑造企业文化产生的重要契机，领导对重大事件的认同或者反对体现了领导的文化价值观，这些观点被制度化（包括作为文化教条）就是文化套入——经过多次反复，企业文化就这样形成。参见（美）爱德加·H. 沙因著，朱明伟、罗丽萍译：《企业文化与领导》，中国友谊出版公司1989年版。

开市场，1998年以后则主要通过提高竞争力来为企业的长远发展铺路。其中，企业文化建设成为重要内容之一，涌现出美的集团、华为技术、科龙公司等一大批理念清晰、规划合理，认识更加理性化、操作逐渐规范化、形象更加个性化的企业，成为广东现代企业文化建设的典型。

科龙集团在创业时期，用“铁锤精神”鼓舞全厂上下；在成长时期，“以质取胜”的文化观念为企业的继续发展奠定了扎实的基础；在发展时期，该公司强化“居安思危、不断进取”的意识，同时也提出“办厂有人”的理念。1998年，科龙集团总结企业发展和企业文化建设的经验，把握自身企业文化的特点，努力把企业文化建设提高到一个新的高度，制定了《科龙企业文化纲领》，展开“万龙耕心”工程，设计《科龙人行为规范手册》，对礼仪、用语、岗位要求等都提出了可操作性规定，并设计了一系列的人才培养机制和人才开发制度，力求通过抓好人才工作来体现“以人为本”的理念，带动整个企业文化建设的持续深入发展。以注重企业制度建设而闻名的还有深圳华为技术有限公司。1998年，华为公司出台《华为基本法》，把企业文化作为企业核心竞争力的重要内容，尤其突出企业制度的建设，为企业的成长和管理探索一种有效的模式。

企业资产重组是建立现代企业制度的重要途径，也是企业成长的重要过程。2001年广州医药集团公司（广药集团）收购广州白云山制药股份有限公司（白云山制药），二者优势互补，资源共享，逐步实现全面整合，实现“1+1>2”的效应。在促进广药集团稳健、规范的企业文化与白云山进取、拼搏的企业文化相对接和融合的基础上，重组后的集团突出品牌整合的意义：针对白云山品牌的全国性影响和广泛的市场认同度，在广药集团统一大品牌的平台上，采取与广药集团其他成员企业不同的品牌组合策略，重点突出白云山品牌，在一定程度上实现了广药大品牌的价值积累和广药品牌与白云山品牌之间的互相让渡和促进。同时，集团还通过技术创新、提高管理和促进销售等一系列具体措施提高文化整合能力，提升企业的竞争力和经营业绩。

“依法治厂”、“依法建制”的理念成为企业管理文化塑造中的重要内容，并在企业制度的建设中落实。《全民所有制工业企业法》、《城镇所有制企业条例》、《乡镇企业法》、《中外合资经营企业法》、《外资企业法》、《公司法》、《合伙企业法》、《个人独资企业法》等法律所规定的关于职工参与企业管理、劳动保护、环境保护、对消费者和债权人负责、建设精神文明和遵守职业道德等原则，都在企业文化建设中得到充分体现。

广东这一时期的企业文化建设，注重现代企业制度的建构，把企业共同价值观融入企业制度、行为规范之中，加强制度规范的合理性和人文性，提高员工对制度规范的认可和自觉，通过企业制度建设表现企业文化“以人为本”和“以文化人”的本质。

（三）在公民理念的引入中提升

广东企业文化在经历了20多年的自发借鉴、宣传普及、自主开发之后，从2002年开始，进入自我提升的阶段。这一时期广东企业文化的突出特征有：企业家的文化自觉明显提高，更加注重企业文化的个性化建设，重视员工素质的提高，强调创新意识；加强企业公民建设，突出企业对社会、员工的责任；重视企业文化的辐射功能，强调企业文化的群众性特征。广东企业文化作为社会文化的一个子系统，在提高国民素质、促进经济发展、承担社会责任、推动社会全面发展方面发挥着不可替代的作用。

《国家“十一五”时期文化发展纲要》把加强企业文化建设作为普及文化知识的重要途径，并要求企业的文化设施要尽可能向社会开放。2005年国务院国资委出台了《关于加强中央企业企业文化建设的指导意见》，表明国资委对提升中央企业企业文化影响力的重视，也为整个国有企业企业文化建设指明了方向。

中国人寿广东分公司从90年代开始就努力促进社会保障体系的健全和完善，开展助学行动；2006年以来又通过积极提供重大责任领域的风险保障、积极服务社会主义新农村建设来强化社会责任，坚持“关注民生保障，促进社会和谐”，追求经济责任与社会

责任的有机结合、经济效益与社会效益的有机统一。中国移动通信集团广东有限公司在承担企业社会责任方面的实践，也成为企业文化建设走向成熟的标志。提高企业家素质、找准企业的发展方向和发展战略、强化责任意识，是提高民营企业企业文化建设的主要途径，而加强民营中小企业文化建设中的诚信精神和责任意识，改变过去“捞一把就走”的观念，则是民营企业文化建设的主要内容。从企业精神的培育和企业家队伍的建设两个角度来提升诚信精神和责任意识，已经在民营企业的企业文化建设中有明显表现。

这一时期，一些先进企业已经开始把自身的发展与国家前途和社会发展联系在一起，以解决企业发展的目的和根据，“企业公民”理念进入广东企业界和学术界。在一定程度上讲，广东的企业公民建设已经走在全国的前列。据统计，截至2005年12月31日，中国共有116家企业通过了SA8000认证，其中广东企业最多，有54家：大部分集中在珠江三角洲地区，其中深圳17家，东莞16家。[①] 到2007年，广州本田已经连续三次获得“中国最佳企业公民”的称号。越来越多的企业认识到，促进企业公民建设，明确企业责任，是企业可持续发展的动力，也是企业文化参与和促进全社会和谐文化建设的主要内容和途径。李宗桂教授指出，社会责任走进广东企业，表明广东企业的经营文化已经开始与国际接轨。见“利”不忘“义”的企业社会责任虽然在表面上占用企业资源，影响企业效益，但却有利于企业的长远发展，这是成熟企业的标志。[②]

广东企业文化经过30年发展，一些企业的企业文化建设实现了与现代企业制度同步发展，企业文化建设由总结提炼为主进入了超前谋划的系统性设计阶段，并注重研究和吸收国内外先进的管理

---

① 20世纪末，欧洲、美国和澳大利亚都先后出现了一些关于“企业社会责任”的多边组织，并逐步形成了一系列评价体系和认证制度。SA8000（Social Accoutability 8000的英文简称）是其中最有名的标准之一，包括对童工、强迫性劳动、健康与安全、结社自由和集体谈判权、歧视、惩戒性措施、工作时间、工资报酬、管理系统等规定。黎友焕：《企业社会责任在中国》，华南理工大学出版社2007年版，第17页。

② 参见马勇、马汉青：《广东“企业公民”见利不忘义》，《羊城晚报》2007年4月3日，A5版。

经验和文化理念。但是依旧存在很多企业对企业文化重视不够，或是无力对推进企业文化建设给予充分的资金支持。从企业文化研究的角度来看，广东理论界也出版了一些研究企业文化理论和推广企业文化建设先进经验的著作。总体而言，广东企业文化建设面临着一个根本的问题：如何更好地批判继承中华民族优秀文化传统，合理吸收并发扬岭南文化中有益因素，立足自身，面向市场，融合吸收不同企业的先进经验，促进企业的可持续发展。随着广东企业文化的发展和成熟，它也越来越成为广东社会文化的一个生长点，成为广东文化大省建设中不可忽视的组成部分。

二、企业文化的支撑点

广东企业文化萌生于改革开放之中，实践性是其最显著的特征。具体来看，各个企业都采用“重点切入，以点带面”的方式，通过着力培养企业文化中的某一方面来推动企业文化综合体的发展，大体可以划分为以培育企业精神为核心的企业文化、以发挥企业家的文化意识为灵魂的企业文化、以塑造企业形象为重点的企业文化为主要代表的三种类型，每种类型的企业文化建设又都经历着由浅入深的发展过程。

（一）以培育企业精神为核心

从发生过程看，企业文化是为了解决企业所面临的现实问题而在实践中逐渐形成的价值理念和行为规范。培育企业精神是企业文化建设的中心内容，也是广东企业文化的最初形式。经过近30年企业文化实践的积累，从培育企业精神入手，逐步构建企业的共同价值观[①]，提高企业文化整合能力，越来越成为企业文化建设的一

① 企业价值观就是企业在追求经营成功的过程中，对生产经营的目标追求和以及自身行为的根本看法和评价。它是企业精神的延续和扩展，是企业推崇和信奉的基本行为准则，是企业进行价值评价、决定价值取向的内在依据，需要以企业精神的培育为核心。

条主要途径。不同企业的价值观虽有不同的表达，但是强调企业的社会责任以及企业在社会生活中的存在价值，从而把企业与员工凝聚在一起，是企业价值观的共同特点。

培育企业精神、构建企业共同价值观在企业资产重组中有重要意义。广州钢铁集团公司早在1987年5月就正式提出“企业与职工是命运共同体”的命题，并自觉开展企业文化建设；1989年11月在广州公园举办主题为“命运共同体之歌”的广钢首届企业文化节，之后每年都会根据企业改革与企业发展的需要，确定不同主题以及不同的活动项目。1995年广钢集团控股珠江钢铁有限公司，开始了资产重组的历程，1998年又兼并南方钢厂、广州钢管公司和带钢总厂。为了增强重组后集团公司的凝聚力，广钢集团在建设企业文化时努力消除观念冲突，通过制度化、系统化的党群工作网络，激励与约束相配合的运行机制，国有资本人格化的管理机制和开放的科技创新机制把企业制度文化融入员工的血脉之中，以求塑造优秀企业文化。以培育和拓展企业核心竞争力为着眼点，广钢集团经过近3年反复酝酿、设计，于2001年出台《广钢企业文化理念手册》，涵盖价值理念、经营理念、企业目标、组织制度、群体形象五个方面，这五个方面又各自分为提炼和阐释两部分，突出了系统化的文化理念。其中价值理念、经营理念为其重点部分，特别是“风雨同舟，共创辉煌”的企业精神，成为广钢集团永续经营和持续发展的法宝。

培育企业精神、构建共同价值观，也是推动企业实现长远发展的重要动力。TCL集团创办于1981年，经过20多年的拼搏，从一个生产录音磁带的合资小厂成长为一个涉及家电、通讯及信息产品制造业为主，多种经营为辅的国有控股企业集团，用品牌意识促进企业发展对企业精神的概括和提炼也体现出与时俱进的特点：在创业初期提出“廉洁奉公、思想统一、雷厉风行、富有成效”的企业口号；1993年初提出“团结开拓、艰苦拼搏”的企业精神，并为企业精神作了明确定义；1998年正式确立了TCL的核心价值观，包括：“创中国名牌，建一流企业”的经营目标，“为顾客创造价

值、为员工创造机会、为社会创造效益”的企业宗旨和“敬业、团队、创新”的企业精神。在从家电业向 IT 业扩张的历程中，TCL 的核心价值观和品牌意识逐渐积淀为企业的行为模式。以文化默契作为选择合作伙伴的标准，TCL 与台湾 GVC 公司的合作成为 TCL 发展重要内容。

在全球化日益普及的条件下，开始把企业发展与国家民族、人类联系在一起，表现责任精神是目前一些大企业集团前瞻性设计其发展方向的努力之一，这也是企业精神发展的方向之一。广东健力宝集团有限公司曾经风光无限，在 1997 年创造了年销量 74 万吨的业绩；然而在此之后，随着饮料市场的丰富，健力宝一度陷入低迷状态。进入 21 世纪，健力宝集团为企业的发展注入文化内涵，以做“代表中华民族文化的企业品牌”为崇高奋斗目标，以健康产业为龙头，以打造百年民族品牌为己任，促进了企业的重振。美的集团在“你的心思，美的新思”的品牌策划中，把“始终致力于为人类创造美好生活”作为全体员工的共同目标和价值观，通过产品创新和服务创新满足顾客的愿望，为顾客创造温馨、舒适、安全、便捷的生活体验，成为人民大众接受度颇高的家电品牌。中国移动通信企业文化的核心内涵是“责任”和“卓越”，在“正德厚生，臻于至善”的企业价值观的引领下，以“正身之德”而“厚民之生”的实际行动，把关爱弱势群体作为企业文化中的一项重要内容，用网络为农民和学生提供了很多便利。2006 年正式启动“感恩广东”活动，设计了 2006 年的“感谢广东”、2007 年的“感恩广东”以及 2008 年的“感动广东”，以感恩文化弘扬和谐文化，提升社会责任。

从广东企业文化的实践来看，企业精神的培育经历了一个从标新立异的口号提炼，逐渐发展到围绕人们如何共处、实现自我价值、构建共同价值观做文章的过程，表现出鲜明的人文特征。但是，企业精神不能等同于业文化，企业文化不能脱离企业管理而存在。用先进的文化精神引导企业文化建设，是从企业文化的根本处着手的文化建设。其实，上述一些企业，它们在通过一系列制度设计来激励企业精神的弘扬方面，亦有不少可圈可点之处，限于篇幅不多赘述。

（二）以发挥企业家的文化意识为灵魂

从内容上看，企业文化是企业的制度安排和战略选择在人的价值理念上的反映，往往带有企业家的个人色彩。企业家的文化意识在企业文化中的作用也因此而尤其重要。“造就企业家队伍”是《中共中央关于建立社会主义市场经济体制若干问题的决定》中提出的一个目标。一般认为，企业家是指拥有社会责任感、勇于开拓并承担风险、善于经营管理、拥有战略远见的企业经营者。①

在改革开放之初，广东一批具有敏锐洞察力、开拓进取意识的人物在这片新旧交替的天地中摸索着开始了自己的创业历程。国有企业、民营企业和外资企业都在非规范化的市场氛围中成长。企业家的个人素质成为凝聚力量的关键因素，企业文化也不知不觉地以企业家本人为灵魂。有文化意识的企业家，既是管理专家，又可以通过企业制度和企业战略的安排潜移默化地规范员工的行为，引导员工思想，进而影响企业文化建设；他们既重视完善自身修养，又重视提高员工素质。企业家的文化素质，决定其创新能力、决策能力和管理能力，员工的文化素质，则决定了企业把各种精神动力和智力资源转化为现实生产力的程度，决定了企业发展的水平。改革开放30年来，广东地区培养了一大批有文化意识的企业家，李东生、王石、任正非等等均是其中的优秀代表。注重人文精神、科学精神以及创新精神是这些企业家身上具有的共同特征，② 依靠人文和科技，也是广东在经济发展的新阶段再创新优势的途径。

企业家的人文精神，着重表现在对社会、对员工的人文关怀和企业家本人的人格魅力上。这种精神通过企业文化的建设逐渐释放

① 1989年，中国第一次出现“企业家”这个名词，并收入《辞海》中。在此之前，多用董事长、总经理、厂长来指称具有相关品质的人。

② 参见侯小菲、彭南林：《深圳企业文化新观察》，海天出版社2002年版，第45~71页。

出来，成为企业精神和企业共同价值观的重要内容。格兰仕集团有限公司的董事长兼总裁梁庆德带领格兰仕人披荆斩棘，创造了被国内外经济专家、学者及媒体称为“格兰仕现象”、“格兰仕奇迹”的不菲成绩，“德叔小语”[①] 成为鼓励格兰仕人不断发展壮大的精神力量。1990 年，格兰仕用“以人为本”的口号全面拉动了企业制度改革，一直坚持“伟大，在于创造”的企业理念和“努力，让顾客感动”的经营宗旨；强调要让高科技人性化，促进行业实现升级换代，是格兰仕向着“百年企业，世界品牌”跃升的主要动力，追求从制造优势走向制造与创造优势并举，从市场全球化走向市场与品牌国际化并举。万科公司得以领跑中国房地产，其独特的人文价值观起了重要的作用。王石在塑造万科公司的企业文化时，一直努力树立理想主义价值观，提倡敬业精神并强调社会责任。王石用“健康丰富的人生”来概括万科的企业理念，把有兴趣的工作、志同道合的同事、健康的身体和尊重、关怀看作是有价值的东西。在不少企业以“顾客第一”为标准设计自己的行为方案时，万科提出“善待员工、员工第一”的方针，把万科企业文化中以人为本的内涵作了更高层面的诠释。从人的发展的角度来建设企业文化，是企业家的人文精神最明确的表达。

企业家注重科学的精神，在企业文化中突出表现为管理上的制度化和技术上对创新的追求。在一些“老字号”的企业中，通过技术创新来实现持续发展的典型，可以从独具岭南特色的凉茶业中找寻。黄振龙凉茶秉承“点滴关怀，用心良苦”的企业价值观，汲取现代医学的成果，采用现代工艺和经营理念，在新的时代条件下为“黄振龙”注入新的品牌内涵。黄振龙凉茶有限公司董事长黄富强一直坚持“改变的是工艺，不变的是良茶”的经营理念，

---

① 具体内容：“努力，让顾客感动！”“我们没有能力使广大消费者富裕起来，但我们会尽力使消费者辛勤的劳动成果更富价值。”“我们要对得起消费者辛辛苦苦赚来的血汗钱。”“我们的工作要将心比心，以心换心。”“无论是做产品，还是做企业，最首要的还是要先学会如何做人。”这些以人为本，以情感人的做派为企业的发展提供了强大的生命力。

成为国内首家通过GMP认证的凉茶生产企业。他在广州建立了生产基地，从火煮茶发展到蒸汽煮茶，用标准化智能设备来替代作坊式小生产，改变了以往单凭经验用火煮质量不稳定的缺陷，保证凉茶稳定的效果和口味。在经营方式上，黄富强用连锁经营使得黄振龙凉茶融入广东人的生活，源远流长的岭南凉茶文化以新的方式得到传承和光大。在广东的高科技产业和制造业，把制度化的管理和技术进步作为企业文化核心的企业，不胜枚举。

创新是企业发展的动力，培养创新精神、提高创新能力是企业文化建设的重要内容。技术创新、制度创新、理念创新等，都可以为企业发展带来新的生机和活力。“要加快体制创新步伐，提高对外开放水平”这是胡锦涛总书记在视察广东讲话中从战略高度对广东提出的要求。外源型经济发达，对外开放程度比较高，是广东的优势所在。随着我国加入世贸组织，全方位对外开放的格局早已形成，广东原有的“窗口”优势、区位优势、政策优势等等，正渐渐减弱，创新精神对企业的发展尤为重要。从深圳华侨城集团公司的改革实践中可以看到创新意识对企业发展的重要意义。以马志民为首的第一任领导班子开辟了企业改革、发展的道路，以任克雷为首的第二任领导班子对这些成功的经验进行总结和提升，1999年出台的《华侨城宪章》，以未来10年为时间跨度，把制度创新、经营创新和管理创新作为主题，强调“变革”的核心地位，提出集团产权革命和经济形态升级双重战略任务，阐明华侨城的价值主张和文化取向。该《宪章》在制度创新方面展示出新一代领导人在继承前辈开拓进取精神基础上的前瞻性思维和创新精神。在“知识就是优势”、“激活就是价值”、“创新就是未来”等价值理念中，变革精神已经成为华侨城企业文化的底蕴，在市场竞争中引领企业发展的方向。通过创新来加强先进技术引进和消化、吸收、创新相结合，开发具有自主知识产权的核心技术和关键技术，增强企业的核心竞争力，也是企业发展的动力。

以发挥企业家的文化意识为灵魂的企业文化，在注重提升员工素质方面表现得尤为明显。广州珠江钢琴集团有限公司总经理董志

成被誉为“令珠江钢琴雄踞中国走向世界的企业家”，他认为企业员工素质的提高程度是决定一个企业是否成功的标志。在组织员工培训的同时，他倡导推行“意识在先，责任在先，行为在先，管理在先”的原则，让每个员工都牢固树立市场经济观念和竞争意识，从上到下职能明晰，各负其责，营造出“爱厂、敬业、守纪、奉献”的企业文化氛围。该公司从1993年起提出“加强管理，加速发展，压倒对手，占领市场”的第一步战略方针，不断运用新兴技术、先进适用技术、网络信息技术改造传统乐器生产，加速技术创新和产品升级换代，帮助集团实现了雄踞中国，走向世界的愿望，被誉为“国企的一面旗帜”。到2001年，珠江钢琴登上了中国钢琴产销量冠军和国际钢琴产销量亚军的宝座。在广东企业文化建设中，“5+1”、“8+2”现象[①]越来越普遍，这是企业家科学精神、人文精神和创新精神的综合表现。提倡并推动全体员工在学习中提高自己，并有效地将新知识转化为自己的行为方式，逐渐促进个人与工作的融合，成为提高企业创新能力的重要源泉，也为整个社会文化水平的提高打下了坚实的基础，是创建社会主义新文化这个系统工程的重要组成部分。

企业家精神是企业精神的导向，通过企业家精神的培育来塑造企业精神，是企业精神建设的有效途径。2007年1月，在广州举办了第三届中国企业文化国际论坛，并发表了《中国企业家荣誉宣言》，认为企业家队伍的成长和企业家精神的塑造，是大国崛起的重要标志。在全球化的竞争和发展中，传承中华文化，共创人类文明，是中国企业家的神圣使命。实现“中国制造”向“中国创造”的转变，必须变革企业发展模式，创新企业制度，全面提升企业的科技创造力、管理聚合力和文化感召力。这不仅是中国生产力跨越式发展的客观要求，而且是中华文明伟大复兴的历史召唤。[②]

---

① 每星期在五天工作日之外专门集中一天的时间来学习；每天在八小时工作之外，再用两个小时来丰富自己的知识。

② 《第三届中国企业文化国际论坛闭幕〈中国企业家荣誉宣言〉发表》，《南方日报》2007年1月20日，第009版。

（三）以塑造企业形象为切入点

从外在表现来看，企业形象是企业内外对企业的整体感觉和认知，是企业状况的综合反映，① 企业文化建设必须重视企业形式的塑造。企业形象与企业文化之间，既有区别，又有联系。企业出于自身生存、发展和宣传的需要，会选择和加工企业文化中的部分内容来塑造企业形象；通过企业形象的塑造来扬长避短，对内增强员工的认同感和凝聚力，对外以统一的形象展示企业理念，增强企业的竞争力，是企业文化建设的重要内容。在市场逐步成熟和市场经济日益发达的条件下，企业有意识地引入企业形象识别，实施品牌②战略，都是企业形象塑造、企业文化建设走向成熟的表现。

市场营销、形象识别（CI）以及企业文化理论在20世纪80年代引入中国的过程中即开始融合和发展。把企业形象提升到企业存在的高度，把设计的根基建立在为人类创造美好生活的基点上，企业形象在市场营销、企业组织中发挥着越来越重要的作用。③ 通过成功的商标设计来推动企业产品推广，李经纬在1984年进行的对“健力宝”的包装当属较早的实践。从暗示产品“保健”特性又朗朗上口的名称，到其商标——“j”字顶头的点用象征球类运动的球体、象征田径运动的三条曲线，以及二者共同构成的屈体收腹姿态象征着体操或跳水。这一系列设计表现了该饮料与体育运动的天然联系，再加上其良好的质量和独特的易拉罐包装，成为中国奥运会代表团的首选饮料，并凭借中国代表团的出色表现获得了全国乃至全世界的关注，其崛起也带动了中国饮料市场的发展。诚然，“健力宝”成功的商标设计只是围绕产品本身进行的策划活动，还

---

① 参见张德、吴剑平：《企业文化与CI策划》，清华大学出版社2000年版，第82~85页。

② 所谓品牌，一般是指企业及产品的标志，是指在营销或传播过程中形成的，用以将产品与消费者等关系利益团体联系起来的媒介，是企业特色、企业价值、企业信誉的表现，也是物质、精神和行为的统一体，在以精神为核心和灵魂的同时，也强调物质载体的重要意义。

③ 参见刘光明编著：《企业形象导入》，经济管理出版社2002年版，第1页。

没能围绕企业文化进行，却把“形象”意识传达了出来，并显示出“形象”在传达信息方面的强大功能。

企业形象策划作为企业文化建设的重要内容，为越来越多的企业所重视，创造企业形象差别的CI意识逐渐萌生。1988年，广东一家生产“万世达”保健口服液的乡镇企业为开辟市场，委托广东新境界设计群进行CI策划，把企业名称和品牌改为“太阳神”，实施统一的CI活动，并启用了新的企业标志，充分地展现了热情、欢乐、健康、智慧、保护和创造等理念，形象地体现企业及商品独特的个性与气质，表达企业的向上精神和战略目标，促使营业额大幅度提升，成为全国最早开始企业形象塑造的企业，并带动了广东万宝集团、李宁公司的CI活动。进入网络时代，腾讯公司用一只戴着红领巾的小企鹅形象，创造了一种网络时代的文化，把企业发展与人们生活紧紧结合起来。在2000年的高交会中，腾讯公司用公仔企鹅模型来推广企业形象；2001年10月5日，第一家“Q-GEN”专卖店在广州开业，企鹅背包、QQ服装、QQ相架、QQ靠枕等均受到大众的认可和喜爱。这些都显示，腾讯QQ已经不仅是网络的一部分，而且真正走进了人们的现实生活，把腾讯企业文化中强调娱乐性和互动性的特色鲜明地表达了出来，对提高腾讯的竞争力也有非常重要的意义。大众对QQ的认可和喜爱成为推动腾讯不断创新的动力，也说明了腾讯公司总裁马化腾提出的“玩也是一种生产力”的理念在休闲领域的影响力。越来越多的人承认，小小的企鹅形象不仅改变了人们的交流方式，创造了一种休闲文化，也在一定程度上改变了人们的生活方式。腾讯公司通过合理的企业理念和企业形象有机结合实现企业文化的成功，随着其企业文化执行力的不断加强，他们“通过互联网服务提升人类生活品质”的愿望也会逐渐落实。企业形象既是企业文化的表现，也是推动企业文化发展的动力。

品牌作为一种经济现象，是市场竞争的必然结果，本质上是企业文化、企业形象的表现，它可以提升企业产品以及其服务的文化内涵和文化品位，增强企业的竞争力。广州白云山企业集团有限公

司是最早在国内树立药品制剂品牌的公司之一，“白云山制药”的知名度和美誉度自80年代以来一直位于医药行业的前列。该公司较早在企业设立“公关部”，开企业形象、品牌建设之先河。用品牌意识引领企业发展模式，也是企业发展的重要途径。雅士利集团实施“依靠人才，科技兴企，提高质量，创立名牌”的发展战略，始终紧跟高科技发展的步伐，恪守：“以质量求生存，以信誉求发展”的企业宗旨，秉承“人无我有，人有我优，人优我精”的经营理念，成为广东食品研发领域颇具影响力的企业，在奶粉、麦片、豆奶、米粉等生产领域硕果累累。2001年中国名牌战略推进委员会第一次根据市场评价指针、质量评价指针、效益评价指针和发展评价指针等四个方面的十个条件，第一次评选出57个“中国名牌产品”，其中广东省12家企业的13个产品上榜。近几年来，广东各类企业在这方面的不俗表现，说明名牌战略越来越引起广东企业的重视，实施名牌战略已成为新时期广东企业参与市场竞争的重要抉择。

广东企业文化的实践中，还有不少小企业在塑造企业形象时仅仅停留于物质层面，或流于形式主义，对企业制度和企业精神的塑造没有充分重视，执行力也较为欠缺，不能很好地传递企业信息。这种企业的企业文化，本质上处于一种悬置状态，难以深入人心，其提升企业凝聚力和促进企业内外沟通的作用更是无从谈起。建立企业文化与企业形象之间的良性互动，引入企业形象识别，通过企业形象的塑造来促进企业文化的发展，是提升企业竞争力的重要途径。

文化生态学的研究提示我们，企业文化建设需要考虑两个适应：一是企业文化系统与外在环境的适应；二是企业文化内部各个层面、各种要素之间的相互适应。无论从哪个层面入手来建设企业文化，都要注意企业文化是一个综合体，只有物质、制度、精神三个层面的内容协调一致，才能充分发挥其功能。重视企业文化的个性，关注企业文化的内涵，减少企业文化建设中的形式主义和形象工程，是目前广东企业文化建设应该努力的方向；把社会责任、民族意识融入到企业发展的目标之中、企业精神的血脉之中，通过企

业文化建设来改善社会文化生态，是今后广东企业文化实践的一个着力点。

三、企业精神的核心价值

企业精神是由企业全体员工来创造、提炼、传播、实践的，它具体指企业员工的精神面貌、精神状态，以及价值取向、思维方式、心理状态、人格追求、伦理观念等方面的基本状态。企业精神是企业文化的灵魂，对企业文化有强烈的规范和引导作用。从广东企业文化的实践和研究来看，企业精神的培育是广东企业文化建设中最早开始并最受关注的内容。创新、和谐、团结、敬业作为描述企业精神时出现频率较高的用语，一起构成广东企业精神的基本内容。随着市场经济的日趋成熟，诚信和责任在广东企业精神的培育中越来越受到重视，“企业公民”理念引入广东企业精神建设，标志着广东企业文化建设与国际接轨。

（一）广东企业精神的基本内容和特质

“广东企业精神”的理论分析和文字概括，应当立足于广东企业的实践，来源于对广东各企业文化样态和精神实质的总结和归纳。以广东人务实进取的精神为底蕴，广东企业精神在追求创新的进取意识、注重和谐的思维模式、团结敬业的价值取向三个方面表现得尤为突出。

追求创新的进取意识从本质上讲是对前人经验和既有成果的总结和超越，并通过科学的实践成就前人未实现的成就。在广东企业的发展中，创新的动力有多方面的表现，如华为因忧患而产生的创新以求生存，如王老吉为追求卓越而创新，又如白云山制药把改革与创新相联系的实践等等。创新精神作为现代精神的典型，是企业生存的支柱、发展的动力，是提高企业竞争力的核心。从历史传承性的角度来看，追求创新的进取意识是对岭南文化中“敢为人先”和“兼容并包”精神的继承和发扬。力主开新、反对守旧，把握

企业命脉，通过比较、选择，对本土和国外、传统和现代的各种文化要素进行综合，使企业适应环境变化是企业文化创新的基点和主要途径；创新进取的意识有利于克服“创业容易守业难”的心态，把创业和守业结合在一起，是企业持续发展的基础。《人民日报》2005年度特稿：《广东酝酿发展模式之变》把“自主创新”作为广东“转型”之路的根本，强调在既有速度的基础上通过各种创新来追求效率与效益，公平与和谐，在广东省内引发很大反响。[①] 在2007年评选出的广东企业100强中，高科技企业、制造业占了相当大的比重，这也说明创新精神对广东企业的重要意义。时任广东省委副书记蔡东士在第三届中国企业文化国际论坛开幕式上指出，企业的创新和文化建设在推动广东经济发展向高增长、高效益、低投入、低能耗、低污染的集约型增长方式转变中功不可没。[②]

注重和谐作为一种思维模式，其本质在于强调“和而不同”，在行为方式上表现为做事不走极端，求大同而存小异，其实质在于“持中”；在处理人际关系时，表现为在保持自己独立人格的同时也承认他人的独立性，在全面把握问题后努力促使矛盾对立向统一转化，在强调整体利益的同时兼顾个体，在统一与多样之间寻求合理的张力，把个人的发展同他人、整体的发展统一起来。和谐理念是中国传统文化中最有特色的内容之一，也是现代企业文化建设的重要资源。广东作为经济发展较早、市场机制较为成熟的地区之一，对全国乃至世界各地的人都具有较大吸引力，充分发挥注重和谐的思维模式，可以真正做到集思广益。广东温氏集团在建设企业“和”文化上有突出特色——精诚合作，各尽所能；用科学，办实事，争进步，求效益；文明礼貌，胸怀广阔，磊落光明；同呼吸，共命运，齐创美好生活——这种企业精神可以把不同特色、各具才能的人凝聚到一起，为繁荣企业这个共同目标而奋斗。白云山制药

① 参见人民日报赴广东采访组：《广东酝酿发展模式之变》，《人民日报》2005年10月25日，第001版。

② 《中国创造与企业家精神——第三届中国企业文化国际论坛在穗举行》，《新经济杂志》2007年第2期。

公司把“爱心和谐”作为自己企业精神的重要组成部分，是把自己企业个性与传统文化中优秀资源整合的有益尝试。注重和谐的思维方式，在企业精神中的重要作用不仅在于直面文化冲突，更在于可以充分利用文化冲突来增强文化整合的能力，更好地践行“以我为主，为我所用”原则，增强企业的竞争力。

团结敬业的价值取向是一种注重团队合作的精神，要求通过整合企业内部各个部分的力量，使企业的能量最大限度地发挥出来。这种价值取向是保证企业繁荣、实现所有员工共同发展的基础，同时也有利于塑造和谐互助的氛围，增强员工之间的彼此认同，是发挥企业文化凝聚功能的基础。团结一致的内在品格，更多地继承了中国传统文化中的优秀成分。中国传统文化中团结一致的价值准则包含着两个方面的含义：一是通过团结合作促成整体利益的实现，进而使个体的价值和利益得到保证；二是个体之间真正意义上的团结才能实现整体的价值和功能。广州钢铁集团有限公司“风雨同舟，共创辉煌”的企业精神，把全体员工紧密团结在一起，为企业持续发展提供了不竭的动力。陈李济药厂提出“同心济世”的企业精神，广州卷烟二厂倡导“严爱相济”，都是把团结一致的内在品格与行业特色、企业个性相结合的典型。“敬业”是鼓励为事业而奋斗、献身的精神，可以看作是对过去“艰苦奋斗”精神的延续和提升。追求更高的工作目标，勇于承担工作责任，掌握精益求精的工作技能，培养踏踏实实的工作作风都是敬业精神的题中之意。广州电信局的企业精神是“求实、进取，让电信进入千家万户；优质、高效，创一流企业竭力同心”，把团队精神和敬业精神结合在一起，作了很好的综合；支持康佳公司“团结开拓，求实创新”的力量则在于“我为你，你为他，人人为康佳，康佳为国家”的奉献精神。广东企业精神中把团结与敬业结合在一起的特征，表现了广东人利商重商而又不唯商的精神。

广东企业精神是一个内容非常丰富的综合体，其特质在于不务虚名，讲求实效，反对空谈，重视实干，是广东人务实精神的具体表现，也是岭南文化“新、实、活、变”的本色在企业文化建设

中的深入和拓展。[①] 改革开放以来，着眼于企业的生存发展，企业精神中实事求是的态度、负责敬业的作风、雷厉风行的效率观念、大胆进取的意识在广东企业中普遍存在，并成为追求创新的进取意识、注重和谐的思维模式、团结敬业的价值取向发挥作用的有力支撑。在这个意义上讲，务实精神是广东企业精神的基石。近几年在企业界和学术界兴起的对"新粤商"精神的探讨中，对"低调、务实、适度"的强调具有相当的普遍性。在2008年5月召开的以"新粤商"为主题的全省大会上，省长黄华华把"敢为人先、务实创新、开放兼容、利通五洲、达济天下"五大精神作为新粤商最突出的精神，并指出"一部新粤商敢为人先、务实创新、争雄夺冠的创业史，就是一部推动广东改革开放发展的历史。"[②]

（二）强化诚信精神和责任意识

广东企业精神用"和谐"、"团结"、"创新"把广东人敢为天下先、务实求真、开放兼容、独立自主、求富敢富和科学理性的精神[③]平实地诠释出来，表现出了鲜明的广东特色。对诚信和责任的忽视，又在一定程度上限制了广东企业精神的发展。屡见报端的裁员事件、员工工作强度大、劳动时间长以及拖欠农民工工资等问题即是明证，为了追求利润而损害员工利益的事件也经常发生。经过改革开放30年来的实践和发展，大部分民营企业已经进入"第二次创业"的阶段，其主要任务已转变为增强企业的可持续发展力。而在市场经济日趋成熟的今天，诚信和责任是企业在竞争中获得生机的基础。

2001年12月，广东省文明办、广东省精神文明学会、广东省社会学学会联合召开的"广东省非公有制企业精神文明建设首届学术研讨会"中，就把"公平交易，诚实守信"作为企业道德建

---

① 参见张磊、张苹：《岭南文化的特点：新、实、活、变》，载李明华主编：《广州：岭南文化中心地》，中国学术评论出版社2007年版，第111～116页。

② 《广东省长：新粤商有五大精神》，《民营经济报》2008年5月28日，D08版。

③ 参见吴灿新：《中华民族精神与现代广东人精神》，《岭南学刊》2003年第4期。

设、企业文化发展的重要内容。国家农业部公布的“2002 年度全国诚信守法乡镇企业”名单中，广东仅有八家企业上榜，在一定程度上反映了诚信精神建设的紧迫性。为深入贯彻广东省委关于开展“爱国、守法、诚信、知礼”的现代公民教育活动和广东省人民政府《关于加强我省信用建设工作通知》精神，广东省企业联合会、广东省企业家协会于 2005 年 8 月启动了“广东省诚信示范企业”创建活动，先后在广州、东莞、佛山组织了三次“诚信兴商”大型宣传活动，向全省企业界倡议发起了《广东企业诚信公约》签约活动，突出“宣传诚信理念，树立诚信意识，共建诚信广东”的宗旨，① 并相继组织了 2005 年度和 2006 年度“广东省诚信示范企业”推介表彰活动。

企业的责任意识主要有两方面内容，一是回报人民，服务社会的价值理念，二是采取对社会负责的行为方式。改革开放以来，不少企业盲目追求短期利益，漠视企业责任，工人实际生活状况的改善极大地落后于经济增长的速度。近年来广东地区的“民工荒”现象和“豆腐渣”工程，都是企业责任缺乏导致的恶果。随着消费者权益要求的不断提高，全世界环境保护意识不断增强和国际企业责任运动的压力，以外向型经济为主导的广东企业责任建设压力巨大。有没有责任意识以及责任意识强烈与否，成为与企业生存和发展息息相关的大事。它可以促进企业克服狭隘视野，树立世界眼光，以全球视野来谋划自己的发展，在更深、更广的层面上践行“以人为本”的理念。

2004 年，肇庆市 26 家民营企业联合发出“社会责任承诺宣言”，承诺实业报国、诚信经营、善待员工、保护环境，把社会责任作为推动自身发展的动力。这是我国首例由企业联合发布的社会责任承诺宣言。② 2004 年 12 月 5 日在广州举办的中国企业文化国

① 《粤 50 家企业签署诚信公约》，《南方日报》2006 年 9 月 6 日，A05 版。

② 《26 民企联合发布社会责任宣言——率先承诺事业报国、诚信经营、善待员工、保护环境》，《南方日报》2004 年 12 月 9 日，C08 版。

际论坛通过了《发展·责任·创新·荣誉——中国企业文化国际论坛宣言》（广州宣言），把“责任”作为宣言的关键词之一，指出“责任是先进企业文化的核心要求。社会价值高于企业利润，整体价值高于局部价值。企业应该在追求利润的同时，注重社会责任，实现社会价值的不断增进”，“企业应该为员工创造价值，为员工创造发展的空间，用关爱、平等、尊重、理想把企业培育成为利益共同体、命运共同体和文化共同体，构建和谐企业”。[①] 企业作为社会的基本生产单位，对社会负有一定的责任。社会对企业提出的责任要求是一种客观要求，企业如果能自觉意识到这一要求，以积极主动的姿态来承担这种责任，并以此来推动企业的生产和经营，会使企业的发展显示出蓬勃的生命力。在2007年进行的“十大新粤商”评选活动中，企业的责任是一项重要指标。从企业发展角度来讲，责任意识是克服“小富即安”的心态的有效资源。把企业价值的实现建立在为民族、为国家发展做贡献的基础上，这是企业不断追求自我超越的不竭动力。

“诚信”精神与“责任”意识对于引导企业义利并举，提升广东企业的形象，提升广东企业的精神境界，塑造文化大省的风貌有重要作用，广东经济经过改革开放以来30年的发展，取得了有目共睹的巨大成就，目前也面临着一些问题，诸如人与资源环境的矛盾日益突出、就业和社会保障压力增大等，改变过去“经济优先”的发展模式，加强诚信意识和责任意识，可以为和谐社会的建构、科学发展观的落实提供生长点。

（三）培育企业公民是企业文化的发展趋势

企业公民是国际上通行的用来表达企业社会责任[②]的新术语，

---

① 参见《发展·责任·创新·荣誉——中国企业文化国际论坛宣言（广州宣言）》，《广东社会科学》2005年第1期。

② 企业社会责任：指公司对于整个社会肩负起应有的责任，以及遵从和尊重国家规定的一些关于人权、平等机会、生活基本需要、合理的劳动待遇、健康与安全等法规或条例。

一般被解释为企业为了表达出对人类、社区以及环境的尊重，所做出符合道德及法律规范的发展策略以及企业将社会基本价值与日常商业实践、运作和政策相整合的行为方式。更进一步讲，企业公民就是把企业看成是社会的公民，在遵守法律的前提下通过其核心业务为社会提供产品和服务的同时，也向社会承担责任。企业公民在一定程度上反映了一个企业的价值观和长远追求，是今后企业文化发展的趋势。广东企业精神中责任意识的培育，可以成为有效引入企业公民理念的基点。

进入21世纪，我国企业面临的竞争由国内拓展到国外，加强企业的竞争力，是企业文化建设的根本内容。自觉履行社会责任，争做优秀企业公民成为越来越多企业的共识，企业公民的研究和实践在广东已经起步，并成为今后企业文化建设的主要趋势，为企业家和学者广泛关注。在21世纪伊始，就有广东学者研究指出，企业公民文化是企业文化的创新趋势，与知识经济相适应的企业文化精神，是建立在取之有道的行为准则上，企业不仅仅是业主或股东们的工具。[①] 2003年10月28日，《南方日报》发表了广东省社会科学院SA8000课题组提供的《跨越SA8000》一文，各种媒体纷纷转载，引起对企业责任的广泛讨论。2004年12月，广东经济出版社出版了《2004广东企业责任建设蓝皮书》。广东省社科院院长梁桂全研究员指出，企业社会责任在中国的实施，是经济全球化对中国的直接影响和中国入市的直接结果，其本质是经济全球化背景下企业对自身经济行为的道德约束。[②] 2007年9月，广东省社科院黎友焕研究员总结多年来研究广东企业社会责任的成果，出版了《企业社会责任在中国》一书，总结和分析了广东企业社会责任建设的现状，指出和谐社会的发展不能离开企业社会责任的建设，并对未来广东企业文化建设提出了一系列建议。

---

① 参见杨平：《企业公民文化：企业文化的创新趋势》，《理论与改革》2000年第5期。

② 参见梁桂全：《企业社会责任：跨国公司战略对我国企业的挑战》，载广东省社会科学院编：《2004广东企业社会责任蓝皮书》，广东经济出版社2004年版。

广东企业界对企业公民的关注也较早，并通过积极实践推动企业公民的建设。广药集团自1996年成立以来，始终秉承“责任广药，爱心广药”的企业宗旨和“为员工谋发展，对社会做贡献”的经营理念，通过支持社会公益事业，努力回报社会，把履行社会责任作为企业文化建设的核心，在全国首创建立“家庭过期药品免费回收机制”，发布了我国医药行业首份企业全面社会责任报告。广州恒大集团提出了“坚持和谐发展，倡导企业公民行为”的企业理念，并在国家民政部召开的“2004年全国社会捐助表彰大会”中获得全国“爱心捐助奖”。在结合企业自身的行业特征、促进企业公民系统化方面，广东移动在2005年提出的“八项工程”成为值得关注的内容。[①] 万科董事长王石多次表达了企业公民对于企业发展的重要作用，并在2006年提出“变革先锋，企业公民”的口号，并把万科的企业公民建设描述为一个从自发到自觉的过程。回报社会，奉献爱心，向社会弱势群体捐款是企业管理者在企业公民建设中思考和践履的主要内容。[②] 广州立白企业集团作为民营企业，也把社会责任作为企业文化建设的核心。该集团坚持五个负责：“对产品负责”——坚持产品以质取胜和零缺陷战略，建立起专门的质量投诉和质量反馈机制，流通到市场的有质量问题产品，不惜代价重新追回返工。“对员工负责”——不断改善员工的生活和工作环境，成立工会保障员工的合法权益，成立员工基金会为解决员工的各种急难病险，严格按照国家规定为员工购买养老保险、医疗保险、工伤保险、生育保险和住房公积金等福利；“对合作伙伴负责”——恪守诚信经营宗旨，与合作伙伴共赢发展，重合同，守信用，关注和维护合作伙伴的感受、利益和未来；“对

---

① “八项工程”中明确指出了要打造移动通信“应急工程”，提出要与政府密切合作，运用集群网、移动语音门户、遥感遥控设备，提供移动应急通信解决方案，整合目前比较分散的应急信息资源，建设统一的政府应急通信平台，实现电话、短信、互联网多种方式的即时报警，随时随地采集和发布水文、气象、地质、火灾、交通、公安、卫生、防疫等社会公共安全信息，实时进行应急调度和指挥，增强政府对突发事件、重大自然灾害、群体性事件的预警和应急处理能力，提供省级综合应急通信解决方案。

② 王石：《企业文明从被动到主动》，《企业文明》2006年第4期。

环境负责”——推行节约生产、循环生产、安全生产和清洁生产，严格控制三废排放，建立先进的污水处理装置，工业废水和生活污水处理率达到90%；“对社会负责”——诚信经营，依法纳税，关爱民众，帮助弱者，积极投身社会公益事业。

黎友焕指出，企业公民的建构，是企业自身妥善处理企业责任和社会责任的有效途径，也需要从立法上来保证企业责任以制度化的形式贯彻在企业生产经营和社会活动之中。企业对自身的责任意识不够，势必会忽视社会利益，导致环境污染、自然资源过度开发等问题，影响国民经济的可持续发展；而忽视员工利益，则会影响社会的稳定。企业的社会责任过大，则会加重企业负担，影响企业自身的利益，成为可持续发展和改革的阻力。因此，如何保持企业责任的合理范围，需要更多的实践积累和理论研究，也需要企业根据自身的情况逐步实现。随着社会主义市场经济体制的发展，制度建设逐渐健全，企业社会责任的战略规划日益清晰，企业的责任意识和规范意识逐渐强烈，对企业的责任的监督和管理工作也逐渐落到实处，为我国企业公民建构提供了可利用的资源，可以成为企业公民生长壮大的土壤。企业社会责任的法制化已经成为企业改革和社会发展的大势所趋。企业公民是促进“和谐文化”建设的动力之一。①

在国际企业社会责任浪潮中，中国对外贸易的成本优势在加剧弱化，企业公民是企业发展的必然要求，也是社会发展的大势所趋，对于以外源型经济为主的广东，更是如此。从目前广东企业文化的实践来看，企业社会责任建设的主要推动力量还来自于跨国公司对其合作方的要求，自觉将“企业公民”作为企业的核心价值者，仍然少之又少。从理论上和社会发展的长远需求来看，所有企业都应成为企业公民；从当前的国情、省情以及企业发展的实际、企业精神建构的过程来看，大、中型企业，特别是国有大中型企

① 参见黎友焕：《企业社会责任在中国》，华南理工大学出版社2007年版，第177~189页。

业，应当成为企业公民的实践者和示范者。在这个意义上讲，广东企业公民建设依旧任重道远。弘扬以爱国主义为核心的中华民族精神，弘扬以改革创新为核心的时代精神，弘扬新时期广东人精神，并把这些精神与“企业公民”相贯通，使其成为构建社会主义和谐社会的新的精神力量，是推广企业公民的关键。同时，还需要企业对全体员工的人文素质教育，将企业公民意识整合成全体员工的自觉行为；需要政府制定公共政策、提供公共服务，将企业公民理念在社会上广泛传播开来。

我们还要看到，培育企业精神是一项长期的建设工程，不可能一步到位，从标准的提出到各方面的落实，都要循序渐进，因势利导，根据企业的实际和可能来展开。除了要考虑上述种种共性和趋势之外，还应当充分重视企业的个性和不同的发展道路。雷同化的“企业精神”和“企业理念”并不能充分发挥其内聚人心、外树形象的功能。扎扎实实地做好调查、研究和总结，把握时代的脉搏和企业发展的方向，充分结合本行业的特征和企业本身的现实来提炼和概括企业精神，经过多渠道的传播使之成为员工共同认同并为之奋斗的理念，并成为全体员工的共同价值观，是广东企业精神发展的现实之路。

四、产学互动的广泛研究

广东企业文化的丰富实践以及国外企业文化理论的引入，为广东企业文化的研究提供了丰富的资源。从事企业文化研究的主体也非常多元，主要可以划分为企业界和学术界。从1984年开始，“企业文化”一词陆续见诸我国的报刊书籍。1986年，中山大学成立了企业文化研究中心。1989年，广东企业文化研究会成立。该研究会组织专业研究队伍，深入企业进行调研，系统总结企业文化建设中的成功经验，并编撰成书广泛推广；同时，该研究会还编撰《广州企业文化年刊》、《广州企业文化专刊》及其他资料。1989年10月，深圳市企业文化研究会编辑出版了《特区企业文化》

（双月刊），并于1996年编撰《企业文化：深圳的实践与探索》。[①] 广东省委宣传部以及各级市委宣传部也有重点地参与组织了不同内容的企业文化研讨会，成为推动广东企业文化研究的重要力量。此外，广东的一批学者也出版了很多研究企业文化的著作，发表了大量关于企业文化研究的论文。越来越多的人认识到，企业文化有两个基本属性：其一是管理学属性，其二是文化学属性。从企业文化的管理学属性研究到企业文化的文化学考察，在一定程度上表现企业文化研究的基本脉络和阶段性特征。在企业界和学术界，企业文化的研究也主要围绕着企业文化的两种属性进行。

（一）企业界的不懈努力

企业文化所具有的管理学属性，是企业文化进入广东企业界和理论界视野的主要切入点。管理学视域中的企业文化主张运用文化特点和规律于管理之中，提升管理的文化品位，加大管理的文化内涵，并且通过管理培育先进的文化意识，将文化与生产经营管理工作融为一体。从企业管理角度进行的企业文化研究，是广东企业界研究企业文化的重点。这种研究主要围绕促进精神文明和思想政治工作相结合、培养创新机制、建设现代企业制度来进行。

企业文化作为企业精神文明建设和思想政治教育工作的切入点，可以有效地解决政治经济“两张皮”的现象。1989年7月24日，《人民日报》发表评论员文章《重视和加强企业思想政治工作》：“改革以来，许多企业结合本单位的实际，特别是青年职工的特点，通过创建企业文化、倡导企业精神，建立企业与职工利益共同体等形式，把企业思想政治工作开展得有声有色、生动活泼。这些有益的探索，也要继续坚持下去。”把以人为本作为思想政治工作的基础和着眼点，坚持思想政治工作在变中求活的方针，把思想政治工作的改进和创新与企业改革结合起来，以企业文化为载体

① 参见中国企业文化研究会编：《中国企业文化年鉴》（2004），中国大百科全书出版社2004年版，第467页。

来加强企业的物质凝聚和精神凝聚，成为企业界研究企业文化的管理功能的一个新经验。广钢集团董事长袁今昔指出，“入世”后，企业未来的发展应该走市场化、国际化、集团化、知识化之路，企业思想政治工作要应对这种挑战，其根本措施就是要紧紧围绕企业发展方向，敢于创新，有勇有谋不断创新，着力做好思维创新、内容创新、方式创新、制度创新文章。① 亦有研究者指出，要使非公有制企业精神文明建设迈上新台阶，必须对强化这项工作的组织机制和在实施载体上进行创新。② 实际上，这就涉及到了通过企业文化建设来促进非公有制企业精神文明建设的问题。有论者指出，通过企业思想政治工作的开展推动企业文化的建设，总结企业在这方面的实践经验，亦是企业管理者关注的问题之一。③

如何培养良好的创新机制，建立现代企业制度，通过企业文化建设来提高企业的创新能力，增强企业的核心竞争力，是企业管理者进行企业文化研究最为关注的内容，在一些先进大型企业中尤其如此。中国移动广东公司总经理徐龙在《构建创新体系营造创新文化》一文中指出，营造“人人有创新、企业有专利”的创新文化，全面提升企业的自主创新能力与核心竞争力，是移动公司推进移动信息专家战略转型、实现从优秀到卓越的新跨越提供良好支撑，也是企业市场竞争获得持续发展的基础。④ 发挥企业文化在国有企业改革中的作用，推动国有企业的重组和整合，也是国有企业的领导人较为关注的内容之一。袁今昔在《以优秀企业文化推进国有企业资产重组》一文中，指出通过企业文化的整合来消除国企资产重组后的观念冲突，建立现代企业制度，是国企发挥凝聚

---

① 参见袁今昔：《入世后企业思想政治工作对策之要》，《冶金政工研究》2002 年第 6 期。

② 参见何艳玲：《广东非公有制企业精神文明建设首届学术研讨会综述》，《广东社会科学》2002 年第 1 期。

③ 参见张淑运：《企业文化与思想政治工作案例》，《特区经济》2004 年第 10 期。

④ 参见徐龙：《构建创新体系营造创新文化——中国移动广东公司全面提升企业自主创新能力与核心竞争力》，《通信企业管理》2006 年第 10 期。

力，适应新的时代要求途径。[①] 王石在总结万科的管理经验时指出，简单化、透明化、制度化、讲责任是万科走过艰难、不断发展的法宝。其中，培养团队、建立现代制度是企业长远、健康发展的保证。[②] 越来越多的企业家认识到，企业文化理论把人本管理推向了一个新的高潮，进入了文化管理阶段。它的最大特征就是在"以人为本"的基础上培养企业组织的民主气氛，建立和谐宽松的环境，高度尊重人的自由发展和参与权利，以建立有机的、符合人性的、能持续发展的组织为最终目的。通过企业制度的建设，把企业生产经营活动中的人、财、物等各种要素的管理整合为一个完整有机系统，是企业文化的主要功能。

总的来讲，企业界进行的企业文化研究，主要是把企业文化作为一种管理思想。这种研究强调在合理提炼企业价值观的基础上，通过各种有效的方法，保证这种企业价值观的贯彻和执行，并形成企业全体员工的共同价值观系统，具体化为全体员工的行为方式，激发每一个员工工作的主动性、积极性和创造性，提高员工对企业以及彼此之间的认同感，促进员工之间的沟通精神和团队精神，使企业人力资源获得最佳配置和最合理使用，从而使企业所有资源得到最佳配置，最终实现企业组织的经济及社会目标。作为管理科学的企业文化，未来的发展趋势是不断向着符合人的本性需要和为人的全面发展创造条件这一目标前进，形成关心人、尊重人、培养人、发展人的文化氛围。

（二）学术界的深入探索

与企业界进行的企业文化研究既相联系又有区别，学术界进行的企业文化研究，主要从管理学和文化学两个角度展开，在引介西方的企业文化理论和推动我国的企业文化研究，引领企业文化实践

① 参见袁今昔：《以优秀企业文化推进国有企业资产重组》，载广东省社会科学院主编：《21世纪中国企业文化论坛》（下卷），中国和平出版社2001年版，第654～665页。

② 参见李翔、李攀：《伟大的公司不是野心，是结果——王石访谈录》，《东方企业家》2008年第1期。

等方面均有重要作用，同时也能更好地反映广东企业文化研究和实践的阶段性特征。

关注企业文化的管理学属性，是广东学术界进行企业文化研究的一个主要方面。1989 年 9 月，广东高等教育出版社出版了黎红雷著《走向管理的新大陆——企业文化概论》一书，介绍了“企业文化”作为一种新的管理理论的形成过程，指出“以人为中心”的管理原则是企业文化理论的基础，并从企业的内在素质与外部关系、企业决策到产品销售整个运作过程中的文化作用。通过这种方式，该书把企业文化在各方面的展开充分描述出来，把企业文化作为一种管理理论落实到企业运作各环节之中，把一般的理论讨论与企业管理各环节的内容结合起来，并引用了中外企业的大量实例。1998 年，为纪念广州企业文化协会成立 10 周年，崔瑞驹把自己研究企业文化的论文编辑成《得风气之先——广州企业文化发展思考》论文集，在《企业管理的新的里程碑》（1989 年 5 月）文中，他指出企业文化的实践和理论为管理科学树立了一个新的里程碑。广州出版社为纪念改革开放 20 周年出版了《迈向新世纪的广州企业文化》论文集，反映了改革开放以来广州市企业文化建设的主要成绩和基本经验，从不同角度探讨了迈向新世纪广州企业文化建设的发展路向和对策措施。黄华华在为该文集作序时指出：“在深化企业改革、建立现代企业制度、加强企业管理中，企业文化建设关系重大，意义深远。”① 华南理工大学陈春花教授分析了企业文化中的价值观和目标对企业决策、企业目标、企业组织、企业领导、企业控制几个方面的重要作用，指出管理的本质是工人的自我管理，是一种让员工进行自我领导的文化比传统的控制管理更有效。她认为，这是企业文化带给管理的深远影响。② 林平凡、詹向明等学者指出，把企业文化研究从管理模式提高到竞争力，强调企

① 参见黄华华：《迈向新世纪的广州企业文化·序》，载中共广州市委宣传部、广州企业文化协会、广州文化发展战略研究所编：《迈向新世纪的广州企业文化》，广州出版社 1998 年版，第 2 ~ 3 页。

② 参见陈春花：《企业文化塑造》，广东经济出版社 2001 年版，第 54 ~ 63 页。

业文化创新对企业的重要意义也是学术界推动企业文化研究的理论贡献。①

“企业文化学”是着眼于企业文化的学科交叉性来进行的企业文化研究。20 世纪 90 年代即有学者专门编著《企业文化学》，其主旨在于揭示企业文化的本质和特征，探讨企业文化的发生、发展及其规律，分析企业文化的基本构成，指导企业文化建设，进行企业文化学的比较研究，建立以马克思主义为指导，批判地继承历史传统而又有时代精神，立足本国而又面向世界的有中国特色的社会主义企业文化。②

从文化学的角度来研究企业文化，是近年来随着文化研究的深入和发展而逐渐发展起来的。有学者指出，文化学是研究文化的科学，主要研究文化的生存环境，文化的地域、民族、时代等属性，文化的积累与变迁、继承与创新、传统与现代、大传统与小传统、民族化与世界化、多样性与统一性的关系，亦即探讨文化的要素、特征、性质、动力、结构、功能、价值、生命，研究文化各系统的类型、形态、机制、历程，以及不同文化系统之间的传播、选择、涵化、交融、转型、整合的特点及其规律，是综合人文学科、社会学科、自然学科的知识资源，并紧扣文化经济化、经济文化化的时代脉搏建立起来的一门综合性、边缘性、交叉性的学科。企业文化研究亦属于文化学的范畴。③ 探讨企业文化的本质、发展规律、功能等与人的生存发展密切相关的问题，是在文化学框架下研究企业文化的着力点，是随着企业文化研究的深入而逐渐展开的探讨，也是文化研究走向成熟后向具体问题深入的结果。

从本质上讲，企业文化是相对于社会文化形态而言的亚文化形

---

①　参见林平凡、詹向明等：《企业文化创新——21 世纪企业竞争战略与策略》，中山大学出版社 2002 年版，第 1 ~ 44 页。

②　参见黄崧华、崔瑞驹、李权时主编：《企业文化学》，红旗出版社 1992 年版，第 1 ~ 3 页。

③　参见李宗桂：《“文化学”建设与文化现代化》，《中山大学学报》2005 年第 6 期。

态，是企业精神文明与物质文明的综合反映。随着我国文化研究的广泛开展和日益深入，研究者们把关注的重心从传统文化向当代文化过渡，从文化的总体反思向社区文化、企业文化等具体的文化样式过渡。努力把企业建设成为利润与文化的统一，经济与文化的统一，为人的全面发展创造条件是企业文化的实践和研究努力的方向。

从企业文化的发展规律来看，企业文化是时代文化、民族文化和地域文化共同作用的结果。有学者指出，企业道德建设是企业文化的核心，中华传统道德在构筑企业核心价值观的过程中有重要作用。① 文化的民族性和时代性特征，提示我们在企业文化的研究和实践时，要把民族文化和时代文化结合起来，吸收中国传统文化中的优秀成分，并贯注时代精神，建设既有民族气派又有时代气息的现代中国企业文化。结合广东企业发展的实际，把时代精神和民族精神融入到企业文化的研究中，为企业文化的实践提供理论指导，是目前从文化学角度研究企业文化的重要内容。

从企业文化的功能上看，企业文化具有凝聚人心、鼓舞力量、提高素质以及价值导向等功能，这些在企业管理中的作用已如前文所述；而企业文化作为社会文化的一个系统，其辐射功能则值得进一步关注。企业文化有很强的实用性特征，凭借自己的辐射功能影响社会文化的发展，是社会文化的生长点之一，企业文化与社会文化之间可以相互影响、相互作用、相互转化。② 有学者系统分析企业文化与社会文化的互动关系，从以下几个方面概括了企业文化对社会文化建设的贡献：第一，企业文化可以促进时代精神的形成和发展。把握时代脉搏，与时俱进是企业生存发展的必要条件。在参与市场竞争的过程中，企业需要不断总结自身发展的经验，对阻碍企业发展的内容进行改造。在这个意义上讲，企业文化具有超越企

① 参见柯可：《中华传统道德与现代企业文化建设》，《学术研究》2003 年第 6 期。

② 参见黎红雷：《企业文化学在文化学中的地位》，《开放时代》1989 年第 3 期。

业既有传统而追求更快发展的天然动力。与此相适应，把最具有时代特征的因素引入企业文化建设，也是企业自身发展的必然途径。改革开放的实践证明，市场经济下的诸多观念，如契约、权利、义务等，正是通过企业文化这个途径影响我国的社会文化，深入到人民大众的日常生活和社会心理之中。第二，企业文化直接参与社会文化活动。生产企业向社会推出新商品、新款式，在潜移默化中推动了新的生活方式的出现和生活观念的变革。还有一些企业，为了树立企业形象，往往会支持公益事业、借助于影视文艺途径乃至直接组织文化活动来参与社会文化活动，对于丰富人民大众的文化生活有重要作用。①

从文化学角度研究企业文化的成果提示我们，研究和把握企业文化，需要从它的动力学角度进行，即从它的内在生命力中把握，从它的发展规律和多样性特征来把握。

从 20 世纪 80 年代开始，广东企业文化的研究著作还有范英、王荣武主编《改革中的新型企业——白云山制药厂》（1988 年），周圣英主编《广东企业文化》（1989 年），杨饮泉主编《广州企业文化》（1990 年），深圳市企业文化研究会编《企业文化：深圳的实践与探索》（1996 年），彭南林著《企业文化概观》（1999 年），林平凡、詹向明等著《企业文化创新：21 世纪企业竞争战略与策略》（2002 年），侯小菲、彭南林著《深圳企业文化新观察》（2002 年），毛蕴诗、汪建成著《广东企业 50 强：成长与重构》（2005 年）等。②

（三）产学整合促进发展

从总体上讲，广东企业文化的研究落后于企业文化的实践，有

① 参见许金题、涂可国：《实现企业文化与社会文化的良性互动》，载广东省社会科学院主编：《21 世纪中国企业文化论坛》（下卷），中国和平出版社 2001 年版，第 459 ~474 页。

② 参见中国企业文化研究会编：《中国企业文化年鉴》（2004），中国大百科全书出版社 2004 年版，第 470 页。

质量的研究成果较少。这种状况导致企业文化建设生活化有余而先进性不足。在以新的思想解放推动新一轮的大发展的时代条件下，加强企业文化建设，需要注意从两个方面整合力量：一是促进学术界和企业界研究力量的整合，通过企业文化建设的先进经验提升企业文化研究的水平，并把企业文化研究的成果及时地应用到企业文化建设的实践中，真正发挥理论研究在实践中的指导作用；二是促进不同所有制性质的企业企业文化建设经验的交流和总结，进一步加强广东企业文化建设的地方特色。

学术界进行的企业文化研究，重视文化先进性在引领企业发展、提高企业的文化品味。企业界开展的企业文化研究，为企业文化建设不断寻求新形势，可以用更加生活化的形势开展企业文化建设。通过各级政府和学术机构、民间团体的努力，广东已经初步具备了企业界和学术界的交流平台。“中国企业文化国际论坛”是由中国社会科学院、中共广东省委宣传部、广东省社会科学院牵头主办的国际性品牌论坛，以针对性、实效性、国际性和前瞻性为特色，以文化为载体，通过主题演讲、互动式对话，努力为企业搭建东西方文化交流的平台，探讨和挖掘东方文化的精髓，解读中国式管理和体现时代潮流的中国商业精神，构建与创新型国家和建设和谐社会相适应的中国企业文化体系，培养与现代企业发展相适应的新一代企业家。2000 年 6 月 20—22 日举办第一届论坛，主题为“21 世纪中国企业文化论坛”，2004 年 12 月 3—5 日举办第二届“中国企业文化国际论坛”，2007 年 1 月 18—19 日举办第三届论坛，主题为“中国创造与企业家精神”，并将相关研究成果汇集为《21 世纪中国企业文化论坛》、《创新企业文化，提升企业竞争力》论文集。①

促进企业思想政治建设和企业文化建设相结合，是企业界和学术界的共识，需要整合二者的力量才能真正拓展其研究的空间。

① 参见广东百科全书编纂委员会、中国大百科全书出版社编辑部编：《广东百科全书》，中国大百科全书出版社 2008 年版，第 1280 ~ 1281 页。

2004 年，广州市委宣传部、广州市思想政治工作研究会①和广州企业文化协会组成“广州市企业思想政治工作与文化建设”专题调研小组，就广州市企业思想政治工作与文化工作的主要经验、存在问题和今后思路等问题，对全市 17 家国有企业和非公有制企业开展了专题调研，撰写了《关于企业思想政治工作与文化建设状况的调查报告》。在 2006 年 6 月举办的以“同心创造，共建和谐”为主题的第六届广州企业文化年会上，与会者对政研工作和企业文化建设进行了一系列探索。2007 年 4 月，广州市委宣传部长陈建华在“广州市思想政治工作研究会第 21 次年会暨广州企业文化协会第四届四次会议”上指出，思想政治工作、企业文化建设和创建全国文明城市相结合，全面提高市民素质和城市整体文明程度，以社会主义荣辱观引领思想道德建设，引导人们从自己做起，从身边事情做起、从一点一滴做起，教育党员干部以身作则、率先垂范、带头实践，使“八荣八耻”的基本要求成为广大干部群众的行为标准和自觉行动是企业文化建设和思想政治工作的重要内容。② 通过企业的思想政治工作来引领企业文化建设，用科学发展观来改变企业的价值观和商业伦理观，以社会主义核心价值体系来引导企业文化建设，是企业文化建设落实先进理念，保持与主流文化与时俱进的生动表现；通过企业文化建设来提升企业思想政治工作的吸引力和凝聚力，总结职工的文化需要，是企业政治工作不竭的源泉。企业思想政治工作在不取代企业文化的前提下，将社会共同的基本价值观念等思想内容贯彻到文化建设中，形成全体员工自觉认同的“命运共同体”，是推动企业提升人文关怀，塑造企业义利并举的价值观的落脚点。

企业直接邀请学者、团体来研究自身的企业文化，并做出发展规划，是广东企业重视企业文化研究的表现，也是整合企业界和学

---

① 其前身为 1984 年成立的“广州职工思想政治工作研究会”，于 2002 年更名为“广州市思想政治工作研究会”。从 2004 年开始，与广州企业文化协会合署办公。

② 林洪浩：《做好思想政治工作 提升企业文化建设》，《广州日报》2007 年 4 月 4 日，第 002 版。

术界研究力量的途径。1989年，广州软科学咨询公司协助万宝电器集团公司、白云山制药总厂、南方大厦百货商店等多家企业进行企业文化建设规划，并将对南方大厦百货商店的企业文化研究成果汇编为《广州南方大厦企业文化建设》一书出版。1998年面世的《科龙企业文化纲领》和《华为基本法》都是这种研究模式的结晶。2005年广东省社科院应广百股份有限公司的邀请，为其企业文化建设做出远景规划，最终形成《弘扬“竭尽全力”精神　打造广百股份的持续发展能力》的报告。这种企业文化研究往往更能凸显企业自身的内涵，又能汇集学者的智慧。2007年1月13日，由广东省社科院和广东商学院共同发起，广大企业踊跃参加，成立了广东省企业社会责任研究会，促进学术界和企业界一起致力于推动企业责任建设。

所有制形式对企业文化的影响也非常明显。在不同所有制性质的企业中，管理方式、人文环境迥然不同，其所倡导的企业宗旨、目标定位、伦理道德也各具特色，它们的企业文化也因此而差异较大。改革开放以来，广东地区各种所有制性质企业发展较为成熟，为我们总结和思考各种所有制企业的企业文化提供了丰富的资源。分析“三资”企业的企业文化实践，可以使我们更加清楚地看到世界上优秀企业的企业文化的魅力；理性总结广东国有企业的企业文化从自发到自觉的经验，关注广东民营企业的企业文化从无到有的发展历程，可以加快广东企业与现代企业制度接轨，以更加昂扬的姿态挺进未来。积极总结不同所有制企业企业文化建设的先进经验，整合企业文化建设的力量，提高企业文化建设的覆盖面，在南粤大地上建设更加绚烂多彩、具有岭南特色的企业文化，是提升广东企业文化建设的重要途径。

提升企业文化的研究水平，用先进的企业文化理论来指导企业文化的实践，反思过去“经济优先”和“成本优势”，用“企业公民”理念引领企业长远发展，是今后企业文化研究中的重要内容。

五、企业文化的拓展与广东文化建设

企业是社会的亚组织系统，企业文化是社会文化的亚文化系统，在结构上与社会文化一致。当前文化建设的核心和关键是以人为根本，实现社会的整体协调，这与企业文化建设的宗旨亦有相似性，在沟通传统与现代、平衡科技与人文方面发挥着不可替代的作用。早在80年代末，就有学者指出，企业文化正在成为社会文化的一个新生长点。① 进入21世纪，亦有学者指出，企业文化已经成为新文化的一个生长点。② 在改革开放中产生的广东企业文化，注重以“自建”促“共建”，用“共建”带“自建”，从社会文化中汲取自身的发展资源，又通过自身的发展辐射社会文化，形成企业文化与社会文化相互促进、补充的良性互动。

（一）沟通传统与现代

企业文化实践的发展和研究的深入，实质上就是企业文化尊重人、挖掘人的精神资源作用的深化，是“以人为本”理念在企业的经营管理中的落实。这种精神，与中国传统文化中“民为邦本”的思想一脉相承，同时也是中国传统人文精神经过近代以来的科技理想洗礼，与现代社会生活相融合的产物。在这个意义上讲，从“以人为本”的理念来总结广东企业文化建设，可以看到它对中国传统文化和现代文化的沟通。广东企业文化的丰富实践，可以增强我们对中华传统文化的信心，保存具有民族特色的先进理念，也为我们拓展中国传统文化的智慧提供可能。

中国传统的人本精神，本质是在维护君主的统治权的前提下，

① 参见蓝红、黄国平、田丰：《广东企业文化的回顾和展望》，《广东社会科学》1988年第4期。

② 参见田丰、夏辉：《新阶段广东企业文化建设的回顾与展望》，载广东省社会科学院主编：《21世纪中国企业文化论坛》（下卷），中国和平出版社2001年版，第623～636页。

强调统治者应该“为民作主”。[①] 新中国成立以来，在企业管理方面，始终贯穿全心全意依靠工人阶级，充分发挥员工在企业中的主人翁地位这一主线，但是由于种种原因，企业中的人本精神没有得到充分的发挥。面向企业内部的人本精神，其积极意义表现在建立和谐宽容的人际关系，高度尊重人的自由发展权利，培养员工的民主意识。在这个意义上讲，企业文化为培养现代民主精神的主体有重要贡献。随着与市场经济相适应的现代企业制度的逐步确立和现代企业文化建设的深入开展，人本精神从企业向社会扩展，为社会大文化注入了时代精神，为广东人文精神的发展提供了新的资源。人文精神的基点是对人的关注，它有一个历史的发展进程，在不同的历史阶段有不同的表现形态。我们对它的考察也应该是历史的，具体的，要注意其渐进性、多层次性和多样性。就中国古代传统而言，人文精神包含并体现为仁民爱物、修己安人、义以为上、天人合德、以人为本、刚健有为、贵和尚中；就近代文化发展历程而言，人文精神包含并表现为爱国主义、民族主义、科学精神、民族精神；在现代化建设的进程中，契约观念、法制观念、主体意识、民主观念、效益观念正在成为新型人文精神的内容之一。[②] 广东企业文化的实践和研究，广东企业精神的培育和弘扬，都在现代人文精神的烛照下前行，同时也弘扬和发展现代人文精神，在传统和现代之间寻求结合点。

在更高层面上讲，正在兴起的企业公民建设也是“以人为本”理念的深度落实，也是中国传统文化之精华经过现代精神的洗礼后焕发生命力的重要表现。一些先进的大型企业在企业文化的创造中，弘扬了优秀的民族文化传统，同时创新了企业文化，并促进了“和谐文化”的建设。广东移动坚持“正德厚生，臻于至善”的核心价值观，创造性的吸收、转化中国传统文化中的“诚”观念，

① 参见刘泽华：《中国古传统政治思想的反思》，三联书店 1987 年版，第 118 页。

② 参见李宗桂：《民族文化素质与人文精神重建》，《哲学研究》1994 年第 10 期（《新华文摘》1995 年第 2 期）。

从“尽己之性”、“尽人之性”和“尽物之性”三个角度来表达自己的企业责任观，将中国传统文化中推己及人、仁民爱物、追求至善的优秀传统弘扬开来，是对“秉持做优秀企业公民的诚意”的落实。其中，“尽己之性”即是重视自己的商业表现和经济影响，用科学决策和高效管理提高公司管理，通过管理创新、技术创新和服务创新打造世界一流企业，坚持与利益相关方共同成长；“尽人之性”则是善尽社会责任，为推进国民经济信息化、助力社会主义新农村建设、促进社会和谐发展做应有的贡献；“尽物之性”重视环境责任，致力于促进企业与环境和谐共生，带动社会共同参与环境保护，创建资源节约型企业。广东移动在“感谢广东”、“感恩广东”和“感动广东”的活动，希望以一种行为带动众多的企业参与，营造一种氛围，形成社会共振，形成一种文化力。有论者指出，“感动广东”是“感谢广东”、“感恩广东”后的一次积淀与承载，更强调与大众一种深度心灵和深度意识的心灵共振，从意识层次与观念上的触动，从而形成一种企业责任文化。形象地说，感谢为体、感恩为心、感动为魂。[①] 广东移动在落实企业责任的实践活动中，把“公民”观念引导到现代企业的建设中，在弘扬中华民族优秀文化传统的同时，又在企业文化建设的实践层面有所创新，努力创造良好的文化氛围和文化环境，对和谐社会的建构有积极意义。

此外，广东企业文化在展现时代价值与中国传统文化优秀成分相结合的方面表现出强大的生命力和发展潜力，在广东企业文化的表现形式上即有充分体现，如众多以“先施”为名称的企业，又如陶陶居酒楼的对联：“陶潜善饮，易牙善烹，恰相逢作座中君子；陶侃惜飞，夏禹惜寸，最可惜是杯里光阴”，再如陈李济药厂突出“古方正药”的南药特色，弘扬中华优秀中药文化，于2001年兴建岭南首家中医药行业博物馆等等都是吸取传统文化精华和典

① 参见陶国睿：《“感谢为体、感恩为心、感动为魂”》，《南方日报》2008年5月16日，T05版。

故的明证。这些也是广东企业文化用现代智慧诠释传统文化精蕴的一种表现。

（二）平衡科技与人文

广东商业文化发达，商品经济意识成熟，思想观念比较开放，这些都是广东进一步发展应该张扬的人文要素。但广东地区的文化积淀不够深厚，人文科技素质有待提高。目前，广东劳动就业人口中，劳动力素质不容乐观；广东综合科技能力在全国属中等水平，经济信息化水平都比较低。要增创发展新优势，对企业来说，关键是增创科技和人才新优势。企业文化建设必须促进企业科技创新，催化科技人才的成长，使企业成为科技研究创新及转化为生产力的龙头；必须促进企业领导树立“科技兴厂”的意识，实施企业发展战略的转型；提高员工的人文、科技素质，形成浓厚的文化氛围。这些都对广东企业文化建设提出了更加艰巨的任务。[①] 基于广东现代企业发展相对于世界先进企业而言的后发优势，广东企业文化并没有简单否定传统的理性主义管理，而是在更高的层面上探索科学的理性精神与人本精神相结合的途径，既有成功的经验，也存在诸多困惑。

科学技术在社会化大生产中的应用以及现代管理制度的实施，形成了企业的科学理性精神。在华为这个半军事化管理的企业中，注重追求自主创新的品质和深沉的忧患意识都带有其领导者任正非的个性色彩。“资源是会枯竭的，唯有文化生生不息”，任正非凭借其特有的远见卓识，努力用管理思想的进步推动华为文化的“生生不息”。华为公司出台《华为基本法》，把企业文化作为企业核心竞争力的重要内容，尤其突出企业制度的建设和技术进步的意义。《基本法》把企业宗旨、基本目标、成长方案、价值分配、基

① 参见田丰、夏辉：《新阶段广东企业文化建设的回顾与展望》，载广东省社会科学院主编：《21世纪中国企业文化论坛》（下卷），中国和平出版社2001年版，第623～636页。

本经营政策、基本组织政策、基本人力资源政策、基本控制政策以及接班人、《基本法》的修改都明确地写出来，为企业的成长和管理探索一种有效的模式。这部企业文化纲领也被称为“狼性”文化。敏锐的意识，不屈不挠、奋不顾身的进攻精神和群体奋斗为华为的“第二次”创业提供了支持，技术上的优势使得华为成为全国乃至世界 IT 业的佼佼者。2005 年的员工过劳死事件，2007 年年底疑为规避新劳动法而闹得沸沸扬扬的 7000 名员工辞职再聘的辞工事件和 2008 年 4 月的员工自杀事件使华为的企业形象一降再降，质疑、批判华为“床垫文化”、“狼性文化”的文章屡见报端，在充斥“危机意识”和“奋斗精神”的华为文化中，人文关怀的地位成为讨论的焦点。由此再引申一步，我们可以认为这种困惑是由于企业在追求科技创新的过程中，人文与科技发展的不同步所造成的。

科技与人文的平衡发展，不仅需要理论上把握两者关系，更需要以此为基础，在实际工作中制定行之有效的措施。对创新体系的强调，不仅要关注科技文化的创新，还需要重视人文领域的创新，要通过企业制度的创新，为人文关怀提供适当的保证和空间。具体来讲，一方面要关注人文思想内容的创新，在把握时代精神和企业自身的基础上，加强人文思想的指导性和时代感；另一方面要重视人文思想普及手段的创新，通过对员工精神需要以及认知程度的把握来实施有效的教育方式。当我们把华为这个个案放在深圳，乃至全省、全国的工业化发展、产业升级的大背景中去观察的时候，华为的企业文化建设带给我们的反思是非常重要的。当社会进入工业化阶段时，竞争的加剧也提升了社会对人的要求，从而导致激烈的社会冲突和内心冲突。通过企业文化建设来寻求这一问题的解决方法，对于广东文化大省的建设来讲，无疑具有重要意义。

此外，企业文化建设中形成的竞争意识、危机意识、求实精神、效率观念以及环保意识、礼仪规范、文明健康的生活方式等等，也直接地影响着社区乃至社会文化的发展。企业文化作为社会文化的一个子系统，在发挥提高国民素质、促进经济发展、承担社会责任、推动社会全面发展方面发挥着不可替代的作用，扮演着越来越重要的角色。

广东是我国改革开放的试验田，经济建设已经取得了举世瞩目的成就，在国内最早提出重视企业文化建设。改革开放以来，企业发展的实践告诉我们：成也文化，败也文化。加强企业文化建设，是企业与时俱进、开拓创新、提高自身竞争力的必然选择；以企业文化建设为突破口，充分发挥企业文化的辐射功能，以加强社会文化建设，也是企业文化建设对社会发展的重要贡献。总结广东企业文化的实践经验和理论思考，在新的形势下，努力把企业文化建设融入到文化进步的时代潮流和群众性精神文明建设的事业中，真正为“推动社会主义文化大发展大繁荣”贡献力量，是今后广东企业文化建设的主要方向。通过企业精神的塑造，努力把民族精神、时代精神以及社会主义核心价值体系为一体，必将把企业文化建设提高到新水平，也将为广东企业发展和文化建设开辟更广阔的道路。

第六章
城乡文化的新开展

广东的改革开放从经济建设起步，随着改革进一步深化，人们越来越认识到文化对经济发展和社会进步的推动作用，而文化建设的落后状况对经济发展和社会进步的制约越来越明显。在20世纪80年代后期，城乡文化建设开始纳入到各地政府的总体规划之中。自从确立了“建设文化大省”的目标后，广东城乡文化建设进入新的发展时期。[①] 政府对文化建设的投入加大，民众参与文化建设的自觉性大大提高，城市文化和乡村文化分途发展，交相辉映，各具特色。社区文化作为基层文化的主体在广东文化建设的总体结构中扮演了极其重要的角色。

一、城乡文化建设的历史飞跃

改革开放使广东城乡经济腾飞，然而文化建设与经济建设并不同步发展。改革开放初期，广东人把主要精力放在发展经济上，城乡文化建设处于自发状态。随着文化对经济发展的贡献越来越突出，对提高人民生活质量的作用越来越大，城乡文化建设便进入政府和民众的自觉视域。特别是建设文化大省的决策的确立，为广东

---

① 由于另有专书研究“广东农村发展30年”、“广东城市发展30年”，为避免重复，故本章从略。

城乡文化建设提供了政策上的支持和保障。经过全省各界的共同努力，广东城乡文化建设实现了历史性飞跃。

（一）从自在走向自觉

在改革开放的初期，广东各地政府都把主要精力放在经济建设上，广大民众仍然在为寻求脱贫致富而奔波。人们对文化的功能以及文化建设的地位和作用认识不足，对文化发展与经济建设的关系认识不深。在城市，科技、教育、文化和卫生统称为“科教文卫”，文化建设被笼统地作为其中的一部分，并未给予足够的重视。1979 年在中共广州市委召开第三届第二次常委扩大会议上明确提出，要把广州建设成为一个“以轻工业为主，原材料工业与农工业协调发展，科学文化、对外贸易和旅游事业发达的社会主义现代化城市”。① 这是改革开放以后，广东首次对于城市建设目标的明确提出，而且肯定了文化建设在城市中的地位，为日后文化建设进入城市总体规划奠定了基础。而在农村，因受到经济条件的制约，恢复生产和发展农村生产力成为农民的首要目标，文化建设自然难以摆上议事日程，显得更加滞后。尽管这一时期的城乡文化建设也取得了一定的成就，但应当说主要还是体现在物质文化层面。比如，在城市逐渐出现了电影院、图书馆、博物馆、文化活动中心等文化基础设施；在部分农村出现了文化室。越来越多的文化基础设施随着地方经济实力的提升，陆续出现在城乡地区。可以说，这一时期的城乡文化建设还处于不自觉的阶段，发展比较缓慢。

随着广东经济的进一步发展，人们对文化的作用认识越来越深刻，文化建设变得越来越重要。在城市，首先是一座座具有现代建筑风格的高楼大厦拔地而起，各式各样大型的文化设施相继落成。城市的巨大变化除了使城市居民和外来游客获得感官上的满足外，还渐渐地提升了人们对城市文化建设的自觉认识。广大人民群众对

① 中共广东省委党史研究室编著：《广东改革开放大事记（1978. 12—1998. 12）》，广东人民出版社 1999 年版，第 16 ~ 17 页。

于文化消费品的需求日益增长，与现实中文化产品生产的落后之间的矛盾渐渐凸现。城市在急促发展的同时，逼使人们开始思考支撑城市可持续发展的动力问题。自1985年10月开始，广州市随着经济领域改革开放的深入，城市文化建设被提上了议事日程。1986年12月，在中共广州市委第五次代表大会上，讨论《广州文化发展战略纲要（草案）》。从1986年4月至1994年7月，广州市共召开了五次较大规模的文化发展战略研讨会。会议的中心议题从“广州文化历史与现状的评估”到“广州各文化分支行业部门的发展战略”，再到“广州文化发展战略纲要”和“提高广州人民的综合素质”。特别是1994年7月举行的广州市第五次文化发展战略研讨会，把文化与广州建设成现代化国际大都市的目标紧密联系起来，拓宽了文化所包括的领域，并进行了较深入的研讨。① 随后，深圳特区也在1995年提出“文化立市”的口号，在全国范围内较早对文化建设与城市发展的问题进行理论和实践的探索。深圳作为改革开放中的新兴城市，没有传统的羁勒，能够自觉地进行文化反思，这从一个侧面折射出广东的城市文化建设较早拥有文化自觉和规划意识。在农村，随着与城市交流的不断扩大，经济进一步发展，不少农村在城市化过程中，开始总结以往“先污染后治理”、“先物质后文化”带来的沉痛教训。越来越多的有识之士对农村传统文化可能在城市化过程中渐渐消失感到痛心和不安，如何保存农村的优良传统文化和开展社会主义新农村文化建设，成为农村寻求新发展的着眼点。

以发展文化和教育来创造一个洁净的自然和社会环境，作为吸引投资、发展经济的前提；以文化建设来促进政治、经济、社会全面发展，成为城乡各级政府的内在自觉和共同使命。城乡文化建设被纳入到广东建设的总体规划中。

---

① 丁培强：《广东现代文化建设的几点思考》，《广东社会科学》1995年第6期。

（二）经济发展与城乡文化的繁荣

从20世纪80年代中期开始，随着改革开放的不断深化，文化市场悄然兴起。广东对于发展经济与繁荣城乡文化的关系，有一个渐进的认识过程。我们以《广州统计年鉴》① （以下简称《年鉴》）的情况来简单说明这种认识的变迁。在1985年之前，《年鉴》对于“文化事业”的统计指标主要有：“电影放映单位数、艺术表演场所、电影放映场数、专业艺术表演团体、公共图书馆、博物馆、纪念馆。”从1985年起，《年鉴》的统计指标更改为：“电影事业、艺术事业、广播电视事业、图书馆、群众文化事业、文物事业、出版事业。”1988年，文化部和国家工商局联合发布了《关于加强文化市场管理工作的通知》，这意味着“文化市场”的地位正式获得政府承认。从1994年起，《年鉴》在“文化事业”中增加了“社会文化市场”这一统计指标，对卡拉OK、歌舞厅、舞厅等文化项目进行了统计。这意味着广东作为全国经济改革的前沿阵地，文化市场的发展更加迅猛，有必要进行规范管理。文化市场开始受到关注，一方面表明了随着经济的发展，政府已经开始意识到经济发展与城乡文化繁荣两者有某种内在的联系。另一方面，把“文化市场”作为文化事业的统计指标显然并没有清楚区分好两者的异同。直到2002年，《年鉴》正式把“社会文化市场”的统计指标从“文化事业”一栏中除名，这才算对文化事业的功能和作用有了相对清晰的认识。到此时为止，城乡文化建设才开始认清了文化活动中也有属于经济行为的内容，因此不能单纯以事业之名来统筹整个文化活动，否则就有可能窒息文化市场的活力。由于对城乡文化建设和经济发展之间互相协调、相互促进的认识越来越深刻，因此在2002年底召开的广东省九届二次全会上，广东省委郑重作出“建

---

① 《广州统计年鉴》由广州市统计局编撰，在1987年以前仅作为内部资料印刷成册，并未正式出版发行。从1988年开始，才由中国统计出版社正式出版发行。因此，1985年以前引自《广州统计年鉴》的数据，均为内部资料。

设文化大省”的决定。自此以后，广东城乡文化建设进入了一个全面规划的新发展时期，实现了历史的飞跃。

在广东省2003年10月颁布的《关于加快建设文化大省的决定》中，强调要搞好城乡文化基础设施建设，要把文化基础设施建设纳入城市总体规划，形成以中心城市为主干、覆盖全省的文化服务网络，发挥中心城市的文化辐射功能，切实加强农村基层文化基础设施建设。同年广东省又出台了《广东省建设文化大省规划纲要（2003—2010年）》，提出了“龙头带动战略”，即以广州、深圳等中心城市为龙头，加大对东西两翼地区和山区文化的扶持力度，带动全省文化区域协调发展。2007年4月，广东省印发了《广东省文化事业发展“十一五”规划的通知》，一方面强调要把加强农村公共文化建设作为建设社会主义新农村的重要任务，突出强调加强农村文化设施建设，建立并完善珠三角地区对粤北山区和东西两翼等地区、城市对农村的文化援助机制。另一方面要鼓励广州、深圳等经济发达城市实施“文化强市”、“文化立市”战略所确定的文化基础设施项目建设；加大对粤北山区和东西两翼等经济欠发达地区公益性文化设施建设的扶持力度。文化大省建设的配套政策的相继出台，为广东城乡文化的发展指明了方向和道路。

自从广东省确立了“建设文化大省”的目标后，全省各大城市和各地农村都制定了相应的发展规划。各大城市加大了文化基础设施的投入，以满足城市居民的文化需求。不少农村地区也在采取各种方式提高乡村文化品位，丰富村民的文化生活，又将农村的自然风光与发展旅游文化结合起来，成为农村新的经济增长点。

二、城市文化的发展

城市文化的结构可以分为物质文化、制度文化和观念文化三个层次。改革开放使广东城市的物质文化发生了翻天覆地的变化，作为全国改革开放的前沿阵地和排头兵，广东充当了城市制度文化创新的试验场。在史无前例的改革开放大潮中，广东人民克服了种种困难，化解了一次又一次的重大危机，使城市各项建设取得了惊人的成就，各个城市的城市精神和市民精神得到了彰扬。

（一）城市物质文化的发展

城市物质文化是城市文化的表层，它包括城市的商品文化、建筑文化、环境文化、科技文化、公共设施和生活文化等内容，最能直观地反映出市民物质生活的文明程度和城市科学技术的发展水平。发展城市的物质文化是政府和市民的首要任务，而人们对物质文化的追求是城市发展的内在动力。改革开放以来，广东城市的商品文化、建筑文化、科技文化和生活文化发展迅猛，形成了具有广东特色的城市物质文化。

广东是全国商品文化最为发达的省份之一。经济特区的设立，使广东在全国率先步入了商品经济的殿堂，为广东城市商品文化的率先发展提供了千载难逢的机会。有论者认为“发展社会主义商品经济确实具有意想不到的威力，它不仅促进了生产发展，为市场提供了越来越丰富的商品，提高了群众的生活水平，而且促进了人们的思想解放和观念更新。在发展商品经济的条件下，开放意识、时效观念、竞争意识、重视人才、重视科技、注重信息等一系列新观念，汇集成推动社会发展的新潮流，冲破了许多束缚生产力发展的条条框框，给经济运行机制注入了新的活力。”① 商品经济的发展不仅给经济体制注入活力，而且也使得文化市场在城市中迅速发展起来，这是推动城市文化发展的强大动力。随着国家改革开放政策的进一步拓展，广东各类城市相继步入商品经济的轨道，“广货”以其迅雷不及掩耳之势，占领全国商品市场的半壁江山，并向境外扩张，成为全国创造外汇的大户。“广货”的名字也变成了一个体现广东商品文化的品牌，而在全国各地家喻户晓。而商品文化的主体，乃是城市文化。城市是创造商品文化的主要阵地。因

① 林若：《对发展社会主义商品经济的几点认识》，载中共广东省委办公厅编：《广东改革开放启示录》，人民出版社1993年版，第43～44页。

此，广东商品文化的繁荣，得力于广东城市文化的发展。上世纪80年代，广东的轻工制造业迅猛发展，以“珠江水、广东粮”为代表的广货大举北上，“乐百氏”、“海天酱油”征服了刚刚从粮票、布票解脱出来的国人。随着广东整体产业结构的调整，“粤家电”开始走向全国，TCL、科龙这些产生于珠三角的品牌逐步成为人们青睐的中国名牌。随后，广东的经济结构开始变“重”，这一产业结构调整随之也带来了广货结构的变化，汽车、船舶、石化、IT、装备工业等重化工、高新产业已开始在广东制造业中挑大梁。[①]时至今日，“广货”不仅在国内市场份额中继续保持着优势地位，而且在广东政府“走出去”的发展战略下不断拓展国外市场，为“广货”提供更为广阔的发展空间。

科技文化是衡量一个城市生产力水平的重要标志，能为城市物质文化的发展提供重要的智力支持。因此，发展科技文化自然成了广东各个城市提高物质文化水平的重要目标。改革开放初期，广东一些城市主要是通过兴办企业来发展当地经济，而且主要把目光盯在资金上面。比如深圳特区的早期开发，从一定意义上说，走的是企业创市、企业立市的道路，各类企业在这个昔日的渔村雨后春笋般地发展起来。当发展到一定程度的时候，城市的发展就要进行文化更新。深圳从1999年开始创办高交会的那一天起，“科技立市”、“技术创新”就成了新时期的追求和使命。在广东其他城市，特别珠三角一带的城市，也都不同程度地将发展科技文化作为提升城市物质文化的推动力量。在广东各级政府的大力支持和广东高校、科研院所以及企业的刻苦攻关下，广东综合科技势力快速提升。在本世纪初，广东综合科技实力已由上个世纪90年代的第10位上升到第4位，科技进步对经济增长的贡献已经由之前的20%上升到40%以上。[②] 到2003年，广东科技实力四年连居全国第三，

---

① 《广货频升级　北拓势头猛》，《南方日报》2005年3月13日，第2版。

② 《广东综合科技实力升全国第四　“十五”后高科产值6000亿》，《深圳特区报》2001年5月24日，A12版。

仅次于上海、北京。其中，外国直接投资、企业设计能力、产业国际竞争力三个指标广东均居全国之首，科技进步对广东经济的贡献率每年不断上升。[①] 科技文化的发展，有力地提升了广东城市文化的档次和形象。

建筑文化是城市文化中最为悦目的风景线。有论者指出，建筑文化“包含着人们的规划、设计、施工、营销和管理的一系列的劳动，包含着人们的各种愿望、意念、经验、偏好和心态。这一切，又都深深烙印着一定的地域文化、民俗文化和技术文化，文化无处不在地渗透在一切建筑之中。建筑是硬件，文化是软件；建筑是躯壳，文化是灵魂；建筑是物质舞台，文化是精神表演；建筑是价值形态，文化是价值源泉。在这一意义上，一切建筑都是文化建筑。”[②] 现代城市建筑强烈地渗透着文化的因素，深深地烙印着地域文化、民俗文化和技术文化的色彩，体现着现代的科技水平和审美情趣。改革开放以来，广东城市建筑文化的发展日新月异。高楼是广东各大城市中最为常见的景观，有居民楼、写字楼、政府办公楼、公共建筑等。经济欠发达的城市，寥若晨星的高楼大厦犹如璀璨的明珠，点缀在这座城市的中心地带，俨然成了该城市的标志性建筑。经济发达的城市，鳞次栉比、错落有序的高楼大厦铺天盖地地将这座城市所笼罩，使人一眼就感受到城市的现代气息。而在100米以上的高楼大厦中，以广州和深圳居多，广州的中信广场和深圳的信兴广场、地王大厦都是远近闻名的城市地标。这些地标给人留下了深刻的印象，某种程度上在人们心中树立了城市的形象。

生活文化是以衣食住行为基本内容的文化，涉及服饰文化、饮食文化、家居文化等诸多内容。服饰文化是广东城市物质文化中非常突出的文化。广东很多城市（特别是珠三角地区）都把服装的产销作为发展地方经济的重要支柱，东莞的服装生产和广州的服装销售，在国内外已形成了著名的品牌。时装的设计、制造、表演、

① 《广东科技实力全国第三》，《广州日报》2004年7月7日，A1版。

② 饶会林主编：《城市文化与文明研究》，高等教育出版社2005年版，第14页。

展览和销售构成广东服装文化的完备系统。饮食文化也是广东物质文化中的重要一环。从菜系来说，广东有广府菜、客家菜和潮州菜等，它们与广东人的饮食习惯相适应，因而在广东各大城市一直保持着长盛不衰的经营业绩。而众多城市中，广州更是享有“美食天堂”之誉。随着数以百万计的“新客家”的纷纷南来，他们将家乡的饮食文化带到广东各大城市，使广东城市的饮食文化显得丰富多彩。家居文化包括室内设计艺术、家具设计艺术、装潢艺术以及家具、灯饰等文化产品。随着广东城市居民收入的提高，人们对家居文化的追求越来越高，因而家居文化在广东各城市比较盛行。与此相联系，在一些城市（如佛山市、中山市），家居用品和家居文化比较突出。

改革开放早期，广东城市的发展以兴办企业为动力，各个城市中到处布满了大大小小的工厂，到处充斥着废水、废气、废渣。很多城市走的是“先污染后治理”的路子，却为此付出了惨重的代价。近些年来，各个城市都存在着程度不同的水污染，有些城市已面临着饮用水的困难。据广东省环保局发布的 2007 年第一季度环境质量季报，广东省近六成城市受酸雨污染，其中广州下的酸雨最酸、PH 值最低，酸雨出现的频率也比较高。① 保持环境，建设生态文明，创造生态友好型城市，是广东城市发展的普遍要求。本世纪初，广东学者已经开始系统地探讨广东建设现代化生态城市问题，指出生态城市是社会和谐、经济高效、生态良性循环的人类居住区新形式，自然、城市与人融为有机整体，形成互惠共生结构，并提出“组建生态空间”、“保护自然形态”、“推进生态重建”等创建生态城市的九项方略。② 现在，广东各级政府和各个城市都将建设生态城市作为城市发展规划的重要目标，生态文化已在各个城市中得到广泛的传播，并日益深入人心，成为妇孺皆知的社会常

① 《广州酸雨最多最酸》，《南方都市报》2007 年 6 月 6 日，A6 版。

② 田丰、周薇主编：《文明实践论》，广东高等教育出版社 2002 年版，第 269 ~ 275 页。

识。在各级政府和广大市民的共同努力下，城市生态恶化的势头得到了有效的控制，并逐渐朝着环境友好型方向发展。

（二）城市制度文化的创新

城市制度文化是以制度为载体的城市文化，它是城市精神和市民行为的外在表现，主要体现在城市管理制度、管理模式、社会秩序和社会组织运作等方面。城市制度文化的形成，是物质文化和精神文化的发展的重要保证。改革开放的一个重要目标，就是解放生产力和改变阻碍生产力发展的体制。经济体制改革的目标就是建立社会主义市场经济体制，从而凸显社会主义制度的优越性。广东作为改革开放的试验地，肩负着制度文化建设和创新的重要使命，而城市制度文化的建设和创新是其中最为重要的一环。

广东的特区建设，既是农村城市化的过程，又是新型城市制度文化建设和创新的过程。深圳特区作为我国经济体制改革的“试验场”和对外开放的“窗口”，从诞生之日起就敢闯、敢试、敢为天下先，率先冲破传统计划体制的束缚，确立“以市场为导向”的改革目标，在许多领域大胆探索，先行先试。例如：率先打破土地无偿行政划拨制度，实行土地有偿使用；率先打破旧的价格管理体制，允许大部分生产资料和消费品价格由市场调节；率先打破“一大二公”的所有制结构，大量兴办“三资企业”等等。这些改革的探索，释放出巨大的生产力，创造出著名的“深圳速度”。

作为改革开放的试验地，深圳不仅在经济体制改革上闯出了一条血路，而且在政治体制上也作出了不少成功的尝试。深圳在全国最早形成了比较完备的地方法规体系，基本上做到了有法可依。从1992年全国人大授予深圳立法权起始到2003年为止，深圳市就制定了地方法规199部和政府规章163部，全部覆盖了经济建设、城市建设和精神文明建设等方面。2003年以后，深圳市又陆续出台了不少新的地方法规。深圳市出台的地方法规，有一半以上是在全国先行试点，不少有重要突破，例如：在全国率先制定了国有资产管理条例、政府投资项目管理条例、商人条例、独资公司条例等

等，都在各地引起了积极反响。

深圳市又从提高行政效率和加强制度建设两方面入手，实行依法行政、依法治市。到2000年止，深圳市先后进行了五次机构改革，基本实现了政府机构组织、职能、编制、工作程序的法制化，这对提高政府工作效率和从源头上克服腐败起到至关重要的作用。①

随着社会主义市场经济的深入发展，“制度创新”已经摆在全国重要的议事日程。江泽民同志在2001年的“七一”讲话中，明确地提出了“制度创新”问题。为了认真贯彻江泽民同志关于“制度创新”的精神，广东省委宣传部专门召开了以“制度创新”为主题的专题座谈会，与会者就广东如何能够进行制度创新问题展开了广泛而深入的研讨。② 2005年11月18日，《南方日报》专门开辟60版特刊，围绕“创新广东”进行专题讨论。其中《自主创新能力决定广东命运》一文中写道：“最关键的是要有一个好的机制和体制，最大限度地激活每一类主体的活力，并使它们形成协同效应，使整体效用大于部分之和。由此看来，构建‘创新型广东’，最关键的是构建一个结构合理、功能完备、开放竞争、富有活力的区域自主创新体系。”③ 可见广东把创新，尤其是制度创新放在长远的战略高度来看待。在改革开放的实践中，除了经济特区外，广东还有不少城市也在制度文化建设和创新上付出了极大的努力，而且也闯出了不少成功的模式，对于全国城市制度文化建设起了一定的示范作用。

（三）城市精神文化的提升

城市精神文化（又称为城市观念文化），是指人类在城市活动

---

① 白天主编：《走向现代化——深圳20年探索》，海天出版社2000年版，第2~10页。

② 《广东理论界探讨“制度创新”》，《人民日报》2001年9月21日，第13版。

③ 邓红辉：《自主创新能力决定广东命运》，《南方日报》2005年11月18日，特12版。

过程中产生的，源于城市又反作用于城市的精神现象和社会意识形态。[①] 2007年6月11日召开的“城市文化国际研讨会暨第二届城市规划国际论坛”通过的《城市文化北京宣言》指出：“文化建设是城市发展的重要内涵。市民的道德倾向、价值观念、思想方式、社会心理、文化修养、科学素质、活动形式、传统习俗、情感信仰等因素是城市文化建设的综合反映。”[②] 从中可以看出，精神文化是城市文化的核心与灵魂，城市文化建设主要是城市精神文化的建设。广东省一直将精神文化建设放在城市文化建设的突出位置，不仅各级政府高度重视城市精神文化建设，广大市民也积极投入到城市精神文化建设的活动中，通过上下一心，群策群力，使广东各地城市精神文化建设获得了极大的提升。

1. 城市精神和市民精神的塑造。

市民是城市的主人，是城市精神文化与文明的创造者和传播者。城市精神文化与文明的建设有赖于市民素质的提升，市民素质的全面提高则有赖于市民精神的形成。所谓市民精神，是指由城市的市民社会所决定的，具有时代性、群体性、稳定性和共识性的一种客观意识。它是城市市民阶层的经济生活条件、地理环境、文化传统和交往实践的产物。[③] 可见，市民精神与城市精神密切相关。美国已故文化人类学者罗伯特·雷德菲尔德（Robert Redfield）说过一句名言：“城市的作用在于改造人。”城市文化建设的终极目标就是要培育现代市民精神，增强市民对城市精神的认同感和归属感。市民精神是城市精神的基础，是城市精神的载体和体现。广东城市文化建设的过程，也是各个城市“城市精神”和“市民精神”的不断塑造的过程。改革开放30年来，广东各个城市经过不断的探索与实践，经过广大市民的积极参与，逐渐形成了各自的城市精神和市民精神。

---

① 饶会林主编：《城市文化与文明研究》，高等教育出版社2005年版，第106页。

② 《城市文化北京宣言》，《中国文化报》2007年6月14日，第1版。

③ 龚廷泰：《市民社会、市民阶层与市民精神》，《南京社会科学》2002年第6期。

早在上个世纪90年代初期，广州已经明确把提高市民的综合素质作为90年代广州精神文明建设的战略任务，并把它作为全面贯彻党的基本路线，建设有中国特色社会主义事业的“百年大计”来抓。[①] 而仅仅围绕完成这个战略任务，广州举行了一系列活动，旨在把“广州市风”、“广州人精神”变成人们的内在品质并转化为自觉的行动。例如开展“学雷锋，学先进，弘扬‘广州市风’，实践‘广州人精神’”、“广州市歌大家唱”、“羊城新风传万家”、“讲公德、树新风，当好首届世界女子足球锦标赛东道主”以及“爱心满花城——办好第三届全国残疾人运动会”等等。经过政府的大力倡导和广大市民的热情参与，广州市民的社会公德、职业道德和家庭伦理道德等各方面有了可喜的进步。“广州人精神”成为凝聚社会力量，团结社会各阶层的精神动力。2003年，一场波及范围很广的“非典”肆虐广州。在党中央、国务院和广东省委省政府的正确领导下，广州人民特别是广大医务工作者在抗非典战斗中“同心同德、临危不惧、沉着应对、万众一心、无私奉献、实事求是、依靠科学”，战胜“非典”，迅速地恢复了公共卫生秩序。在全世界人民面前生动地体现了广州人民在面对突发公共卫生危机时，表现出科学、民主、奉献和团结的公共理性精神。[②] 由此引起了一些学者注意到讨论“广州人精神”的价值和作用：“‘广州人精神’的研讨，并不是个单纯的学术问题，更为重要的是，它是一个迫切的现实问题。一个国家、民族，一个地区的人民，一个团体，没有精神支撑，是不可能持续强劲发展的，甚至是不可能存在的。‘广州人精神’的研讨和最终提炼、概括成功，将会通过社会熏染（社会化），通过文化再解释，通过文化整合，而产生积极的作用，形成广州人昂扬向上的精神状态，形成广州社会普遍的、自觉的健康文化心理，促进广州文化的传播和合理变迁，从而为广州

① 邬梦兆：《改革开放与精神文明》，红旗出版社1994年版，第326页。

② 林洪浩、周祚：《抗非典战斗折射广州人精神》，《广州日报》2003年5月14日，A2版。

的经济社会发展提供重要的精神力量。同时，也可为‘广东人精神’的研讨，为广东社会经济文化的健康、协调发展，为率先实现现代化做出应有的贡献。”① 这种看法确是一矢中的。在这里，论者不仅指出了城市精神在城市发展中的功能和作用，更重要的是指出了凝练和概括城市精神这一行为本身就蕴含了人文价值。经过全社会的广泛讨论，广州最终把“敢为人先、奋发向上、团结友爱、自强不息”确定为新时期的“广州人精神”。

深圳精神是在特区文化建设的过程中逐步提出和形成的。早在1987年，在第一次特区思想政治工作会议上就提出用“开拓、创新、献身”这六个字概括“深圳精神”。这是特区在文化建设中探索“深圳精神”的开始。随后在1990年“深圳精神”被进一步概括为“开拓、创新、团结、奉献”八个字。2002年深圳开展了历时八个月的“深圳精神如何与时俱进”大讨论活动，在社会各界引起了强烈反响，初步达成了一些共识：深圳精神必须具有高尚的社会主义人文精神、科学理性精神和坚韧不拔的开拓进取精神。②最终深圳市委常委会集中全市人民的建议意见，经过慎重研究，决定将新时期的“深圳精神”概括为“开拓创新、诚信守法、务实高效、团结奉献”十六个字。时任广东省委副书记、市委书记黄丽满在2003年1月2日召开的中共深圳市委三届六次全体（扩大）会议的讲话中指出：新的“深圳精神”较为完整准确地反映了新形势下深圳人的精神文化追求，表达了应在全社会倡导的价值取向，是全市广大干部群众共同的心愿和集体智慧的结晶。她强调要通过大力弘扬“深圳精神”，进一步增强各阶层群众对深圳的认同感和归属感，培育共同的家园意识，真正做到“同在一方热土，

---

① 李宗桂：《“广州人精神”的文化学阐释》，《广州日报》2004年1月18日，A12版。

② 《再塑深圳之“魂”——“深圳精神如何与时俱进”大讨论巡礼》，《深圳商报》2002年7月15日，A1版。

共创美好明天”。[①] 深圳市作为一个新兴的移民城市，移民来自五湖四海，移民文化是特区文化中的重要组成部分。而不同地区的文化进入特区之后，争奇斗艳，不断融合，互相发明，最终变为了深圳城市精神的独特基因。

实际上，广东各个城市都在树立自己的精神品牌，都在塑造自己的城市精神和市民精神。如东莞市以“海纳百川、厚德务实”概括“东莞人精神”；中山市以“博爱、创新、包容、和谐”作为“中山人精神”；佛山市把“敢为人先、崇文务实、通济和谐”[②] 作为“佛山人精神”；惠州市以“崇文厚德、包容四海、敬业乐群”为“惠州人精神”；湛江市确定“博采广纳、自强不息、崇德明理、诚信奉献”为“湛江人精神”；汕头把“潮汕人精神”总结为“海纳百川，自强不息”等等。在各市的城市精神讨论中，有的体现了城市文明的普遍规律，有的则反映出城市文明的独特风貌。对于城市精神的及时凝练与概括是城市文化建设往纵深发展的必然阶段，对于城市文化建设前期工作的认真总结，也是为进一步凝聚人心，积蓄社会力量，解决城市文化建设中深层次矛盾而作的充分准备。

2. 城市精神和市民精神的典范。

广东城市精神文化建设，不仅体现在各地政府部门的积极培育之中，更反映在广大市民的自觉行动之中。通过传统美德和现代精神的不断融合，在全省各地涌现了一大批可歌可泣的模范人物，他们是构成广东城市精神和市民精神的“脊梁”，是创造美好生活、塑造城市形象、构建和谐广东的楷模。在这些城市模范人物中，有的不仅成为“感动广东”的楷模，也是“感动中国”的楷模。在通过中央电视台历年选出的“感动中国”的人物中，就有不少来

① 《市委常委会集中全市人民智慧重新概括“深圳精神”——开拓创新诚信守法务实高效团结奉献》，《深圳商报》2003 年 1 月 6 日，A1 版。

② 准确地说，这个表述是佛山市委宣传部面向社会征集意见的规范表述而已，并非最终的概括。同时也将“崇文务实、创新有为、兼容开放、通济和谐”定为“新时期佛山人精神”的候选表述。

自广东的一些城市。

钟南山是广州医学院广州呼吸疾病研究所所长，中国工程院院士，被中央电视台评选为2003年度“感动中国”的十大人物之一。在举国抗击“非典”的战斗中，他主动请求把危重病人转到广州医学院广州呼吸疾病研究所集中治疗。在早期还没有弄清楚“非典”疫情的病原时，用科学的态度坚持学术见解。在人类公共卫生体系受到不知明病毒破坏时，主张国内外医疗机构协作攻关疫情。他以医者的妙手仁心挽救生命，以科学家实事求是的科学态度应对灾难，以令人景仰的学术勇气、高尚的医德和深入的科学探索给予了人们战胜疫情的力量。正如有媒体所言：“在人民群众生命和健康遭受严重威胁的严峻时刻，钟南山不顾个人安危得失，挺身而出，率先垂范，冲锋陷阵，其非凡的勇气和牺牲精神，激励和鼓舞着我省广大医护人员同仇敌忾、浴血奋战，他的名字已经成为广东抗非精神的一面旗帜。而他和他的同事们用生命、热血换来的防治非典的宝贵经验，不仅为广东、为中国，同时也是为全人类作出了重大贡献!”① 钟南山在抗击“非典”疫情期间的杰出表现，正好体现出广州人的精神风貌。

丛飞，原名张崇。1994年来到深圳，后任深圳市义工联艺术团团长。在长达11年里，资助贫困山区178名贫困儿童，被授予“中国百名优秀青年志愿者”、“深圳市优秀外地来深建设者”、“中国青年志愿服务金奖”、“深圳市爱心市民”，2005年度“感动中国”的十大人物之一。时任广东省委副书记蔡东士指出，我们学习丛飞精神，就是要学习他热爱祖国、热爱人民的赤子情怀，学习他关爱他人、奉献社会的价值追求，学习他乐善好施、扶贫济困的高尚情操，学习他甘于清贫、艰苦奋斗的崇高品格。② 也有学者指出，深圳出现丛飞现象和丛飞精神给我们三点启示：一是丛飞的爱心行动体现了中华民族的传统美德；二是丛飞的爱心行动诠释和丰

---

① 《钟南山：广东抗非一面旗帜》，《广州日报》2003年6月18日，A1版。

② 《丛飞精神感动广东感动中国》，《南方日报》2006年6月23日，A1版。

富了今天的深圳精神；三是丛飞的爱心为建设和谐深圳提供了一笔宝贵的精神财富。[①] 丛飞的事迹很好地说明：人们除了应当关注特区在经济建设方面取得巨大的成就外，也不应忽视其在市民精神培育方面所付出的努力。

李大为，韶关军分区战士。2006 年 7 月，他在抗击台风“碧利斯”带来的特大洪灾中，连续奋战 31 个小时，安全转移 580 名被困群众，85 名灾民踩着他的肩膀脱离险境，最后为抢救两名落水群众献出了年仅 19 岁的宝贵生命。随后，《人民日报》、新华社、中央电视台、《解放军报》、《中国青年报》、《南方日报》等上百家媒体对他的先进事迹进行了广泛报道，称赞他展示了当代优秀军人崭新的精神风貌，弘扬了中华民族的传统美德，树立了一座践行社会主义荣辱观的崇高丰碑。他的英雄事迹在广东及全国引起强烈反响。[②] 李大为的精神既是广东人精神的体现，也是韶关人精神的体现。

钟南山、丛飞和李大为的先进事迹分别发生在广东省会城市、经济特区和偏远城市，从不同的角度说明：在广东，无论是发达城市还是欠发达城市，无论是特区城市还是非特区城市，人们的精神世界并没有被市场经济的滚滚红尘所窒息，“舍生取义、舍己为人”的传统美德和崇高精神仍然被很多市民所秉承。

（四）各领风骚的城市文化

有学者指出：“城市文化作为塑造城市形象与品质的核心力城市形象和品质是区分不同城市风格和特色的内在要素，城市文化是塑造城市形象的核心，城市独特的社会文化环境，具有鲜明个性特色的文化内涵和良好的发展环境为城市间的竞争提供了竞争优势，这种优势的建立既体现在城市形象的设计上，更体现在精神领域：

---

① 《丛飞精神是深圳的宝贵财富》，《深圳特区报》2005 年 6 月 29 日，A5 版。

② 王洪山、杨小刚：《英雄战士李大为》，《人民日报》2006 年 9 月 23 日，第 8 版。

城市居民的本土风情、精神面貌、价值取向等。城市文化从根本上决定了城市形象和品质以及由此形成的城市辐射力、吸引力的大小，可以这么说，在新世纪的城市竞争中，城市文化占据了绝对的发言权。”① 所谓城市文化形象，是指人在城市中所感受到的城市氛围形成的基本印象。城市氛围包括城市的建设物特色、交通设施、自然地理环境、治安状况、人的精神面貌以及城市生活、工作方式等内容。透过一座城市的文化形象可以了解到这座城市的文化精神。改革开放30年，广东城市形象建设方面的经验和成绩引起了学者的高度关注。

例如有学者在专著里特别提到广东城市文化形象建设的特点：“在广东省，花都市较早地提出了城市形象建设问题，并在全国第一个配套引入地区形象战略。1995年12月，广东茂名举行了‘茂名城市形象工程建设’研讨会。1996年2月，广东英德市正式着手进行形象设计。深圳的城市形象建设应该说是比较成功。不仅提出的时间早，而且措施具体得力。2001年，深圳颁布了《深圳市政府城市形象工程实施方案》，并要求在2年内完成10项主要任务，如可持续发展战略强调‘引导和培育深圳城市建筑风格，创造现代化滨海城市特色’，力争2年内特区的人均公共绿地面积达到15平方米。营造城市生态工程、城市亮化工程，要搞好深圳的‘第二轮廓线’及完善‘畅通工程’等。在文化硬件的创造上，走在全国的前列，在城市绿化和城市旅游资源的开发方面都显示出城市形象的特点。在大型文化艺术活动方面，创造深圳特有的形象意义。广州市的城市形象工程正在有序地进行着，通过商业街的改造和景观建设，已经展现了新广州的城市形象。”②

不仅内地学者关注广东城市文化形象建设的特点，广东的学者早已对其进行过深入的讨论，并且认为塑造城市形象应当与提升市

---

① 方开群：《城市文化五力分析》，《商场现代化》2006年7月下旬刊。

② 张鸿雁：《城市形象与城市文化资本论——中外城市形象比较的社会学研究》，东南大学出版社2002年版，第113页。

民素质紧密结合在一起："市民是城市的主体。市民素质是城市形象的内涵，没有高素质的都市市民。建设和维护良好的城市形象只能是一句空话。因此，我省各地在整治城市交通、社会治安、服务行业及卫生状况的同时，都注意着力于治'本'，提高市民的文明素质，扎实推进思想道德建设，把思想教育、规范管理、法规约束有机地统一起来，使他律和自律相结合。如广州、深圳、珠海、佛山、韶关、东莞、江门、肇庆等地都先后制定和完善了文明公约、市民守则和职业道德规范等规章，让人们有章可循、有则可守，并利用各种宣传手段使之家喻户晓，形成气候，引导和促使市民养成良好的道德习惯和文明行为。有的城市还注意向市民灌输和强化与自己城市具体情况相关的特殊意识，例如广州的'中心城市意识'，深圳、珠海的'特区意识'、'窗口意识'，肇庆、潮州的'历史文化名城意识'等等，这对从根本上增强市民的认同感，共同建设并维护城市良好形象起到积极的促进作用。"① 不难看出，城市文化形象的建设与城市文化定位有着密切的联系：准确恰当的文化定位对塑造正面的城市形象有积极的促进作用。广东很多城市都根据自身发展的条件与特点来进行定位。例如，东莞市要建成"现代制造业名城"、肇庆要建设成"花园式风景旅游城"、广州要建成现代化中心城市、深圳要建成"图书馆之城"、"钢琴之城"、"设计之都"和"动漫基地"的文化产业基地②等等。这些城市对自身的定位亦是塑造城市文化形象的必然环节。在众多的城市中，珠海塑造城市文化形象的做法有一定的典型作用。

1992 年珠海市举行科技进步突出贡献奖励大会。大会分别奖励研制凝血酶的迟斌元、研制 KH－10Ⅱ型 80－480 门系列程控交换机的沈定兴及助手、研制丽珠得乐冲剂的徐庆中及助手、研制 CM－21Z 型盒式磁带录音机机芯的查雁群、研制 CTA 型藕心电视

① 田丰、周薇主编：《文明实践论》，广东高等教育出版社 2002 年版，第 202 页。

② 马璇：《"两城一都一基地"　建设成果显著》，《深圳特区报》2007 年 3 月 23 日，第 A1 版。

电缆的寿伟春等人巨额奖金。其中还奖给徐庆中、迟斌元、沈定兴每人奥迪牌小轿车1辆及住房一套，查雁群住房一套。① 当时此举可说是震动全国，一时间，尊重知识、尊重科技、尊重人才成为了珠海特区最时髦的话语。1998年珠海市委向成功开发"高档涂布白卡纸"的9人攻关组代表颁发657万元的奖金，给予攻关小组带头人赵万立奖励一套住宅和一辆价值46万余元的奥迪小轿车，创下了珠海重奖科技人员以来的特等奖的最高纪录。② 珠海特区重奖人才的政策也成了全国许多城市仿效的对象。珠海由此树立了"尊重知识、尊重科技、尊重人才"的城市形象，成了各种高级人才向往的城市，为发展高新科技产业做了重要的准备。

广东城市呈现出五彩斑斓的文化形象，既反映出地域文化的传统，又展示出在改革开放中所形成的生机勃发的广东人精神。例如，深圳体现出特区文化的特点，潮州表现出潮汕文化的特色，珠海、中山是香山文化的集中代表，广州、东莞呈现广府文化的特征。而在"建设文化大省"旗帜的统率下，多元的地域文化反映出广东人"敢为人先、务实进取、开放兼容、敬业奉献"的精神：抓住改革开放的历时机遇，发挥自身的优势，敢为人先，勇于在文化建设领域开拓创新；务实进取，不卑不亢；对文化持开放包容的心态，大胆地"拿来"为我所用，扬长避短，实事求是地解决文化建设的问题。在改革开放30年中，广东城市文化的发展既传承着历史传统，又具备了时代精神。

三、乡村文化的繁荣

在改革开放30年中，乡村文化建设与城市文化发展相互辉映。广东的乡村文化建设在起跑线上与国内其他乡村并无多大区别，甚

① 中共广东省委党史研究室编著：《广东改革开放大事记（1978. 12—1998. 12）》，广东人民出版社1999年版，第389页。

② 中共广东省委党史研究室编著：《广东改革开放大事记（1978. 12—1998. 12）》，广东人民出版社1999年版，第566页。

至有些基础设施、文化资源远远落后于其他省份。然而经过 30 年的改革开放伟大实践，广东乡村文化建设取得了巨大的成就。

（一）乡村观念文化的嬗变

中国的改革开放从家庭联产承包责任制开始，它在一定程度上使农村的生产力获得了解放，同时也使农民的思想观念获得了更新。在农村与城市、农民与市民不断互动的过程中，农民与市民之间的身份标记被逐渐淡化，农村与城市的隔阂在思想上部分被消除，乡村文化在悄悄地发生着改变。

引起乡村文化嬗变的因素主要有：一是传统岭南文化中的包容性在发挥着作用。岭南文化的包容性更多地体现为平等意识、平民意识，因此所谓城市人与乡下人的分野，在广东这片土地上本来就不是一个严重对立的问题。这种思想基因为乡村文化的发展提供了天然的有利条件。二是农民进城和农村城市化引起农民观念的变迁。改革开放以来，大批农民走出农村，进入城市，有的在城市务工，有的到城市经商，有的进城购物游览。在城市生活机会的增多和与城市居民接触的日益频繁，使得农民的生活方式和价值观念在市民的影响下发生潜移默化的作用。随着国家对教育的重视，农民子弟有更多的接受基础教育和高等教育的机会，在知识的浸润下，他们的观念自然会产生相应的变化。加上农村的不断开发，农民在城市化的过程中观念体系不断受到洗礼，从而使其观念逐渐与市民相一致。三是一些农民在与境外华侨的密切交往中受到境外观念的影响。由于历史的原因，广东绝大多数乡村或多或少都有到海外谋生的华侨。这些华侨尽管长年在外，但仍然与故乡的亲友保持联络。改革开放以后，许多华侨除了带来各式各样家电、日用品之外，还带来了许多城市的信息，乃至境外、国外的见闻。而这些信息和见闻所隐含的观念冲击了封闭的农村，给农民耳目一新的感觉。随着改革开放的逐步深入，一些观念慢慢影响了农民的言行，并为农民所接受。

广东乡村观念文化的变迁，也与“城乡一体化”政策的实施

密切相关。对于如何发展乡村，广东省领导和有关部门早就有了科学的认识，其中以原广东省建委主任陈之泉，在“首届广东工业化、城市化发展进程国际研讨会”上关于城乡一体化的发言比较有代表性。他当时指出：“所谓城乡一体化并非乡村城市化，其概念应该是：以功能多元化的中心城市为依托，在其周围形成不同层次、不同规模的城、镇（乡）、村及居民点，各自就地在居住、生活、设施、环境、管理等方面实现现代化。……村、镇发展的方向不能是城市化。其原因是：相对城市而言，村、镇（乡）均是地域范围较小的居民点，它不可能具备多元化的现代功能。更主要的是，它负有人类生存不可缺少的种植业和养殖业的经营任务。尽管也可以办二、三产业，但实现地域广阔的第一产业的现代化是它的根本任务。反过来讲，城市也不可能具有村镇办第一产业的功能，二者的发展方向不尽相同，但可以在‘城乡一体化’思想指导下融为一体。”① 珠江三角洲地区是我国城乡一体化进程最快的地区之一。如果不厘清城乡文化建设两者的差异，那么就很容易把乡村文化建设等同于城市文化建设。而事实上，乡村并不具备城市的各种环境和条件，因此如果按照建设城市的模式进行乡村文化建设，那么不仅很难获得成功，而且很容易就对乡村文化造成难以复原的破坏。有见及此，广州市按照“科学规划、合理布局、完善设施、功能多元、环境净美、城乡一体、依法管理”的要求，深圳市按照“工业入园、居住入区”的要求，珠海市实施“生产在园区、生活在城镇”的规划，东莞市提出“工业进园，城市进圈，民宅进村（农民新村）”的思路，分别推动各自的城乡一体化进程。城乡一体化，不仅表现在组织管理、基础设施、环境生态建设和经济活动的一体化方面，也表现在城乡文化的交融方面。城乡一体化带来城市文化与乡村文化相互影响、相互渗透，特别是在观念上相互感染，形成一种新型的观念文化。

改革开放30年来，广东的乡村观念文化在保守中前进，在传

① 陈之泉：《关于城乡一体化的思考》，《城乡建设》1995年第3期。

承中创新。与城市文化相比，乡村文化更多地保存着传统岭南文化的精神。尽管农民的思想观念在改革开放大潮的冲击下发生了深刻的革命，但是在他们的文化血管里，依然流淌着岭南传统文化的血液。岭南文化既有保守的一面，也有包容和支持创新的一面。岭南文化中的务实、进取和包容的价值观，对于广东乡村文化的繁荣起了重要的推动作用。而改革开放带来的思想革命和城市文化的冲击，也必然会在农村得到积极的反应，它使农民的小农意识逐渐消退，商品意识和现代意识会不断增强。

（二）乡村政治文化的转型

乡村政治文化是指乡村在特定时期流行的一套政治思想、政治心理、政治行为和政治制度。

改革开放将广东农民从狂热的阶级斗争中解放出来，从对国家和集体的高度依赖中解放出来，逐渐形成了以追求个人的切身利益为目的，以彰显个人的政治主体性为祈求，通过将政治追求与经济回报相联系来参与政治生活，实现政治理想。有学者对于广东农民的政治文化观念有比较生动的描述："广东大多数农民对于国家大事并不太关心，他们至多只是关心与他们相关的政策，谁做国家领导人，似乎离他们太远；即便是有关他们的政策，他们也没有想到参与，因为政策的制定也同样地离他们太远。但是，当中央到地方的各级领导下乡调研，并征询他们的意见时，他们会毫不保留地贡献出自己的见解，甚至不惜犯颜直说。"[1] 可见，广东农民的政治意识具有浓厚的务实色彩。在务实意识的支配下，他们很关心政府政策的制定、调整和变更会对他们的切身利益产生什么样的影响。党的改革开放政策确实给广东农民带来了巨大的实惠，他们非常珍惜这来之不易的政策，并在自己的各种经营中千方百计将它用足、

---

① 李江涛等：《民主的根基：广东农村基层民主建设实践》，广东人民出版社 2002 年版，第 215 页。

用活，从而获得更大的利益。他们很关心现行政策的稳定性，担心政策变卦使他们苦心经营的家产毁于一旦。因此，广东农民对于村干部选举表现出很高的热情。村干部虽然级别不高，但他们的任何一项决策都与村民的切身利益息息相关。因此，选出能够反映他们的意志，代表他们的利益的村干部，是他们所殷切期望的。

“村民自治”是广东乡村政治文化的制度表现。“村民自治”是广大农民直接行使民主权利，依法办理自己的事情，实行自我管理、自我教育、自我服务的一项不同于代表制民主的民主制度，是我国农村基层民主建设的最集中体现。深圳特区在1982年至1987年间，就开始逐步取消管理区，向村民委员会过渡。1987年《中华人民共和国村民委员会组织法（试行）》颁布后，深圳率先开始村民自治实践，依法成立了村委会，很好地落实了“三自我”（自我管理、自我教育、自我服务）、“四民主”（民主选举、民主决策、民主管理、民主监督）的制度，村民自治在走向法制化和制度化过程中不断得到创新。1998年，广东省决定在全省范围实行村委会直接选举，全面推进村民自治进程，一举摘掉了“富裕的广东不搞农村民主”的帽子，并且使广东农村基层民主制度建设获得了“在高起点上后来者居上”的赞誉。有学者经过调查后，认为广东阳江平地村所形成的“村班子拟定方案——村民酝酿——征求意见——村民代表大会表决”的村民自治机制和他们创造的“板凳会议”的民主形式，是一项富有农村特色的民主机制。[①] 由此可见，广东“村民自治”制度无论在发达地区，还是欠发达地区都不断地进行探索，试图走出一条具有中国特色的社会主义新农村道路。

“村民自治”的制度实施成功后，广东又开始将基层民主推及到农村党支部委员和镇长的选举，进一步推进农村基本民主制度的创新。深圳市通过实行“两票制”来推选农村党支部委员和镇长，在全国产生了积极的影响。当然，农村基层民主政治的建设和发展

① 广东省社会科学院课题组：《落实科学发展观　加快社会主义新农村建设进程——阳江市平地村建设社会主义新农村的调查与思考》，《广东社会科学》2006年第2期。

并不是一蹴而就的，村民文化素质不高、传统家族意识、村民私利意识浓厚等，都会给农村民主政治建设带来不利的影响。因此，广东农村政治文化建设需要有一个不断完善的过程。

（三）新农村文化建设的蓬勃发展

加强农村文化建设，是建设社会主义新农村和全面建设小康社会的内在要求，是构建社会主义和谐社会的重要内容。

早在20世纪90年代初，当时广东省委领导人就提出了广东要建设社会主义新农村的理想："珠江三角洲应当把建设有中国特色的现代化社会主义新农村摆到议事日程上来。在广东省来讲，基本上是三种类型的地区：一种是珠江三角洲，一种是东西两翼平原、沿海地带，还有一种是山区。如果讲经济条件的话，也是离不开这三种类型的地区。三角洲首先应该积极推广南海县的经验，把建设有中国特色的现代化社会主义新农村摆到议事日程上来。在三角洲这个地区应按高一点的标准来搞。不光社会风气、民风、村风是好的，而且农村的建设也是很漂亮的。将来的农村，分不出到底是农村还是城市。你说我是城市，但是我是田园化的城市；你说我是农村，我是城市化的农村。我的房子是有规划的，很漂亮；我的道路是很宽敞、漂亮的；我的通讯、交通、文化设施也不差。但我又不会像你城市那么拥挤。这样一来在珠江三角洲就缩小了城乡的差别，甚至没有城乡的差别，甚至比一般的城市还好。这就是社会主义的新农村，工业化了的、城市化了的、现代化了的新农村。"① 事实上，珠江三角洲地区的乡村文化建设也一直沿着社会主义新农村的道路前进。

1998年10月召开的党的十五届三中全会，通过了《中共中央关于农业和农村工作若干重大问题的决定》，明确提出了1998年到2010年间建设有中国特色社会主义新农村的文化目标，即"坚持

① 谢非：《广东改革开放探索》，中共中央党校出版社1995年版，第317～318页。

全面推进农村社会主义精神文明建设，培养有理想、有道德、有文化、有纪律的新型农民。加强思想道德教育，倡导健康文明的社会风尚；发展教育事业，普及九年制义务教育，扫除青壮年文盲，普及科学技术知识；发展农村卫生、体育事业，使农民享有初级卫生保健；建设农村文化设施，丰富农民的精神文化生活”。自从社会主义新农村的文化目标确立以后，广东省更加重视农村文化建设。2007年1月，中共中央政治局常委李长春同志先后到湛江、广州、韶关等地，深入农村、社区、学校、宣传文化单位，就建设社会主义新农村、加强农村文化建设、推进青少年思想道德建设、深化文化体制改革等进行调研，强调要认真贯彻落实中央关于建设社会主义新农村的战略部署，坚持面向基层、面向农村、面向欠发达地区，加强农村文化基础设施建设，加快推进农村公共文化服务工程，广泛开展农村和谐创建活动，不断提高农村文明程度和农民整体素质，为建设社会主义新农村提供强大的精神动力、智力支持和良好的文化条件。[①] 2007年4月，广东省根据党的十六届五中全会和《中共中央、国务院关于推进社会主义新农村建设的若干意见》的精神，结合广东的实际，作出了《中共广东省委广东省人民政府关于加快社会主义新农村建设的决定》，提出了推进广东农村文化建设的目标。

在中央和广东省的农村文化政策的指引下，广东各地掀起了社会主义新农村文化建设的热潮。由中共广东省委宣传部、广东南方广播影视传媒集团等五个单位联合主办的广东新农村全省大型文化巡演，深入南粤大部分地市的主要乡镇，其中包括粤北贫困山区，打造具有岭南特色的文化品牌。首次巡演于2006年7月在阳江市阳东县平地村广场拉开帷幕，3万多农民足不出镇免费享受到一次丰盛的文化晚宴。为了提高农民的科学文化素质，2007年3月，由共青团广东省委员会等十六个省级单位联合开展了“广东农村

① 《李长春在广东考察工作时强调：大力加强农村文化建设　为建设社会主义新农村提供精神动力和文化条件》，《人民日报》2007年1月18日，第1版。

青年科技文化活动月”。这个活动的目的就是为了提高农村青年科技文化素质，培养一代“有文化、懂技术、会经营”的新型农村青年。通过在农村地区开展“和谐新农村，科技进我家”青年农民科技文化培训活动、“和谐新农村，致富齐争先”农村青年生产经营能手评比活动、“和谐新农村，才艺大比拼”农村青年文化才艺竞赛活动、“和谐新农村，务工拓新路”农村青年转移就业技能培训活动、“和谐新农村，建设展新姿”农村青年科技文化集中展示活动等一系列旨在服务农村青年的文化主题活动，不仅把科学文化知识送到农村，而且还能够集思广益，引导全社会关注农村文化建设的现实问题。这次活动为探索和完善农村青年科技文化建设机制，建设社会主义新农村作出了积极的贡献。

各市县也都采取各种有效措施和政策推动当地新农村文化建设：

佛山市贯穿“整合盘活文化资源”的理念，从“送文化”到“种文化”，从“办文化”到“管文化”，与企业、群众密切合作，以最合理方式提供最有效的文化服务，在探索与吸纳中创新机制，造福于民。全市已经基本形成了以“联合图书馆、流动公益讲座网、流动展览网、流动培训网、流动电影放映网、流动演出网络”等六大网络为主的农村公共文化服务体系。[①] 农村公共文化服务体系的构建极大地丰富了农村可利用的文化资源，更为广大农民提供了优质的文化服务和种类繁多的文化产品。这不仅有利于提高农民的文化素质，还有助于加强农村社会主义精神文明建设。

湛江农村根据当地的实际情况，采取多种形式广泛开展社会主义新农村建设活动。徐闻县采取“千官扶千村，万千齐回村”形式，干部分期回乡挂村，组织发动群众建设新农村。2001 年以来，全县 1 万多名干部回到自己的家乡发动群众开展创建活动。这些干部回村带头捐款，发动群众和社会力量筹集资金。全县共筹措资金

① 郑梓锐、束维：《佛山做法可成全国范例》，《佛山日报》2005 年 12 月 29 日，A3 版。

8.6亿元，其中群众投入资金、材料总值近7亿元，政府仅投入牵引资金1.6亿元。村民在干部的带动和影响下，积极主动投工投劳，捐款献料，成立了筑路队和青年突击队，村民自己动手拆迁、修路基、运沙石、浇注路面，出现了全村男女老少齐上阵、挑灯夜战建新村的动人场面。

吴川县是外出经商老板较多的一个县级市，全市在广州、深圳、珠海等地经商人士数百人。吴川市实施"老板回归工程"，发挥分布在各地的7个商会的作用，引导动员外出经商人士回乡捐资投入生态文明村建设。几年来共捐资5亿多元，其中个人捐资最多的达2000多万元，捐资50万元以上的达120多人，创建生态文明村800多个。

遂溪县实施企业与农村合作的"村企共建"工程，创建造血型生态文明村。该县的广东大化糖业有限公司采取"公司+农户+基地"的形式，到河头镇山口村建立甘蔗良种繁育基地，村里为公司提供5000亩耕地搞生产，广东大化糖业有限公司投入资金180万元帮助山口村搞田园化建设，捐资70多万元为村里建村道、村民休闲广场和禽畜圈养栏等。这样不但给农村经济"造血"，而且美化净化了村庄。目前该县像这样的"村企共建"生态文明村有100多个。

地处山区的廉江县以生态自然和农业示范区为依托，努力建设融生产示范、科普教育、观光旅游、休闲度假、加工流通为一体的农村"生态文明示范区"，目前已建起新屋仔村等生态文明示范村，一些农户建成了"农家乐"旅游户，生态文明示范村变成了能为农民增加收入的农村旅游的景点。①

湛江建设社会主义新农村文化的经验引起了广泛的重视，总结起来主要有以下几点：一是主动发挥党员干部在新农村文化建设中的领导核心作用，积极引导村民发挥主人翁精神；二是积极利用乡村生态资源发展旅游文化；三是积极撮合"村企"联姻，以企业

① 方闵：《湛江：因地制宜建设新农村》，《亚太经济时报》2006年3月16日，A2版。

发展支援农村建设；四是发掘农村的名人资源，带动乡村建设。湛江是一个广东经济欠发达的地区，但凭着有效的措施，成为全国建设社会主义新农村的典型。这种成功的经验对于欠发达地区建设乡村文化有着重要的借鉴意义。

随着对于乡村文化建设的深入认识，广东的新农村文化建设正朝着整合传统文化资源，把优秀的历史传统文化与社会主义新农村建设有机地融合在一起，一方面既可以保存乡村优秀传统文化，另一方面又能够体现出现代乡村特色。2007 年 3 月广东省启动了“古村落抢救与保护工程”，制定了《广东省古村落认定标准》，这从法规上落实了保护和弘扬乡村传统文化资源。这项被誉为“广东省古村落计划”的工程是广东进行文化大省建设的重要内容之一，旨在保存古村落的“活”的文化生命。古村落文化风貌的保存不仅有利于乡村传统文化世代流传，还有助于发展乡村文化产业。例如肇庆的扶利村和白石村通过发展文化产业来进行自身建设和发展。扶利村有“中国民间古法造纸第一村”的美誉，村民几百年来都一直沿用蔡伦发明的造纸法造纸，所产的“会纸”更是闻名中外。白石村是端砚的发祥地，自唐武德年建村，1300 多年来村民世世代以制砚为生。而改革开放以来，当地政府积极利用端砚的文化影响力，组织当地村民大力发展制砚业。制砚业已经成为白石村的主要经济来源，不但增加了农民的经济收入，还在制砚工艺上引进现代科学技术，大大提高了端砚的观赏性和艺术性。[①] 湛江“雷州石狗”是“国家民族民间文化保护工程试点项目”，也是广东唯一入选的项目；其“雷州石狗信仰”和“雷州姑娘歌”已经成为国家非物质文化遗产；傩舞、蜈蚣舞、人龙舞等一些优秀的传统文化开始走出“深闺”，引人注目。[②] 湛江通过对“石狗文化”的宣扬，不但让外界对于雷州文化产生了浓厚的兴趣，还极大地发

---

① 张景华：《广东：为古村落造“家谱”》，《光明日报》2007 年 8 月 27 日，第 5 版。

② 《雷州：打造粤西城镇群文化名城》，《南方日报》2007 年 7 月 13 日，C7 版。

展了当地的旅游文化。既是对传统文化的传承发展，又能对乡村经济起推动作用。

无论是经济发达的地区，还是经济欠发达的地区，广东新农村文化建设都在蓬勃发展。尤其是欠发达地区在社会主义新农村文化建设中形成的宝贵经验，对于其他相类似情形的广大农村更具有现实的启示作用。

四、社区文化的勃兴

社区是建立在地域基础上的，处于社会交往中的，具有共同利益和认同感的社会群体，即人类生活共同体。[①] 社区包括五大基本要素：地域、人口、共同的文化和制度、凝聚力和归属感以及公共服务设施。[②] 有论者认为，社区文化的内涵根据不同的角度有不同的划分：从理论上划分，社区文化可以分为物质文化、象征文化、社会文化和精神文化；从层面上划分，社区文化可以分为环境文化、制度文化、活动文化、精神文化；从形态上划分，社区文化可以分为街道文化、企业文化、社区居民业余文化、家庭文化、商业文化、校园文化、军营文化。[③] 由此可见，社区文化指共同生活在同一地域的人，所形成的价值观念、思维模式、行为方式等集合，价值观念是社区文化的核心。改革开放以来，人们从单位人变成社区人，对社区有着更为亲密的依赖关系。社区文化是社区的灵魂，是社区居民的精神家园，越来越得到社区居民的重视。广东社区文化的建构，离不开政府的支持和学者的探索。

（一）广东社区文化建设的特点

社区文化在改革开放以后发生了巨大的变化。经济体制的改

---

① 蔡禾主编：《社区概论》，高等教育出版社2005年版，第4页。
② 蔡禾主编：《社区概论》，高等教育出版社2005年版，第7～9页。
③ 韩兆海：《社区文化论》，湖北人民出版社2005年版，第27～31页。

革，使原来由单位和企业包办的服务从单位和企业脱离出来，推向社会，由社区加以解决。我国目前的社区主要分农村社区和城市社区两种类型，它们分别以村委会和居委会作为社区的基本单位，因而都属于微型社区。社区文化是社区居民精神生活的重要来源，是社区居民安身立命之所。广东社区文化建设具有以下几个重要特点：

1. 政府积极参与社区文化建设。

社区文化建设是一个系统工程，需要有一定的资金投入，有一个周密的建设规划和实施步骤，而靠居民自发地开展社区文化建设是难以奏效的。这就需要政府从中发挥领导作用。广东社区文化建设的经验表明：那些文化建设比较好的社区，往往是政府承担了主要的责任，深圳市大鹏街道的文化建设历程正是最好注脚。大鹏街道为了谋划街道、社区文化建设的长远蓝图，组织大量工作人员对大鹏的历史文化渊源、本土文化状况、自然资源优势和建设状况进行了全面摸底，掌握了大量第一手材料。经过分析，街道党工委由此形成了共识：大鹏悠久的历史是进行社区文化建设的宝藏。大鹏风光秀丽，名胜众多，十分有利于发展文化旅游产业；大鹏人杰地灵，出现过很多历史名人，成为对社区居民进行爱国主义教育的好题材。正由于大鹏街道对于街道、社区文化资源的仔细调查和研究，才能够因地制宜充分利用大鹏的文化资源，发展出远近闻名的大鹏文化社区。

2. 社区文化建设内容丰富、形式多样。

社区文化建设要引领社会主义新风尚，引导居民分辨真、善、美。福田区精心策划开展各类群众文化活动，并采取灵活多样的方式在社区开展党的路线、方针、政策的宣传教育。如举办“公民道德建设”主题文化活动，通过问答、竞猜等游戏方式，寓教于娱乐，从娱乐中让广大社区居民了解新时期公民道德建设的内容和要求，提升社区居民对于公民道德的认识；通过举行“婚育新风进万家”主题文化活动，通过播放纪录片，组织讲座等形式，向社区居民宣传关于晚婚晚育、优生优育的国策，以及国家施行计划

生育的必要性和严峻性。这些活动举办以后，都获得了居民的好评。东莞市莞城区东正社区为了营造健康向上的社区风气，有效抵制社会上黄赌毒等丑恶现象，组织丰富多彩的社区文体活动。一是以“和阳夜韵”广场群艺文化活动为载体，坚持每晚开展“活力东门”集体交谊舞、“和谐之音”广场大家唱、“天使家园”广场舞、广场群众卡拉 OK、各类健身舞，以及广场羽毛球运动等等，以内容丰富、生动活泼的节目直接面向基层，贴近群众，贴近生活，零距离娱乐广大老百姓的文化活动形式，倡导科学文明的健康生活方式，吸引社区群众走出小家融入社区的大家庭，共同分享现代城市的文明成果，使社区人文环境呈现出一片和谐融洽的良好社会氛围。二是依靠社区群众的力量，发挥民间组织的作用，搭建群众文化情结深厚的原生态传统艺术的展示平台。丰富多彩的社区文娱活动极大地满足了社区群众日益增长的物质和文化需求，营造出文明、有序、健康的社区和谐氛围。

3. 社区文化建设的内涵富有特色。

社区文化建设的特色和内涵反映出社区的竞争力和居民的精神面貌，而社区文化建设的成败在多数情况下取决于它有没有特色，能否体现出社区自身独有的文化内涵。例如，深圳福田区的社区文化建设一开始就以打造三大文化品牌为出发点，其进行文化建设本着“培育福田文化特色，打造福田文化品牌”的理念，精心筹划了“社区文化艺术节”、“外来青工才艺大赛”和“家庭奥斯卡”DV 录影大赛。这三大文化品牌为福田区的外来务工人员提供了展示艺术才华，融入社区文化生活的机会。又如，东莞市莞城区东正社区的文化建设其特色是仅仅围绕以社区建设为中心，加强社区基层党组织建设和民主自治，不断完善社区文化服务与文化管理机制，全面推进“自治好、管理好、服务好、治安好、环境好、风尚好”平安和谐社区建设。再如，深圳龙岗区大鹏街道形成了大鹏所城、舞狮、帆板、太极拳四大文化品牌，同时该街道还按照“一社区一品牌、一社区一特色”的要求，积极扶持王母的舞狮队、鹏城粤剧表演队、水头老年舞蹈队开展活动，带动各社区、各

企业形成了独具特色的品牌文化。①

4. 社区文化建设的制度化。

在社区文化建设的制度化方面，深圳市一些社区有突出的表现。一是将社区文化建设的具体工作纳入当地的政策之中。例如福田区把社区文化建设的目标、内容、措施等都纳入《深圳市福田区社区建设发展规划纲要（2005—2010 年）》中。二是建立完善的社区文化管理体系。福田区在壮大区级文化执法队伍的同时，与保安公司建立了聘用协管员机制，在街道增设协管员，在社区设置信息员，完善了三级执法网络，形成了由文化、工商、公安、城管、技术监督等部门和街道联合执法的有效机制。三是建立社区文化建设的长效机制。例如南山区北头社区目标是建立学习型社区，为此开展了“万家图书室援建活动和万家读书活动”，希望通过居民积极响应，自愿捐赠书籍，来鼓励他们爱读书的风气。后来社区又建成一间教室和两间电脑培训室，为了让居民群众跟上信息网络发展的步伐，图书室配置了多台电脑，免费提供给社区居民上网学习。2004 年，北头社区成立了社区学院，社区学院的宗旨是“服务大众生活，陶冶生活情操”。社区学院的建立，为居民提供了一个学习交流的地方，而且这样才能成为名副其实的学习型社区。

5. 社区文化建设的精品意识。

社区文化建设需要大量的资源，如果资源都不用在刀刃上，那么就会白白浪费宝贵的资源。因此，广东社区文化建设的精品意识非常突出，例如深圳南山北头社区的“博士论坛进社区”就是一个精品工程。南山区利用深圳市高新技术产业基地的优势和辖区拥有大量博士的人才资源，从 2001 起，南山区北头社区坚持每周举办一次“博士论坛”。“博士论坛”开讲的主题都与人民群众生活息息相关，从科普知识到时事政治，不同专业的博士用通俗的手法向居民传播科普知识。“博士论坛”不仅提升了居民的文化品味，

① 窦延文：《大鹏街道文化建设唱响四大特色品牌》，《深圳特区报》2007 年 1 月 10 日，A1 版。

同时也提升了北头社区的文化形象。又如中山西区长洲社区举行的长洲翠景文化艺术节，也是社区文化建设的精品。文化节的节目内容丰富多彩，活动通过商业运作，不仅解决了资金问题，也繁荣了当地经济。长洲社区千名妇女排练的“太极秧歌健身舞队”节目，多次获得省和国家级金奖。有论者认为，中山西区长洲社区的文化艺术节是一道独特的农民文化风景线。①

在广东地方政府的支持下，在社区居民的积极参与下，广东社区文化取得了可喜的成绩。2004 年，深圳市福田区皇岗社区、深圳市南山区北头社区、中山市长洲社区及东莞市莞城区东正社区四个社区荣获了“全国文化先进社区”的荣誉，这实质上是对广东在社区文化建设方面成绩的肯定。而获奖的四个社区正是广东省千百万个社区文化建设的典型代表，也是改革开放以来广东社区文化建设成就的缩影。

（二）社区文化建设的新动向

近些年来，随着政治、经济、文化和社会不断往纵深发展，社区文化建设出现了新动向：由于经济因素产生的社区大量涌现，例如住宅小区、大型企业、工业园、科技园、生态园等“新”社区。

早期的小区，一般都等同于“卧室”，小区内没有其他文化设施，发展商所建的房子就是钢筋水泥，并不会考虑到社区文化的建设问题。然而随着社会的发展，人们生活水平的提高，文化需求的不断增长，如果今天的楼盘缺乏足够的文化设施，就会直接影响它的销售数量和销售价格。最近几年招聘市场上出现了以下的现象：不少小区的物业管理公司在招聘人才时，都设置了一个名为“社区文化专员”的职位，而且一般要求大专以上学历，具有组织大、中型文体活动的丰富经验等。越来越多房地产开发商已经开始把注意力转移到打造社区文化上面来。他们注重休闲配套设施的建设，条件允许的园区建有游泳池、网球场、篮球场、羽毛球场、康乐

① 马娜、剑鸣：《烟雨播翠》，《人民日报》2006 年 5 月 20 日，第 8 版。

室，甚至大型活动广场及会所等。同时还标榜独特的文化风格，例如江南风情、欧陆气派等等，以显示其别树一格的文化品味。一些大型的社区还会举行文艺竞赛、社区运动会等文体活动。2005 年 5 月，广东教育促进会与广东文化学会联合组织在广州英雄广场举行“首届广东社区文化教育展”，这是我国第一次社区教育、社区文化专题展。参展社区除新开发小区外，以居委、村委或街道为单位的传统社区也在邀请参展之列。参展内容为：“社区文化设施与成果、社区教育资源推介与成就展示、招生招商与合作、社区（楼盘）推介与销售”。另外，还进行全省社区文艺汇演，并在活动结束后评出一、二、三等奖节目，并进行“文化教育社区”颁奖、全国首部《文化教育社区指南》工具书的首发仪式。在华南板块，不少楼盘把“社区教育”上升到“教育社区”的高度。目前，起码有半数以上的新开发小区打教育或文化牌。①

随着改革开放的不断深入，社会上出现的文化分层越来越细，人们对于文化的需求越来越高，城乡二元的文化结构显然已经不能概括和满足人们对于文化的需求。不难看出，城市文化和乡村文化固然可以描述一个区域的文化状况，然而现实却是：在城乡内部存在教育程度高低不同、来自不同行业的团体和人群，他们的审美情趣各异，对于文化的需求、对文化产品的消费、对文化产品的生产都提出了不完全相同的需要。而满足不同层次的文化需求正是城乡文化建设的目的和要求，因此不同的人群对于文化提出不同的要求必然就会产生不同的文化圈子，而这正是社区文化迅速崛起的现实基础。由于人们生活的地域流动性越来越强，对按传统户籍来划分的社区的依赖性越来越弱。相反，对于居住地域的归属感却越来越强。在越来越多人的眼中，以村委会、居委会或街道为单位的传统社区观念变得越来越淡薄，取而代之的是以居住、生活、工作为中心的社区组织。人们对文化产品和文化服务的需求直接诉诸所身处的社区，这样社区的功能不仅仅停留在维持日常管理上面，而要更

① 《广东首办社区文化教育展》，《南方都市报》2005 年 3 月 17 日，D23 版。

多地体现在文化建设上。

针对这种越来越复杂的社区文化建设需要，广东在这方面进行了社区文化建设社会化的探索。广州是社区文化社会化运作较早的城市，其经验得到民政部的认同并向全国推广：这就是把社区文化服务和项目尽可能社会化。例如社区要举办文体娱乐演出，那么整个过程，作为社区居民只要规划好演出的场地和费用，就聘请专门的文化服务机构来代办。这样一来，社区委员会在文化建设当中就可以抽身出来，免除相对琐碎的事务，而集中精力搞好社区文化建设的大方向。当然这种社会化服务涉及到社区服务项目管理的有关规定、程序审批、资金的规范管理、资金使用的监督等问题，需要在探索过程中逐步解决。但在初步的总结中，其好处已经凸现出来：一是社区文化服务和项目可以达到花钱少、效果好的预期目标；二是整个决策过程，社区居民都能够参与其中，增强居民的社区意识；三是提供的服务和项目是居民所需，最大限度地服务群众。

深圳市专门出台政策鼓励和引导社会力量参与提供社区公共文化产品和服务，初步形成以“政府主导、社会参与、机制灵活、政策激励”的社区公共文化服务供给模式的社会联动机制。例如通过给企业冠名的方式吸引企业参与公共文化服务，支持民办公益性文化机构的发展，鼓励民间开办博物馆、图书馆等。特别值得一提的是“委托经营”。所谓委托经营，就是将街道文化建设委托给一家文化管理公司运作，利用专业文化公司的人才优势、网络优势、资源优势，达到开展社区文化要求的目标。福田区香蜜湖街道还开始了社区文化设施和文化场馆运营的委托经营探索，它开启了社区文化建设由“政府投资、企业营运”的新模式。

广东省社区文化艺术促进会的成立，在全国范围内属于首创，这也是社区文化建设的社会化探索的一次大胆尝试。它是一个民间团体，由一大批热爱岭南文化的社会人士组建，旨在促进广东社区文化建设，繁荣社区文化艺术活动和丰富群众精神文化生活。在众多任务中，最引人注意就是提出要“按照市场规律，将社区文艺

纳入产业经营轨道，发现和培养社区文艺人才，包装、推出具有市场价值的社区文艺的品牌”。这就是说，广东省社区文化艺术促进会事实上就是市场经济和文化建设发展的产物，它要根据市场的规律，将具有岭南文化特色的社区文化推向大众。同时又根据大众的文化需求提供社会文化服务。又如，已经有企业专门提供协助开展社区文化活动的服务。这些企业也是看准了社区文化建设存在的巨大的商业价值和利益。

把新时期社区文化的建设与市场经济紧密联系在一起，是深化市场改革和加强文化建设的重要举措。广东社区文化建设之路尽管仍然很漫长，但是在市场经济条件下已经迈出了第一步，而且是重要的一步。随着改革开放的不断深入，广东社区文化建设的成果将越来越耀眼。

五、城乡文化建设的展望

党的十七大报告明确指出：“在时代的高起点上推动文化内容形式、体制机制、传播手段创新，解放和发展文化生产力，是繁荣文化的必由之路。”① 因此，在新时期、新形势和新的发展机遇下，广东的城乡文化建设要想取得更大的成绩，就必须从内容形式、体制机制、传播手段等方面进行创新发展，这不仅是时代的要求，更是繁荣城乡文化的必由之路。

（一）缩小城乡文化的差距

从纵向比较而言，广东城乡文化建设的成就前面已经有了详尽的论述；然而从横向比较来看，城乡文化建设之间存在不小的差距却也是事实。因此要进一步推进城乡文化建设，就必须缩小城乡文

① 胡锦涛：《高举中国特色社会主义伟大旗帜　为夺取全面建设小康社会新胜利而奋斗——在中国共产党第十七次全国代表大会上的报告》，人民出版社 2007 年版，第 36 页。

化之间的差距。

有论者把这种城乡文化之间的差距概括为三方面：（1）城乡文化投入和发展水平差距较大；（2）城乡文化生活形式与内容上差距较大；（3）城乡文化管理体制改革失衡严重。[①] 这种差距的形成，除了在实践中由于资源的限制被迫作出优先发展城市文化的策略外，还来源于自觉与不自觉地误以为城市文化比乡村文化更有发展的迫切性的看法。在这种思想的指导下，就造成了城乡文化建设的失衡。党的十七大报告明确指出："重视城乡、区域文化协调发展，着力丰富农村、偏远地区、进城务工人员的精神文化生活。"[②] 由此可见，城乡文化的协调发展就必须大力发展乡村文化，缩小与城市文化之间的差距。要做到协调发展，应当从以下几个方面进行努力：

1. 各级政府要从思想上重视城乡文化建设的协调发展，制定落实科学发展的方针、路线和政策。无论从文化资源的投入、文化形式和内容、文化管理体制改革等方面，切实加强乡村文化建设。前面所提及的广东新农村建设的蓬勃发展，有些已经在实践中探索出切实而可行的解决乡村文化建设的道路，应当大力地进行推广。在发展中，更要与时俱进地改进方法、改变思路，勇于探索新契机。

2. 协调发展城乡文化，就要坚定不移地走城乡一体化的道路。广东在改革开放以来，乡村文化所取得的成就，是坚持走城乡一体化的结果。《中共中央、国务院关于推进社会主义新农村建设的若干意见》认为："当前农业和农村发展仍然处在艰难的爬坡阶段，农业基础设施脆弱、农村社会事业发展滞后、城乡居民收入差距扩大的矛盾依然突出，解决好'三农'问题仍然是工业化、城镇化进程中重大而艰巨的历史任务。"但有论者不赞成"农村的现代化

---

① 王晓冬、索志林：《城乡文化强弱差距与新农村建设》，《东北农业大学学报》（社会科学版）2007年第5期。

② 胡锦涛：《高举中国特色社会主义伟大旗帜 为夺取全面建设小康社会新胜利而奋斗——在中国共产党第十七次全国代表大会上的报告》，人民出版社2007年版，第35页。

就是城市化、工业化”，认为“那就意味着以外力强迫农村文化改变形态而向城市看齐”，等于让“城市文化‘侵入’农村，甚至‘剥夺’农村文化存在的权利。”① 其实这种担心也不是毫无道理的，在现实中，确实存在乡村文化的发展空间被挤压，城市文化“入侵”农村的情况，但问题的关键并不是在于城乡一体化的思路不对，而是在于如何进行城乡一体化，正确处理好城乡的协调发展。针对这一点，有论者指出“（农村）城市化不能单方面地强调由乡而城的转化，城市化的实质应该是城乡之间实现文化整合。城乡文化整合是城市化在城乡关联基础上的深化和拓展，指城市文化和乡村文化接触、融化、吸收、调合而趋于一体的过程。……就实质而言，城市化的过程就是城市与乡村相互影响，城市文化和乡村文化接触融合而使更富感情色彩的城市文化和更具现代格调的乡村文化共生共存共荣的过程，也就是城乡文化整合的过程。”② 应当说，城乡文化整合对于城乡文化协调发展具有重要的作用。而这种整合必然要求我们对于城市文化、乡村文化乃至社区文化有深入的了解。只有进一步加强城乡文化建设，协调城乡文化发展，才能做到整合城乡文化，发展出更璀璨的城乡文化。

3. 协调城乡文化发展就要凸显乡村文化的特色，打造乡村文化精品工程。有论者指出：“在繁荣农村现代文化的同时，要深入挖掘农村特色文化，传承农村传统文化。积极开发具有民族传统和地域特色的剪纸、绘画、陶瓷、泥塑、雕刻、编织等民间工艺项目，戏曲、杂技、花灯、龙舟、舞狮舞龙等民间艺术和民俗表演项目以及古镇游、生态游、农家乐等民俗旅游项目。”③ 前面第二节所言，广东在新农村文化建设中已经发展出不少具有乡村文化风情的特色的文化产业，这大大地增强了乡村文化的生命力和拓展了其发展空间。然而像“开平碉楼与村落”这样的乡村文化精品工程，

① 魏峰：《农村文化与新农村教育》，《教育导刊》2006 年 8 月号上半月。

② 曾菊新、祝影：《论城乡关联发展与文化整合》，《人文地理》2002 年第 4 期。

③ 王晓冬、索志林：《城乡文化强弱差距与新农村建设》，《东北农业大学学报》（社会科学版），2007 年第 5 期。

还是很少。有人认为“开平碉楼与村落”是隐藏在岭南文化中的明珠，[①] 而事实上，类似的明珠在岭南文化中还有很多，关键是有没有发现明珠的眼光和制度。因此，要大力发掘具备走向全国，走向世界的乡村文化资源，把它们铸造成具有全国影响，世界影响的文化工程，这样的乡村文化必然能够焕发迷人的魅力。

我们在讨论如何进行城乡文化协调发展的同时，并不认为广东城市文化建设已经尽善尽美，而应当承认其城市文化建设仍然存在不少不足之处，仍然有需要不断改进的地方。即使在城市文化建设取得很大成绩的珠江三角洲地区，也存在不少亟须解决的问题。有论者指出：“经过20多年的发展，珠江三角洲的文化建设有了长足的进步，在提高人的素质、搞好社会风气、推动经济腾飞和社会全面进步方面发挥了巨大的作用。但面对更为严峻的挑战与竞争，珠江三角洲的文化准备和支撑力却显不足，文化的建设力度和发展程度与知识经济时代的发展要求有较大的差距，成为制约珠江三角洲进一步发展的‘瓶颈’和深层隐患。在与经济高速增长、长江三角洲地区的发达省市、率先基本实现现代化、人民群众日益增长的文化需求四个方面相比，珠江三角洲的文化发展显得相对落后。”[②] 有论者还指出，广东城市文化建设缺乏有广度和深度的理论支持、理论自觉和问题意识，应该在城市文化建设的思路、内容和功能上作出深入的调整。[③] 这些看法都是中肯而且有建设性的。因此，协调城乡文化发展既要大力加强乡村文化建设，也不应当忽视城市文化的持续发展。

（二）文化和经济比翼齐飞

广东是经济强省，这是改革开放过程中形成的事实，但广东更

① 郭芙秀：《开平碉楼：隐于乡间的“岭南明珠”》，《同舟共进》2007年第6期。

② 田丰、周薇主编：《文明实践论》，广东高等教育出版社2002年版，第136～143页。

③ 夏辉：《试论现代化进程中的广东城市文化建设》，载范英主编：《广东先进文化发展论》，广东人民出版社2003年版，第340页。

要成为文化大省，这是广东人在改革开放过程中的逐步形成的观点。随着改革开放进程的不断推进、深化，广东的经济发展必然会再上一个新台阶。在这个过程中，处理好经济发展和文化建设的问题，是广东建设成文化大省的关键，更是城乡文化建设的重要任务。

有论者在谈到发展先进文化理论时，指出要突破六大思想认识误区：（1）文化消费论；（2）文化工业论；（3）文化公益论；（4）文化阶级论；（5）文化西化论；（6）文化虚无论。[①] 在城乡文化建设中，尤其要注意“文化工业论”的危害，也就是曾经流行的“文化搭台，经济唱戏”观点。这种观点对于初期城乡经济基础薄弱，难以对文化建设进行大量的资源投放，而不得不借助文化建设项目，结合经济发展需要，提升城乡经济实力，有积极作用。尽管我们不能否认这种观点也属于认识文化与经济两者关系的一个过程——甚至是不可缺少的过程，不应该一笔抹杀其在推动城乡文化建设方面所起过的作用，但是我们应该严肃地指出“文化搭台，经济唱戏”的观点从本质上没有正确把握好文化与经济两者的正确关系，它容易令人们误认为文化建设从属于经济发展，文化建设是发展经济的手段和工具。城乡文化建设中固然包含经济建设的成分，但不能等同于经济建设。以物质文化建设为例，涉及面非常广泛，包括了文化设施的兴建、文化产品的生产、消费、流通等方面。文化设施从建设的角度来看，尽管也属于经济建设的范畴，但是文化设施却有别于一般设施。这是因为文化设施带有特定的文化功能和用途，这一点是与一般设施的最大区别。正如博物馆、图书馆、文化馆、剧院这些文化设施尽管与写字楼、商业大厦、酒店等同属于城市建筑，但两者所实现的功能截然不同。前者主要是提供文化服务的场所，后者则是经济活动的平台。正因为城乡文化建设容易被误认为是经济建设的附属，所以不少人认为城乡

---

① 顾作义：《在“发展先进文化理论研讨会”上的小结》，载范英主编：《广东先进文化发展论》，广东人民出版社 2003 年版，第 18 页。

文化建设在经济发展到一定阶段之后就会自然出现。从广东30年的城乡文化建设历程可以得知，它必须经过人的自觉意识，才能够实现。这就是说，城乡文化建设是人有意识地进行文化追求的结果，而不是经济发展的必然产物，更不是经济建设的附属品。

我国已故研究现代化的著名学者罗荣渠先生对于文化与经济的关系，曾经有过深刻的见解："不能把文化因素仅仅看成推动经济增长的补充因素，它本身就是现代化的必备要素，在转型期中要努力促进它转换功能，与经济发展形成良性互动，为探索具有民族特色的现代化道路做出贡献。"① 因此，今天站在更高层次的城乡文化建设的高度来看，"文化搭台，经济唱戏"观点是必须纠正过来。否则它不仅进一步阻碍城乡文化建设，更将影响城乡经济的发展。而对于这种纠偏的认识，已经有城市主动进行了反思："深圳将会逐步改变惯常的'经济特区'思维模式，在文化建设上形成新的思路。具体来说，这一思路就是围绕全面建设富裕小康社会、率先基本实现现代化这一根本目标，抓住文化创新这个关键，突出文化体制改革和文化产业发展这个重点，顺应当今世界文化与经济和政治相互融合的新潮流和大趋势，在继续坚持以经济建设为中心的同时，全面提升文化建设水平，积极推进文化与经济的融合，将文化的力量深深熔铸在深圳的生命力、创造力和凝聚力之中，在继续为现代化建设提供强大的精神动力、智力支持和思想保证的同时，不断满足广大市民日益增长的精神文化需求，大力提高文化对深圳发展的贡献率，努力增强深圳的城市综合实力和城市竞争力，加快深圳社会协调发展和全面进步。"② 也就是说，城乡文化建设本身就是目的，它不是城乡经济发展的工具和手段。这应当成为新时期建设城乡文化的共识。

广东城乡文化建设在过去30年中取得了令人瞩目的成就，反

① 罗荣渠：《现代化新论——世界与中国的现代化进程》（增订本），商务印书馆2004年版，第542页。

② 乐正、王为理：《努力开创深圳先进文化建设的新局面》，载范英主编：《广东先进文化发展论》，广东人民出版社2003年版，第359页。

映出广东人不仅发展经济有一套办法，进行城乡文化建设也能表现出广东特色。在某种意义上说，广东改革开放30年城乡文化建设的成就是广东人具有文化自觉意识的最好注脚。城乡文化建设在“建设文化大省”的指引下，将会硕果累累，越来越精彩。

第七章
岭南文化的传承与开发

改革开放不仅为广东经济带来了生机和活力，而且也为岭南文化的振兴和发展提供了难得的机遇和条件。在广东政界、学界和民间的共同努力下，岭南文化资源得到了很好的发掘、传承、开发和利用，在广东的经济文化建设中发挥着越来越重要的作用。广东各地在对岭南文化资源进行开发的同时，也在采取各项措施确保岭南文化遗产得到有效的保护。

一、岭南文化的振兴之路

岭南文化是在改革开放的大潮中走向振兴的，而岭南文化的振兴分为三个发展阶段。20 世纪 70 年代末到 80 年代末是岭南文化振兴的第一阶段，这是岭南文化以自发的形式在广东民众的改革开放实践中发挥作用的阶段。20 世纪 80 年代末到 90 年代末是岭南文化振兴的第二阶段，这是岭南文化进入广东学者的视野从历史和现实相结合的双重角度开展系统研究的阶段。21 世纪初是岭南文化振兴的第三阶段，这是岭南文化进入广东政府的开发领域作为构建文化大省的重要资源的阶段。

（一）自发作用阶段

岭南文化是岭南人民在岭南这片土地上不断创造、不断积淀的

产物，是岭南人民植根于本土而又广纳外来文化的结晶。岭南文化的表现形式千姿百态，有可以看得见、摸得着的历史遗存，有潜藏在人们内心深处的精神文化。岭南的精神文化是指岭南人民在其长期的劳动实践中积淀并流传下来的具有稳定结构的思维方式、价值取向、伦理观念、理想人格、审美情趣等精神现象和精神成果的总和。精神文化是岭南文化中最为持久、最具生命力的文化。

岭南文化作为一种地域文化，是建立在其独特的自然环境和人文环境的基础上的，因而它的表现形态自然有别于全国其他的地域文化。它的特色和它的成就，自古就引起了岭南内外的广大学者的关注。[①] 在近代中国，岭南人扮演了举足轻重的角色，于是在民国时期，岭南文化也因之倍受瞩目，出现了孙璞的《粤风》、黄尊生的《岭南民性与岭南文化》等论著。建国后的一段时期，台湾学者冯炳奎继续展开岭南文化的系统研究，推出了《岭南文化》、《中国文化与岭南文化》等著作，明确提出了“岭南精神”和“广东精神”的概念。[②] 而大陆研究岭南文化的学者寥寥无几，冼玉清[③]乃是其中突出的一位。

由于受到极左思潮的干扰，特别是“文革”十年的破坏，岭南人的精神传统一度受到严重压制。中国的改革开放，首先将广东作为试验地，结果广东人闯出了一条成功的道路。广东人今天的成功，当然得益于国家改革开放的政策，得益于中国特色社会主义理论的科学指导，但也同样得益于深厚的岭南文化底蕴。而在岭南文化的深厚底蕴中，对广东社会的发展起积极作用的是岭南的精神文化。“艰苦创业”、“开放兼容”、“致富为荣”、“不宗经”是岭南精神文化的重要表现，是岭南人民世代相传的精神传统。当改革开

① 杜佑的《古南越》、刘恂的《岭表录异》、郭棐的《粤大记》、屈大均的《广东新语》、邓淳的《粤东名儒言行录》等著作，是古代学者研究岭南文化的代表作。

② 梁寒操：《序冯炳奎著〈中国文化与岭南文化〉》，载《广东文征续编》（第4册），第45页。

③ 冼玉清（1895—1965），广东南海西樵人，著名文献学家。撰有《近代广东文钞》、《广东释道著述考》、《广东文献丛谈》等著作。

放的春风在岭南大地最先吹起的时候，曾经作为一种潜意识而存在的岭南精神文化被重新唤起，成为广东人民发家致富、创造美好生活的精神动力。

在改革开放的头十年，广东人通过埋头苦干，大力发展商品经济，使广东（特别是珠三角地区）一跃成为中国内地经济最为发达的地区。但繁忙的经济建设，使广东的普通百姓没有更多的时间去思考抽象的文化问题，这不是他们的专长，也不是他们的职责。当年任广东省领导的叶选平回忆道：那时有个记者在东莞采访，问一位农民兄弟："是社会主义好，还是资本主义好？"农民回答说："我也搞不清楚什么是社'，什么是资'。我就是觉得现在的做法好，如果这是社会主义，那就是社会主义好。"叶老不禁感慨说："农民的语言虽然朴素，但非常真实！"[①] 而这位东莞农民兄弟的这番话，正好反映了岭南人质朴自然而又热衷功利的实干精神。

随着商品经济的日益发展，广东文化也在发生着巨变。人们对广东文化巨变的理解可谓见仁见智。有人把广东誉为中国新文化的生长点之一，但也有人惊呼广东文化正在"沙漠化"。[②] 还有人称广东"只会生娃娃，不会取名字"，由此引发了不小的争论。1988年，新华社广东分社记者王志纲就"生娃娃"和"取名字"的问题请一位从北京来广东考察的企业家谈谈自己的看法。这位企业家说，广东人的商品经济意识好像是与生俱来的，而北方则先要经过一个观念上的取舍判断，往往就"只会取名字，不会生娃娃"。广东看到香港市场什么畅销，时装橱窗里什么时髦，几天内他就去学，"拿来主义"，然后自己再改造，再创新。事情往往就这么办成了。后来《南风窗》有个"编者按"回应说："12年来，广东一直在尝试中探索希望，在实践中找寻认同。甘苦自知，褒贬由人。"[③] 不爱嚷嚷，埋头苦干，勇于实践，善于经商，正是岭南文

① 《叶选平谈广东改革开放经验　认真做猫把老鼠逮住》，《南方都市报》2007年10月18日，A08版。

② 田丰、谢名家：《广东文化发展前瞻》，《广东社会科学》1989年第2期。

③ 《东西南北话广东——新华社记者四人谈》，《南风窗》1991年第9期。

化传统的生动体现。与其说广东是“文化沙漠”、“只会生娃娃，不会取名字”，不如说岭南的文化传统在自发地发挥着作用。可以说，广东人之所以能够在改革开放中创造出辉煌的成就，与岭南精神文化所发挥的积极作用是分不开的。而且广东人并不缺乏文化创造的热情，且不说大众文化在广东蔚然兴起，精英文化也在理论创新上做文章，如对社会主义商品经济、社会主义精神文明、社会主义政治文明等领域的理论研究走在了全国的前列。

改革开放以后，广东上下在以经济建设为中心，大力发展社会主义商品经济的同时，广东文化界也开始着手岭南文献的整理、抢救工作。广东人民出版社从 1980 年开始，陆续推出了《广东地方文献丛书》20 余种，供人们参考和研究。1983 年广东省文史研究馆创办了《岭南文史》刊物，成为广大学者发掘、研究和弘扬岭南文化的重要学术阵地。

不过，总的说来，这十年广东的文化界把主要精力放在岭南文献的整理和出版上，而对岭南文化的理论研究的重视还不够，此方面的学术成果并不多，也无甚影响。人们对岭南文化在广东文化建设中的作用的认识还不足，无论是在地方政府关于文化建设的施政纲领中，还是广东学者对广东文化发展的构想中，基本上看不到“岭南文化”的字眼。因此，岭南文化在广东民众中的自发作用，乃是在改革开放的头十年岭南文化振兴的主要形式。

（二）自觉探索阶段

如果说改革开放的头十年是岭南文化在自发地发挥作用的阶段，而且主要是岭南的精神文化作为潜意识的形式在广东人民的实践中大放异彩，那么紧接而来的十年是广东人对岭南文化进行自觉探索的时期。

到 80 年代末，中国的改革开放走过了十年历程，广东经济取得了举世瞩目的成就。人们又不禁要问：为什么广东人能够大胆地将中央的改革开放政策落到实处？是否还有广东的本土文化——岭南文化在发挥作用呢？或者说是否岭南文化作为一种文化传统和文化精神从中默默地影响着广东人民迅速适应改革开放的新形势，成为市场经济的弄潮儿呢？于是一场声势浩大的岭南文化研究和讨论的热潮在广东学者中铺展开来。人们注重从岭南文化的特色中寻找广东人的市场适应能力和创造精神。李杨指出岭南文化具有较开放、崇利、兼容和“拿来主义”的边缘文化色彩。① 陈乃刚首次将广东改革开放的成就与岭南文化的作用联系起来。② 可见，至80年代末，岭南文化的现代价值已被一些广东学者所认识。

进入90年代，岭南文化的研究进一步走向系统化。陈乃刚的《岭南文化》是改革开放后第一部系统阐释岭南文化的著作。随后有李勤德、刘汉东的《岭南文化论》、郑刚的《岭南文化向何处去》、袁钟仁的《岭南文化》、张磊等著的《岭南文化志》、邓启龙等著的《开放的岭南文化》，以及张卫东的《客家文化》、房学嘉的《客家源流探奥》、黄挺的《潮汕文化源流》、张国雄等著的《五邑文化源流》、龚伯洪的《广府文化源流》等著作相继问世。这些著作有的着眼于岭南文化的宏观研究，有的着眼于岭南文化分支的研究。

为了更好地帮助人们了解和研究岭南历史文化，广东省高教厅组织成立了“岭南丛书”编辑委员会，1988—2004年间编辑出版岭南文献近40部，在推动岭南文化研究方面发挥了重要的作用。而《岭南文库》和《岭南文丛》两套大型系列丛书的问世，将岭南文化的整理、发掘、研究和弘扬推向一个新的高度。《岭南文库》是由于幼军任主编、广东人民出版社出版发行的一套大型学术丛书，分“历史沿革”、“经济发展”、“社会文化”、“自然资源”、“人物业绩”和“名著选粹”六大系列，可谓是“岭南文化的四库全书”。文库启动于1991年，是一项跨世纪的文化建设工程。现已出版著作70余种，曾获得第三届国家图书奖和近30种省部级奖励，创出了“岭南文化的金字招牌”。《岭南文丛》是由欧

---

① 李杨：《岭南文化的特征及其作用》，《汕头大学学报》1988年第Z1期。

② 陈乃刚：《改革开放与岭南文化》，《深圳大学学报》1989年第2期。

初任编委会主任、广东炎黄文化研究会组织编纂的大型系列丛书，分“岭南文化通志”、“岭南文化研究论著”和“岭南历史文献选辑”三个系列。在已出版的著作中，《屈大均全集》先后荣获国家新闻出版署优秀图书奖选题一等奖和广东省第六次优秀社会科学研究成果古籍整理一等奖。

为了更好地推动岭南文化的发掘和研究，广东省各界还专门成立了相关的学术团体和研究机构。从学术团体来说，1992 年成立“广东炎黄文化研究会”，1994 年成立“梅州客家研究会”。它们组织举办岭南文化学术研讨会，组织编撰有关岭南文化的整理和研究的著作。从研究机构来说，1986 年成立“华南师范大学岭南近现代思想文化研究中心”，1990 年成立“嘉应大学客家研究所”、“汕头大学潮汕文化研究中心”，1992 年成立“广州师范学院岭南历史文化研究中心”，1993 年成立“华南师范大学岭南文化研究所”，1998 年成立“广州市社会科学院岭南文化研究院”。[①] 作为专门的学术研究机构，它们出了不少研究岭南文化的论著，也主持和协办了不少以岭南文化为主题的研讨会。有的研究机构还有自己的研究刊物，如《潮学研究》、《客家研究辑刊》等。全省部分高校的学报还结合本地文化特色，开辟岭南文化研究的专栏。

在此期间，广东学者对岭南文化的研究也出现了百家争鸣的局面。争论的问题主要表现在：一是有无独立的“岭南文化”存在的问题。当时大多数学者认同“岭南文化”的存在，并以此作为研究岭南文化的前提。而陈泽泓等少数学者否定岭南有完整的地域文化特征的“岭南文化”的存在。[②] 二是岭南文化概念的范围问题。谭运长认为，“岭南文化”中“岭南”一词应包含今天的广东、广西、海南、越南北部等地，而现行的岭南文化研究存在着一个“广东中心主义”和“广府中心主义”的偏颇现象。[③] 李锦全则

① 广东省地方史志编纂委员会：《广东省志·社会科学志》，广东人民出版社 2004 年版，第 494 ~ 495 页。

② 陈泽泓：《对岭南文化研究的一点思考》，《岭南文史》1996 年第 1 期。

③ 谭运长：《关于岭南文化的几点疑问和思考》，《粤海风》1998 年第 1 期。

认为，广东文化和广府文化成为中心是历史、地理等各种条件形成的，因此研究岭南文化时有点有面属正常现象。[①] 三是岭南文化的特征问题。李权时认为，岭南文化具有重商性、开放性、兼容性、多元性、享乐性、直观性、远儒性。[②] 而谭运长认为这些品质与“客家文化”和“潮汕文化”并不相符，因而不能反映整个岭南文化的品质。[③] 李锦全认为，只有开放性和兼容性才是岭南文化的特征。[④] 张磊将岭南文化的特点概括为“新、实、活、变”四个字。[⑤]

随着岭南文化理论探索的进一步深入，广东学者开始为构建岭南文化体系而努力。李权时主编的《岭南文化》一书，将岭南文化作为一个体系来研究。[⑥] 司徒尚纪提出要创建“岭南学”这一学科，以此促进岭南文化的繁荣。[⑦] 欧初也指出，编纂《岭南文丛》的目的，就是要为最终创立“岭南文化学”奠定扎实的基础。[⑧]

经过这第二个十年的理论探讨和学术争鸣，岭南文化的内涵和特色得到了较为理性的梳理，从而变得清晰起来，岭南文化的特质得到了社会的充分肯定和进一步强化。人们普遍将广东改革开放的巨大成就与岭南文化发挥的作用联系起来。不过此阶段的广东省精神文明建设，还没有给“岭南文化”留下突出的位置。因此，岭南文化第二阶段的振兴，也主要体现在岭南文化研究的理论成果上。

（三）拓展创新阶段

如果说20世纪90年代是岭南文化的理论研究大繁荣的时期，

---

① 李锦全：《岭南文化的生成、发展与评价》，《粤海风》1999年第1期。

② 李权时：《岭南文化的本质特征和历史地位》，《开放时代》1993年第3期。

③ 谭运长：《关于岭南文化的几点疑问和思考》，《粤海风》1998年第1期。

④ 李锦全：《从传统到现代——从开放性与兼容性看岭南文化的发展历程》，《岭南学刊》1999年第2期。

⑤ 张磊：《岭南文化的演变走向及其基本特征》，《史学集刊》1994年第4期。

⑥ 徐南铁：《20世纪末岭南文化的现状分析》，《学术研究》1999年第12期。

⑦ 司徒尚纪：《建立“岭南学”，繁荣岭南文化》，《岭南文史》1995年第2期。

⑧ 欧初：《〈岭南文丛〉总序》，载《岭峤春秋——岭南文化论集（二）》，中国社会科学出版社1995年版。

它的主要贡献在于确证岭南文化的真实存在及其在广东改革开放中所发挥的作用的话，那么21世纪初则是岭南文化进入拓展创新和大力开发的时代。通过继承与创新相结合、普及与提高相结合、本土化与走出去相结合、政府引导与社会扶持相结合，岭南文化的研究与开发达到了空前的繁荣，也使广东文化大省建设更多地表现出岭南文化的特色。

进入21世纪，岭南文化的发展面临着前所未有的机遇和挑战。2001年11月，中国正式成为世贸组织成员，中国的文化建设必须适应经济全球化和加入世贸组织的新形势。2002年11月召开的十六大，强调构建中国特色社会主义文化，必须发扬民族文化的优秀传统。在十六大精神的鼓舞下，2002年12月，广东省委九届二次全会作出了“建设文化大省”的重大决策。

2002年冬至2003年春，广东部分地区爆发了“非典”。广东人民在抗击“非典”的战斗中铸就了感天动地的“抗非精神”。省委书记张德江指出，这种用鲜血和生命铸就的“抗非精神”，使岭南文化绽放异彩，是新时期广东人精神的充分展现。① 这里突出了“抗非精神”与“岭南文化”的联系，赋予了“岭南文化”以新的内涵。

2003年9月23日，张德江书记在全省文化大省建设工作会议上的讲话中指出：“岭南文化是中华文化的重要组成部分，为中华文化的繁荣发展作出了突出贡献。这是我们今天建设文化大省的宝贵资源，是我们得天独厚的条件。”2003年下半年出台的《中共广东省委、广东省人民政府关于加快建设文化大省的决定》和《广东省建设文化大省规划纲要》（2003—2010年），都将“拥有独具特色的岭南文化”作为文化大省建设的一个重要目标。

2007年10月，胡锦涛在《十七大报告》中指出，弘扬中华文化，建设中华民族共有精神家园。② 为了贯彻十七大精神，促进广

---

① 《率先现代化，当好排头兵》，《广州日报》2003年5月31日，A1版。
② 《十七大报告辅导读本》，人民出版社2007年版，第34～35页。

东文化建设，广东省委书记汪洋在省委十届二次全会的讲话中，一方面强调要继承广东先人、先辈在“面向世界、开拓开放”上留给我们的宝贵经验①；另一方面强调对待传统文化要在继承中创新，在创新中发展，不断提高广东文化软实力②。

经过20年的努力，岭南文化的理论研究取得了丰富的成果。不过，这些研究成果主要是在精英阶层中交流，社会影响极其有限。为了扩大岭南文化在普通民众中的影响，提高普通民众对岭南文化的自觉，发挥岭南文化在广东文化大省建设中应有的作用，广东省政府和文化界携手合作，努力在岭南文化的普及工作上下功夫。于是，《岭南文化知识书系》、《广东历史文化名人丛书》、《广东人精神丛书》三套丛书应时而出。《岭南文化知识书系》是岭南文库编辑委员会组织编写的普及读物，内容基本涵盖了岭南文化的各个层面，2004年正式启动，至2006年已出版图书66种。《广东历史文化名人丛书》是省委宣传部与省炎黄文化研究会根据张德江书记关于要重视挖掘和利用广东历史文化资源的指示精神而联合组织编撰的，2003年被列为广东文化大省建设的基础工程，现已出版3辑。《广东人精神丛书》是省社科联副主席范英和省社科院副院长刘小敏主编的，是对“新时期广东人精神”的具体演绎，2005年由广东人民出版社推出。③ 此外，广东学者还参与了《岭南文化百科全书》的撰写，该书于2006年由中国大百科全书出版社出版，是我国第一本地方专业百科全书。

岭南文化的创新，不仅造福于广东，而且能够贡献于全国。所以，文化部部长孙家正来广东视察时指出：“广东对全国贡献的核心是文化。”④ 正是在中央的期望和广东文化建设的迫切需要下，

---

① 汪洋：《继续解放思想　坚持改革开放努力争当实践科学发展观的排头兵》，《广州日报》2007年12月28日，A1版。

② 毕征、岳宗：《以学习促进思想解放，以创新推动广东发展》，《广州日报》2007年12月27日，A1版。

③ 蒋述卓：《人文动力：“广东人精神”辉耀南粤——评〈广东人精神丛书〉》，《探求》2006年第2期。

④ 《新理论　新观点　新问题》，《领导决策信息》2005年5月第20期。

广东学者掀起了探寻岭南文化创新的热潮。杨宏海、徐南铁主张通过深化文化体制改革，港穗深鼎力合作，逐步形成“海纳百川，与时俱进”的新岭南文化品格。[①] 田丰主张按照社会现代化与人的现代化的方向构建新岭南文化。[②] 广大言主张将岭南文化从“商业文化”的典型提升到“社会主义市场经济文化的代表”的地位。[③] 韩强从内容、结构和功能三个方面探求岭南文化的创新。[④]

岭南文化本有广府文化、潮汕文化和客家文化三大支系。进入21世纪，广东各地又在寻找地方的文化亮点，出现了“雷州文化”、“香山文化”等新的地域文化概念。同时，人们又越出传统的岭南文化的界线，将“侨乡文化”、“珠江文化”和“海洋文化”的探索引向深入。

总之，进入21世纪以后，在广东省历届党政领导的高度重视和积极推动下，在广东文化界有志之士的大力支持下，在广东各界群众的热情参与下，岭南文化进入了大开发大发展的时代，并突破传统的局限而推陈出新，使之显现出勃勃生机，构成了岭南文化振兴的第三个阶段。

二、岭南文化的传承

改革开放以来，广东各地都在发掘和整理地方的文化资源，探寻本地文化的亮点，以更好地为地方建设服务。广府文化、客家文化和潮汕文化作为岭南文化的主要支系，在政府和民间的大力弘扬下，显示出了旺盛的活力。改革开放的实践又为广东地方文化提供了一个展示自身形象的重要舞台，从而使一些地方文化的亮点得到

---

① 贾少强、古国真：《省政协委员杨宏海专门约见本报记者　提出港穗深应鼎力合作构建新岭南文化》，《深圳商报》2003年1月16日，A03版。

② 田丰：《实现文化自觉　全面提升岭南文化竞争力》，《广东社会科学》2003年第3期。

③ 广大言：《岭南文化的现代化》，《广州日报》2004年5月16日，B7版。

④ 韩强：《岭南文化创新》，《南方日报》2007年10月4日，第04版。

了充分显现，于是就有了“香山文化”、“五邑文化”、“雷州文化”等概念的显现。而那些带着淘金梦的农民工，那些带着创业梦的文化人，将本土文化与岭南文化、外来文化相结合，形成了“新客家文化”。

（一）岭南文化的传承

岭南文化是由本土文化、中原文化和外来文化凝聚而成的区域文化。古老的岭南文化由于注重兼容异质文化来充实自身，使之由落后的“蛮荒”状态不断发展成为中华民族文化中的一朵奇葩。岭南文化的传承，是在不断吸收异质文化中进行的。岭南文化在兼容异质文化中不断实现自身的变革和创新，在兼容异质文化中形成丰富多样的文化分支。改革开放为岭南文化的传承与发展创造了雄厚的物质基础和有力的制度保障，从而使岭南文化在新的历史时期显得更加丰富多彩、生机勃勃。

岭南是全国多民族居住地区之一，岭南文化是岭南各族人民共同创造的结晶。我们可以将岭南文化分为少数民族文化和汉族文化两大类。

少数民族文化是岭南文化中最为古老的文化，它更多地表现出岭南本土文化的特征。现代考古发现，岭南文化与黄河文化和长江文化一样，有着悠久的历史。距今约13万年前，就有马坝人生活在岭南这块土地上，并创造了自己的独特文明。从新石器晚期到青铜时代早期，广东就已形成粤北的“石峡文化”、粤东的“浮滨文化”等五个文化区系。① 从商周到春秋战国时期，岭南的古越族人在传承岭南早期文化传统的同时，又在适应和改造环境的过程中逐渐形成了相对稳定的、有鲜明个性的本土文化。

目前广东少数民族中的壮族、瑶族、畲族，就是岭南古南越族的后裔，是广东土生土长的少数民族，因而广东的壮族文化、瑶族

① 方志钦、蒋祖缘主编：《广东通史》（古代上册），广东高等教育出版社1996年版，第107页。

文化和畲族文化不同程度地保留了岭南本土文化的踪迹。关于现代广东壮族文化、瑶族文化和畲族文化的特点，广东学者黄淑娉在《广东族群与区域文化研究》一书中作了比较详细的介绍。[①] 改革开放以来，广东少数民族队伍在迅速增加，全国55个少数民族在广东都有其成员的存在。广东现有少数民族人口174万人，占全省总人口的1.84%。[②] 广东省不仅为保护和弘扬世居广东的少数民族文化作出了巨大的努力，而且还为全国各地的少数民族文化提供展示自身特色的舞台。深圳特区创建的中华民俗文化村，乃是国内第一个荟萃各民族的民间艺术、民俗风情和民居建筑于一体的大型文化游览区。

岭南汉族是从岭外迁来的，因其南迁时间的先后和祖居地的不同，迁入广东后定居地的不同，与其他族群交融程度的不同，从而形成了不同的汉族亚群。广东的汉族亚群有广府人、潮汕人和客家人，他们都以从北方带来的中原文化为基础，与岭南的越人文化相融合，并不断吸收外来文化特质，形成了各具特色的地方文化，即广府文化、潮汕文化和客家文化，它们是岭南文化的三大支系。

广府文化是指广府民系的文化，通行广州方言，主要分布在珠三角和粤中、粤西、粤西南、广西南部等地。珠三角是广府文化的核心区，广州市是广府文化的中心。广府人主要是由早期移民与古越族杂处同化而成的。广府人乐于接受外来新事物，勇于探索，视野宽广，思想活跃，有很强的商品意识和价值观念，有冒险、抗争和创新的气质。近代以来，广府人在反帝反封建、建立新中国的革命斗争中，在改革开放、发展经济的伟大事业中，显现出了一种“敢为人先”的最为宝贵的性格特征。广府文化是岭南文化内涵最集中、最典型的代表，在广东各民系文化中占有突出的地位，因而其中一些文化特质常被作为粤文化的代称。

---

① 黄淑娉：《广东族群与区域文化研究》，广东高等教育出版社1999版，第538～560页。

② 陈绿平：《以十七大精神统领广东民族工作》，《广州日报》2007年11月12日，A22版。

客家文化在这里是指广东地域范围内客家民系的文化，以客家方言为界定依据。客家民系分布范围极为广泛，遍布广东、广西、江西等地，广东是全国客家民系居民最密集的省份。客家文化是岭南最富中原文化特色的文化。① 改革开放以来，国内外掀起新的客家研究、联谊活动热潮。客家人居住集中的地区，努力打客家文化的品牌，以振兴地方经济。梅州市地方政府倾力打造“世界客都”，以此来巩固梅州作为闽粤赣边区域经济文化中心的地位，促使梅州的经济文化更快地与世界接轨。1994 年 12 月，梅州市举办了世界客属第十二次恳亲大会，这对于联络乡情、增进友谊，弘扬客家精神，推动客家经济文化的发展起到了一定的促进作用。客家人口众多的河源市，也在围绕建设文化大省这个重点，大力弘扬客家特色文化。2004 年 4 月，河源市举行了“河源首届客家文化旅游节”，以“万绿湖畔客家情”为主题，推出系列客家民间文艺演出、民俗风情展示活动，以此推动地方旅游经济的发展。

潮汕文化是指潮州方言区福佬民系的文化，是潮汕先民把中原文化同本土文化、海外文化相结合而形成的地域文化。潮汕文化主要分布在韩江三角洲地区，其中心有两个：古为潮州，今为汕头市。潮汕文化的鲜明特色主要表现在：一是强烈的商品意识，这是潮汕人一种颇具优势的文化潜质。潮汕人在商业上精打细算，极善经营，闻名海内外，有“中国的犹太人”之称。早期潮商经营，采取家族管理的方式。现代潮商经营，逐渐采用现代化的股份制管理形式，企业管理模式更加开放，经营领域不断拓展。二是手工业、工艺品十分发达。潮汕地区自古就是主要的工艺美术出口地和口岸，工艺品中尤以瓷器和刺绣享誉最高。三是饮食文化极富特色。潮州稀饭、潮州菜和潮州功夫茶在国内外享有盛名。② 四是宗族观念浓厚。现代潮人已摆脱了那种“小群可合，大群不可合”的狭隘的观念，而将对宗族成员的爱转化为对家乡、对祖国的爱，

---

① 李权时主编：《岭南文化》，广东人民出版社 1993 年版，第 64 ~ 65 页。

② 李权时主编：《岭南文化》，广东人民出版社 1993 年版，第 67 ~ 68 页。

将宗亲之间的互帮互助拓展为热心于公益事业，形成了高度的凝聚力。

从中国传统文化的总体特征来说，因受儒家“述而不作”和“夷夏之辨”观念的影响，对于文化的正统性和继承性要求特别强烈，而在文化的兼容性和变革性方面显得相对不足。不过，在岭南文化的发展历程中，兼容性和变革性表现得非常突出。对岭北文化和海外文化的大胆吸收，反映了岭南文化具有很强的开放性和兼容性。正是由于这种开放性和兼容性，给岭南文化不断带来变革，使其从最初的落后状态逐渐成为中华文化中的一朵奇葩。岭南文化之所以在强大的岭外文化（如中原文化、西方文化）的冲击中“凤凰涅槃”般地获得新生，并显示出强大的生命力，就在于它以开放兼容的姿态不断吸收异质文化，以求实现自我变革、自我完善。改革开放以来，广东人继续传承着岭南文化“开放兼容、勇于变革”的历史传统，并将以“改革创新”为核心的时代精神融入传统的岭南文化中，使之焕发出新的活力。岭南文化正在演绎着广东这个经济大省的“老兵新传”①。

（二）乡土文化的自觉

改革开放以来，广东一些地方传统文化的亮点日益显示出来，人们开始重新反思和探寻本地的文化类型和文化归属，于是从岭南地域文化中又析出了“五邑文化”、“雷州文化”和“香山文化”等乡土文化。② 我们之所以将这些文化类型称为“乡土文化”，就在于相对于“广府文化”、“潮汕文化”和“客家文化”三大岭南文化支系来说，它们更具有乡土气息，更加贴近当地居民的生活，

① 孔菲菲：《文化大省演绎着“老兵新传”》，《民营经济报》2007 年 9 月 25 日，A07 版。

② “香山文化”作为广东文化的重要构成之一，值得从很多方面去进行研究，但因本书第九章（“新时期广东人精神的培育与弘扬”）辟有专节论述“当代广东地域文化精神的构建”，且将“香山文化”作为县域文化的典型代表做了详细论述，故本章从略。

更能展示当地居民的生活样式。这些乡土文化既与岭南文化的三大支系有某种程度的归属关系，但又具有自身的特色，还带有一定的兼容性。这种对乡土文化的自觉，反映了人们对岭南文化及其支系的认识有了进一步深化，同时也为地方政府对本土文化资源的开发提供了更为具体、更为客观的依据。

1. 五邑文化。

“五邑”是指由广东省江门市所辖的台山、开平、新会、恩平和鹤山五县的统称，它不仅仅是一个地域名称，更是一个文化区的概念。“五邑文化”是指在“五邑”地域内长期孕育出来的、世代延续的地域文化。①

关于五邑文化与广府文化的关系，目前有不同的理解。一种观点认为，五邑文化属于广府文化区内的一种文化类型，在方言、建筑、习俗等方面与广府文化区内的其他文化类型存在差异。② 一种观点将岭南文化分为广州文化、潮汕文化、客家文化、五邑文化和雷州半岛的汉黎苗文化五个支系，它们各成体系。③ 这实际上是将五邑文化与广府文化并列看待。但多数人还是将五邑文化作为广府文化的一个分支。

关于五邑文化的个性特征，张国雄分别从外在表现的层面和内在质的层面作了具体解析。五邑文化的外在特征，在方言、建筑、习俗方面表现突出。一是方言，它以台山话为代表，在声母、韵母、声调方面都与广州话有较大的差异；二是建筑，在村落和民居上体现了鲜明的中西合璧的风格；三是习俗，在婚俗、丧祭俗、节庆、招魂俗方面与周边地区有所不同。五邑文化的内在质的规定反映在五邑人的社会心理、性格特征、行为方式等深层方面。它有两个明显的特点：一是五邑人勇于冒险、开拓而故土意识又极强；二是善于消化吸收外来文化、新鲜事物而传统意识又很浓。④ 方雄普

---

① 张国雄等：《五邑文化源流》，广东高等教育出版社1998年版，第4页。

② 张国雄：《五邑文化刍议》，《五邑大学学报》1999年第4期。

③ 方雄普：《浅论五邑文化的特征与人文价值》，《八桂侨刊》2003年第1期。

④ 张国雄：《五邑文化刍议》，《五邑大学学报》1999年第4期。

则从其封闭性与开放性的角度进行分析，认为五邑文化的封闭性在海外侨居地表现更清楚，而五邑文化的开放性则从国内的侨乡看得更真切。而封闭性与开放性这对矛盾却是和谐地统一在五邑文化之中。海外华人文化中像血缘、地缘性社团以及方言、生活习俗等等许多东西，正是凭借其封闭性才得以保存，这就为我们加强与海外乡亲的联系留下了一条很好的纽带。①

2. 雷州文化。

雷州文化泛指雷州半岛及受其影响周边地区的地域文化，是由俚僚文化、闽潮文化、中原汉文化和海外文化等多个源头文化融汇、整合而成。它与潮汕文化、海南文化一起，构成作为岭南文化一个亚文化的福佬文化。雷州文化的特质主要表现在：一是丰富海洋文化内涵。雷州人耕海、从商历史悠久，徐闻、合浦港是汉代海上丝绸之路的始发港。二是厚重土著文化底蕴。铜鼓文化、石狗文化和雷神崇拜别具一格。三是开疆文化遗泽。历史上流寓人物在雷州传播汉文化，促进了雷州地区的开发和进步。四是以热作为中心红土文化之乡。由于雷州文化的相对独立性，使它有可能成为一个单独文化区，在岭南文化体系中占有一席之地。② 雷州的历史文化积淀厚重，文物古迹遍布城乡。不过，雷州人在很长一段历史时期局限于“以海为田”的格局，未能走向“以海为商”的发展道路。故有学者指出，建立真正意义上的海洋文化，必须继承和发扬“海上丝绸之路”远涉鲸波、开拓进取的精神，让大海的波涛把“保守”、“乏进取毅力”的旧习性冲刷净尽，造就敢于冒险勇于开拓的进取精神，正是发展雷州文化的应有之义、必由之路。③ 近年来，雷州市政府适时提出了以文化促进经济发展为出发点，按照弘扬雷州文化、构建和谐雷州的思路，全面实施文化建设“4855”

① 方雄普：《浅论五邑文化的特征与人文价值》，《八桂侨刊》2003 年第 1 期。

② 司徒尚纪：《雷州文化历史渊源、特质及其历史地位初探》，《岭峤春秋——雷州文化论文集》，中山大学出版社 2003 年版。

③ 刘佐泉：《雷州文化的历史及特征与“海上丝绸之路”》，《湛江师范学院学报》2002 年第 2 期。

工程，提升历史文化名城品位，全力推动雷州经济发展。①

（三）客家文化的发育

这里所讲的“新客家”，是指改革开放以后，从全国乃至世界各地来广东创业谋生的人群。“新客家人”概念有多种理解：一是指文化素质高的现代客家人。有学者指出，21世纪的“新客家人”，应该是文化素质高、注意礼仪操行，具有勤俭持家作风的人，并以讲求“勤、俭、诚、信”的“金利来精神”为代表。② 二是指改革开放后来广东创业谋生的外地人。“新客家人”的说法最早流行于深圳，这是因为深圳市改革开放前客家人口达60%，龙岗区高达90%。深圳人将这些新移民称作“新客家人”，是相对于已在此定居数百年的“客家民系”而言的。据初步统计，深圳有客家居民200万，有号称“新客家”、“新移民”的人口1000万。③ 随着广东广大地区（特别是珠三角地区）普遍进入开发期，吸引了数以千万计的外地人前来谋生创业，于是“新客家人”就超越了深圳范围，泛指所有在广东创业谋生的外乡人，他们中有文化素质不高，主要从事体力活的“农民工”；有文化素质比较高或能力比较强，主要从事脑力活的白领阶层。广东卫视频道还特别打造专栏节目——《人在他乡》，聚焦“新客家人”，反映外来人口的命运走向、生存状态、思想情感和人生价值观。但有学者认为，并非所有的入粤民工都是“新客家人”，只有具有相对稳定的居所和合法身份的人才是“新客家人”，而那些没有合法身份、处于管理真空的“边缘人”还不是“新客家人”，从“边缘人”到“新客家人”，需要健全民工自治组织，将他们纳入正规化管理体系。④ 对

① 黄少娥、戴李春：《雷州文化托起文化雷州》，《湛江日报》2007年10月11日，第005版。

② 丘立才：《21世纪的客家文化》，《嘉应大学学报》1999年第5期。

③ 毕国学：《客家文化论坛精彩观点纷呈》，《深圳商报》2006年12月18日，A05版。

④ 刘小敏：《“入粤民工潮”问题探讨》，《社会学研究》1995年第4期。

“新客家人”的两种解读中，最具普遍性的是第二种。这里所讲的“新客家人”，正是基于第二种含义而说的。

“新客家人”的提法起于深圳，确实是耐人寻味的。深圳市东部客家人居多，西部广府人居多，但为什么没有将深圳广府人聚居区的新移民称为“新广府人”，广而言之，为什么没有将在汕头的新移民称为“新潮汕人”、广州的新移民称为“新广府人”，而是都称为“新客家人”呢？这大概有两个原因，其一，“客家人”不是过路客，而是在一个新的地方安家落户。“新客家人”意味着不仅要把广东当作自己的家，而且要在这里扎下根来，融入广东人的大家庭之中，成为“新广东人”。其二，“新客家人”与当年来广东定居的客家人都有着相似的经历和同样的精神。他们都是从外地辗转南来，客居他乡，都具有披荆斩棘的开拓精神和坚韧不拔的意志，都在新的地方干出了一番事业。

不过，“新客家人”与当年来广东定居的“客家人”（简称为“老客家人”）还是有区别的，这主要表现在：其一，生产方式不同。“老客家人”来到岭南偏僻落后的山区，长期在相对封闭的环境中经营传统农业，以自给自足的自然经济为基础；“新客家人”主要集中在长期受海洋文化和商品经济的影响、经济比较发达的珠三角地区，成为社会主义市场经济大潮中的弄潮儿。其二，社会结构不同。“老客家人”提倡“天下客家是一家”，要求客居他乡的同族同宗者聚族而居，守望相助，更好地在新的客居地立足，因而表现的是初级群体结构；“新客家人”居住分散，要和陌生人交朋友，注意保护公平竞争的机会和个人隐私，容易形成以契约观念为基础的“市民社会”，因而表现的主要是次级群体结构。其三，价值观念不同。“老客家人”保留着“崇文重教，耕读传家”的中原文化传统，讲求宗族家族间的团结互助；“新客家人”的市场意识和竞争意识比较强，讲究个人奋斗和拼搏精神，思想开放，包容性强。因此，“老客家人”代表的是传统，“新客家人”代表的是现代。“新客家人”在传承“老客家人”的优秀传统的同时，更多地接纳了时代的内容。

目前“新客家人”在现实中还有“新移民”、“新广东人”等其他称谓，它们都是用来指向同一类人群，即改革开放以后来广东创业谋生的人口。但三者表达的意味是有所不同的：“新移民”表达的是一种客观事实，即这群人是从外地迁移过来的，不是本地人。“新广东人”表达的是一种亲切感，即广东人将这些外乡人与本地人平等看待，视为一家人。“新客家人”表达的是一种精神，即这些外乡人虽然不是本意上的客家人，但他们的创业精神与传统的“客家人”精神是一致的。

“新客家人”不是一个空间概念，而是一个族群概念。它不从属于“广府人”、“客家人”和“潮汕人”，而是与三者并列的新族群。“新客家人”带来了自己的故乡文化，又在广东这块新领地创造着新的文化。我们可以将“新客家人”所拥有、享受和创造的文化统称为“新客家文化”。“新客家文化”是新客家人将故土文化与岭南文化和现代文化相结合的产物。

首先，新客家文化渗透了新客家人的故土文化。“新客家人”大多是具有独立谋生能力的成人，他们从小就接受了本地文化的熏陶，生活方式和价值观念基本定型。当他们来到广东创业谋生时，也将故乡文化和故乡风俗带到了这里。当年到岭南谋生的中原人，千山万水彻底斩断了他们与故乡的联系。如今的新客家人，由于发达的交通和方便的信息沟通渠道，使他们能够与故乡亲人保持亲密的往来，他们的故土文化也在广东文化的建构中发挥了积极的作用。

其次，新客家文化带进了新客家人所了解和掌握的现代文化。改革开放以来，来到广东创业谋生的既有文化层次不高的农民工，也有文化层次较高的知识分子。20 世纪 80 年代广东的“新客家人”主要是农民工，他们中的大部分人在广东挣钱以后又回到故里，只有一小部分人在广东站稳了脚跟，成为真正的“新客家人”。到了 90 年代，由于广东的发展模式逐渐由粗放型转向集约型，对文化和技术的要求越来越高，于是广东在引进高层次人才方面放宽了广东户口的准入标准。如广州市政府出台了一系列优惠政

策，硕士以上学历或有工程师资格的可以马上迁户口入城，使得北方大批的技术精英和高学历毕业生蜂拥而至，成为今天广州“新客家人”的主体。由于受教育程度较高，专业技能较强，他们很快就在其所在岗位崭露头角。这些新客家人的文化素质与专业技能，以及他们的时代意识与开阔视野，构成了新客家文化中最具活力、最有时代气息的因素。

其三，新客家文化继承了岭南文化的优秀传统。新客家人要适应新的环境，首先要在语言上能够与本地人进行沟通。为此，他们中的一些人千方百计学会了本地方言，可以用流利的广东方言（广州话、客家话、福佬语）与本地人交流，当地的各种风俗习惯也被他们所接受，逐渐与本地人融为一体。而在与本地人共同生活和工作的过程中，岭南文化的优秀精神也在不自觉地渗透到他们的精神世界中，成为他们与本地人的共同精神家园。以新客家人最为集中的珠江三角洲地区为例，广府文化在经济发展、外来文化介入之下发生巨大变化的同时，其作为一种与较高经济发展程度相统一的强势文化，自然会在新客家群体中得到有效的传播，并扩展到全国各地。

总之，新客家人所打造的“新客家文化”，既包含着在对岭南文化的深度领悟的基础上的择优继承，又带入了难以忘怀的故乡文化的因子，还融入了与时代潮流同步的知识价值体系，是一种与“广府文化”、“客家文化”、“潮汕文化”等岭南文化并行不悖、相辅相成、相互促进的新文化。

当然，目前的新客家文化还在发育之中，要构建一套成熟的新客家文化体系，还需要有一个过程。当下的新客家人之中，还有很多打工者在艰苦的环境中挣扎着，他们还无法分享新客家文化给他们带来的归属感和快乐。在物质文化上，他们所获得的实际收入还不高。在制度文化上，他们的维权意识越来越“现代”了，从劳保、社保、子女教育甚至选举权等等，其中尤以子女教育问题为甚。[①] 但目前维护他们权益的制度还不健全。在精神文化上，他们

① 庞彩霞：《广东到底有多少外来工?》，《经济日报》2004年5月30日，第1版。

还是比较缺乏。以广州打工者的工余生活为例，生活单调与精神空虚一度是他们的生活写照。为了改变这一状况，广州市总工会拨出专款，于2006年4月打造了首个“农民工文化广场”，提供卡拉OK、粤曲欣赏、专场电影等活动，使农民工能够享受免费的文化大餐。①

因此，新客家文化的创造，固然需要新客家人自己的努力，需要文化战线的人们多为他们创造适合他们口味的文化精品，更需要政府的支持和推动。

三、岭南文化的拓展

广东要增创新优势，更上一层楼，就必须拓展新的发展空间，利用和整合国内外一切有利资源。与此同时，广东文化建设也必须超越传统的岭南文化的局限，以更为开阔的视野来重构岭南文化。于是，广东人又以传统的岭南文化为根基，开辟了探索“珠江文化”和“海洋文化”的新领域。②

（一）珠江文化的整合

“珠江文化”这一概念最早是由郭沫若先生1926年在《我来广东的志望》一文中提出。③在郭老那里，“珠江文化”与“中国文化”相对，“中国文化”是“衰老”的文化，而“珠江文化”代表的是具有“革命”和“创造”精神的新兴文化。此后几十年，“珠江文化”这一概念很少有人使用，直到《中山大学学报》1984年第4期重登郭老此文，该概念才被广东学者所重视。郭老当年所谈的“珠江文化”，承载着“革命创造”的时代精神，而这次重刊此文，旨在让“珠江文化”承载起“改革开放”的时代精神。

---

① 泰山猿：《让工余生活亮起来》，《广州日报》2007年2月3日，B20版。

② 其实，岭南文化的拓展包含有“华侨文化”，但因本书第九章（“新时期广东人精神的培育与弘扬”）辟有专节详论，为了避免重复，故此处从略。

③ 郭沫若：《我来广东的志望》，《革命生活》1926年第5期。

较早将中国文化分为三种模式的是朱谦之。朱谦之于1932年在《南方文化运动》一文中指出，北方黄河流域即代表解脱的知识，中部扬子江流域可代表教养的知识，南方珠江流域可代表实用的知识，即为科学的文化分布区。中国文化的现阶段应注全力于科学文化的建设事业，而科学文化只分布在南方，故要从事南方文化的建设运动。① 朱谦之的“中国文化三种模式”说和“珠江文化代表中国文化建设方向”的观点，在改革开放以来的很多广东学者中得到不自觉的认同和发展。文能从文学的视角将“珠江文化”与“黄河文化”、“西部文化”、“长江文化”相对，以提升其在中国文化体系中的地位。他认为，珠江文化首先是一种海洋型文化，具有开放性、兼容性、善变性的特点。② 这些观点在珠江文化研究中具有重要的启发价值和开创性意义。随后，黄伟宗教授进一步凸显了“珠江流域文化”与“黄河流域文化”、“长江流域文化”在中华民族文化中鼎足为三的格局，指出“多样”、“平实”、“清新”、“洒脱”是珠江文化的特质和风韵。③ 不过他对“珠江文化”的理解仍然没有超出“岭南文化”的范围。

柯可1993年出版的《新珠江文化论》，是改革开放后第一部系统研究珠江文化的专著。他在该书的“引言”中将“珠江文化”与“南方文化”、“岭南文化”作了详细的比较，突出“珠江文化”的特性和价值，为广东的地域文化研究由“岭南文化热”转向“珠江文化热”起到了一定的推动作用。

自90年代中期始，珠江文化开始进入从理论研究向价值开发转变的时期。1996年3月，黄伟宗教授一行以广东省政府参事的身份到封开县进行实地考察，提出了建设“珠江水系文化工程”三部曲的构想：第一部是封开（可联同梧州）开发和建设“岭南文化古都”；第二部是建设“西江文化走廊”，即将肇庆市所属和

---

① 朱谦之：《文化哲学》，商务印书馆1990年版，第225页。

② 文能：《珠江文化与珠江文学》，《学术研究》1986年第6期。

③ 黄伟宗：《论珠江文化及其典型代表——陈残云》，《开放时代》1991年第6期。

县（并联合云浮、佛山、广州），将整条西江及其流域，建设成为像埃及尼罗河那样的缩影岭南经济文化的风景河；第三部是由云南、贵州、广西和广东四省区联合主办，将整个珠江水系建设成为经济、文化、旅游为一体的系列文化工程。① 之后他向广东省委、省政府提交了开发和建设“岭南文化古都”的建议，得到了政府有关部门和广东学术界、文化界的积极回应。

为了进一步推动珠江文化的研究和开发，广东省于2000年6月28日成立了广东珠江文化研究会。珠江文化研究会的专家们坚持理论与实践结合、历史与现实结合、考察与研究结合、发现与著述结合的做法，取得了许多重大突破：

一是发现文化亮点。在南雄梅关珠玑巷，发现其具有中原文化与岭南文化汇合点与海陆丝绸之路对接点的文化价值；在封开发现广信文化与岭南文化发祥地，将岭南文明史推前28000年；在徐闻发现西汉海上丝绸之路始发港，将联合国确定的中国海上丝绸之路史推前1300多年；在粤西发现南江文化带和百越文化遗存，找出了岭南本土文化之根；在阳江为南海一号沉船作出“海上敦煌”的文化定位，受到联合国教科文组织和世界海洋学家的认同和关注。②

二是提出新理论。研究会专家提出了“充分发挥珠江文化优势，建设文化大省”，“以珠江文化扩大岭南文化的内涵和优势”，“珠江文化是泛珠三角（9+2）的文化基础和支撑”，“珠江文化的特质是海洋性特重和江海一体”等一系列新的理论观点，而这些新的理论观点都是从实际的需要出发的，而且多是从为政府决策提供依据或咨询的需要去进行的。

三是初创新体系。黄伟宗的《珠江文化论》和《珠江文化系论》两论著，明确了珠江文化就是指珠江水系及其相邻江河流域

---

① 黄伟宗：《跟上世界文化时代，启开珠江文化工程——论证和建设岭南文化古都的意义》，《岭南文史》1996年第4期。

② 亦凡：《〈中国珠江文化史〉工程启动》，《广州日报》2007年4月16日，B3版。

地区的文化，与泛珠三角（9+2）合作区域大致相同。他认为，珠江文化概念是从当今世界水文化理论而提出的，是与世界接轨的。珠江文化是与黄河文化、长江文化等并列而又有自身文化系统的。《珠江文化丛书》运用多学科对珠江文化作出了多视角、全方位的系统研究，初步确立了珠江文化的理论基础和体系。

四是打出新品牌。他们提出“珠江文化”的概念及其新理论，目的是为了打出新的品牌。而且，他们在启动珠江文化工程的进程中，一直以文化定位的方式，为各县市或古文化遗存打出新的文化品牌。这些文化定位，产生了广泛的影响，取得了良好效果。

在珠江文化的研究中成果突出的除了黄伟宗教授外，还有司徒尚纪教授。他的研究成果主要反映在《珠江传》（2001年）和《珠江文化与史地研究》（2003年）二书中。《珠江传》系统阐述了珠江文化的形成历史和光辉前景，对黄伟宗教授提出的“跟上世界文化，启开珠江文化工程”的倡议作了积极的回应，并提出了自己的构想。①《珠江文化与史地研究》对“珠江文化”的范围、特点及其与“岭南文化”的区别的探讨，都具有一定的创建性。他主张在突出某个政区文化特别是在岭南范围内，宜使用“岭南文化”；如属跨省区文化，则宜使用“珠江文化”。而在当前跨区域经济一体化和跨区域文化交流日益深广的形势下，使用“珠江文化”概念或许更能贴近现实和利于它的发展，使珠江文化与黄河文化、长江文化等并立而毫不逊色。② 而他所理解的“珠江文化”，可称为“泛珠江文化”。这种“泛珠江文化”论，为后来“泛珠三角经济圈”的确立提供了文化上的支持。

（二）海洋文化的探寻

岭南人对岭南文化与海洋文化的关系的认识可分为古代、近代和现代三个阶段。

---

① 司徒尚纪：《珠江传》，河北大学出版社2001年版，第463～466页。

② 司徒尚纪：《岭南文化和珠江文化概念比较》，《岭南文史》2002年第1期。

古代以明代丘浚为代表。他曾在《广州府志书序》中说：“天下之山，皆发源于西北，零散而聚，突起而为岭；天下之川皆委于东南，流行而止，渟涵以为海；广南居海之间，受天地山川之尽气，气尽于此而重泄之，故人物之得之也，独异于他邦。”这实际上是从地理环境的角度将中国文化分为“山文化”、“川文化”和“海文化”三个类型。在丘浚的归类中，岭南文化属于“海文化”。后来朱谦之先生将丘浚对岭南文化的此番表述称为“海的原理”①。

近代（1840—1949年）以朱谦之为代表。他指出：“岭南在唐和五代时代还是‘蛮夷之区’，到了明代，因为海路交通渐渐发达，沿海各地尤其是广东、福建，遂成为中西贸易的策源地，在经济史上渐渐占很重要的位置。又因受西洋文化的影响最早，所以清季如孙中山先生的革命运动，康有为的维新变法运动，也都是以广东人为中心，所以最近的中国文化，实有以南方为根据地的倾向，换句话说，就是中国文化已经达到海洋文化的新时代了。”② 朱谦之较早以“海洋文化”说明岭南文化，并以“科学”、“贸易”、“维新”、“革命”来揭示其内容，实际上是将岭南文化作为先进文化的代表。

改革开放至今属于现代阶段。我国于20世纪80年代初在东南沿海一些地区实行对外开放的优惠政策，特别是设立经济特区，使珠江三角洲在短短几年内就迅速发展起来。不过，广东对外开放的头十年主要是采取内引外联的战略，“引进来”是主要的。与此同时，广东学者比较注重岭南文化的商业性特征，但还很少有人将岭南文化与海洋文化联系在一起。到了90年代，广东经济有了一定的原始积累，于是主动“走出去”向外拓展便成了广东经济发展的新战略。“走出去”的文化意义就是它体现了海洋文化的精神，于是研究海洋文化便在90年代的广东学者中时兴起来。

改革开放后国内学者对海洋文化的探索，可以说是从“海上

---

① 朱谦之：《文化哲学》，商务印书馆1990年版，第184页。

② 朱谦之：《文化哲学》，商务印书馆1990年版，第184～185页。

丝绸之路”开始的。文哲1981年发文指出，我国古代对外的交通线有水陆两路，唐代以后主要是水路，由我国的泉州、广州、明州、扬州等港口，通往亚非各国。宋、元之间，尤以泉州为最，相当于今日之上海。[①] 陈炎1982年撰文指出，浙江为古代海上“丝绸之路”中的东海航路的主要干线和南海航路的重要分支，居有非常重要的地位。[②] 此后，“海上丝绸之路”变成了国内学术界的一个热门话题。而泉州更是抓住联合国教科文组织“海上丝路”考察队在泉州考察和“中国与海上丝绸之路国际学术讨论会”在泉州举行的机会，大造声势，更有学者将泉州称为“于宋元时代崛起的海上丝路的发祥地”[③]。而在80年代的广东学界和政界，基本上对此没有什么留意。直到杨万秀1990年发表《论广州港在海上“丝绸之路”的地位和作用》一文，才打破了这一沉默。他在文中认为，广州是“海上丝绸之路”最早的起航点，是唐宋时期全国最大的港口，明清较长时期独口通商，而且长盛不衰，长期领先。[④] 1991年2月9日，联合国教科文组织的“海上丝绸之路”考察队到达广州，并在广州举行了“广州与海上丝绸之路”的学术活动。广州地区的专家学者还编辑出版了《广州与海上丝绸之路》论文集和《南海丝绸之路文物图集》，奉献给参与这次学术活动的中外专家学者。[⑤] 此后，广东珠江文化研究会和广东炎黄文化研究会在推动海洋文化及其与岭南文化的关系的探讨和开发方面作出了重要贡献。广东珠江文化研究会的专家们在揭示珠江文化的特征

---

① 文哲：《海上的“丝绸之路”——参观泉州海外交通史博物馆》，《大自然》1981年第3期。

② 陈炎：《古代浙江在海上“丝绸之路”中的地位——兼论浙江历代的海外丝绸贸易》，《商业经济与管理》1982年第4期。

③ 李坚：《奇纱的海洋文化——泉州“海上丝绸之路”考察活动侧记》，《航海》1991年第4期。

④ 杨万秀：《论广州港在海上“丝绸之路”的地位和作用》，《学术研究》1990年第6期。

⑤ 弓甫：《中外专家共同考察“广州与海上丝绸之路”》，《广东社会科学》1991年第2期。

时，多将它与海洋文化联系在一起。黄伟宗教授在《珠江文化丛书》的总序中就强调珠江文化的“海洋性与开放性”。广东炎黄文化研究会从成立之初就定位于海洋文化的研究，与地方政府先后举办了6次（1995年6月于珠海、1996年12月于深圳、1997年11月于湛江、2000年11月于东莞、2002年8月于阳江、2007年9月于中山）海洋文化研讨会，已出版《岭峤春秋——海洋文化论集》4集。在这些研讨会及其“论集”中，有不少是探讨岭南文化与海洋文化的关系的。

广东学者对岭南文化与海洋文化的关系的探索分宏观、中观和微观三个层次。在宏观方面，是直接将岭南文化与海洋文化联系起来。陈乃刚在1995年发表的《海洋文化与岭南文化随笔》一文中指出：“在大约3000年的岭南历史进程中，海洋文化作为一种奇特的催化剂，激发着、加强着岭南文化的独特性和优势，这就是海洋文化与岭南文化之间颇为微妙复杂，但却明显地贯串始终的关系。”① 省炎黄文化研究会的主要负责人也都认为，岭南文化很有海洋文化的特征，广东省炎黄文化研究会选取海洋文化为研究方向很有特色，符合广东省海岸线长、海洋文化内涵积累丰厚的历史和传统。② 他们都是将海洋性看作岭南文化本身所固有的，或者说岭南文化大多属于海洋文化。《亚太经济时报》2005年发文指出：“岭南文化吸收了中原文化、周边文化，汲取了海洋文化（包括东南亚与西方），经由融汇、创造而形成和发展起来。就其实质说来，岭南文化的构成乃是三种元素——南越的土著文化、中原文化和海洋文化的融合。”③ 这是将海洋文化看作是岭南文化的非本根因素，是外来的、被吸收的。尽管如此，从现实的层面来说，两者都肯定了岭南文化与海洋文化的密切关系。在中观方面，是将广府

① 陈乃刚：《海洋文化与岭南文化随笔》，《广西民族学院学报》1995年第4期。

② 徐志良、李明春、潘虹：《岭南文化多数是海洋文化——访著名文化学者、广东省炎黄文化研究会副会长祈烽》，《中国海洋报》2002年9月17日，D01版。

③ 《岭南文化：南越、中原和海洋文化的融合》，《亚太经济时报》2005年7月22日，A02版。

文化、潮汕文化、香山文化、雷州文化、客家文化与海洋文化联系起来。关于广府文化，谭元亨指出，广府文化作为岭南文化的代表，有着海洋文化的基因，而且广府发达的海洋文化，自古有之。[①] 关于潮汕文化，黄蔼如、郑少辉的《潮汕与海洋文化》和黎海波、孟广军的《潮汕地区海洋文化发展探源》二文，都肯定了潮汕文化自古就具有鲜明的海洋文化特色。关于香山文化，省炎黄文化研究会举办的第六次海洋文化研讨会正是以“香山文化与海洋”为主题，一些专家认为，“海洋性”是香山文化的主色调，海洋文化是香山文化的起点、核心。[②] 关于雷州文化，李巧玲不仅肯定了雷州文化与海洋文化的关系，而且探讨了雷州半岛海洋文化的历史渊源。[③] 关于客家文化，谭元亨认为尽管客家文化的根是中原文化，但亦已受到海洋文化相当的影响。[④] 在微观方面，是将广东某个地方与海洋文化联系起来。例如广州、徐闻都曾被广东学者视为“海上丝绸之路”的始发港。

相对于内陆文化来说，海洋文化对于促进社会经济的发展、公民社会的建立和对外开放的深入都具有明显的优势。发掘和开发岭南文化中海洋文化的资源，对于广东应对全球化的挑战、促进文化大省建设和社会经济的发展，具有重要的现实意义，因而近些年得到了广东地方政府和文化界的高度重视。

四、岭南文化的开发与保护

岭南有着丰富的历史文化资源。改革开放以来，广东人在发展经济的同时，也越来越认识到发掘、开发和保护岭南文化资源的重

① 谭元亨：《岭南文化艺术》，华南理工大学出版社 2002 年版，第 130 页。

② 张荣芳：《香山文化与海洋文明——第六次海洋文化研讨会综述》，《学术研究》2008 年第 3 期。

③ 李巧玲：《雷州半岛海洋文化与海洋经济发展关系研究》，《热带地理》2003 年第 2 期。

④ 谭元亨：《岭南文化艺术》，华南理工大学出版社 2002 年版，第 70 页。

要性。通过各界的努力，岭南文化资源得到了充分的发掘，岭南文化的经济价值和社会价值不断得到开发。

（一）岭南文化资源的发掘

改革开放初期，广东各级政府把主要精力放在发展经济上，岭南文化资源的发掘只是零星地进行着，很多非常宝贵的文化资源还没有挖掘出来。[①] 随着改革开放的进一步深入，人们越来越认识到岭南文化所蕴藏的巨大的经济价值和社会价值，特别是确立了建设文化大省的发展战略以后，全省各地开展了发掘岭南文化资源的热潮。经过各级政府和文化界人士的共同努力，使丰富的岭南文化资源不断呈现在世人目前，并不断转化为广东经济和社会发展的优势条件。

1. 岭南文化资源的发掘。

一直以来，广东作为“经济强省”的形象深入人心，关于广东历史人文资源却少有人问津。近些年来，岭南文化资源的发掘取得了可喜的成就，这与广东省各级领导的高度重视和社会各界的积极参与是分不开的。

第一，广东省领导高度重视岭南文化资源的发掘。张德江书记来广东主持工作以后，特别强调文化与经济的相互促进作用，提出了建设文化大省的构想，并将发掘岭南文化资源作为一项重要的任务来抓。随着建设文化大省的战略构想的确立，广东省组织领导干部深入到岭南文化资源丰富的地区开展调研工作，摸清家底，以便为岭南文化的开发制定科学的决策。2003 年 10 月，张德江在肇庆考察期间，多次在不同场合要求充分挖掘“包公文化”和肇庆不同时期历史文化及民俗文化的精华，打造文化名市。2004 年 2 月，张德江到江门市参观陈白沙纪念馆后，深赞江门文化底蕴深厚，提出了“文在悟，德在守，道在行，志在坚”的重要观点。2004 年 4 月，广东省政协主席陈绍基率队在广州开展了“弘扬岭南文化，

① 方正:《广东历史文化行隆重启动》,《南方日报》2004 年 3 月 27 日，第 01 版。

促进文化大省建设”的专题调研。6月，广东省政协九届六次会议对广东省“弘扬岭南文化，促进文化大省建设”情况进行专题议政，委员们提出了“要用科学发展观指导弘扬岭南文化，促进文化大省建设”、“增大对文化资源保护开发和规划管理的强度”、“加大对新兴文化产业的政策扶持力度”、“拓宽文化大省建设的经费渠道”、“提高对岭南文化资源宣传推介的热度和力度”、“加快岭南文化新传人、新品牌的催生速度”、“重视引导文化消费，培养高素质的文化接受群体”和“营造文明法治、祥和安定的文化发展环境”等八项主张。2004年8月，广东省副省长雷于蓝深入广州博物馆、西汉南越王墓、锦纶会馆、南越王宫署遗址等文博单位，调研广州文物工作。2005年1月，省委副书记蔡东士在云浮调研，强调加强挖掘六祖文化。2005年5月，蔡东士率队到梅州调研时指出，要积极发掘、保护和利用客家文化的丰厚资源，大力促进客家文化与珠江三角洲文化、潮汕文化相融合，共同推动岭南文化的发展，进而促进和谐广东的建设。2005年9月，蔡东士到汕头市调研时指出，潮剧在中国传统戏曲中独具特色，已成为中国戏曲艺术之林和岭南文化的重要组成部分，成为我国对外文化交流的重要载体。由于省领导的高度重视，而且亲自调研和推动，使岭南文化资源的发掘取得了显著的成效。

第二，各类学术团体和研究机构积极参与岭南文化资源的发掘。广东省炎黄文化研究会几乎每年都选一个地方与当地政府联合举办研讨会，研究会的主题自然离不开举办地的地方传统文化，而且会后多出“论集”，因而对当地传统文化的发掘具有积极的推动作用。2004年1月，张德江在全省宣传工作会议上提出要充分开发广东历史人文资源。广东省社科院对此作出积极响应，迅速向张德江书记呈送了一份《关于对广东历史人文资源的保护、开发进行系统调研的建议》。广东省委宣传部又于2004年9月7日在广州召开了全省历史人文资源工作会议，部署在全省范围内开展一次大规模的历史人文资源调研活动。2004年9月15日，省委宣传部向广州、深圳、珠海及各地级市委宣传部下发了《关于开展全省历史人文资源调研工作的通知》，并附《全省历史人文资源调研第一阶段（普查）工作方案》和《广东省历史人文资源调查表》①。广东省社科院组织了“广东历史人文资源调研”课题组，围绕保护和开发广东历史人文资源问题，以寻找广东经济社会发展的新增长点为目标，展开了历时两年的广泛深入的调查研究，并以《广东历史人文资源调研报告》② 作结。由《南方日报》发起的《广东历史文化行》采访活动于2004年3月26日正式启动。张德江书记欣然为该专题报道题名，蔡东士副书记、省委宣传部朱小丹部长出席了启动仪式并讲话。本项活动本着关注广东历史文化名人、历史文化遗存，挖掘广东历史文化脉络和内在底蕴，探寻广东人精神和岭南文化之根的目的，自2004年3月29日起，至2005年4月18日止，派出报道组陆续奔赴全省21个地级以上城市，推出《广东历史文化行》50期报道，其中有29篇关于广东历史人物，例如南越王赵佗、巾帼英雄冼夫人、六祖惠能、清官包拯、爱国诗人文天祥等；21篇关于历史遗迹，譬如广州、韶关、封开、揭阳、佛山等地文物圈以及河源恐龙文化、梅州客家文化、开平华侨文化、云浮南江文化等地域性文化。

2. 岭南文化资源的存在形式。

广东是岭南文化中心地、海上丝绸之路发祥地、中国近代民族革命策源地。在漫长的历史长河中，岭南人民在这片土地上辛勤耕耘、劳动生息，创造了灿烂辉煌的文化，留下了丰厚的历史文化资源。从目前已经发掘出来的岭南文化资源来看，主要有岭南物质文化遗产、岭南非物质文化遗产和岭南人文精神三种存在形式。

一是物质文化遗产。物质文化遗产是指具有历史、艺术和科学价值的文物，包括古遗址、古墓葬、古建筑、石窟寺、石刻、壁画，近现代重要史迹及代表性建筑等不可移动文物，历史上各时代

---

① 该调查表分“历史遗迹遗址（1949年前）”、“宗教与民间信仰场所”、“历史人物”、“特色文化”、“民间遗藏”、“风景名胜区”、“文化机构与文化团体”、“博物馆”和“文化艺术宫（馆）”等九项内容。

② 梁桂全主编：《广东历史人文资源调研报告》，社会科学文献出版社2008年版。

的重要实物，艺术品、文献、手稿、图书资料等可移动文物，以及在建筑式样、分布均匀或与环境景色结合方面具有突出普遍价值的历史文化名城、街区、村镇。① 目前，广东省有全国重点文物保护单位66处，省级文物保护单位268处，市县级文物保护单位2000多处；近现代优秀建筑9处，古文化遗址2000多处，古墓葬1600多座，近现代史迹和代表性建筑1200多处；博物馆、纪念馆140座，馆藏文物54万多件。1983年发现的西汉南越文王墓，是迄今岭南地区发现规模最大、随葬品最丰富的一座汉墓，是我国汉代考古的重大发现。1987年在阳江海域被发现、2007年12月打捞出水的南宋时期的木质古沉船——“南海1号”，是目前世界上发现年代最早、船体最大、保存最完整的远洋贸易商船，它承载着数量众多的珍贵文物，蕴涵着大量历史文化信息，是世界文化遗产中璀璨的明珠。2007年6月，广东南澳海域又发现了藏宝沉船——“南海2号”。2007年6月在第31届世界遗产大会上申请世界文化遗产项目获得通过的“开平碉楼与古村落”，是广东第一个世界文化遗产项目。开平碉楼是中国乡土建筑的一个特殊类型，是一种集防卫、居住和中西建筑艺术于一体的多层塔楼式建筑。开平碉楼是开平政治、经济和文化发展的见证，它不仅反映了侨乡人民艰苦奋斗、保家卫国的一段历史，同时也是活生生的近代建筑博物馆，一条别具特色的艺术长廊，因而它是开平作为华侨之乡、建筑之乡和艺术之乡的鲜明体现。

目前我国有国家历史文化名城109个，广东省占6个：广州、潮州、佛山、肇庆、梅州、海康；国家历史文化名镇85个，广东省有5个：吴川市吴阳镇、番禺区沙湾镇、开平市赤坎镇、珠海市唐家湾镇、陆丰市碣石镇；国家历史文化名村72个，广东占8个：三水区乐平镇大旗头村、龙岗区大鹏镇鹏城村、东莞市石排镇尾村、开平市塘口镇自力村、顺德区北滘镇碧江村、番禺区石楼镇大

① 张笃勤：《武汉非物质文化遗产保护的理念、现状和建议》，《武汉职业技术学院学报》2007年第1期。

岭村、中山市南郎镇翠亨村、东莞市茶山镇南社村。此外，广东还有省级历史文化名城16个：高州、连州、新会、平海、佗城、碣石、揭阳、揭西、惠州、南雄、罗定、德庆、韶关、英德、海丰、东莞。确立历史文化名城名镇名村的一个重要标准就是文物古迹的丰富程度和历史文化价值。广东省的历史文化名城名镇名村在全国的数量并不少，反映了广东物质文化遗产的丰厚。而从广东6座国家历史文化名城来看，它们都有丰富的文物古迹：广州有光孝寺、南海神庙、六榕寺花塔、镇海楼等；潮州有开元寺、葫芦山摩崖石刻、凤凰塔、韩文公祠、涵碧楼等；肇庆有崇禧塔、梅庵、七星岩摩崖石刻等；佛山有祖庙、孔庙、黄公祠等；梅州有千佛塔、灵光寺等；海康有雷祖祠、三元塔、真武堂等。这说明，它们作为历史文化名城是当之无愧的。

二是非物质文化遗产。非物质文化遗产指各族人民世代相承的、与群众生活密切相关的各种传统文化表现形式和文化空间。目前我国正在形成国家、省、市、县四级非物质文化遗产名录体系。在国家文物局2006年6月公布的第一批国家非物质文化遗产名录518项中，广东省有29项，它们是：梅州客家山歌、中山咸水歌、广东音乐、潮州音乐、广东汉乐、龙舞、狮舞、英歌、潮剧、正字戏、粤剧、西秦戏、白字戏、花朝戏、皮影戏、木偶戏、龙舟说唱、佛山木版年画、剪纸、粤绣、象牙雕刻、潮州木雕、灯彩、石湾陶塑技艺、端砚制作技艺、凉茶、瑶族盘王节、小榄菊花会和瑶族耍歌堂。广东省人民政府于2006年5月公布了“佛山剪纸”、“广东音乐”、“滚地金龙”、“正字戏”、“广绣”、“新会葵艺”等第一批省级非物质文化遗产名录78项；2007年6月公布了“雷州歌”、“麒麟舞”、“抽纱”、“潘高寿中药文化”、“东坑卖身节”、“疍家婚俗”等第二批省级非物质文化遗产名录104项。共计省级非物质文化遗产名录182项。广东的市、县也多公布了相应级别的非物质文化遗产名录。例如，广州市第一批市级非物质文化遗产名录有“五羊传说”、“沙坑醒狮”、“广彩”、“沙湾飘色”、“迎春花市”、“凉茶”等36项。目前这些项目之所以入选非物质文化遗

产，是因为它们具有突出的历史、文化和科学价值，具有在一定群体中世代传承的特点，在当地有较大影响，而且处于濒危状态。从广东省非物质文化遗产的数量及其在全国的比重，可以反映出广东省也是一个文化资源大省。

三是人文精神。人文精神是关于人的精神生活的方式、态度、思想、观点。[①] 首先，岭南人文精神反映在岭南文化遗产之中。可以说，岭南物质文化遗产是岭南人文精神的外化，是岭南人民智慧的结晶。例如，透过开平碉楼，可以反映出岭南人的开放性和兼容性。而岭南非物质文化遗产更是反映、体现和传递了岭南人文精神。其次，岭南人文精神体现在岭南文化支系之中。据《广东人精神丛书》所说：广府人文精神表现为以“乐天务实”为核心的“敢为人先，生猛不拘”、“实干兴业，重商崇利”、“海纳百川，雅俗一体”的精神。客家人文精神表现为以“厚德载物”为核心的“勤劳勇敢，强悍正义”、“崇文重教，耕读为本”、“民风朴实，精诚团结”、“开放兼容，务实创新”的精神。潮汕人文精神表现为以“自强不息”为核心的“拼争与重商”、“求精又求美”、“奇特且儒雅”、“古朴兼淳厚”的精神。最后，岭南人文精神体现在岭南文化历史名人之中。2007 年 5 月，广东省选出了 116 位广东历史文化名人，在广东省博物馆举行图片展览。之所以将他们选为广东历史文化名人，是因为他们在政治、思想、教育、文化、经济、艺术等方面对广东历史发展作出了重要贡献，而且给后人留下了宝贵的精神财富。例如，岭南文化精神中的开放性、包容性、创新意识、务实精神、顾全大局等，与赵佗这位“南下干部”体现的精神相一致[②]；冼夫人精神是冼夫人文化的牢固基石，主要表现在爱国主义精神、爱护人民精神、民族团结精神、改造社会精神四方面[③]。

---

① 方立天：《国学之魂：中华人文精神》，《新华月报》2007 年第 12 期。

② 方正、甘超强：《让沉睡的南越之王“复活”》，《南方日报》2004 年 3 月 29 日，A05 版。

③ 吴兆奇：《打响冼夫人文化品牌》（上），《南方论刊》2004 年第 3 期。

（二）岭南文化资源的开发

改革开放以来，中国政府对传统文化价值的认识有一个发展过程。《十五大报告》指出有中国特色社会主义文化“渊源于中华民族五千年文明史”。《十六大报告》提出“发扬民族文化的优秀传统，汲取世界各民族的长处”。《十七大报告》强调“加强中华优秀文化传统教育，运用现代科技手段开发利用民族文化丰厚资源”。而《十七大报告》的这一指示精神，正是基于全国各地开发利用传统文化的成功经验而提出来的。近些年来，随着人们对传统文化价值认识的不断提高，岭南文化作为广东重要的文化资源和社会生产力而逐渐被开发利用。文化大省目标的确立，为岭南文化资源的开发提供了政策上的支持，《南方日报》举办的“历史文化行”活动掀起了文化资源开发热。

从某种意义上说，岭南文化资源又可称为广东历史人文资源。有学者将广东历史人文资源的现代价值概括为五个方面：一是现代文明的“老本”，具有认知价值；二是现代文明建设的思想源泉，具有传承价值；三是为现代文明奠立底蕴，具有创新价值；四是彰显个性与共性的互动，具有学术价值；五是发展文化业态、提升综合竞争力的地方品牌，具有利用价值。① 目前岭南文化价值的开发，主要反映在以下方面：

第一，经济价值的开发。可以说，经济价值是岭南文化资源开发的首要目标。广东省2003年10月颁布的《广东省建设文化大省规划纲要（2003—2010年）》就强调“充分发掘广东历史文化资源，发展特色文化，打造具有现代岭南风格和广东气派的文化精品”。广东各地之所以都很关心本地的历史文化资源，就是因为它潜藏着巨大的经济价值。这些文化遗产有的通过复制而直接创造经济价值，如批量生产的传统工艺、融入大众文化的表演艺术；有的

① 王杰、宾睦新：《探寻广东历史人文资源的现代价值》，《南方日报》2007年12月18日，A13版。

纳入旅游项目，为当地创造旅游收入；有的作为扩大当地知名度的一个品牌，吸引外地人前来投资创业。自建设文化大省的目标确立以后，广东各地都在发掘和开发本地的文化资源，并将其转化为真正的文化优势，实现经济效益。发展旅游业是开发岭南文化经济价值的主要形式。《广东省建设文化大省规划纲要（2003—2010年）》就强调“大力开发广府文化、客家文化、潮汕文化、侨乡文化等有代表性的地方文化特色及少数民族文化特色的旅游项目，抓好国家级历史文化名城的旅游开发”。自从《广东历史文化行》推出后，有关市县借助于《南方日报》的报道造成的舆论氛围，紧锣密鼓地推进新一轮文化经济建设。潮州、阳山和惠州开发韩愈文化和东坡文化，肇庆市开发包公文化，中山市开发孙中山文化，梅州市开发客家文化，龙川县开发南越国文化，电白县开发冼夫人文化，以此来带动当地旅游业的发展。此外，以粤菜为代表的广东饮食文化深受人们喜爱，全国各地经营粤菜的餐馆酒楼遍地开花、顾客盈门，并且很大程度上扮演了中国饮食文化宣传大使的角色。广东的茶文化，如广府人的茶楼文化、客家人的擂茶文化、潮汕人的功夫茶文化，在全国的影响力也与日俱增。2005年广东将广式凉茶认定为广东省食品文化遗产，极大地提高了凉茶的文化形象，仅下半年红罐王老吉的销售额就达10亿元，同比增长25%，这是利用传统资源打造自主品牌的一次成功尝试。有岭南三秀之称的“粤剧、广东音乐、岭南画派”，其艺术和经济价值，也随着广东经济文化的发展水涨船高。有着“四大名绣”之称的广绣，其市场价格正不断直线上升。①

第二，政治价值的开发。冼夫人一生致力于维护祖国统一，坚持民族团结，坚决革除社会陋习，推动俚人社会的文明进程。周恩来总理曾称颂她为“中国巾帼英雄第一人”。江泽民盛赞她维护国家统一、增强民族团结的精神，称她为“我辈后人永远学习的楷

① 孔菲菲：《文化大省演绎着“老兵新传”》，《民营经济报》2007年9月25日，A07版。

模”。冼夫人文化的开发，内在地包含了对她爱国爱民精神的继承和弘扬。包拯在端州掌政三年，勤政为民、廉洁自律，并作“清心为治本，直道是身谋”的诗句以明志，反映了“包公文化”中的清正廉洁、刚直不阿的精神。孙中山将国家的独立、民主与富强，人类的和平与幸福，作为毕生奋斗并贡献出自己一切的目标。他的三民主义（民族、民权、民生）思想，对于我们今天追求国家统一、构建公民社会和解决民生问题具有重要的启迪意义。梁启超曾与康有为一起参与“百日维新”，后来又反对袁世凯复辟帝制，在晚清以及“五四”时期大力宣传民主、科学和法制。历史上这些政治人物的政治作为和政治理念，对于我国当前构建民主、统一、公平、和谐的政治文明具有重要的借鉴价值，而且也确实得到了中央和广东地方的高度重视。

第三，教育价值的开发。岭南丰富的文化资源是广东学校开展人文教育的重要内容。开发岭南文化的教育价值的表现形式主要有：一是纳入教学内容。2004 年秋季，广东各高中开始开设各类具有广东特色和学校特色的地方课程，其中广东的历史地理和岭南文化等内容都录入高中教材。通过“乡土教育”，使学生分专题地了解广东的历史、地理、文化名人以及广东省的社会发展等广泛内容，发展学生的历史意识，并培养学生爱乡爱国的思想感情。① 例如，广州市荔湾区广雅幼儿园根据《广东省幼儿园教育指南（试行)》中强调“注重具有地域文化特色的内容”的要求，考虑到孩子们生活在西关、成长在西关，就从大家最熟悉的西关童谣、故事、游戏、饮食、曲艺、美术、节庆开始，让孩子们在切身感受岭南文化的过程中得到教育并获得发展。② 二是充实校园文化。校园文化是共性与个性的统一。从个性来说，它包括学校的特定历史与传统，学校所在地的文化性质等等。故有学者指出，广东的校园文

① 许倘文：《岭南文化将成高中生必修课》，《广州日报》2004 年 5 月 8 日，A10 版。

② 林慧明：《创岭南特色氛围促岭南文化教育》，《教育导刊》2007 年第 4 期。

化建设必须“吸收岭南文化的精神”[①]。广东的一些中学将当地的历史文化名人作为构建校园文化的一个重要因素。南海九江中学借助朱九江纪念堂开展校园文化活动，以朱九江爱国兴学的事迹和康有为开创新学的爱国有为精神，激励学生为中华民族之复兴而发愤读书。番禺新造中学在教学楼的侧壁介绍屈大均的生平，以弘扬屈大均发奋读书、爱国爱乡的精神。

第四，精神价值的开发。近些年来，学术界比较普遍的看法是：广东经济建设的辉煌成就与岭南人文精神的彰扬是分不开的。李大华就广州建立大都市文化与发扬岭南人文精神的关系问题指出，岭南人文精神中有许多因素是有利于向现代转换的，是完全可以作为大都市文化内核的。广州要在不太长的时期建设成国际大都市文化，最重要的一条就是要充分发挥文化主体的能动创造作用，发扬岭南人文精神。如发挥兼容性强的文化特性，海纳国内外一切优秀文化成果；发扬“务实创新”的文化特性，实现岭南文化的提升；利用岭南文化母体的纽带作用，广泛联络海外华侨参与大都市文化建设。[②] 王经伦、关婷婷分别列出了广东文化品质中的“和合精神”、“兼融精神”、“创新精神”、“务实精神”、“开放精神”、“商业精神”在构筑当代广东的人文风格、人生态度和现代素质，推动社会主义市场经济的全面确立和发展成熟等方面的开发价值。[③] 孔菲菲认为，一个文化大省，需要具备与众不同的文化风格。岭南文化正可充当广东文化发展的核心和底蕴，而且岭南文化也正在演绎着广东这个经济大省的“老兵新传”。[④] 文化部部长孙家正认为，广东改革开放之所以走在全国前列、开风气之先，与广东先进文化发挥的作用是分不开的。广东人建设中国先进文化，继

---

① 王宏维：《南粤校园文化与岭南文化》，《广东教育》2003 年第 7 期。

② 李大华：《岭南文化的现代嬗变》，《开放时代》1995 年第 1 期。

③ 王经伦、关婷婷：《广东历史人文资源的深度开发》（上），《中国旅游报》2007 年 7 月 4 日，第 013 版；《广东历史人文资源的深度开发》（下），《中国旅游报》2007 年 7 月 7 日，第 007 版。

④ 孔菲菲：《文化大省演绎着“老兵新传”》，《民营经济报》2007 年 9 月 25 日，A07 版。

承了岭南文化的爱国主义传统，同时更深深植根于社会主义现代化实践，并在社会主义现代化建设当中取得了丰厚的成果。①

第五，特色价值的开发。这里主要是指广东建筑、园林等设计中体现出岭南传统特色。岭南园林由于受到岭南文化的熏陶而体现出岭南文化的痕迹：在园址选择上，强调顺应地域环境特征，讲求务实；在造园技巧上，岭南园林不拘于某种形式，只要适合造园，都可采用，开放性可见一斑；在造园思想上，崇尚自然，追求清新活泼的山水田园风光。佛山南海区千灯湖公园的设计，正是岭南园林传统风格的具体体现，是对传统岭南文化的重新诠释。② 广东一些现代建筑也在讲求岭南特色，广州岭南花园的设计就体现了建筑与岭南文化的全方位结合：规划采用岭南传统梳式布局；建筑形式从传统岭南建筑风格中提取精髓；室内设计参照传统西关大屋风格；庭院设计体现岭南造园及气候特色；组团以传统粤曲命名；小区采用岭南画派绘画及书法进行装饰；小区背景音乐播放传统广东音乐；在小区设置曲艺表演台。③ 岭南园林具有“务实求乐”、“通透畅明”、“精巧艳丽”的风格。所以，广州城市森林建设也都考虑到岭南园林的风格，突出岭南文化特色。④

可见，广东省在开发利用岭南文化资源方面确实作了一番努力，而且也确实取得了一定的成就。但目前岭南文化资源开发的广度和深度还不够，还有相当的潜力可挖。在岭南文化资源开发的过程中，也暴露了一些问题：一是缺乏开发的整体规划，使资源的整体优势得不到很好的发挥和利用；二是各地“破坏性开发”现象

---

① 《新理论　新观点　新问题》，《领导决策信息》2005年5月第20期。

② 高彬：《从现代园林的使用状况看岭南文化的特质——以佛山南海区千灯湖公园为例》，《广州市经济管理干部学院学报》2006年第1期。

③ 李炜：《聚岭南文化之精华　弘岭南建筑之精髓——广州岭南花园设计》，《南方建筑》2004年第2期。

④ 古炎坤、粟娟：《广州城市森林与岭南文化特色》，《中国城市林业》2004年第3期。

严重；三是旅游与人文资源保护开发相脱节，旅游景观缺乏文化底蕴。[①] 因此，今后必须针对这些问题采取相应的措施，提高开发的整体效益，并将合理开发与有效保护统一起来。

（三）岭南文化遗产的保护

在当前的市场大潮中，广东各级政府力求处理好经济建设与岭南文化保护的关系，注重岭南文化资源的有效开发与切实保护相结合。

文化遗产具有时代性、不可再生性和不可替代性，为了保护我国的文化遗产，国家先后制定了一系列政策法规。2002 年，通过《中华人民共和国文物保护法》；2003 年，通过《中华人民共和国文物保护法实施条例》；2004 年，我国正式进入联合国教科文组织《保护非物质文化遗产公约》；2005 年，下发《国务院关于加强文化遗产保护的通知》和《国务院办公厅关于加强我国非物质文化遗产保护工作的意见》；2007 年，通过《关于修改〈中华人民共和国文物保护法〉的决定》。2003 年，国家文化部、财政部、中国文联等部门正式启动“中国民族民间文化保护工程”，以保护“口头和非物质文化遗产”为主要对象，实行“保护为主，抢救第一，合理利用，继承发展”方针，初步建立起比较完备的中国民族民间文化保护制度和保护体系。从 2006 年始，每年 6 月份的第二个星期六被指定为“中国文化遗产日”。

改革开放以来，广东省在贯彻落实国家政策法规的过程中，又根据本省的实际情况制定了岭南文化遗产保护的地方政策法规。为了加强文物市场管理，严禁倒卖文物，坚决打击文物走私活动，防止珍贵文物外流，1986 年 4 月，广东省人民政府发布《关于加强文物市场管理的通知》。2003 年颁布《广东省建设文化大省规划纲要（2003—2010 年）》，提出了“加强文化保护工作”的具体要

---

① 李庆新:《“善待”观念有待确立——历史人文资源的保护不足和开发不当成为广东旅游业发展的软肋》,《南方日报》2007 年 6 月 13 日，A12 版。

求：一是制定历史文化保护规划，大力推进历史文化名城、街区、村镇和各级文物保护单位两大保护体系建设；二是加快省、市、县三级博物馆网络建设；三是加大政府投入力度，扶持和发展具有岭南特色的民间文化艺术，保护濒危和稀有民间文化艺术品种。2004年12月8日，广东省人民政府第十届五十四次常务会议通过《广东省传统工艺美术保护规定》。2006年，广东省发布了《广东省人民政府贯彻落实国务院关于加强文化遗产保护工作的通知》，具体阐述了广东省文化遗产保护工作的主要目标、广东省物质文化遗产和非物质文化遗产保护的主要任务、加强文化遗产保护的保障措施。

广东省地方政府也出台了相关的政策。2007年10月15日，广州市政府第十三届二十七次常务会议讨论通过《广州市南越国遗迹保护规定》。2007年10月30日，深圳市政府审定通过《深圳市文物古迹保护"十一五"规划》。

广东省在贯彻落实国家的政策法规，切实保护岭南文化遗产方面做了大量的工作。一是举办各种活动来保护和传承岭南文化遗产。从1996年开始，省文化厅组织开展创建"广东省民族民间艺术之乡"活动。2003年，省文化厅组织了首批"优秀民间艺术师"评选活动。广东还连续举办九届"广东欢乐节"以及在"广东国际旅游文化节"中的"岭南民间艺术汇演"活动。二是通过媒体加大岭南文化遗产保护工作的宣传力度。《南方日报》在2004—2005年间推出的"广东历史文化行"系列报道，为各地保护开发岭南历史文化遗产营造了浓重的舆论氛围，大大激发了各地保护开发历史文化遗产的热情。《羊城晚报》2006年以五个整版的篇幅，开辟了"非物质文化遗产广东行"专栏，以《岭南风雅篇》、《拯救濒危篇》、《群龙百兽篇》、《人文潮汕篇》和《庙会乡情篇》等专题，对广东非物质文化遗产的分布、保护情况及濒危现状，连续进行了报道。三是通过设置专门机构，举办展览、展演活动。2004年4月，广东省正式启动和成立"广东省民族民间文化保护工程领导小组"、"专家委员会"，并与国家非物质文化遗产保护中心签署

了“湛江雷州石狗”的保护书。2005年，广东省举办了“广东省非物质文化遗产保护工作培训班”。2006年3月，广东省成立了“广东省非物质文化遗产保护中心”。2006年6月，广东省以“保护文化遗产，守护精神家园”为主题举办“广东省文化遗产保护成果展”，展示、展演广东78个申报项目。四是通过有规划、有计划、分步骤进行挖掘、整理、抢救承传工作。[①] 五是加大岭南文物保护经费的投入。近年，广东省各级财政通过设立文物保护专项资金，加大了文物保护经费的投入力度。广东省为保护、展示和收藏“南海1号”沉船船体和船上数万件文物，投资1.5亿元为其量身定做了广东海上丝绸之路博物馆，这是广东省唯一由省政府投资在非中心城市建设的重点工程。就深圳而言，“十五”期间，全市文物保护经费共投入12493.88万元。此外，广东还发动民间的力量成立各种基金会来保护和振兴岭南文化。如广东省政协2006年成立了“广东省繁荣粤剧基金会”，在深圳市主办的“粤韵悠扬——粤曲欣赏暨募捐晚会”上，共募得价值6000余万元的钱物。[②]

在积极推进文物、文化遗产保护的同时，全省各级政府高度重视文物的安全工作，成立了由海关、公安、工商、文化等部门组成的广东省打击文物犯罪工作协调小组，建立了打击文物犯罪合作机制，采取了一系列行动，有效保护了文物安全。

经过全省上下的共同努力，广东省的岭南文化遗产保护取得了良好的效果。目前，广东省的省级历史文化名城和国家级历史文化名城名镇名村、国家级省级市县级重点文物保护单位、国家级省级市县级非物质文化遗产项目、近现代优秀建筑、古文化遗址、古墓葬、近现代史迹和代表性建筑等数量大都居全国的前列，而且确立这些项目的一个重要依据，就是它的保护状况。此外，广东目前有29个单位被文化部命名为“中国民间艺术之乡”和“中国民间特

---

① 叶丹蓉：《保护文化遗产　守护精神家园——广东省文化厅副厅长杜佐祥访谈录》，《广东艺术》2006年第4期。

② 马璇：《热心人士为“南国红豆”添枝加叶》，《深圳特区报》2007年9月18日，A01版。

色艺术之乡”；123个县、镇、村在省内命名为“广东省民族民间艺术之乡”。开平碉楼与村落进入世界文化遗产名录。从这些项目的数量可以反映出广东省近些年来保护岭南文化遗产所取得的辉煌成就。2006年8月，国家文化部副部长周和平在全国非物质文化遗产保护工作会议上指出，“非物质文化遗产保护，广东走在全国前列”①。

尽管如此，但目前岭南文化遗产的保护工作仍然存在一些不足。一是人们的文物保护意识淡薄。由于对《文物保护法》的宣传不到位，人们的文物保护意识淡薄，未形成全民依法保护文物的氛围，导致各地文物不同程度遭到破坏。二是保护经费不足。2003年至今，广东省文物保护专项经费仅处于全国中等水平。不少贫困市县的文物保护单位达不到“四有”标准。三是很多非物质文化资源赖以存续的社会基础与生存空间已经消失或正在改变，艰难生存。② 因此，岭南文化遗产的保护工作任重而道远。

另外，广东少数民族文化遗产的保护现状也令人担忧。九三学社广东省委在广东省政协九届五次会议上提交的《关于抢救我省少数民族非物质文化遗产的建议》提案中指出，广东省现主要有瑶、壮、畲三个民族，各自都具有深远的文化渊源，非物质文化遗产极大丰富。改革开放以来，新的生活方式和思想观念不断介入，原本脆弱的少数民族非物质文化受到了巨大的冲击，许多传统习俗开始淡化乃至消亡。为此，该提案提出了“摸清家底，进一步做好对我省少数民族非物质文化遗产的普查、认定和登记工作”、“利用现代技术客观真实地记录和保存我省少数民族的非物质文化遗产”和“建立专门机构，实现保护工作的科学化、规范化，处理好‘保护’和‘利用’、‘继承’与‘发展’的关系”三条建议。该提案被广东省政府办公厅列为广东省政府督办重点提案。而

---

① 李培：《非物质文化遗产保护广东走在全国的前列》，《广州日报》2006年8月1日，A5版。

② 李庆新：《“善待”观念有待确立——历史人文资源的保护不足和开发不当成为广东旅游业发展的软肋》，《南方日报》2007年6月13日，A12版。

国务院办公厅2007年下发的《少数民族事业“十一五”规划》将为广东省各级政府保护少数民族文化提供政策上的支持，广东省各级政府对此高度重视，各地正在从实际出发，按照科学发展观的要求，抓住重点，落实规划。

第八章
精神文明建设的丰硕成果

精神文明建设，本质上是文化建设。关于精神文明与文化的关系，中共十五大报告指出："有中国特色社会主义的文化，就其主要内容来说，同改革开放以来我们一贯倡导的社会主义精神文明是一致的。文化相对于经济、政治而言。精神文明相对于物质文明而言。"① 广东精神文明建设与全国精神文明建设一样，是在改革开放和发展商品经济、市场经济的大环境下进行，总体上呈现出同步发展的态势；但作为改革开放先行地和试验区，广东精神文明建设的任务尤为艰巨与特殊，方式、方法富有岭南特色。

一、良性发展的不同阶段

广东的精神文明建设伴随着改革开放的步伐前进，带有明显的历史印记和鲜明的时代特征。具体来说，广东精神文明建设经历了三个发展阶段。

（一）起步探索

这一阶段从中共十一届三中全会（1978 年 12 月）至十二届六

① 《高举邓小平理论伟大旗帜，把建设有中国特色社会主义事业全面推向二十一世纪》，《江泽民文选》第二卷，人民出版社 2006 年版，第 32 ~ 33 页。

中全会（1986年9月）。

十一届三中全会决定把党的工作重心转移到经济建设上来，果断地停止使用“以阶级斗争为纲”的口号，恢复了“实事求是”的思想路线。1979年9月，叶剑英在庆祝中华人民共和国成立30周年大会的讲话中，首次使用“社会主义精神文明”这个概念，并把“建设高度的社会主义精神文明”正式规定为我国社会主义现代化建设的“重要目标”和实现四化的“必要条件”。广东各地认真学习、贯彻这一讲话精神，由此迈开了精神文明建设的新步伐。

这一阶段的主要活动有：在思想道德建设方面，破除了“两个凡是”的思想禁锢，撬动了改革开放的杠杆。通过与全国一道进行的真理标准大讨论，广东在思想解放、观念更新上先行一步，提出和初步确立了与社会主义商品经济发展相适应的一系列新思想、新观念，如时任广东省委第一书记的任仲夷提出著名的“排污不排外”观点，开全国学习外来文化风气之先，深圳人在全国率先提出“时间就是金钱，效率就是生命”等口号，著名经济学家卓炯提出的社会主义商品经济理论为广大干部群众所认同，全省人民自觉学习和贯彻邓小平建设有中国特色社会主义理论。在群众性精神文明创建方面，积极响应中央提出的开展“五讲四美三热爱”活动的号召。城市精神文明建设以开展“全民文明礼貌月”活动为启动，以“五讲四美三热爱”为主要内容，以“学雷锋、创三优、治理脏乱差”为突破口；农村精神文明建设则是开展以“治穷、治愚、治脏、治乱”为主要内容的创建文明村活动。

总体而言，这一时期是广东精神文明建设的起步阶段，尚未进行统一规划和统一部署。在这一阶段里，对精神文明建设的重要性和必要性、基本内容和要求的认识还是初步的，具体做法和实施、领导建制和队伍组织等还处于刚刚起步阶段；对精神文明建设的理论研究也是零散的，处于认真学习、广泛调查、提出问题的阶段。由于当时把主要精力放在经济体制改革和经济建设上，精神文明建设相对放松，某些地区和领域出现“一手硬、一手软”现象。

（二）快速发展

这一阶段从十二届六中全会（1986年9月）至十四届六中全会（1996年10月）。以1992年邓小平南方谈话为界，这一时期又可分为两个阶段。

1986年9月，十二届六中全会通过《中共中央关于社会主义精神文明建设指导方针的决议》，这是中共做出的第一个关于社会主义精神文明建设的专门决议，在精神文明建设发展史上具有里程碑意义。《决议》明确了精神文明建设的指导思想、战略地位、主要任务和基本方针，把精神文明建设列入了我国现代化建设的总体布局。广东认真贯彻《决议》精神，对精神文明建设不断加强领导、指导，促使广东精神文明建设取得新进展。主要表现在：一是1987年3月，广东省委五届六次全会通过了《广东省社会主义精神文明建设规划》，以中央《决议》为指导对全省精神文明建设做出规划部署，各级干部通过实践，加深了对社会主义精神文明建设重要性的认识。二是树立社会文明新风，培育一代"四有"新人的工作，在更广阔的领域和更高的层次上取得了进展。三是创建文明单位的活动已经形成了点面结合、条块结合、城乡互相促进、向社会覆盖的局面。在横向上加强农村精神文明建设、城市街区精神文明建设和贫困山区精神文明建设的协调性，在纵向上加强家庭文明建设、村镇文明建设、县（区）文明建设的互补性，闻名全国的广州市南华西街先进典型就是在这个时候破土而出的。四是加强思想、文化阵地和教育、科学设施的建设，使传播和培育精神文明的"硬件"与"软件"建设配套发展。五是对广东三个经济特区的精神文明建设，广东省委、省政府给予充分重视，不断加强领导、指导和引导，提出了一系列落实中央重要指示的具体措施，保证了经济特区的健康成长。这一时期，特别是1988年至1989年上半年，由于受国际国内政治气候的影响，广东精神文明建设受到一些干扰，部分地区和单位一度出现精神文明建设的失衡状态。但从1989年下半年起，这种局面逐渐改变，一是完善强化精神文明建

设的领导体系，1989年7月成立广东省精神文明建设领导小组[①]，后改为广东省精神文明建设委员会，各市、县（区）均成立起精神文明建设委员会，并设立相应的办公室，甚至一些镇及管理区也有类似的机构；二是于1990年底制定和颁布了《广东省“八五”期间社会主义精神文明建设规划要点》，省委、省政府也分别于1991年4月和11月召开了全省社会主义精神文明建设工作会议和全省树新风、除“七害”[②]专题研讨会，进一步动员全省各级党组织和广大干部、人民群众加强精神文明建设。

以邓小平南方谈话和中共十四大召开为标志，我国改革开放和现代化建设进入一个新的发展阶段，社会主义精神文明建设也进入新的发展时期。1992年初，邓小平在南方谈话中指出：“广东二十年赶上亚洲‘四小龙’，不仅经济要上去，社会秩序、社会风气也要搞好，两个文明建设都要超过他们，这才是有中国特色的社会主义。”[③]这对广东精神文明建设无疑是郑重的要求和殷切的希望。1992年10月，十四大提出要积极推进社会主义市场经济体制的改革进程，并提出“广东要率先二十年基本实现现代化”。在此形势下，广东省委、省政府对社会主义精神文明建设高度重视，坚持“以立为本、虚功实做”原则，扎扎实实地推进精神文明建设，使精神文明建设步入更加稳健、更加深入、更有成效的发展阶段。这一时期的重大举措主要有：一是省委、省政府分别于1993年11月、1995年12月召开全省性的“切实加强社会主义市场经济条件下的精神文明建设”工作会议，“全省创建文明单位经验交流会”，省文明委于1994年11月召开“广东省创建高标准文明村镇座谈会”。二是省委、省政府于1994年11月出台了《广东省社会主义

① 其前身为1983年9月成立的“五讲四美三热爱活动委员会”。

② 1989年全国提出开展“除‘六害’统一行动”，广东根据本省实际提出了“除‘七害’统一行动”，比全国的除“六害”（卖淫嫖娼，制作、贩卖、传播淫秽物品，拐卖妇女儿童，私种、吸食、贩卖毒品，聚众赌博，利用封建迷信违法犯罪）多了一项“打黑”的内容，“黑”是指黑社会组织和带黑社会性质的犯罪团伙。

③ 《邓小平文选》第三卷，人民出版社1993年版，第378页。

精神文明建设纲要》，对未来20年广东精神文明建设的指导思想、目标任务、措施等作了明确要求。三是省文明委、省委宣传部于1992年成立了广东精神文明建设研究中心，承担全省精神文明建设方面决策咨询和理论研究工作。四是省委、省政府及时地在农村推广南海市创建文明户、文明村、文明镇、文明路段的成功做法，在城镇街道推广广州市南华西街创建文明街道的先进经验，"全省学两南"的群众性精神文明创建活动蓬勃开展，进而发展到"创三优、建文明城市"。五是广东精神文明建设的理论研究走向系统与深入，既开拓性地进行了精神文明的学科建设，陆续推出理论与实际紧密结合的系列性论著，又相继推出《新三字经》、《社会公德四字歌》、《家庭美德五字谣》等普及读物，这不仅在广东，而且在全国也产生了较好的社会影响，从而更加有效地指导广东精神文明建设向纵深发展。

（三）拓展深化

这一阶段从十四届六中全会（1996年10月）至今。

1996年10月，十四届六中全会站在跨世纪的历史高度，审议通过了《中共中央关于加强社会主义精神文明建设若干重要问题的决议》，这是中共做出的第二个关于精神文明建设的专门决议，是精神文明建设史上的又一座里程碑。该《决议》明确提出了社会主义精神文明建设的指导思想、目标任务、基本方针和重要措施，是今后一个时期指导精神文明建设的纲领性文件。1998年初，江泽民在参加九届全国人大一次会议广东代表团全体会议时，要求广东"增创新优势，更上一层楼"，"交出物质文明和精神文明两份好答卷"。2003年春，胡锦涛在广东考察时要求广东加快发展、率先发展、协调发展，在全面建设小康社会、加快推进社会主义现代化进程中更好地发挥排头兵作用。在中央精神文明建设工作的统一部署和中央领导同志对广东的殷切要求下，广东省委、省政府高度重视，采取有力措施，加大工作力度，使精神文明建设呈现出整体推进、全面拓展的良好态势。

十多年来的重大举措主要有：一是广东省委七届五次全会于1996年11月通过了《中共广东省委关于加强思想道德文化建设的决定》，要求全省各级党委、政府要自觉坚持“两手抓，两手都要硬”的方针，把思想道德文化建设纳入经济社会发展的总体规划和年度工作安排。二是于1997年7月25日召开全省“讲文明、树新风”电话会议，并下发《关于我省开展“讲文明、树新风”活动的实施方案》，部署全省“讲文明、树新风”工作。三是广东省委、省政府于1998年9月批转省精神文明建设委员会《关于深入开展群众性精神文明创建活动的意见》，要求把开展群众性精神文明创建活动更广泛、更深入、更扎实地开展下去。四是广东省委九届二次全会于2002年12月审议通过了《中共广东省委关于认真学习贯彻党的十六大精神的决定》，做出加快建设文化大省的战略部署。围绕建设文化大省这一主题，广东省委、省政府于2003年10月下发了关于加快建设文化大省的决定；于2004年2月发布了《广东省建设文化大省规划纲要（2003—2010年）》，掀起广东省文化建设的新高潮。五是广泛开展“爱国、守法、诚信、知礼”现代公民教育活动。2004年9月，根据时任省委书记张德江的提议，广东省委九届五次全会决定在全省群众中广泛开展为时三年的“爱国、守法、诚信、知礼”现代公民教育活动。六是掀起新一轮思想大解放高潮。2007年12月，新任省委书记汪洋在广东省委十届二次全会上提出广东要以新一轮思想大解放推动新一轮大发展，努力争当实践科学发展观的排头兵。自此，全省上下开展轰轰烈烈的思想大解放活动。

广东30年精神文明创建活动，经历了一个由点到面、由浅入深、由重物质到重精神的逐步发展的道路，走过了不平凡的发展历程。这个历程是“思想道德的大碰撞，文化的大融合和人们生活方式的大变革，是一个艰难的‘爬坡’，也是一个历史性的进步。”①

---

① 顾作义：《广东精神文明创建之路》，广州出版社2002年版，第1页。

二、丰富多彩的思想道德建设

思想道德建设，集中体现着精神文明建设的性质和方向，对社会经济、政治的发展具有巨大的能动作用，是社会主义文化建设的重要内容和中心环节。广东省按照中共中央的统一部署，并结合岭南特点，始终紧抓理论武装与道德建设不放松，学习邓小平理论、"三个代表"重要思想与科学发展观在广东各地蔚然成风。

（一）思想理论建设

国家的发展、民族的振兴，离不开科学理论的指引。中国共产党历来重视思想建设与理论武装，在革命、建设与改革的各个时期，不仅坚定不移地坚持马克思主义，而且注重理论创新，不断丰富和发展马克思主义。广东在加强思想道德建设中，能够坚持不懈地进行党的基本理论、基本路线、基本纲领、基本经验教育，以及形势政策教育、民主法制教育，把重点学习与常规教育相结合，寓理论武装于现代化实践之中，在广大党员干部群众中铸造起坚强的精神支柱。

1. 理论路线教育。

在思想解放中提高理论修养。广东在近代以来，形成了开风气之先的传统。早在十一届三中全会前后，广东关于解放思想、拨乱反正和"实践是检验真理的唯一标准"的群众大讨论，就进行得比较广泛和深入。在中央重申坚持四项基本原则的时候，广东注意了反"左"防右两条战线上的斗争和贯彻党关于解放思想问题的各项方针政策。在清除精神污染和反对资产阶级自由化的时候，广东注意到毗邻港澳的特点与优点，响亮提出"有所引进、有所抵制"、"排污不排外"的口号，既坚持社会主义方向不变，又注意保护干部群众改革开放的积极性。在改革开放30年之际，广东又率先提出要以新一轮思想大解放推动新一轮大发展，以当年改革开放初期"杀开一条血路"的气魄，努力在实践科学发展观上闯出

一条新路，争当实践科学发展观的排头兵。

深入学习邓小平理论。1998 年 6 月，中央下发《关于在全党深入学习邓小平理论的通知》，广东省委高度重视，及时制定下发贯彻意见，以组织好党委（党组）中心组学习为主，以实际行动带动各级组织和党员开展理论学习。广东省委有关部门制定了《关于县以上党委（党组）中心组理论学习检查考核的意见》，举办基层党员干部理论培训班，开展党员学习邓小平理论知识竞赛及大学生读书竞赛等活动。各地在理论学习中还探索出了许多好的做法，例如，广州市实施理论武装工作“红棉工程”，着眼于新的实践，建立新的机制，形成了理论学习与理论研究、宣传相互促进的工作格局；江门市着重抓好制订和实施干部理论教育总体方案，抓好中心组学习的检查考核和经验推广；河源市着力抓好健全中心组学习六项制度；茂名市注重开展理论研讨。这些做法有效地推动了理论学习新高潮的形成，收到了较好的宣传教育效果。

兴起学习贯彻“三个代表”重要思想新高潮。2003 年 6 月，中央下发《关于在全党兴起学习贯彻“三个代表”重要思想新高潮的通知》，广东省遂结合学习十六大精神掀起了学习宣传贯彻“三个代表”重要思想的热潮。省委组织十多期市厅和县处级干部学习“三个代表”重要思想研讨班，省委书记亲自作开班动员和重要讲话。省委及各市组织的“三个代表”重要思想宣讲团、十六大精神宣讲团深入厂矿、社区、村镇、学校开展学习辅导，扩大了学习宣传的覆盖面，使“三个代表”重要思想和党的十六大精神深入基层、深入群众、深入人心，广大干部群众在融会贯通、全面理解的基础上，把思想认识的提高转化为推动广东加快发展、率先发展、协调发展的精神动力。

深入开展理论学习，使科学发展观和构建社会主义和谐社会思想深入人心。近年来，广东坚持用中国特色社会主义理论体系武装全党、教育人民。不断开辟新平台，拓宽教育途径，开展形式多样的活动，如以“广东学习论坛”为主阵地，创办“岭南大讲坛”，组织“百课下基层”形势政策宣传教育活动，推进各级领导干部

深入学习中央全会精神，学习贯彻胡锦涛视察广东重要讲话精神，学习十六大以来理论创新的重要成果。按照中央统一部署，在全体党员中深入扎实开展先进性教育活动，实施马克思主义理论研究和建设工程，繁荣哲学和社会科学。通过持续不断地学习，科学发展观和构建社会主义和谐社会的战略思想更加深入人心，走中国特色社会主义道路、实现富民强国日益成为全省人民团结奋斗的共同理想和精神支柱。

2. 理想信念教育。

爱国主义、社会主义、集体主义教育，是国民教育和精神文明建设的重要内容。改革开放以来，爱国主义、社会主义、集体主义教育活动在南粤大地广泛开展，尤其是爱国主义教育走在全国前列。[①]

大力开展“三个一百”活动，营造爱国主义、社会主义、集体主义教育良好氛围。广东省大力开展“三个一百”活动，即“百歌颂中华、百书育英才、百片扬国魂”，营造良好氛围，扩大社会影响。为配合“三个一百”活动的开展，广东省委宣传部于1994年12月组织举办了“百书育英才”电视文艺晚会，形象地展现一百本书在进行爱国主义、社会主义、集体主义教育以及弘扬中华民族传统美德中所起的历史作用。与此同时，命名了一批青少年爱国主义教育基地，如东莞虎门鸦片战争纪念馆、广州起义烈士陵园等。全省中小学普遍举行了升国旗、唱国歌仪式，激发青少年学生的爱国热情。

充分利用纪念日，大力开展爱国主义、社会主义、集体主义教育。重要历史人物，重大历史事件，本身承载着深刻的历史意蕴，是爱国主义、社会主义、集体主义教育的难得教材。广东注重开展

① 1994年8月，中共中央印发《爱国主义教育实施纲要》，明确提出爱国主义教育的基本原则、主要内容、重点对象以及一系列具体措施；同年11月，广东省委发出《关于贯彻〈爱国主义教育实施纲要〉的意见》，要求各地充分认识在新的历史条件下加强爱国主义教育的重大意义，认真学习、广泛宣传《纲要》和《意见》。在此之前，1993年2月，共青团广东省委和广东省青少年研究所在珠海联合召开“改革与广东青年问题研讨会”，提出要将加强爱国主义、社会主义、集体主义教育作为今后青少年思想工作的主要任务。

对历史人物和事件的纪念活动，收到很好的教育效果。1994 年 9 月 17 日，广州市举行民族英雄邓世昌殉国 100 周年纪念大会和邓世昌墓迁建暨塑像落成仪式、邓世昌纪念馆开馆仪式，进行爱国主义教育。1995 年是抗日战争及世界反法西斯战争胜利 50 周年，广东各地围绕这一重大历史主题开展丰富多彩的活动。5 月 4 日在广州市中山纪念堂举办“五月的鲜花”大型文艺晚会，邀请广州地区 1000 多名老红军和抗日老战士观看；5 月 9 日开始的以纪念抗日战争、世界反法西斯战争和红军长征为内容的优秀影视作品展播月；8 月和 9 月分别举行了广东省少儿音乐花会和广州地区大型歌咏比赛，唱响革命歌曲；10 月举办了以纪念抗日战争、世界反法西斯战争胜利 50 周年和纪念红军长征胜利 60 周年为内容的全省美术展览。1997 年是叶剑英元帅诞辰 100 周年，广东省举行一系列纪念活动缅怀叶剑英元帅光辉的业绩，进行爱国主义教育，如 4 月 26 日广州市举办了“叶剑英风采——纪念叶剑英诞辰 100 周年大型图片展”；5 月份广东省举行了“纪念叶剑英诞辰 100 周年学术讨论会”，对叶剑英元帅的历史功勋和历史地位进行充分肯定；此外，还举行座谈会、纪念书画展等活动。以上活动，增强了人们的历史记忆，在社会上引起巨大反响，使人民群众深受教育。

以迎接香港澳门回归为契机，激发起全省人民热爱祖国、热爱社会主义、热爱集体的热情。香港回归是中国人民盼望已久的世纪盛事，1997 年广东省围绕这一历史题材开展了一系列纪念庆祝活动。4 月 28 日，深圳市组织召开了以香港回归为主题的“九七爱国主义的高扬”学术讨论会；5 月 4 日，共青团广东省委举办了“纪念五四，迎接回归”联欢晚会，粤港地区逾千青年参加了这一纪念活动；广州市教委也于同期举行了“香港回归知识竞赛”；5 月 31 日至 6 月 2 日，“鸦片战争与香港”国际学术讨论会在深圳宝安举行；六一儿童节期间，广州市少年宫也以香港回归为主题，举办了“携手创未来”大型联欢会；6 月 30 日至 7 月 2 日，广州、深圳、东莞等地隆重举行庆祝香港回归纪念活动，广州举办了大型音乐舞蹈《百年梦圆》。历时数月的迎香港回归活动极大地提高了全省人民爱祖国、爱民族的热情和自豪感，增强了建设中国特色社会主义的自信心和使命感。

利用多种载体、采取多种途径，开展爱国主义、社会主义和集体主义教育。例如，1996年全省大力开展宣传和学习海军南沙守备部队参谋龚允冲爱国奉献的先进事迹，在全省掀起开展爱国主义、社会主义、集体主义教育的热潮；1997年广泛开展宣传学习“爱国拥军好母亲”姚慈贤的活动，对为国分忧的潮阳妇女姚慈贤为代表的崇高朴素的爱国主义思想情操进行了大力宣扬。深圳市于1994年在全市中小学生中开展“祖国在我心中”的爱国主义教育系列活动，并通过开展拼中国地图、画祖国未来、学习祖国文化、地理知识等活动，使青少年学生在娱乐中了解祖国，激发他们对祖国的热爱，树立爱国主义的高尚情操；东莞市则着力建设虎门爱国主义教育基地，集中人力物力开展文物保护、修复和纪念馆场的建设，“海战博物馆”于1999年12月在东莞虎门开馆，大量的实物和图片真实、生动、形象地再现了鸦片战争时期中国军民英勇抗击英国侵略者的史实，成为重要的爱国主义教育基地。

广泛开展“新时期广东人精神”讨论宣传活动。2003年初，在突如其来的“非典”疫情面前，广东人民表现出不畏艰险、顽强拼搏的精神，受到各方好评。广东借此良好形势，在全省组织开展了“新时期广东人精神”大讨论活动。通过专家研讨、群众座谈、舆论宣传等形式，明确了“新时期广东人精神”的内涵，这就是“敢为人先、务实进取、开放兼容、敬业奉献”。在此基础上，在全省广泛宣传十六字“新时期广东人精神”，编写出版《弘扬和培育“新时期广东人精神”》一书，制作投放公益宣传广告等，在弘扬民族精神的同时，培育了时代精神。

（二）现代公民教育

在时代的感召下，现代公民教育以公民道德建设为重心。公民道德建设对于提高全体公民的道德素质，形成健康文明的经济和社会秩序，具有十分重大的意义，是提高全民族文化素质的一项基础

性工程。1996 年 11 月，广东省委七届五次全会通过《中共广东省委关于加强思想道德文化建设的决定》，突出强调要抓好包括社会公德在内的“三德”建设；2001 年 9 月，中共中央印发《公民道德建设实施纲要》，翌年 4 月广东省委即印发《广东省贯彻〈公民道德建设实施纲要〉的意见》；2004 年 9 月，广东省委九届五次全会决定在全省群众中广泛开展“爱国、守法、诚信、知礼”现代公民教育，弘扬“敢为人先、务实进取、开放兼容、敬业奉献”的新时期广东人精神。

1. 加强社会公德建设，培育社会新风。

社会公德是全体公民在社会交往和公共生活中应该遵守的最起码的行为规范和生活准则，体现了人与人最一般的道德关系。随着改革开放的深入和市场经济的发展，广东省加大社会公德建设力度，有效催生广东社会新风尚的形成。

开展社会公德大讨论，编写、出版道德教育通俗读本。在改革开放初期，社会公德建设曾一度被忽视，导致出现社会公德缺位现象。1991 年 5 月 6 日和 11 日，《南方日报》发表通讯《一个沉重的问号》、《一个感人的叹号》，分别报道阳江市见死不救的“3. 16 悲剧”和三水县农民陆伟东见义勇为的先进事迹，省文明办以此为切入口组织全省社会公德大讨论活动。这场讨论持续一年多，引起强烈反响，全省直接参与这一讨论活动的各阶层群众达 2000 万人（次）。这场大讨论表明，社会主义市场经济的发展迫切要求倡导和构建一个与之相适应的社会公德规范，形成良好的社会道德风尚。为此，广东省按照“服务中心，以立为本，虚功实做，务求实效”的工作思路，组织专家学者和实际工作者，编写出版道德教育系列通俗读本，其中前期有《新三字经》、[1]《社会公德四字

---

① 《新三字经》全文 1272 字，以引导青少年“在家做个好孩子、在校做个好学生、在社会做个好公民”为主题，以现代文明解读传统文化，把思想性、教育性、知识性、可读性有机结合起来，图文并茂，琅琅上口，易读易记，成为新时期青少年思想道德教育的重要教材。该书曾获全国“五个一工程奖”，重印总计达 16 次，发行近 4000 万册，引起了波及全国的“新三字经热”。

歌》、《家庭美德五字谣》、《农民道德歌》、《干部贤文》、《新增广贤文》、《四德通言》等；近年的有《公民道德格言》、《美德美谣美言美文》、《中华道德名言精粹》、《立志、修身、博学、报国——中华传统名言精选》等。这些通俗读物，以群众喜闻乐见、琅琅上口的形式，对传统文化典籍如《三字经》、《增广贤文》等取其精华，去其糟粕，古为今用，推陈出新，通过创造性转化达到时代要求，在现代公民教育中发挥了独特作用。2002年4月，广东省委印发《广东省贯彻〈公民道德建设实施纲要〉的意见》，根据广东实际，在二十字基本道德规范的基础上，增加了“开放兼容”、“科学理性”、“环保惜物”三方面内容，形成有广东特色的三十二字公民道德规范。各地、各部门也结合各自的实际，针对不同的社会群体，将公民道德规范进一步细化，形成了具有行业特色，操作性、规范性强的行为规范，进一步完善了具有岭南特色的公民基本道德规范体系和行为规范体系。

采取多种渠道扩大宣传，让每位公民都知晓道德规范基本要求。为配合公民道德规范的宣传，全省大大小小的新闻媒体陆续推出“道德维新论坛”、“社会公德人人讲”、“培养公德心征文”、“公德讲座300秒”等上百个有关道德建设的专栏。2002年，围绕贯彻落实《公民道德建设实施纲要》，《南方日报》举办“公民道德规范大家谈”征文活动，《羊城晚报》策划“做文明广东人”系列宣传报道。不仅如此，公民道德教育还从平面媒体的图书文本，走向了音像、电视等音像传媒。以《新三字经》的普及宣传为例，1995年2月，岭南台播出“新三字经”讲解系列节目；4月，由广东省音协举办《新三字经》歌曲创作征稿活动，征集作品300多件。广州新时代影音公司的“新三字经（演唱版）”参与首届“全国优秀文艺音像制品奖”，得了选题奖。而由中山市文化局组织，广东省话剧团演出的学习《新三字经》文艺专场，在中山市内演出超100场，受到群众欢迎。此外，各地各单位围绕公民道德建设主题，开展知识竞赛、制作公益广告、设立宣传牌等活动，使公民道德规范广为传播，深入人心。2005年是广东省“爱国、守法、

诚信、知礼”现代公民教育年，广东省文明办利用春节这个特殊载体组织“道德春联进万家”活动，邀请20位省、市书法家书写道德春联；7月中旬又开展“广东百名书法家书写道德名言”活动，邀请100名书法家书写道德名言警句，并组织市民参观，让广大群众在潜移默化、耳濡目染中受到教育。这些道德文化教育普及，以传统文化和新时期社会主义精神文明的结合为特点，尝试和重建社会道德，并运用政府传媒推介宣传，对于发掘弘扬中华民族优秀传统文化，提高全民族的道德水准具有重要价值。

树立楷模，弘扬正气，在全社会倡导一种新型人际关系。为了充分发挥先进典型的榜样、示范作用，加大社会公德建设力度，在广东省委、省政府的统一部署下，大力宣传一批具有美好社会公德的先进典型。1993年3月，广东省委、省政府发出《关于学习杨启泉、梅开春、张耀新、李启泰等英雄人物的决定》，并组织英烈事迹报告团在全省各地举行报告会，向干部群众和各界人士宣讲杨启泉、梅开春、张耀新、李启泰四英雄事迹。1994年3月，广东省委做出《关于学习陈兆尊同志英雄事迹的决定》，号召全省共产党员和广大干部群众学习陈兆尊同志勇于同违法犯罪行为作斗争的精神和助人为乐、竭诚奉献、自觉维护社会公德的崇高品德。1995年2月，省委、省政府隆重举行好军嫂韩素云爱国拥军先进事迹报告会，号召全省共产党员和人民群众学习韩素云的爱国奉献精神。1996年3月，广东省委、省政府做出《关于授予陈观玉同志“广东省学雷锋标兵”的决定》，号召全省人民学习陈观玉数十年坚持学雷锋做好事、毫不利己、专门利人、救危扶困的高尚品德。1999年12月，广东省委、省政府、省军区联合发出《关于追授霍健敏同志“见义勇为英雄民兵”荣誉称号的决定》，号召全省军民以英雄为榜样，学习他为保护人民群众的生命财产安全，挺身而出，勇斗歹徒，全心全意为人民服务的精神。自2004年开展“爱国、守法、诚信、知礼”现代公民教育活动以来，广东省推出了钟南山、郭春园、王玲、丛飞、罗东元、贾东亮等一系列先进典型，树立了一批道德楷模。其中，钟南山、丛飞在2007年全国道德模范评选活动中被评为全国道德模范。这些英雄、模范人物的推出，对于进一步推动社会公德建设活动的深入开展，把广东省的精神文明建设提高到一个新的水平，具有极为重要的意义。

组织各种活动，发动群众参与，让公德教育走向实践，走向群众。社会公德说到底是群众道德实践，必须以群众性实践活动为载体，才能使公德建设取得成效。1982 年 2 月，中宣部等 16 家单位发出《动员起来，扎扎实实抓好“全民文明礼貌服务月”活动的联合通知》，广东即在 3 月份开展了第一个“全民文明礼貌服务月”活动。此后，每逢元旦、春节前后，广东省都开展全省性的“礼貌、安全、卫生服务月”活动，要求做到人人讲礼貌，处处讲卫生，各方保安全。每逢 3 月 5 日，为纪念毛泽东同志等老一辈无产阶级革命家为雷锋题词，广东省必开展学习和弘扬雷锋精神的系列活动，如表彰学雷锋先进集体和积极分子，开展为社会送温暖和青年志愿服务活动等。自 1997 年以来，广东省认真开展“讲文明、树新风”活动，下大力气解决群众反映较大的文明言行、环境卫生、服务质量和交通秩序等方面存在的突出问题，取得了显著成效。在全省各地，社会公德建设实践的载体还有很多，如广州市的“羊城公德公益百星评选”活动，深圳市“特区与老区心连心”活动，阳江市公民道德建设“五认工程”（认养绿地、认助困难学生、认帮困难户、认建文明路、认知道德规范），潮州市“爱我潮州建设潮州”公德建设活动，东莞市“市民守则大讨论”活动等等。在社会公德建设活动中，还诞生了各种自发的群众性自治、自律、自我教育组织，如农村移风易俗理事会、禁毒禁赌协会、市民学校、礼仪学校等。这些活动的开展，大大激发了群众的荣誉感和广泛参与的热情，均收到较好效果。

2. 加强职业道德建设，培育行业新风。

职业道德建设是社会道德实践的一个重要领域，是社会主义精神文明建设的一项基础性工程。广东省委、省政府对此高度重视，大力倡导以爱岗敬业、诚实守信、办事公道、服务群众、奉献社会为主要内容的职业道德，鼓励人们在工作中做一个好建设者。

大力开展以“为人民服务、树行业新风”为主题的职业道德建设。广东省大规模开展职业道德建设肇始于1996年底。1996年12月20日，广东省文明委和省委宣传部下发了《关于加强我省职业道德建设的实施意见》，就加强职业道德建设着重要抓好的工作，以及确保职业道德建设落到实处需要采取的措施提出明确要求；12月23日，省文明委和省委宣传部联合召开全省加强职业道德建设动员大会，研究部署广泛开展以“为人民服务、树行业新风”为主题的职业道德建设工作。1997年3月23日，广东省文明委和广东电视台联合策划和组织的以职业道德建设为主题的大型系列宣传活动——“春风行动”在广州天河城广场举行。4月11日，广东省文明委、省委宣传部在广州海关召开“全省职业道德建设经验交流会”，对全省职业道德建设起了重要推动作用。7月22日至8月28日，“广东省职业道德先进事迹报告团”在广州、深圳、茂名等12个城市作巡回报告。1997年底，针对出租车行业出现的“非法改装计价表问题”，广东省组织了道德建设大讨论，在窗口行业掀起加强职业道德建设的高潮。这些活动的开展，受到各地干部群众的热烈欢迎，有力地推动了全省的精神文明建设。

以“为人民服务，树立行业新风”为主题的职业道德建设活动在南粤大地全面铺开并取得丰硕成果。自1996年召开职业道德建设动员大会和开展“春风行动”活动以来，全省各行业坚持以“服务人民，奉献社会”为宗旨，不断强化员工的职业道德意识，规范员工的职业道德行为，解决群众反映强烈的行业风气问题，使全省职业道德建设和创建文明行业工作取得显著成效，尽职、职责、敬业、爱业，恪守道德规范已蔚然成风。各行各业按照广东省委、省政府的统一部署，自觉加强职业道德建设。广东省医疗卫生系统针对服务态度、医疗质量等方面存在的问题，以及医护人员收受回扣、“红包”等不良现象，采取专项治理措施，将医德医风、文明行医列入医院等级评审的重要达标项目，实行一票否决，先进人物、先进事迹层出不穷；广东省教育系统把师德建设作为精神文明建设的突破口，紧紧围绕学校改革和发展实际，加强教师队伍思

想、职业道德建设。在公安、武警、边防系统内，自1995年10月公安部发出学习济南交警的号召以来，全省涌现出边防六支队沙头角模范中队、深圳交警支队、佛山110报警服务台、广州华乐派出所、汕头金园派出所、惠阳上塘派出所、深圳天安派出所和麦新荣、罗美胜等严格执法、热情服务的先进集体和先进个人。工商行政系统出现了深圳市福田工商分局这样的好典型，该局先后荣获国家、省、市以及省工商系统各种奖励和荣誉共35项。经过十多年的努力，广东省各行业广大职工能够恪守职业道德，全心全意为人民服务，在平凡的岗位上干出不平凡的事业，树立了良好的行业风气。

（三）青少年思想道德教育

青少年是祖国的未来，他们的思想道德状况，直接关系到中华民族的整体素质，关系到国家前途和民族命运。加强和改进青少年思想道德教育，是精神文明建设的重中之重。广东省委、省政府按照中央的统一部署，认真开展青少年思想道德教育。①

开展形式多样的未成年人和大学生思想教育活动。全省性的大型活动主要有：以“传承文明，培育新人”为主题，在全省未成年人中开展“民族精神代代传”、“践行公民道德规范从我做起”、“养成良好行为习惯从小做起”系列活动；启动百万家长“争做合格父母，培养合格人才”宣传教育实践活动；向全省中小学发出“健康、文明、快乐过暑假倡议书”，引导全省中小学生文明上网，拒绝盗版，自觉抵制不良社会文化影响，等等。各地市结合实际，开展各种各样的实践活动，例如广州市在全市中小学生中开展

① 就全国范围而言，大张旗鼓地开展青少年思想道德建设始自2004年，中共中央、国务院在这一年里先后印发了《关于进一步加强和改进未成年人思想道德建设的若干意见》与《关于进一步加强和改进大学生思想政治教育的若干意见》，掀起青少年思想道德建设热潮。广东省委、省政府在充分调研的基础上，于同年11月下发了《关于进一步加强和改进未成年人思想道德建设的意见》，并召开全省加强和改进未成年人思想道德建设工作会议。

“讲文明、懂礼仪、守秩序”思想道德教育实践活动，实施“精彩人生”青少年读书计划；深圳市开展“关爱行动”、“义工助雏”活动；肇庆市举行学龄儿童“开笔礼”、青年“成人礼”，组织学生暑期“六个一”（读一本好书、看一部好电影、听一次法制课、参观一次教育基地、做一件好事、写一篇心得）活动；阳江市举行“远离网吧、绿色上网、上健康网”宣誓仪式暨签名活动、“保护明天，关爱成长”青少年维权宣传活动。这些活动使未成年人受到深刻教育，收到良好效果。

构建学校、家庭、社区“三位一体”的未成年人思想道德建设格局。大力推进学校、家庭、社会“三结合”教育网络，加强和改进学校德育工作。主要活动有：一是召开“广东省深化课程改革　加强思想道德教育工作会议”，全面启动“基础教育课程改革　加强思想道德教育”实验研究，学校德育工作得到加强和改进。二是召开全省家庭教育经验交流现场会，制定《广东省家长学校办学指导意见》、《关于进一步加强中小学生家庭教育的实施意见》，积极探索在新形势下办好家长学校、加强家庭教育的新路子。三是在社区实行“双少工委制”，即由教育局派出社区老师担任社区辅导员，和街道团工委书记共同担任社区少工委主任，全面主持社区少先队工作和未成年人思想道德建设，确保社区德育工作开展和团、队工作紧密联系，互相衔接的制度，这一经验受到中央文明办的肯定。此外，总结推广中山市“营造和谐人文环境、合力教化育人”的成功经验；健全覆盖全省的家庭教育指导和服务网络，加强关心下一代工作和“五老”队伍建设①。

以网吧专项整治为重点，全面净化未成年人成长的社会文化环境。2004 年，广东省十部门联合开展“网吧”专项整治活动，使

① “五老”队伍是关心下一代工作的主力军，是“未成年人思想道德建设工作一支重要力量。”2004 年 2 月，中共中央、国务院《关于进一步加强和改进未成年人思想道德建设的若干意见》中明确提出：“老干部、老战士、老专家、老教师、老劳模等‘五老’队伍，形成一支专兼结合、素质较高、人数众多、覆盖面广的未成年人思想道德建设工作队伍。”

无证或证照不全的“黑网吧”基本扫除干净，全省网吧等互联网上网服务营业场所的经营秩序发生根本性好转，违法接纳未成年人进入的问题得到最大程度的遏制。开展“文明办网、文明上网”活动，发展健康网络文化，良好的社会文化环境逐步形成。进一步加大“扫黄打非”和整治盗版图书、口袋书等非法出版物的力度，社会文化环境进一步净化。净化荧屏声频，黄金时段不适合未成年人收听收看的节目明显减少。开展预防未成年人犯罪工作，通过制定相应的司法保护措施并强化落实，完善未成年人司法保护制度。在充分调研的基础上，于2006年底颁布《广东省预防未成年人犯罪条例》，这是全国首个预防未成年人违法犯罪工作的专门文件，形成预防未成年人犯罪的工作思路。除了落实对未成年人重点群体的管理服务外，该条例还把法制教育纳入教育部门综合考评体系，禁止中小学开除或以劝退等方式变相开除未成年学生。通过全面实施素质工程、净化工程、保护工程、挽救工程、法治工程，广大青少年健康成长得到有力保障。

营造全社会共同关心未成年人健康成长的良好氛围。省及各地新闻媒体通过开设专题、专版等形式，精心组织系列报道，大力宣传各地各部门加强和改进未成年人思想道德建设的思路、举措和成效。集中宣传广东省各地以社区为平台，搞好学校、家庭、社会“三结合”，加强和改进未成年人思想道德建设的经验。广泛宣传“五老”和关心下一代工作委员会队伍中关心未成年人健康成长的先进典型，动员更多的老同志参加到关心下一代工作中来。落实中央电视台少儿频道在全省21个地级以上市落地覆盖，南方电视台及广州、深圳市电视台开办少儿频道。启动“南粤红色之旅”，推进爱国主义教育基地和公益性文化设施向未成年人免费或优惠开放。

三、蓬勃开展的群众性精神文明创建活动

群众性精神文明创建活动是改革开放以来人民群众移风易俗、改造社会的伟大创造，是开展大众文化的重要推手，是把经济建

设、政治建设、文化建设和社会建设各项任务落实到基层的有效途径。群众性精神文明创建活动，始于20世纪80年代初全国各地开展的“五讲四美三热爱”活动。[①] 1981年3月，广东省委宣传部等单位联合转发了中宣部等中央五部委《关于开展文明礼貌活动的通知》，拉开了广东省群众性精神文明活动的序幕。而群众性精神文明创建活动的快速发展是在1996年10月党的十四届六中全会上通过《关于加强社会主义精神文明建设若干重要问题的决议》之后[②]。经过近30年，尤其是最近十年的发展，各种各样的群众性精神文明创建活动在广东城乡各地蓬勃开展，形成了以“讲文明树新风”为主要内容，以创建文明城市、文明村镇、文明行业为主体，以创建文明单位为基础，多种形式创建活动共同发展的工作格局，其群众参与之广泛，社会效果之明显，发展态势之强劲，都是前所未有的。

（一）文明城市创建活动

创建文明城市是推动城市经济发展和社会全面进步的重要载体，是加强城市精神文明建设的有效途径。由于城市在现代社会政治、经济、文化与生活中的特殊地位，创建文明城市成为群众性精神文明创建活动的龙头工程，在各种创建活动中居于主导地位。

1. 广东省创建文明城市的历程。

---

① 1980年6月，中央领导同志充分肯定了无锡市第三十四中学关于开展语言、仪表、行为美等审美教育活动的经验，明确指出，在思想上、政治上和社会风气上要来一个“五讲”。此后，共青团中央对其进行综合、加工。1981年2月15日，全国总工会、团中央、全国妇联等九个单位联合发出《关于开展文明礼貌活动的倡议》，号召全国人民特别是青少年开展以“讲文明、讲礼貌、讲卫生、讲秩序、讲道德”和“语言美、心灵美、行为美”为主要内容的“五讲”、“四美”文明礼貌活动；18日，中共中央宣传部、中华人民共和国教育部等五部委联合发出通知，支持这一倡议。1983年2月，中共中央和国务院提出开展“全民文明礼貌月”活动，内容除原有的“五讲四美”外，又增加了“三热爱”。于是，从城市到农村、从内地到边疆，迅速开展起来。

② 这次会议不仅首次使用“群众性精神文明创建活动”这一规范提法，而且第一次概括提出创建文明城市、文明村镇、文明行业三大系列创建活动。

广东省开展创建文明城市活动，主要经历三个发展阶段：①

一是探索阶段，从1992年至1995年。1993年11月，广东省委、省政府召开全省社会主义精神文明建设工作会议，决定在全省有领导、有计划、有步骤地开展创建文明城市的竞赛活动。从1994年起，全省开展了以创“三优”（优美的环境、优质的服务、优良的秩序）为主要内容的竞赛活动，为全面开展创建文明城市活动打下了基础、积累了经验。1995年10月，中宣部、国务院办公厅在江苏省张家港市召开全国精神文明建设经验交流会，推广张家港“一把手抓两手”经验，对全国的群众性精神文明创建活动起到极大的示范推动作用。与此相应，广东省委、省政府亦确定了一批创建文明城市、县（区）的先行点，要求这些地区率先建成文明城市，在全省起榜样、示范作用。

二是全面启动阶段，从1996年开始至1999年。广东省全面启动文明城市建设肇始于1996年，该年10月广东省文明委在中山市召开全省创建文明市、县（区）座谈会，制定下发了开展创建活动的意见，具体明确了文明城市的基本标准②。1998年是文明城市建设蓬勃开展的一年：3月，广东省文明委印发《关于在全省开展创建精神文明城市竞赛活动的实施意见》的通知，要求各地深入开展创建文明城市竞赛活动；6月15日，广东省委、省政府发出通知，要求全省开展学习中山市创建文明城市经验活动；9月24日，全省创建文明城市现场经验交流会在中山市召开，高度评价中山市在创建文明城市中着眼实处、着手实事、着重实效的经验和做法，要求全省各地将中山的经验创造性地运用到本地区创建文明城市的具体实践中去；9月30日，广东省委、省政府批转《关于深入开展群众性精神文明创建活动的意见》，并要求各地、各单位高

① 顾作义：《我省创建文明城市的形势、目标、思路与对策——在全省文明办主任培训班上的辅导报告》，载广东精神文明建设年鉴编辑委员会编：《广东精神文明建设年鉴（2002）》，广东人民出版社2002年版。

② 文明城市的基本标准是：经济繁荣、政治清廉、风尚良好、科教领先、文化发达、规划科学、建设美观、环境优美、管理先进、城乡一体。

度重视精神文明建设，广泛开展群众性精神文明创建活动；12 月 22 日，为贯彻落实省委、省政府在中山市召开的全省创建文明城市现场经验交流会的精神，加大创建文明城市的力度，省文明委印发《广东省创建设文明城市评选办法与考核标准》。

三是取得突破和明显成效的阶段，从 1999 年至今。1999 年 9 月 13 日，全省精神文明建设表彰电视电话会议召开，提出“增创精神文明建设新优势，为我省率先基本实现现代化提供强大动力”。在此次会议上，深圳市、中山市、肇庆市、珠海市、花都市、南海市等 6 个城市被评为首届“广东省文明城市”，广州市、汕头市、佛山市等 13 个城市被评为“广东省创建文明城市先进单位”。2000 年 4 月，省文明委在南海市召开全省创建文明城市座谈会，提出“以创建文明城市为龙头，推动我省率先基本实现现代化”，全省县级以上城市都轰轰烈烈地开展这一活动。2001 年下半年起，在征求各方意见，综合各地级以上市创建文明城市规划的基础上，省文明办制定了《广东省创建文明城市规划》。2003 年 3 月，根据《全国文明城市测评体系（草案）》，广东制定了《2003 年广东省文明城市、创建文明城市先进单位评选考核细则和评选办法》，该考评体系较好地体现了广东特色，受到各方关注，被中央文明办简报摘编采用。2005 年 8 月，广东省文明办印发了《广东省精神文明创建活动评选表彰工作的暂行办法》，对文明城市、文明村镇、文明单位、文明社区和精神文明建设先进工作者的评选标准、评选程序以及表彰、管理进行了具体规定。2005 年是广东创建工作获得大面积丰收的一年。10 月，深圳市、中山市获得“全国文明城市”① 称号（占全国的 1/6），广州市、东莞市、惠州市获得“全国创建文明城市工作先进城市”称号。此后，广东制定印发了全国首个《文明县城测评体系》，启动文明县城创建工作，

① 创建全国文明城市，是中央在 1998 年部署的一项重要工作。1999 年、2002 年中央文明委先后表彰了两批全国创建文明城市工作先进城市（城区）。经中央同意，中央文明委于 2004 年下半年正式启动全国文明城市、文明村镇、文明单位评选工作，并于 2005 年 10 月对首批全国文明城市、文明村镇、文明单位予以命名表彰。

使创建工作向县城辐射衍射，进一步扩大了创建活动的覆盖面和影响力。目前，广东省创建文明城市活动正在由点到面迅速扩展，由以整治为主转变为全面建设、以治标转向治本，整个创建活动业已形成以城带乡，城乡互相促进，共建文明，共促繁荣的良好发展势头。

2. 启动文明社区创建活动，推动文明城市创建步伐。

社区是城市的细胞，广东省创建文明城市的另一个重大进展就是在全省全面启动创建文明社区活动。80年代末，广东省在广州、佛山、汕头、江门四市开展社区服务试点；90年代初，广州、深圳等大中城市先后开展文明街道、文明楼院、文明小区等创建活动。1996年十四届六中全会明确提出全面开展“三大创建”活动之后，广东省以推广广州市南华西街创建文明街道经验为起点，逐步形成以创建文明社区推动创建文明城市的工作思路。随后，广东省先后制定了《关于加快发展我省社区服务业的意见》和《广东省社区服务示范街道（县城镇）标准》，提出了加快全省社区服务业发展的具体措施和意见。1998年省委新班子上任后不久，省委书记李长春、省长卢瑞华亲自率领五套班子领导赴上海市考察学习，重点考察了上海市精神文明创建活动特别是创建文明社区（小区）和开展社区服务的先进经验。其后，省委、省政府转发省文明委文件《关于深入开展群众性精神文明创建活动的意见》，明确提出全省在创建文明城市中要着力抓好创建文明小区和加强社区服务工作的五项要求。2000年初，省文明委正式下发了《关于在全省城区开展创建文明社区活动的意见》和《广东省创建文明社区考核指标和评选办法》等文件，决定全面启动广东省创建文明社区活动工程。佛山、广州、深圳、汕头、中山和顺德等市也开展了社区建设试点工作，探索适合广东实际的社区建设管理体制和运行机制。2000年11月，广东省文明委在深圳市召开全省创建文明社区工作座谈会，省政府在佛山市召开全省社区建设工作会议，总结推广典型经验，部署社区建设工作，有力地推动了全省城市文明社区创建活动。

文明社区创建成果卓著，有力地推动了文明城市创建工作。在省委、省政府对创建文明社区工作的统一领导和部署下，各大中城市坚持以街道为主体，以居委会为依托，以市场和居民群众急需为导向，建立了一批社区服务设施，发展壮大了社区服务队伍，开展了丰富多彩的社区服务活动，各地陆续涌现出一批居住环境优美，居民生活舒适方便，文体活动健康丰富，治安秩序井然稳定，社会风尚文明向上的文明住宅小区。尤其自 2002 年中央文明办等十部门在全国组织开展科教、文体、法律、卫生“四进社区”活动以来，全省各地从实际出发，广泛发动群众，精心组织活动，坚持常抓不懈，文明社区创建活动全面开展，不断深化，呈现出整体推进、扎实深入的良好态势，在促进城市社会经济协调发展、保持社会安定团结等方面发挥了积极的作用。不仅成功承办第三届全国“四进社区”文艺展演活动、第三届全国“四进社区”优秀体育健身项目展演活动，得到中央文明办及全国各省区市参演单位的高度评价；而且创建了一批“学习型社区”、“文化社区”、“绿色社区”等特色文明社区，打牢了文明城市创建的基础。

3. 创建文明城市活动，丰富城市文明内涵。

市民是城市的主体，是城市文明的创造者、建设者和体现者，市民素质的高低决定了城市的文明程度。高楼大厦只是现代文明的“外壳”，人的精神文明才是现代文明的灵魂。因此，广东省各市在开展创建文明城市活动中，坚持以人为本，扎实推进思想道德建设和文化建设，开展健康多样的文化活动，不断提高市民的文明素质，以丰富城市文明的“内涵”。

在思想素质建设方面，各地市都把学习邓小平理论、“三个代表”重要思想和科学发展观作为提高市民思想素质的首要手段。全省各市按照中央的部署和省委的要求，围绕改革开放和现代化建设的实际来学习理论，形成了注重学习针对性、增强学习实效性、讲求形式多样性的特点，广大干部和群众在学习中进一步提高了认识，解放了思想，更新了观念。1998 年是党的十一届三中全会召开和我国改革开放 20 周年，各市抓住这一有利时机，充分利用改革开放20年来的巨大成就，对广大干部和群众深入进行党的基本理论、基本路线、基本纲领的教育，深入开展爱国主义、集体主义和社会主义教育，引导群众把爱国、爱乡之情转化为岗位奉献、建设家园的实际行动。近年来，各级文明委调整思路，把文明创建与科学发展有机地统一起来、与和谐创建有机地结合起来，在全省开创了讲文明、促发展、促和谐的生动局面。

在道德素质建设方面，各地结合实际开展丰富多彩的“提高社会公德，做文明市民”活动。各地在创建文明城市活动中，深入开展社会公德、职业道德、家庭美德宣传教育活动，积极做好下岗职工再就业工程宣传和思想工作，制定和实施加强农村基层宣传思想工作的意见，从而促进了群众思想道德素质和城乡文明程度的进一步提高。例如，广州市举行全市中小学生“十不”行为歌咏比赛，塑造广州文明城市新形象；深圳市以“同在一方热土，共创美好明天”为主题，开展了“’98深圳人‘七不’社会公德大行动”，大力倡导语言文明、勤俭节约、遵守交通规则、维护公共卫生、爱护树木和公物等社会公德；珠海市千名青年志愿者为航展义务服务活动；江门市“告别陋习、走向文明”活动；茂名市“茂名市民德行歌”教育活动；东莞市“我是建设者，我是主人翁”、“同饮东江水，共建好家园”活动，等等。这些活动，形式活泼、内容充实、主题突出，有利于人民群众自我教育、自我管理、自我约束，对提高市民素质和城市文明程度起到了积极促进作用。

在生态文明建设方面，注重文明城市与净化、美化环境结合进行。随着对现代文明认识的深化，生态文明越来越受到重视。例如，深圳市实施“畅通工程”，启动水土、水源保护和污水治理工程；中山市大力抓好生态环境“点”、“线”、“面”工程，严格执行环保“三同时”制度，重点治理工业污染；广州市全面推进城市形象工程建设，按照“一年一小变，三年一中变，到2010年一大变”的目标，在全市开展“告别脏乱，创建文明”全民行动日活动；惠州市明确了营造江、湖、山、海型生态城市的创建目标；

肇庆市重点抓好星湖大道、肇庆大道、星湖风景区等一批城市形象工程建设；潮州市加快新城区建设和旧城区改造，建成了一批标志性建筑，修复了一批历史文物景点，创建了一批“星级”文明示范小区，为市民营造了一个优美整洁有序的生活环境，等等。在这些文明城市的影响下，全省各地坚持高起点规划、高标准建设，许多城市“旧城改造扩展绿，新城建设留足绿，拆除违章建筑增加绿，拆掉围墙露出绿”取得了可喜的成果。全省各地城市面貌发生了巨大变化，困扰大城市的交通阻塞问题得到了缓解，大气污染得到了有效控制，标志性的大道、河堤公园、步行街、文化广场、艺术馆、文化中心等成为城市的亮丽风景线。

（二）文明村镇创建活动

1983 年 11 月，中宣部、中央书记处农村政策研究室联合在苏州召开全国农村文明村（镇）建设座谈会。从此，广东省各地农村开始了创建文明村（镇）、文明户的活动。

1. 广东创建文明村镇的历程。

广东创建文明村镇大致经历了三个阶段：[①]

一是起步探索阶段，从 1980 年至 1989 年。这一阶段创建文明村镇活动的主要内容可概括为：“六抓、六治、六变”，即：抓生产发展，治穷变富；抓思想教育，治旧变新；抓文化科学，治愚变智；抓社会秩序，治乱变新；抓服务质量，治差变优；抓环境建设，治脏变美。[②] 虽然这一时期各地创建文明村镇活动的标准要求不完全一样，但基本上是以“治穷、治愚、治脏、治乱”为主要内容，以发展农村经济为中心，以教育引导农民解放思想、更新观念为先导，以治理农村脏乱差为突破口。这些活动在促进农村改革、发展农村经济、改变农村面貌、提高农民素质上发挥了重要的

① 石启仁：《我省创建文明村镇的形势、任务和思路——在全省文明办主任培训班上的辅导报告》，载广东精神文明建设年鉴编辑委员会编：《广东精神文明建设年鉴（2002）》，广东人民出版社 2002 年版。

② 顾作义：《广东精神文明创建之路》，广州出版社 2002 年版，第 1 页。

作用。

二是全面启动阶段，从1989年至1994年。1992年4月，广东省委、省政府在南海市召开全省创建文明户、文明村镇经验交流会，向全省推广南海市创建文明户、文明村的先进经验。省委书记谢非提出在全省推广“两南”经验：农村文明建设学南海，城市文明建设学南华西街。省委充分肯定了南海市创建文明户的十条标准和“文明村”的“七化八风”要求。“七化”即是：村头标志化；道路沟渠硬底化；吃水自来化；厕所卫生化；禽畜专栏化；保洁经常化；村前、村后绿化美化。“八风”即是爱国爱乡风；遵纪守法风；兴文重教风；敬老爱幼风；邻里和睦风；计划生育风；婚事新办风；丧事简办风。[①] 由于省委重视，这一期间，全省广泛开展文明村镇从优化细胞这一基础工作做起，为创建文明村镇打下了扎实基础。

三是提高深化阶段，从1994年至今。1994年11月，广东省文明委在东莞市召开全省创建一批以“经济繁荣，社会文明，环境优美，城乡一体”为特征的高标准现代化文明新村镇。1996年12月，中宣部、国家科委等十部委联合下发《关于开展文化科技卫生“三下乡”活动的通知》，广东各地迅速行动，认真实施。通过“三下乡”活动，引导农民解放思想，更新观念，提高素质，增强致富能力，引导扶持农村文化科技卫生事业的繁荣发展。1999年12月，全省农村道德风尚建设经验交流会召开，会议要求抓好“讲科学、树新风、破迷信、除陋习”主题活动，扎实推进农村道德风尚建设，为率先基本实现现代化营造良好的道德环境。2002年3月，全省创建文明小城镇工作座谈会召开，强调要以“高起点规划、高标准建设、高效能管理、高品位文化、高文明素质”为目标来指导创建工作，使之与广东现代化发展战略相适应；4月5日，广东省文明委下发《关于在全省广泛开展创建文明小城镇活动的若干意见》，要求各地在抓好创建文明户、文明村的基础上，

① 顾作义：《广东精神文明创建之路》，广州出版社2002年版，第2页。

把创建文明小城镇工作摆上重要日程。此后，广东各地以“改造生活环境，改进生活方式”为主题，分类指导开展创建文明村镇活动。[①] 创建活动从城市向农村，从平原向山区，从发达地区向经济欠发达地区延伸。由于实事求是，因地制宜，讲求实效，广东各地涌现了一批高标准文明村镇，2005 年 10 月，16 个村镇获得“全国文明村镇”称号，32 个村镇获“全国创建文明村镇工作先进村镇”称号。

2. 创建文明村镇活动，促进农村面貌深刻变化。

创建文明村镇活动广泛深入的开展，有力推动了广东的新农村建设，使农村面貌发生了深刻变化。一是有力地促进了农村经济的发展。到 2007 年，广东省农民人均纯收入 5624. 04 元，全省农村实现了基本消除绝对贫困的目标。珠三角地区的农民许多建起了小楼房，有的还拥有小汽车。二是有力地促进了农民思想道德素质和科学文化素质的提高。全省农村基本消灭了青壮年文盲和实现了普及九年义务教育的目标。广大农民学科学、信科学、用科学蔚然成风。三是有力地促进了村容镇貌的改变，出现了一批“高起点规划、高标准建设、高效能管理”以及“经济繁荣，社会文明，管理先进，环境优美，城乡一体”的现代化文明村镇。所有这些变化充分说明，创建文明村镇，是广大农民群众移风易俗、改造社会、创造文明新生活的伟大创举和必然要求，是把两个文明建设各项任务落实到城乡基层、落实到千家万户的有效途径。

（三）文明行业创建活动

行业是国民经济的基础，行业的建设和发展水平，决定着国民经济的发展速度，也决定着人民群众的物质文化生活质量。一个行业干部职工的职业素质、道德水平、服务质量和精神状态，不但直

① 珠江三角洲地区积极开展创建“五高”文明村镇，经济欠发达地区开展了以“四通五改六进村”为主要内容的创建文明小康村镇活动，在粤北、粤东、粤西等地农村开展“卫生进村居、健康在家园”活动，着力解决农村环境脏乱等突出问题。

接反映着这个行业的文明程度，而且对整个社会的文明程度产生巨大的影响。因此，党的十四届六中全会《决议》提出：“要以服务人民、奉献社会为宗旨，开展创建文明行业的活动”，作为提高社会文明程度的一项基础性工程。按照中央部署，创建文明活动主要包括三项工作：开展职业道德教育，推行优质规范服务，纠正行业不正之风。由于职业道德教育在第二节社会道德建设部分已有论述，这里着重论述创建文明行业的整体和后两部分内容。

创建文明行业历程。一是启动阶段。1997 年 3 月，广东省文明委和广东电视台联合策划组织的“春风行动”在广州天河城广场举行，其后几个月里，省直 19 个窗口行业负责人和 21 个地级市文明委（办）的负责同志也一一发表广播讲话，拉开以职业道德建设为主题的文明行业创建活动的序幕。同年底，针对出租车行业接二连三发生的“宰客”、“改表”等不道德和非法行为进行集中打击，并在窗口行业掀起加强职业道德建设的高潮。1998 年 9 月，广东省文明办、省工商局等单位联合发文，要求在全省个体工商户和私营企业中开展创建“文明经营户”的活动。二是全面铺开阶段。2000 年 6 月，省文明委召开全省创建文明行业动员大会，印发了《关于在全省广泛开展创建文明行业活动的意见》和《广东省创建文明行业考核标准和评选办法》，标志着广东省创建文明行业活动的全面铺开。2002 年 7 月，广东召开全省创建文明行业工作会议，转发《中央精神文明建设指导委员会关于深入开展创建文明行业工作的若干意见》，进一步明确了以诚信建设为重点，大力加强创建文明行业工作的新思路。三是巩固提高阶段。2003 年 5 月制定下发了《广东省文明行业、创建文明行业先进单位考评标准和评选办法》，对各行业的创建活动进行指引。全省各行业、各系统参与创建工作的积极性空前高涨，纷纷制定规划，明确工作目标和措施，使创建文明行业工作呈现出前所未有的良好局面，全省创建文明行业活动也从过去的 10 大重点行业扩展到 30 多个行业。

以创建“文明窗口”为切入点，推动文明行业创建活动的新拓展。“窗口行业”、“窗口单位”与人民群众接触面广，有着很强

的辐射作用，体现着一个地方和行业的形象，抓窗口建设可以起到抓住重点、带动一般的效果。为树立良好的行业形象，全省各地以创建文明窗口为切入点，深入开展一系列优质规范服务、纠正行业不正之风活动，加大创建文明行业力度。例如，清远市在全市设立146个示范窗口，要求每个示范窗口做到“办事便捷、功能齐全、服务热情、环境整洁”；珠海市在窗口单位推出“统一接办制”、“办事时限制”、“过错追究责任制”、“末位淘汰制”、“首问负责制”等制度，加大了监督力度，窗口行业从业人员自律意识明显增强。广东省电信系统广泛开展以“为人民服务，树电信新风”为主题的职业道德建设活动，引导干部员工努力做到“敬业、乐业、精业和创业”；省气象局则开展创建“星级”文明气象站的活动，建成了一批站容站貌好的文明气象站。为了让创建文明行业先进单位相互学习、交流经验，省文明办组织电力局等八大行业系统开展创建文明窗口现场观摩活动，总结推广文明窗口的先进经验，并在中央报刊上作了系列报道。

以诚信建设为重点，不断推进文明行业创建工作。诚实守信，是公民基本道德规范，也是市场经济的基本活动规则。深入开展诚信建设活动，推动社会诚信建设，对于整顿和规范市场经济秩序，提高社会文明程度，具有重要意义。各地采取多种形式开展诚信建设，例如广州市开展“讲诚信、树新风、创文明”教育实践活动，确立一批“诚信建设示范点”，形成了“创建文明行业、共铸诚信广州”的强大合力；梅州市强化信用制度建设，完善信用奖惩制，涌现出一批诚信单位；潮州市以“诚信、守法、奉献”为目标，开展了创建文明民营企业活动；汕头市开展了“优化诚实守信环境”活动；佛山市以“诚信·维权”为主题，开展行风检查活动。通过系列活动的开展，有效地改变了改革开放初期出现的诚信缺失现象。

十多年来，广东各行业自觉坚持“两手抓，两手都要硬”的方针，重视行业精神文明建设，以“服务人民、奉献社会”为宗旨，以“为人民服务、树行业新风”为主题，以加强职业道德建设，纠正行业不正之风为重点，着力解决广大人民群众关注的热点问题，开展规范化服务，推广社会承诺活动，开展行风评议，促进了行业风气和社会风气的好转。

四、精神文明建设理论创新的“广东现象”

注重理论建设，既是改革开放30年来广东省精神文明建设的一大特色，亦是30年来广东省精神文明建设的重要成果。广东省精神文明建设注重理论创新主要体现于三点：一是有一支学识渊博、富有时代使命感和理论创造热情的研究队伍。相继成立了广东省精神文明研究中心和广东省精神文明学会，组织了一批长期致力于精神文明建设理论研究并取得丰富成果的党政领导干部、高校科研机构的专家学者，形成这一领域研究的主力军。二是学术研讨掀起热潮，精神文明建设注重理论引导实践。大凡重要的工作部署，省委有关部门都注意利用学术界的理论优势，或召开座谈会，征求意见，出谋划策，或进行理论研讨，总结实践经验，升华到理论高度。三是出版或发表一大批高水平的精神文明建设理论成果，内容涵盖社会主义精神文明建设的方方面面。30年来，广东在精神文明建设理论研究方面，已发表论文近万篇，出版专著上百部。在此基础上，广东率先创立和发展了精神文明学、中华民族凝聚力学，丰富了人文社会科学的学科阵地，形成了国内精神文明学研究领域鲜见的“广东现象”。

（一）社会主义精神文明学研究

社会主义精神文明学是广东精神文明建设理论研究的重要内容。30年来，广东理论界不仅在全国率先构建精神文明学体系，而且自觉研究新情况、新问题，对广东文化建设起到积极促进作用。

1. 社会主义精神文明学的发展历程。

广东社会主义精神文明学从创建到繁荣大致经历了三个发展阶段：①

一是初探期，从1979年到1989年，以《精神文明与社会主义》② 与《精神文明建设导论》③ 的出版为代表。自社会主义精神文明建设课题提出之初起，广东社科界的学者们就以清醒的理论自觉，着手精神文明建设的理论研讨。这一时期，出版了两部著作，初步探索了社会主义初级阶段精神文明学的基本问题。一部是《精神文明与社会主义》，全书共9章，主要讲人类精神文明的起源与演进、社会主义精神文明的内容结构及其相互关系、精神文明与物质文明的关系、精神文明与民主的相互作用、精神产品的生产及转让、农村精神文明建设、经济特区精神建设以及精神文明建设目标等，从实践角度考察了社会主义精神文明建设若干理论问题，构建了社会主义精神文明学的初步框架。另一部是《精神文明建设导论》，该书从"社会主义初级阶段"的视角出发，明确提出了社会主义初级阶段精神文明建设的对象和方法、建设的出发点、战略地位、指导方法、根本任务、主要规律和阵地队伍等问题。以这两部专著为代表，广东迈出了创建精神文明学的第一步。就整体而言，这一时期的工作还比较零散，许多课题还处于广泛调查、搜集材料阶段，尚未形成系统的、有深度的研究成果。

二是精神文明学奠定期，从1989年到1996年，以《精神文明学论纲》④ 与《精神文明学》⑤ 的出版为代表。1989年以后，广东的社科工作者以全国各地尤其是广东不断深入的群众性精神文明创建活动为实践来源，以《中共中央关于社会主义精神文明建设指导方针的决议》为指导思想，在前段研究基础上，对精神文明学进行广泛而系统的研究。这一时期代表性著作有两部，各自提出了

① 范英：《论精神文明学在广东的创立》，《探求》2003年第2期。
② 钟阳胜、范英：《精神文明与社会主义》，广东人民出版社1988年版。
③ 马中柱主编：《精神文明建设导论》，广东人民出版社1989年版。
④ 范英主编：《精神文明学论纲》，中共中央党校出版社1990年版。
⑤ 张汉青主编：《精神文明学》，红旗出版社1991年版。

精神文明学的总体框架。一部是《精神文明学论纲》，该书由26章构成，首次界定了精神文明学的研究对象、研究方法和研究意义，阐述了这一新兴学科的基本概念、范畴和规律。阐述人类社会精神文明产生与发展的历史进程；概括精神文明真善美的内部结构及其之间的关系；把物质文明、政治文明、法制文明和“人种”文明看成是人类文明的主要组成部分，与精神文明构成各自的外部关联等。另一部是《精神文明学》，该书由15章构成，主要研究了精神文明学的研究对象、任务、方法；人类精神文明的历史发展；精神文明的本质特征；精神文明的系统结构与功能；精神文明的发生、发展及其形式、动力、规律、机制、环境和建设目标与实施；精神文明建设指标体系和管理系统等。这两部专著的出版，奠定了广东精神文明学研究在全国的领先地位。

三是精神文明学的拓展深化期，从1996年至今，以《精神文明学概论》[①] 与一批精神文明学丛书的出版为代表。1996年10月，《中共中央关于社会主义精神文明建设的若干重要问题的决议》发布，全国精神文明建设进入新的发展阶段，广东精神文明学研究也进入到新的发展时期。一是《精神文明学概论》出版，该书获得“广东省（1996—2000年度）精神文明建设优秀理论研究成果著作奖”，是又一本系统论述精神文明学理论体系的力作。二是一批研究精神文明学的“丛书”出版。一方面不断深化和完善刚创立起来的精神文明学，如范英等主编的中国精神文明学大型丛书，至今已出版30多部专著，该丛书围绕《精神文明学论纲》，全方位探索了精神文明建设诸问题，进一步充实完善了精神文明学的学科体系。另一方面，较全面、系统地总结区域性或专门领域的精神文明建设的实践与理论，如广州市委宣传部主编的《精神文明建设哲学论丛》、邬梦兆等主编的广州精神文明建设丛书、吴松营等主编的深圳精神文明建设丛书、李萍等主编的大学生道德建设丛书等。三是大量高水平精神文明建设理论文章的发表。其中，《在改革开

---

① 吴灿新、孙志东主编：《精神文明学概论》，广东人民出版社1998年版。

放中迈向文明之路——珠江三角洲精神文明建设实践的启迪》，是广东省精神文明建设论文类最早荣获中宣部“五个一工程”优秀作品奖的论文，《培养具有现代素质的人——建设现代化国际大都市之关键》等，获得广东省“五个一工程”优秀论文奖。在1996年12月举行的广东省首届精神文明建设优秀理论研究成果评奖活动（1992—1995年度）中，有24篇该领域论文获奖；在1996—2000年度评奖活动中有21篇论文获奖。

2. 广东精神文明学研究的理论成果。

在广大理论研究者和实际工作者们的辛勤耕耘下，广东精神文明学研究取得丰硕成果，提出了新观点、形成了新理论、建构了新体系。

第一，自觉地创立、完善和发展精神文明学的学科体系。广东精神文明理论研究者，从一开始就有明确的创建精神文明学的自觉意识。按照创建精神文明学的主将之一范英的说法，创立的直接原因是党中央的召唤、学者们的尝试，尤其是钱学森的首倡。[①] 经过30年来的努力，从单篇论文到专著再到丛书，比较详实地构筑了一个精神文明学的体系，评论者“把《精神文明与社会主义》看成是代表精神文明学形成之前的、较为集中的理论准备；把《精神文明学论纲》看成是精神文明学成形的、代表性的基本体系；把《人的素质与市场经济》等一系列著述看成是既对该学科基本体系的补充与完善，又更多的是对该学科基本理论的运用与试验”。[②] 这些研究成果对“精神文明学”这一新兴学科的研究对象、研究方法、研究意义以及该学科的体系构架等不断地修正、补充、深化和完善，从哲学的高度深入系统地阐述了精神文明建设的基础、主体、过程、机制、方法、系统价值等问题，为精神文明学的建立奠定了坚实的基础。

第二，从精神文明建设实践的需要和特点出发，深化与社会主

① 范英：《论精神文明学在广东的创立》，《探求》2003年第2期。

② 范英等主编：《珠水云山育芳菲——评广东原创的精神文明学》，中国人事出版社2006年版，前言第3页。

义精神文明学息息相关的研究领域。区域性丛书或区域性单项著作，能够结合各地工作实际，对精神文明进行研究。颇值一提的是《邓小平精神文明建设理论在广东的实践》① 一书，该书是《邓小平理论与广东实践研究丛书》中的一种，分上、中、下三编，从理论上概括了邓小平精神文明建设理论的体系、结构、特点及意义；从实践上总结了广东在邓小平精神文明建设理论指导下的成功经验，探索社会主义精神建设的普遍规律；从发展战略与思路上提出了在改革开放和发展社会主义市场经济条件下，精神文明建设应采取的对策。作为一部理论与实践有机结合的专业学术著作，该书对广东精神文明建设的理论研究和实践展开都有重要指导意义。此外，邬梦兆等主编的《广州精神文明建设丛书》、白天等主编的《深圳精神文明建设丛书》，都比较好地总结了本地精神文明建设的实践经验，进行了深入反思，提出有针对性的指导意见，对于精神文明建设的深入开展有重要价值。

第三，对精神文明建设某一专题或某一文明单位的研究，深化和完善精神文明学。一大批论文和专著，对精神文明专题进行深入研究，较具代表性的如《人的文化素质与现代化》、《市场道德论》、《走向开放的道德》等，内容涉及市场经济条件下精神文明学科本身的深化与完善，市场经济与精神文明建设的关系以及由此派生出的一系列理论问题，诸如市场经济与道德建设、市场经济与人的素质、市场经济与爱国主义教育、市场经济与文明创建活动、市场经济与文化建设等。

（二）中华民族凝聚力学研究

中华民族凝聚力学研究，亦是广东精神文明理论探讨的一大特色。1988 年，广东省政协副主席郑群同志提出：应当大力开展关于中华民族凝聚力的系统研究，以适应时代的需要，不断增强中华

---

① 蓝红等主编：《邓小平精神文明建设理论在广东的实践》，广东人民出版社 1995 年版。

民族的凝聚力。[①] 在社会各界的积极支持下，1992 年 1 月成立了"广东中华民族凝聚力研究会"、"广东增强中华民族凝聚力基金会"，前者是组织和推动研究的机构，后者是资助前者的团体。十多年来，中华民族凝聚力研究取得丰硕成果，有力地促进了广东精神文明建设的发展。

先后组织出版专著 13 部、论文集 6 册。按照《中华民族凝聚力研究丛书》编辑出版方案，拟定开展基础研究、历史研究、实践研究和比较研究四大部分内容。在已出版的专著中，属于基础理论研究的有《中华民族凝聚力学》、《中华民族凝聚力论纲》、《儒家文化与中华民族凝聚力》、《中华民族精神与当代中华民族凝聚力研究》、《当代马克思主义的发展与民族凝聚力的提升》、《全球化与中华民族凝聚力问题研究》、《人的文化素质与现代化》；属于专一领域并带有政策性研究的有《统一战线与中华民族凝聚力》；属于历史经验研究的有《碧血烽火铸国魂》、《秦汉中华民族凝聚力》、《孙中山与中华民族凝聚力》；属于传统文化研究的有《永恒的民族古典》；属于个案研究的有《新会侨乡凝聚力》；属于大型社会调查报告的有《中国城市居民文化素质研究》等。

研究会成功举办了十多次大型的增强中华民族凝聚力学术讨论会。重点研讨了中华民族凝聚力的基础理论、民族精神与中华民族凝聚力、民族文化素质与中华民族凝聚力、爱国主义与中华民族凝聚力、统一战线与民族凝聚力、中医药文化与中华民族凝聚力、中华文化与现代企业、文化认同与社会和谐等 10 多个专题。1997 年香港回归前夕，结合庆祝香港回归开展了"一国两制"与中华民族凝聚力专题研讨会。国内外传媒对研讨活动广为报道，使研讨活动在社会各界引起较大反响。1990 年举行第一次学术讨论会后，《上海社会科学报》以头版头条报道，题目是"广东提出了一个可以一代接一代研究的大课题——开放时代的中华民族凝聚力"。通

---

① 张磊、孔庆榕主编：《中华民族凝聚力学》，中国社会科学出版社 1999 年版，前言。

过一系列的研讨，大大提高了研究者对这一课题意义的认识，明确了中华民族凝聚力作为一门学科的基本理论框架，认识了中华民族凝聚力的运动规律，掌握了中华民族凝聚力的研究方法，从而在社会科学的研究上开辟了一个新的领域。

《丛书》和研讨会通过纵向上考察、研究中华民族凝聚力的发展史，从横向上对各民族的凝聚力加以比较，找寻爱国主义与中华民族凝聚力的关系，从中总结中华民族凝聚力的科学原理，并运用这些原理分析个案、指导实践。在一般原理方面，通过系列研究，对“中华民族凝聚力”的概念作了界定，论述了这一课题兴起的原因、时代背景、研究对象、研究意义和研究方法；论述了“中华民族凝聚力”的形成原因、历史发展、基本特征和新时期增强“中华民族凝聚力”的思路；阐述了“中华民族凝聚力”的功能、结构以及与社会经济、政治、文化诸因素的关系，对中华民族离散力的根源、表现、危害进行了分析和批判。在理论应用层面上，运用民族凝聚力理论对事物进行分析研究，从中华民族凝聚力理论对事件和人物进行分析研究，从中获得有益的启示；运用中华民族凝聚力理论进行实践性、区域性和对比性研究，总结经验、教训，借鉴有益成分，找出中民族凝聚力规律，从而在实践上促进中华民族凝聚力的增强。

广东中华民族凝聚力研究有两个最鲜明的特点：一是理论与实践紧密结合，二是多学科综合研究。每一次研讨专题的确定都是从实际需要梳理出来的，每一项研究成果，都要求能对推动实践起到直接或间接的作用。为了坚持从实际出发，为实践服务，研究者们注重社会调查，先后到梅州市、中山市、新会市、佛山市以及广州的一些学校、企业调查研究，总结它们（地区或单位）增强凝聚力的实践经验，并提出如何进一步增强凝聚力的建议。正是由于这一特点，团结了更多的研究者从不同学科角度、不同层面去开展研究，使研究的视野更加开阔，内容丰富多彩，质量不断提高。①

---

① 张磊、孔庆榕主编：《中华民族凝聚力学》，中国社会科学出版社1999年版，前言第5页。

（三）中华民族精神研究

由于中华民族凝聚力研究的兴起和党的十六大报告的号召，[①]作为文化建设和思想道德建设重要内容的民族精神，也受到广东学界重视。其主要成果主要有：

一是基础理论研究。针对过去人们把民族精神和文化传统都看作中性概念，认为民族精神就是中国文化的基本精神的认识，李宗桂认为，中国文化的基本精神是个宽泛、中性的概念，或者说是属于事实判断的范畴。中国文化基本精神的优秀成分，构成中华民族精神，成为推动中华民族不断进步的内在的动力。[②] 这一观点正被越来越多的学者所认同。李锦全将中华民族精神的基本内容归纳为八个方面：包容和谐精神、互助友爱精神、刻苦耐劳精神、公平正直精神、经世致用精神、团结御侮精神、自强奋进精神、革故鼎新精神。肖君和在其专著《中华民族精神》[③] 中认为，中华民族精神的内涵有以下诸点：作为中华民族精神本质的“生”，作为中华民族精神核心的“中和”，作为中华民族精神主体的“自强”、“重德”，作为中华民族精神基本内容的“刚”、“韧”、“稳”、“进”、“宽”、“厚”、“仁”、“义”，以及作为中华民族精神的特殊形态的爱国主义。就民族精神对文化创新和现代化建设的关系和意义，李宗桂认为，文化创新能够弘扬、更新既有的民族精神，使得民族精神与时俱进、更上层楼，提升中华民族的精神生命；民族精神的培育，能够促进民族文化的创新和发展。我们应当坚持文化创新，促

---

① 中共十六大报告指出：“面对世界范围各种思想文化的相互激荡，必须把弘扬和培育民族精神作为文化建设极为重要的任务，纳入国民教育全过程，纳入精神文明建设全过程，使全体人民始终保持昂扬向上的精神状态。”（江泽民：《全面建设小康社会　开创中国特色社会主义事业新局面——在中国共产党第十六次全国代表大会上的报告》，人民出版社 2002 年版，第 39 页。）

② 李宗桂：《中国文化导论》，广东人民出版社 2002 年版，第 349 页。

③ 肖君和：《中华民族精神》，黑龙江教育出版社 1993 年版。

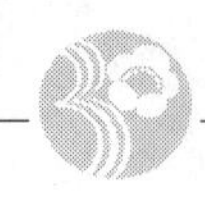

进民族精神的培育；坚持民族精神的培育，推动文化创新的开展。① 弘扬、培育民族精神是现代化建设的必然要求，民族精神是激励全民族不懈奋进的精神力量，是规范、引导全民族进步的价值标准，是建设、发展先进文化的思想原则，是凝聚海内外中华儿女的精神纽带，是正确回应全球化挑战的要求。② 李振连分析了“新时期广东人精神”与中华民族精神的关系，认为“新时期广东人精神”与中华民族精神在现时代的具体表现，“新时期广东人精神”丰富和发展着中华民族精神。魏安雄认为，弘扬民族精神应当坚持四个原则：一是必须反映出中国特色社会主义建设事业的根本要求；二是必须反映社会主义初级阶段的基本要求；三是必须反映建立社会主义市场经济体制的现实要求；四是必须反映发展社会主义先进文化的前进要求。③

二是中华民族精神与中华民族凝聚力关系研究。广东中华民族凝聚力研究会还于1992年12月以“中华民族精神与民族凝聚力”为主题召开学术研讨会，关于两者关系，一是认为，民族凝聚力是民族精神的核心，没有凝聚力这个核心，就没有民族，根本谈不到什么民族精神；二是认为，民族精神是渗透到人的价值观、伦理道德、行为方式、思维方式等各方面，从而形成民族的凝聚力；三是认为，民族精神与民族凝聚力是一回事，是一个问题的两个方面；四是认为，民族精神与民族的凝聚力是互为存在条件，是互相促进、互相制约的。④ 虽然观点各异，比较一致的看法是，民族精神与民族凝聚力的关系是至关重要的，要增强民族的凝聚力，就是要振奋起民族精神。李锦全则撰文分析了民族

---

① 李宗桂：《文化创新与民族精神的培育》，《南方日报》2002年9月19日，第7版。

② 李宗桂：《中华民族精神的历史发展和时代意义》，《中国高等教育》2003年第10期。

③ 魏安雄：《中华民族精神文化传统及弘扬原则》，《广东精神文明建设年鉴(2006)》，广州出版社2006年版，第559、560页。

④ 孔庆榕：《“中华民族精神与民族凝聚力”学术研讨会述要》，《学术研究》1993年第2期。

精神的主体内容对促进中华民族凝聚力的具体作用，阐述民族精神是如何促进民族凝聚力的。《中华民族凝聚力学》单列一章（第十章“民族精神与中华民族凝聚力”）全面阐述二者的互存互动关系。认为民族精神本身就是一种凝聚力，中华民族精神对民族凝聚力具有主导作用，中华民族凝聚力对民族精神具有反作用。①

三是中华民族精神系统研究的最新成果。由中山大学李宗桂主编、中山大学文化研究所组织编写的《中华民族精神建设丛书》2007 年 9 月由广东人民出版社出版。丛书围绕“中华民族精神建设”这个主题，系统地论述了中华民族精神建设的各类问题。主编李宗桂教授在总序中称，丛书“力图站在现代文化发展的基线上，以思想文化为核心，以制度文化为观照，以物质文化为背景，从理论与实践相结合的高度，总结文化建设实践中的经验教训，探讨当代文化建设的精神方向，为建设具有持久活力、蓬勃向上的中华民族精神，为祖国的现代化事业，奉献学术理论成果”②。该丛书共 10 本，目前已出版 7 本，包括《中华民族精神概论》、《中国哲学精神》、《中国法律精神》、《中国教育精神》、《中国伦理精神》、《中国经济精神》、《中国文化精神》等，对中华民族精神进行了宏观而深入的探讨，是迄今研究中华民族精神相对系统和全面的一套著作，具有较高的学术水平和创新性。中华民族精神建设，是一个长期而又艰巨的系统工程。丛书的出版，“将推动中华民族精神建设问题的研究，为社会主义现代化建设提供丰富的思想资源和有力的理论支持。”③

① 张磊、孔庆榕主编：《中华民族凝聚力学》，中国社会科学出版社 1999 年版，第 361 页。

② 李宗桂等著：《中华民族精神概论》，广东人民出版社 2007 年版，总序第 3 页。

③ 《〈中华民族精神建设丛书〉出版座谈会召开》，《羊城晚报》2007 年 10 月 7 日，A5 版。

五、回望与前瞻

改革开放30年，不仅使广东的经济状况发生巨大变化，精神文化面貌也发生质的飞跃。2005年4月，文化部部长孙家正说："广东改革开放走在全国前列，开风气之先，广东人每天都在创造着新的生活，取得了辉煌的成就，这些成就不能仅仅看成是经济上的成果，实质上它也是一种文化的成果。作为一个改革开放的先行地区，它对全国的贡献不止是那些看得见的数字，我认为最核心的还是文化，广东人所创造的文化对全国有巨大的贡献，形成了一些适应时代所需、符合我们国情的新的文化理念。"[①] 2007年11月，中央文明办专职副主任翟卫华在评价广东精神文明建设成就时说，"广东的精神文明建设工作有亮点、出特色、见成效，不少方面走在全国的前列。尤其是善于运用创建文明城市这一载体，推动落实科学发展观，推动和谐文化建设，推动解决民生问题，值得全国各地借鉴学习。"[②] 广东30年精神文明建设实践，取得了丰硕成果，积累了丰富经验，值得认真总结，以开拓更好的明天。

（一）创新发展结硕果

30年来，广东坚持以立为本、重在建设的精神文明建设工作思路，做了大量开拓性、创新性工作，使精神文明建设呈现出辐射范围越来越广、实践内容越来越丰富、水平和档次越来越高、实际效果越来越好的发展势头。特别是近十多年来，广东建立起一套包括经常性措施、法规制度、激励机制等在内的精神文明建设新方法、新途径，极大地改变了人民的精神面貌，"贫穷不是社会主

① 《文化部长孙家正：广东对全国贡献的核心是文化》，《南方日报》2005年4月13日，第6版。

② 《翟卫华评价广东精神文明建设：有亮点　出特色　见成效》，《南方日报》2007年11月8日，第5版。

义，富裕不等于文明，只有文明才能进步”① 成为广东人的共识。作为全国综合改革的试验区、对外开放的“窗口”，广东在改革开放中先行一步，引领全国风气，不仅为全国的经济建设和经济体制改革提供有益借鉴，亦为全国的精神文明建设积累了丰富经验。

第一，坚持以人为本，充分调动人民群众的主体性和积极性。人是精神文明建设的核心，精神文明建设的目标就是提高人们的思想道德素质和科学文化素质。因此，人既是工作对象，更是参与主体。邓小平同志深刻指出，“中国的事情能不能办好，社会主义和改革开放能不能坚持，经济能不能快一点发展起来，国家能不能长治久安，从一定意义上说，关键在人。”② 广东在开展精神文明建设活动中，始终坚持以人为本的理念，充分发挥群众的主体作用，尊重群众的首创精神。比如组织群众性大讨论活动，引导群众明辨是非；广泛开展内容鲜活、形式新颖、吸引力强的道德实践活动，使群众在参与中受到教育，得到提高。因此，具有广泛的群众性，成为广东精神文明建设的一个显著特点。③ 精神文明建设既要成为群众的热情创造，又要为群众的自身利益服务。多年来，广东把改善交通、通讯设施，兴办公益事业建设，建设优美工作环境、生活环境和投资环境，作为群众性创建精神文明活动的重要内容，使群众在关心、支持、参与精神文明活动中，看到好处，得到实惠。

第二，以“两手抓”的机制为保障，促进精神文明建设的社会化和制度化。社会主义精神文明建设要正常运转，必须从理论上与实践上提高对“两手抓，两手都要硬”方针的认识，不断强化精神文明建设的自觉性和使命感。不仅要增强自觉性，还要善于把认识转化为工作机制。机制是成龙配套的制度体系。注重机制建设，是近30年来，国际国内、政府社会普遍认同的管理原则。广

① 汤李梁、李济国、孟晓云：《托起璀璨的“双子星”——广东社会主义精神文明建设巡礼》，《人民日报》，1994年7月31日，第1版。

② 《邓小平文选》第三卷，人民出版社1993年版，第380页。

③ 蓝红等主编：《邓小平精神文明建设理论在广东的实践》，广东人民出版社1995年版，第77页。

东在精神文明建设实践着力加强机制建设，以机制统领精神文明建设的各个部门、各项工作、各个环节，不断增强精神文明创建工作的科学性。如，为推进创建工作走向制度化、规范化和科学化，省文明委建立了一套具体的量化考核指标，形成了《2001年广东省文明城市、创建文明城市先进单位评选考核细则和评选办法》、《广东省创建文明村镇考核标准和评选办法》、《广东省文明窗口单位考核标准和评选办法》等文件。再如为增强创建活动评选、考核工作的科学性，对传统的评选方法进行改革，坚持“三为主”，即以平时的了解为主、以群众的评议为主、以职能部门的考核为主，坚持公平、公开和公正。这就改变了以往只是自我申报、有关部门审批，没有群众参与的单一做法。

第三，不断创新教育载体，增强思想道德建设吸引力。精神文明活动传递的是思想文化、伦理道德，但内容必须借助一定的载体，包括物质与非物质的行为等。善于虚功实做的广东有一条重要经验：以实在的活动为载体，开展群众性精神文明活动，寓教育于各种活动中。各地在开展精神文明建设中，注重载体的挖掘与创新，积极探索深入浅出、通俗易懂、引人入胜的方式方法，根据不同对象，突出教育重点，形成活动特色，增强针对性和实效性。如举办大型图片展，开展广播、影视、戏剧展播、展映、展演活动，举办各种形式的报告会、讲座、展览，等等。而且善于把开展活动同纪念节日联系起来，每逢这样的日子，广东有关部门就精心组织，开展丰富多彩的纪念活动。

第四，注重社会宣传，营造精神文明建设良好氛围。精神文明重在建设，成为指导精神文明建设的指针，是近年来大家普遍认同的观点。这主要说明，精神文明建设不能一蹴而就，不能靠毕其功于一役的空想，需要长期潜移默化的影响，这就需要营造浓厚的热烈的氛围。因此，广东省在开展重大精神文明活动时，就特别重视扩大宣传，充分利用新闻媒体各自的优势，大力营造舆论氛围。如，报纸杂志开辟专栏，追踪报道活动的进展情况和群众对开展活动的反映；电台、电视台组织对话、访谈等专栏或专题节目；网站

开辟专题论坛，引导网民围绕热点问题开展讨论；各媒体制作、刊登、播出相关内容的公益广告，使富有教育意义的名言警句抬头可见，随处可读。不仅如此，还精心策划组织在火车、飞机、轮船、公交车辆上的语音宣传，充分发挥农村、厂矿、社区的文化站（室）、宣传栏、黑板报等基层宣传阵地的作用，营造一个缜密的宣传网络。

第五，树立先进典型，发挥榜样的示范带动作用。榜样的力量是无穷，尤其在思想道德建设方面。广东省从1991年起，每两年召开一次全省精神文明建设表彰大会，至今已先后召开八次。树立一批热爱祖国、遵纪守法、诚实守信、知书达礼的道德楷模和先进集体，着力挖掘、培养并推出站得稳、唱得响，在全省乃至全国产生广泛影响的先进典型，塑造广东公民的现代文明形象，发挥榜样的示范带头和辐射作用。

（二）更上层楼向未来

30年改革开放，广东精神文明建设取得了有目共睹的成就，在客观上为广东的经济建设和社会发展作出了相当出色的贡献，但在主观上始终没有摆脱浓厚的“条件”意识和“配角”特征，在指导思想上总是强调和满足于为某一阶段的所谓中心工作服务，而没有突出精神文明建设在社会发展中的独立功能和目的性意义。广东要在未来的现代化建设中继续领跑全国，需要进一步突出精神文明建设的主导地位，加大工作力度。

第一，进一步完善机制，切实加强对精神文明建设的重视和领导。加强思想道德建设，关键在于各级党委、政府重视。一是从提高国家软实力的高度，进一步增强文化自觉。各级领导必须从实现广东新世纪发展目标的战略高度，充分认识思想道德建设在率先基本实现现代化进程中的地位和作用，进一步增强推进思想道德建设的责任感和使命感。不仅要克服思想上的模糊认识，而且还要从行动上摈弃重经济建设、轻文化工作的行为，切实把精神文明建设放在突出位置，真正把三个文明建设作为统一的奋斗目标，一同规划、一同部署。二是建立科学的文化评价体系。文化不像经济建设那样，通过一系列数字就可以检验出来，它是体现在人们的精神世界中。事实上，“精神文明建设不仅是现代化建设的‘条件’、而且是‘目的’，精神文明既是条件又是目的性的建设。”① 精神文明建设不仅是为社会主义现代化建设提供重要的条件和保证，而且需要具备现代化素质的人去享用它。必须把提高人的思想道德素质和科学文化素质作为根本内容，贯穿到精神文明建设全过程；必须把满足人民群众精神文化需求作为最终目的，努力实现好、维护好、发展好人民群众的根本利益。三是要进一步建立和完善齐抓共管的工作机制，改变以往精神文明建设靠少数部门和少数专职人员做的状况，努力形成全社会共同关心、支持和参与的良好局面。

第二，进一步整合资源，努力提升精神文明建设水平。近年来广泛开展的创建文明城市、文明行业、文明村镇，“三下乡”、“四进社区”以及各类主题实践活动，社会影响较大，群众普遍欢迎。开展这些活动，要进一步突出各类活动的思想内涵，强化道德要求，并与各项业务工作紧密结合起来，避免“单打一”、“两张皮”。同时还要与解决群众关心的热点、难点和实际困难结合起来，要从群众反映强烈的不讲诚信、市场秩序混乱、安全生产存在隐患等问题入手，通过组织相关的道德实践活动，促使问题尽快解决。要围绕下岗职工再就业、困难家庭基本生活保障等问题，组织开展送温暖、献爱心等活动，大力弘扬团结友善、扶危济困的良好道德风尚。

第三，进一步抓好网络，加强对互联网的管理和利用。互联网是一柄双刃剑，一方面加快了信息的流通，成为报纸与广播电视之外的最重要的信息通道，而且有超越传统媒体之势；另一方面不良信息乘机而入，各种信息充斥网络，鱼龙混杂，不利于健康思想的传播。因此，要高度重视网络社会的发展趋势，加强对网络文化的

---

① 周薇、肖海鹏：《广东精神文明跨世纪建设的思考》，《广东社会科学》1999年第3期。

管理。要加强对各单位网站点的管理，禁止发布和链接各类不良信息，特别是色情、暴力等不利于青少年成长、不利于社会政治稳定的有害信息。同时，要大力支持宣传新闻单位和思想政治工作部门建设信息网站，在网上大力宣传社会主义的思想和道德文化，建设社会主义特色的网络文明，使互联网成为传播社会主义精神文明和加强思想道德建设的阵地。

第四，进一步关注“盲区”，扩大思想道德建设的社会覆盖面。改革开放以来，广东新型社会组织、新型经济组织发展较快，流动人口不断增加，而思想道德建设在这些领域相对薄弱，存在“盲区”。广东省有近2000万外来工，相当于我国一个中等省份的人口。这部分人教育好，对广东的发展、稳定、和谐非常重要。要采取有力措施，积极扩大思想道德建设覆盖面。同时，还要下大力气抓好离退休人员、下岗职工、农村特困人口、进城务工人员、流动人口、外来工、个体劳动者等对象的思想道德教育。

第五，进一步推进创新，积极体现精神文明建设的时代性。随着我国改革开放的不断深入，人们的价值标准、道德意识、思想观念也在不断发展变化。要通过不断摸索、不断实践、不断创新，使思想道德建设与时俱进。一是要创新理论。对新实践、新情况进行分析、概括和提炼，为道德建设提供强有力的理论支持。二是要创新内容。积极培养与发展社会主义市场经济相适应的新的道德观念，增强人们的自立意识、竞争意识、效率意识、民主法制意识和开拓创新精神。三是创新途径、手段。努力做到春风化雨、润物无声、耐心细致、潜移默化，不断增强思想道德建设的渗透力、影响力和感召力。

第九章
新时期广东人精神的培育与弘扬

得改革开放之惠的广东，在构建社会主义市场经济的社会机制过程中，在经济社会多年持续高速发展的基础上，积累了丰富的物质财富，也创造了丰硕的精神文明成果。在新的历史发展时期，如何“增创新优势，更上一层楼”，是摆在广东各界面前的严肃课题。于是，在世纪之交特别是新世纪以来，关注精神的价值，重视激发、鼓励全社会的进取精神，为新的发展阶段提供精神动力和智力支持，成为广东全省的普遍性现象。因此，新时期广东人精神[①]的培育和弘扬，理所当然地成为广东文化发展新阶段的繁盛景象，成为广东经济社会可持续发展的必然选择。

一、传统岭南精神的提升

当代广东文化是传统岭南文化的继续发展和创造性提升。洞察

① 本章所讲的广东人精神，有广义和狭义之分。广义的广东人精神，指广东现代化进程中所出现的反映广东人精神面貌、体现广东文化特质的文化价值观和文化风貌；狭义的广东人精神，指在广东省委指导下，于2003年初开始、历时大半年的“新时期广东人精神”大讨论中形成、并最终由省文明委于当年11月11日在文明委全体会议上确定的“敢为人先、务实进取、开放兼容、敬业奉献”的“新时期广东人精神”。为了表述明晰并方便读者阅读理解，本章在论说前者的时候，使用不加引号的广东人精神，而在论说后者的时候，使用加引号的“广东人精神”。

传统岭南文化的精神，把握新时期文化的精神方向，是培育和弘扬广东人精神的重要前提。

（一）传统岭南文化精神

传统岭南文化，[①] 有其独特的精神。这种独特的精神的存在，与其独特的性质相关。

关于传统岭南文化的性质和特征，学术界研究成果颇丰。有学者指出，就其本质而言，岭南文化是一种原生型、多元性、感性化、非正统的世俗文化。[②] 由这种非正统的世俗文化性质所决定，岭南文化具有典型的重商性、开放性、兼容性、多元性、享乐性、直观性、远儒性等特征。[③] 有学者认为，岭南文化的精神品格主要表现为敢为人先、开放兼容、务实实干、重商求利。[④] 有学者认为，“开放与商品经济是岭南文化两大特色”；岭南文化的类型“很大程度上属于平民倾向的世俗文化、市民文化、商品文化”；岭南文化的特性表现为开放性、兼容性、多元性、直观性、平民性、非规范性，也可简括为“新、实、活、变”四个字。[⑤] 此外，还有其他种种大同小异的概括。

在我们看来，岭南文化本质上是疏离于中原文化而又仍然受到中原文化影响、具有较强的商业意识和海洋意识的农业文化，是具

---

① 此处使用“传统岭南文化”，是为了区别于当代广东文化。本来，广东文化与岭南文化的区别是不言而喻的，但因为近年有人把当代广东文化也泛论成“岭南文化”，从而导致某些混淆，故，为了彰显二者的界线，此处并不一般性地使用“岭南文化”，而是加上“传统”二字，意在强调“广东文化”所具有的改革开放的时代性。不过，在我们的研究视野和思路中，岭南文化一般是指传统意义上的岭南地区的文化，既包括古代，也包括近代。本书所用“岭南文化”，即是这个含义。

② 李权时主编：《岭南文化》，广东人民出版社 1993 年版，第 19 页。

③ 同上书，第 22 ~ 28 页。

④ 顾作义、张子兴、吴灿新等：《弘扬和培育“新时期广东人精神”，为开创广东改革发展新局面提供精神动力——“新时期广东人精神”大讨论活动导引》，载范英主编：《广东先进文化发展论》，广东人民出版社 2003 年版，第 428 ~ 429 页。

⑤ 张磊、张苹：《岭南文化的特点：新、实、活、变》，载李明华主编、司徒尚纪副主编：《广州：岭南文化中心地》，中国评论学术出版社 2007 年版，第 111、116 页。

有显著复合特色的地域文化。这个地域文化的特征，主要表现为务实、重商、兼容、世俗、平民化等。①

从价值理性的层面考察，毫无疑问，无论我们如何给传统的岭南文化以高度评价，也无法抹煞其农业文化的本质，无法改变其古典文明的特征。正因为如此，在进入工业化中后期的广东、在工业文明时代，我们应当对其进行创造性的转换，赋予新的时代精神，使其焕发生机，并为今天的广东文化建设提供历史资源。

（二）新时期文化的精神方向

改革开放开启了广东文化的新时代。新时期的广东文化，需要继承光大岭南文化的优秀成分，转化提升岭南文化的精神价值。广东开展文化大省建设，便是这一转化提升的重要步骤和必要途径。

新时期广东文化建设的重心何在？我们认为，并不在于某些具体的事项或工程，也不在于日常生活的层面，而在于精神、价值层面的建构和提升。质言之，是要拓展价值观念、精神追求，要把握先进文化的精神方向。

什么是中国的先进文化？所谓中国的先进文化，从根本上讲，就是顺应中国现代化和世界文明进步的历史潮流，反映改革开放的时代精神，代表社会发展方向，体现绝大多数人民利益的文化，是时代性、民族性、世界性的统一；是继承性、创新性、开放性的一致；是科学精神与人文精神的融合；是面向现代化、面向世界、面向未来的协调。她能够反映中华民族在长期发展历程中逐渐形成并发扬光大的文化基本精神，是民族文化优秀传统的集中体现，是中华民族精神的集中体现。它反映着中华民族发展的正确方向，反映出与人类文明发展方向的一致，代表并昭示着人类文明的发展方向。从文化的民族性的一面来看，它应当体现中华民族世代相继、前后一贯的奋进精神，具有超越时代、地域、阶级的特点，反映的

① 这个问题十分重要而又复杂，需要专门详细论证，但因篇幅所限特别是本章论述重心所限，故从略。

是民族文化中具有中国特质的普遍性的一面，以及作为人类文化重要构成的、表现人类共性的一面；从文化的时代性的一面来看，它应当体现特定时代的时代精神，具有对旧时代、旧文化的较强的超越性，以及对新的时代的呼唤和展望；从文化的世界性的一面来看，它应当能够呼应人类文明发展的声音，从一个侧面反映出人类文明前进的脚步，使得中华民族文化融汇进世界文化的发展大潮之中。在今天，所谓中国的先进文化，就是中国特色社会主义文化。这个先进文化，是批判继承历史传统而又充满改革开放的时代精神、立足本国而又面向世界，具有典型的中国作风、中国气派而又融贯当代世界文明的基本精神的现代新型文化。先进文化是综合国力的重要标志，文化建设的根本任务是促成全社会的共同理想（建设有中国特色社会主义）和精神支柱的锻铸。[①]

广东文化大省的建设，新时期广东人精神的培育和弘扬，应当而且能够反映上述文化价值理念。广东省精神文明建设委员会办公室是主管广东精神文明建设的部门。2003 年 4 月，在由广东省委宣传部、省文明办、省社科联联合举办的“发展先进文化理论研讨会”上，时任省文明办常务副主任（现任省委宣传部副部长）的顾作义，概括了发展先进文化、建设文化大省的六大思路，其首要的一条是“突出一个核心：创新岭南文化精神”。他指出，“文化精神的培育是建设‘文化大省’的核心内容”。“岭南文化的现代化转换问题”，是需要从理论和实践上给予回答的问题，是在广东建设先进文化的“大问题、新问题”。[②] 应当说，这是抓住了问题的关键。

---

① 李宗桂：《文化的先进性与文化建设的基本目标》，《学术研究》2000 年第 8 期。

② 顾作义：《在“发展先进文化理论研讨会”上的小结》，载范英主编：《广东先进文化发展论》，广东人民出版社 2003 年版，第 16、19 页。

不仅如此。值得注意的是，顾作义在概括关于发展先进文化、建设文化大省的思路时，有针对性地明确提出了要突破六大思想误区：第一，要突破文化消费论，即把文化仅仅当作消费的观念，应当看到文化也是人的必不可少的需求，树立文化也是生产的观念。第二，要突破文化工业论，即把文化仅仅看作是经济发展的手段的观念。经济的发展并不是最终目的，最终目的应当是人的全面自由发展。文化既是手段，也是目的，在人的全面自由发展中起着同样重要的作用。第三，要突破文化公益论，即把文化仅仅看作是公益事业的观念，应当既要把文化当作事业，也要当作产业来发展，大胆引进民资、外资，加速文化产业的发展。第四，要突破文化阶级论，即把文化等同于意识形态，贴上姓“社”姓“资”的标签。文化具有阶级性，但文化又有相对的独立性，并不能完全等同。第五，文化西化论，即把西方文化统统当作腐败落后的东西。在借鉴西方文化的问题上，有人对其思想文化持保留态度。其实，西方的人本主义思想、生态主义思想、全球化思潮、知识经济思潮方面，许多都有科学、合理的成分，都应大胆地借鉴。第六，文化虚无论，即把文化看成是看不见、摸不着的东西，看成是可有可无的东西。[①] 这些见解，显然在当时具有很强的理论针对性和实践指导性。即使在5年后的今天，其意义仍然不可低估。应当说，这些见解，反映了广东学术界和政界的主流意见，体现了广东文化建设中的新的精神方向，是对岭南文化的创新，是对发展中的广东文化建设实践的价值提升。

二、当代广东地域文化精神的构建

以广东人精神的培育和弘扬为旨趣，广东省内的地域文化精神

---

① 顾作义：《在“发展先进文化理论研讨会”上的小结》，载范英主编：《广东先进文化发展论》，广东人民出版社2003年版，第18～19页。

的建构各具特色、精彩纷呈。[①] 这个地域文化精神的建构，既有县域文化的拓展，也有华侨文化的深化，更有城市文化的支撑和引领。

（一）城市化进程中县域文化的拓展

在中国历史上的行政架构中，县级行政建制最为稳定，其延续也最为长久。自秦朝实现郡县制后，县级行政建制的体制，就长期保留了下来，并在其长期的发展中，逐渐形成了不同地区颇具特色的县域文化。

1. 县域文化的内涵及其价值。

县域经济，这些年讲得比较多，也比较容易理解，但县域文化并不太为人们所熟知，尽管县域文化对于县域经济社会的发展具有不可忽视的作用。因此，这里有必要对此概念进行阐释。在我们看来，所谓县域文化，是指在县的行政区划内经过长期积淀而形成的独特的文化。它以县城文化为中心，以城镇文化为依托，以乡村文化为背景。

县域文化是一种地域文化。从文化学的视角来看，地域文化可分为文化圈、文化群体和文化个体。文化圈是地域文化中最大的类型，如世界文化范围内的东亚儒学文化圈、欧美基督教文化圈、阿拉伯伊斯兰教文化圈、印度佛教文化圈。文化群体的范围和规模小

---

① 地域文化又称区域文化或地区文化，它是根据地域分类法而划分的文化类型。根据文化学理论，地域文化可以分为文化圈、文化群体、文化个体三种类型。文化圈是从全球视野来划分，认为世界文化由欧美基督教文化圈、阿拉伯伊斯兰教文化圈、印度文化圈、东亚儒教文化圈共同组成；文化群体一般以国家、民族为单位，如东亚儒教文化圈包含中国、日本、韩国等文化群体；文化个体是指文化群体即特定民族、国家内部的文化构成单位，是该国特定地域的文化，比如在中国文化这个群体中，包含着中原文化、齐鲁文化、荆楚文化、巴蜀文化、岭南文化等。根据这个原理，我们可以进一步细分，亦即在文化个体中，还有（更小）的个体，例如巴蜀文化中分别有巴文化和蜀文化；在岭南文化中，有广府文化、潮汕文化、客家文化。同理，在当今的广东文化中，有香山文化、台山文化等县域文化的个体，有广州、深圳、东莞、中山、梅州、惠州等以城市为核心的不同地域的文化个体。鉴于本书第七章专门论述岭南文化，其中涉及广府文化、潮汕文化、客家文化等地域文化，故本章所谈地域文化对此从略。

于、并从属于文化圈，一般以国家、民族为单位，如东亚儒学文化圈里面，就包含着中国、日本、朝鲜等文化群体。换言之，文化群体的文化，是指民族文化。文化个体的范围和规模，小于文化群体，是文化群体亦即民族文化的组成部分。历史上形成的岭南文化、楚文化、巴蜀文化、吴越文化、齐鲁文化等，就是中国文化这个文化群体的组成部分，是群体之中的个体。在当代，京派文化、海派文化、粤派文化，以及时下不少省市正在建设的文化大省、文化强省的文化，例如广东文化、浙江文化、山西文化、云南文化等，也是中国文化这个文化群体中的个体。而在文化个体之中，由于中国省级行政建制的地域广大和历史文化传统的复杂影响，又形成了不同的小的文化个体，亦即县域文化。在特定的县域之中，经过长期的濡染和积淀，逐步形成以县城为中心的、具有显著语言特色、说话方式、办事特点乃至建筑、服饰特点的文化。

县域文化是一种历史文化。中国自秦汉以来的行政架构，县级行政区划和管理体制最为稳定。从古至今的地方志修纂，主要是县志的修纂。全国各地县志的汇集，就是一部中国历史。县级行政区划的稳定，导致了特定县域发展的连续性和稳定性，从而逐渐形成了特定的生活方式、话语表达方式（包括语音）、民俗风情、审美情趣和思维特点。因此，县域文化具有明显的稳定性和历史承传性。

县域文化是一种时代文化。由于行政区划和管理体制因素的作用，县级行政机构是贯彻中央政府意志的极为重要的行政单位，它必须与时俱进，跟上时代步伐。它所直接贯彻执行的中央政府的法律、方略、政策也好，由它根据中央政府意志而自身制定的政策法规和规划也好，都必须反映那个时代的要求，体现时代精神。在这个意义上讲，县域文化是时代精神的基本载体和重要体现。

县域文化是爱国主义的重要载体。爱国主义是中国传统优秀文化的重要内容，是中华民族精神的核心。古典爱国主义的一个重要内容和特征，就是爱家乡，爱自己祖祖辈辈生活的地方，爱故乡的山山水水。故乡意识、家国情怀，都是和县域文化紧密联系的。故

乡，历来是用县级行政区划来指代的。孙中山的故乡是广东香山县（现中山市），毛泽东的故乡是湖南湘潭县，邓小平的故乡是四川广安县，这是当代中国人的常识。自有现代意义的户籍制度和档案管理制度以来，人们的“籍贯”，是以县级行政区划为依据的。正是长期稳定的县级行政体制的存在，包蕴、滋生了爱国主义情怀中的故乡意识、家国观念。因此，县域文化对于特定县级行政区域人们的凝聚力、感召力，具有别的类型的文化无可替代的作用。

县域文化的中心是县城文化。县城文化是县域文化的先进代表。县城是一个县的政治、经济、文化中心，是进步、时尚的象征。人们通常所说的“进城”，是进县城，而不是进省城，更不是到镇里。“进城”去，是为了从事政治、经济、文化等诸多方面的活动，是办事，是开拓眼界，是沟通交流，是购物休闲，等等。县城里的种种活动、事物、现象、人物，都可能深刻地影响四乡八镇的人们。城里人都如何如何，城里都怎样怎样了，成为各个乡镇的下意识的价值标准。因此，县城文化是特定县的旗帜，是该县文化进步的表征。

县域文化是承传和培育民族文化和省域文化的重要枢纽。承上启下，承前启后，下情上达、上情下传，是作为乡镇文化与民族文化和省域文化之间的县域文化的重要职责。民族文化的传播、创新和实践，县域文化是重要的渠道和基础，也是重要的载体。[①]

基于上述认识，我们可以看到，在现代化进程中的县域文化仍然值得珍视，县域文化的建设应当受到高度重视。而广东在率先基本实现社会主义现代化的实践中，对于县域文化的拓展，做了有益的探索。这可以从“南海精神”的构建和“香山文化”建设的事例中得到印证。

2. “南海精神”。

现时的佛山市南海区（县级区），是原来的南海县。南海置县历史悠久。早在秦朝，中央政府就在南海置郡。秦始皇三十三年

---

① 参见李宗桂：《重视县域文化》，《人民日报》2003 年 10 月 13 日，第 17 版。

（公元前214年），设置南海郡。隋文帝开皇十年（公元590年），已经设置南海县。从那时至今，南海县已经有1400多年的历史。[①]南海在长期的发展中，逐渐形成了颇具特色的县域文化，并对其经济社会发展产生了重要影响，并出现了诸如朱次琦（朱九江）、康有为（康南海）、詹天佑、黄飞鸿、何香凝、陈香梅等一批历史文化名人。改革开放以后，南海曾经是风靡全国的广东经济“四小龙”之一。应当说，南海的长期稳定的经济社会发展，固然有很多因素的综合作用，但其历史文化底蕴深厚的县域文化，无疑是其重要因素之一。一个重要的例证，便是南海人对“南海精神”的研讨。

2005年初，南海区委、区政府通过总结提炼南海的精神和文化实践，把“海纳百川的包容精神”、“敢为人先的有为精神”和“团结奋发的龙狮精神”总体概括为“南海精神”。

对于“南海精神”的概括提炼和实践，广东学术界给予高度关注和积极评价。中山大学历史系教授陈春声认为：“海纳百川的包容精神、敢为人先的有为精神和团结奋发的龙狮精神是从南海的传统文化中提炼出来的，有一定的背景和历史渊源，很具代表性。在人们对这些精神进行弘扬的过程中，一方面可以继承中国优秀的文化传统，另一方面可以将全社会人民的思想统一起来，能更好地传承国家政策方针。南海精神的提出有助于和谐社会的建构。海纳百川的包容精神可以吸引更多的人到南海来。”[②]

2005年9月初，在南海召开的“南海精神价值与运用”研讨会，是弘扬南海人文精神的盛会。与会的广东省社会科学院刘小敏研究员认为，南海精神富有鲜明的地方特色、时代特征和深厚的历

---

① 南海在建国后，先是县，后改市，再改区，但始终属于县级建制。当它是县的时候，曾被评为“全国先进文化县”；当它是市的时候，曾被评为“国家卫生城市”、“国家信息化示范城市”；当它是区的时候，曾被评为“广东省教育强区”、“全国综合实力百强县（区）”。

② 陈春声：《南海精神有助于地方文化重构》，《佛山日报》2005年5月30日，B4版。

史底蕴。对于南海精神的运用应当遵循“求真务实”、“高瞻远瞩”和“与时俱进”这三个原则，这样才能在实践中不断丰富发展南海精神的内涵，成为南海发展的强大精神动力。①

中山大学李宗桂教授高度评价南海精神。他说：从文字上看，海纳百川的实质就是包容精神，敢为人先的实质就是有为精神，团结奋发的实质就是包容精神。经过长期实践，精心提炼出来的南海精神，是广东建设文化大省的重要成果。南海精神的形成、提炼、实践具有崇高的文化价值：第一，体现了深厚的人文关怀。南海区委区政府把南海精神作为南海发展的精神动力，且明确提出“弘扬南海精神，构建和谐社会”，十分契合时代发展的主题。把经济文化一体化，具有深厚的人文关怀。第二，具有独特的县域文化特征。南海精神是对传统的南海县域文化的概括提炼。可以说，是当代中国优秀县域文化的缩影。第三，是对传统岭南文化的科学继承。第四，生动体现了科学发展观。南海精神追求的是构建和谐社会，体现在兼容开放的人文意识、勇于进取的商业意识、讲求实效的务实意识和敢为人先的改革意识，这样的精神不是单纯追求 GDP 总量的物质发展观，而是体现了蓬勃向上、生气勃勃的精神状态。第五，是新时期广东人精神的生动写照。南海精神与新时期广东人精神是一致的。广东人精神是对全省各地文化和精神的概括升华，南海精神则是对省内县域文化高度提炼的优秀成果，是当代中国优秀县域文化的缩影。②

南海 30 年来的强劲发展，固然是很多因素相互作用的结果，但是，作为县域文化集中体现的“南海精神”，无疑是其重要的精神支撑和智慧源泉。

3. “香山文化”。

与“南海精神”相映成趣的，是“香山文化”理念的提出。

---

① 刘小敏：《南海精神——一种具有鲜明地方特色的精神》，《佛山日报》2005 年 9 月 2 日，B4 版。

② 李宗桂：《南海精神是当代中国优秀县域文化的缩影》，《佛山日报》2005 年 9 月 2 日，B4 版。

“香山文化”是中山市提出的。中山市是原来的中山县，而中山县的“前身”则是香山县。香山设县，是在南宋时期。南宋高宗绍兴二十二年（公元1152年），设置了香山县，隶属广州府。1925年，为纪念逝世的孙中山，香山县改名为中山县。新中国成立后，1983年，中山撤县置市，成为由佛山市管辖的县级市。1988年，升格为地级市。这些情况表明，香山文化的基础和底蕴，是县的行政架构及其相应的县域文化。

2006年5月，中山市提出了“香山文化”的理念。这个理念一提出，迅即受到学术界和珠海、澳门有关方面的关注。①

时任中山市委宣传部部长的王远明，撰文论说“香山文化”。他指出，据《太平寰宇记》记载，香山泛指历史上曾共属于一个行政区划的中山、珠海、澳门等地，她处在江海交汇处的伶仃洋之滨，同临珠江水系的入海口，在中国翻天覆地的现代化进程中风云际会地成为了中外交流的一个关键地带。借此催生出的既源自于中国传统，又融合有外来因子的具有自身特点的物质创造、制度构建、行为规则、文化习俗以及价值取向等的总和，即为香山文化。

鸦片战争以来，香山人最早睁眼看世界，率先跨出国门，书写了中国人自强兴国的恢宏篇章。他们当中有为国家富强，对民主革命作出巨大贡献的孙中山、容闳、唐绍仪、郑藻如、杨仙逸、杨殷、林伟民、苏兆征等，也有为推进中国近代对外贸易和工商业发展而功绩卓越的徐润、唐廷枢、马应彪、郭乐、蔡昌、李敏周等，还有呼唤思想启蒙，倡导顺应历史潮流的郑观应、杨匏安、刘师复、王云五等，以及在文学艺术、体育事业上建树颇多的苏曼殊、阮玲玉、郑君里、萧友梅、吕文成、容国团等。

就价值取向而言，香山文化主要表现为三个方面：一是崇文尚武；二是顺应自然；三是重视商业。就文化精神而言，香山文化蕴涵着四种文化精神：一是坚守正统与开放创新并存。香山文化虽然

① 古代的香山，包括现今的中山、澳门和珠海主要区域。1952年从中山县划出渔民县（即后来的珠海县）和斗门县。

是一个开放的系统，多元文化并存是香山文化开放包容的表现，但是，香山文化在本质上并没有因不断地吸纳外来异质文化而丧失自己的本土文化和中国传统文化的根本特征。相反，香山文化在海纳百川、兼容并包中坚守自己的文化传统，不断地实现创造性的转化和提升。二是趋利务实与热情浪漫同在。香山靠山抱海，素有重农亦重商的传统。一方面务实求真，趋利避害，具有时间效益观、开放效益观和变革效益观等商品意识，表现出趋利务实的个性；另一方面香山人又热爱大自然、热爱生活，对人生充满憧憬，表现出热情浪漫的诗性情怀。三是刚勇好强与文质彬彬兼备。四是科学理性与人文精神合一。沧海桑田的巨变和移民构成的社会表明了香山具有独特的自然和人文环境与条件。香山人在改造自然、适应自然的过程中，学会了思考和创造，学会了博爱与包容。

在指出香山文化的上述特质后，王远明进一步强调研究香山文化具有重要的意义，认为有利于加强中山、珠海、澳门之间经济文化的交流与合作，实现资源共享、文化认同和产业合作。珠海、澳门、中山三地历史同源，文化同根，地缘人缘相近。研究、传承和弘扬香山文化，可促进三地的经济文化合作，促进广大海外香山人对中华文化的认同和对家乡、祖国的眷恋，增强香山文化、中华文化的影响力和凝聚力。①

专门从事文化研究的学者，也对香山文化颇感兴趣，并积极支持香山文化的研究和建设。有学者指出，香山文化的提出，是“区域文化研究和建设的新思路”，既有丰富的实践意义，也有创新的理论意义，是一个值得重视的现象。香山文化的提出，“大胆突破了以行政区划为研究对象的传统思路，捕捉和把握了地域文化的真正内涵”“‘香山文化’口号的应运而生正是广东经济社会发展至目前阶段的历史必然，是广东日益重视文化建设的结果，具有

① 王远明：《香山文化论纲》，《学术研究》2006 年第 8 期；《香山文化研究之价值与意义》，《学术研究》2006 年第 6 期。另，还可参见胡波：《香山文化的现代诠释》，《学术研究》2006 年第 6 期。

战略意义”。①

我们认为，“香山文化”作为一个独立的文化概念，完全可以成立。从文化解释学和文化建设论的层面考察，香山文化具有深厚的底蕴和独特的价值，值得高度重视并在实践操作的层面给予支持。

香山文化的根本属性，是本土文化。这个本土文化的属性，蕴涵着两层内涵，即岭南文化和中华文化。中山人概括说，香山文化蕴涵着四种文化精神：坚守正统与开放创新并存，趋利务实与热情浪漫同在，刚勇好强与文质彬彬兼备，科学理性与人文精神合一。这个概括，既与多年来人们概括的岭南文化的崇尚实际、重视商业、兼容并包等主体精神和特点相一致，也与近年提炼出的、体现“岭南文化大放异彩”的“敢为人先，务实进取，开放兼容，敬业奉献”的“新时期广东人精神”相一致。可见，香山文化无疑是岭南文化的重要构成和表征。而作为中华民族精神价值集中承载和具体表现的中华文化，其核心是以爱国主义为核心，团结统一、爱好和平、勤劳勇敢、自强不息的中华民族精神。显然，香山文化也体现并承载了民族文化的精神价值。简而言之，香山文化既具有深厚的岭南地域文化的根底，也具有扎实的民族传统文化的基础。它既是岭南地域文化小传统的构成之一，也是中华民族文化大传统的承载者。

香山文化的重要特质之一，是容纳、吸收外来文化，并担当了中西文化交流的载体。从地理板块来看，香山包括了现今中山、珠海两市和澳门特别行政区。我们知道，澳门是明中叶以来中西文化交汇的桥梁，利玛窦等人就是从澳门入境继而进入内地的。从明清到近代，包括汤显祖、林则徐、魏源、郑观应、孙中山、康有为、梁启超、高剑父等中国文化名人都曾在澳门活动，了解、学习西方文化，并转而影响到中国文化的发展。以《西学东渐记》名世的

① 徐南铁：《区域文化研究和建设的新思路》，《南方日报》2006年7月27日，A12版。

容闳，以《盛世危言》震撼国人的郑观应，以及创建四角号码检字法和中外图书统一分类法而著名的王云五等，都是香山文化范畴的人物，其成果实质上都是吸收了西方先进文化的结果。至于香山人创办现代中国百货业的先驱先施公司、永安公司、新新公司、大新公司等，则更是容纳、吸收西方商业文明的结果。

香山文化的另一重要特质，是具有强烈的创新性追求。孙中山先生曾说，他所领导的中国革命，其指导思想三民主义是继承本国传统思想，又吸纳西方（欧洲）思想，更有自己“所独见而创获者”。两千年封建帝制被辛亥革命推翻，其根本原因，在于孙中山所创建的革命文化是一种前无古人的创新性文化。现时，在建设广东文化大省的时候，提出香山文化这一理念，本身也是创造性思维的结果。文化是民族的灵魂，创新则是文化发展的灵魂。香山文化理念的提出，是对地域文化建设的创新。

概而言之，依托民族历史传统的本土文化，面向世界的西方文化，立足现实的创新性文化，这就是香山文化的深厚底蕴。

具有深厚文化底蕴的香山文化，有其独特的价值。这种价值的首要表现，在于它是昭显岭南文化特质的范例。其实，广府文化、客家文化、潮汕文化这类单纯从民系立足而形成的地域亚文化，并不足以全面系统地体现岭南文化的特质。既包蕴了粤、闽、客三大民系的文化内涵，又具有自身特色的香山文化，正是务实进取、开放兼容的岭南文化的重要表征，其综合性的文化价值，远在单纯的民系文化之上。

香山文化的另一价值，在于它是近代以来文化自觉的典范。文化自觉既是对本身文化历史传统的理性认识，也是对外来文化的科学抉择。在香山文化理念的观照下，具有近代意义的商业文化的勃兴，以念祖爱乡为特征、充满家国情怀的华侨文化的形成，以中西碰撞为标识、以实践西方工商文明为要务的洋务文化的出现，以价值观的重建为核心、以振兴中华为导向的革命文化的建立，等等，都是近代以来中国人民文化自觉的典型表现。香山文化真切而又典型地体现了近代中国文化批判和文化重构历程中的文化自觉意识。

香山文化的又一价值，在于它是创建和谐文化的借鉴。我们正在建构和谐社会。和谐社会的根基是文化，创建和谐文化是从根本上解决社会和谐问题。香山文化所包蕴的兼容、和谐精神，中外多元文化并存的格局，中国文化系统内部不同地域、不同民系文化的共存，都为我们今天创建和谐文化提供了历史资源和现实借鉴。①

关于香山文化的研究虽然近年才开始，但相关成果却不少。如何看待香山文化，深化香山文化研究，并对香山文化给予理性的评价，需要通过科学发展的实践来验证。但是，无论如何，我们可以清晰地看到，香山文化本质上是地域文化，是典型的县域文化。当然，这个县域文化，在今天的行政架构和文化传承创新的思想框架中，已经不是传统意义的了，而是具有鲜明现代精神的新型县域文化，是城市化进程中具有广度也有深度的县域文化的拓展。这反映了改革开放以来广东地域文化精神构建中的一个侧面，值得从文化价值的层面给予肯定。②

（二）华侨文化：广东地域文化的深化

改革开放30年来，广东文化建设进程中的一个特殊而又重要的现象，是“华侨文化”的提出和建设。

广东华侨众多，大约2200万广东籍侨胞分布在世界上100多个国家和地区，占海外华人华侨总数的约三分之二。有学者统计，按行政区划计算，广东地级市有80%为侨乡；按土地面积计算，侨乡占全省总面积的72%；按人口计算，归侨、侨眷人数达2000

---

① 李宗桂：《香山文化的底蕴和价值》，《南方日报》2006年7月27日，A12版。

② 其实，能够反映广东县域文化发展的，还有其他一些县（市、区）。比如，县级市台山。台山设县始于明弘治十二年（公元1499年），原称新宁县，1914年改名台山县。1992年，经国务院批准设立台山市。台山创建了“台山人精神”，早期（20世纪90年代初期）的表述为“奋发、开拓、奉献、团结、爱国、爱乡”；近年根据新的情况，通过研讨，新的表述是“开拓进取，艰苦奋斗，爱国爱乡，无私奉献”。台山人认为，“台山人精神”是实现当地跨越式发展的新的动力。“台山人精神”的提出、研讨、提炼和贯彻，比较典型地反映了广东县域文化建设的特质和追求。但因限于篇幅，这里不可能细述。

多万；按人口比例计算，侨乡人口约占全省总人口的75%。[①] 特殊的历史人文背景，造就了广东丰富多彩的华侨文化景观，无论是物质层面、精神层面还是制度层面，广东侨乡都深深打上了华侨文化的烙印。[②] 因此，挖掘华侨文化资源，建设华侨文化，对于广东文化大省建设，对于经济社会发展，都有重大的意义。

华侨文化是海外华侨华人在长期的艰苦奋斗中逐渐形成的独特的文化现象，是海外华侨华人思维方式、价值取向、理想人格、伦理观念、审美情趣等精神因素的集中体现。同时，也是其行为方式、生活方式的体现。根据文化学研究者关于“文化结构三层次说”的观点，文化从结构上可以划分为物质文化、制度文化、思想文化三个层面，“华侨文化”的研究对象，应当涵括这三个层面而以物质文化和思想文化为重点。同时，还应研究华侨华人的“行为文化”和生活方式。换言之，华侨文化研究的文化，属于与政治、经济相对应的文化，亦即人们通常所说的“大文化”，而不是“小文化”。

广东文化是地域文化，相对于属于文化大传统范畴的中国文化而言，它属于文化小传统的范畴。当今的广东文化，渊源于传统的岭南文化。相对于吴越文化、巴蜀文化、湖湘文化、关东文化，传统的岭南文化有其独特性。同样，相对于现时的北京文化、上海文化、山西文化、浙江文化等内地省份的文化而言，广东文化也有其独特性。其中，华侨文化的存在，是其独特性的重要表现。即使与同样具有华侨文化成分的浙江文化相比，广东的华侨文化也别具一格。

华侨文化在海外，但她的根在中国，在广东。华侨文化是传统岭南文化的发展和创新，是当代广东文化建设的重要参照。发掘华侨文化，有助于我们吸纳更多的文化资源。华侨文化既是中国文化

---

① 广东省地方史志编委会编：《广东省志·华侨志》，广东人民出版社1996年版。

② 李美仪：《打造华侨品牌，文化大省要凸显“侨味”》，《南方日报》2003年7月15日，A10版。

的创造性发展，也吸纳了外国文化特别是西方文化的有益成分。同时，弘扬华侨文化，也是增强海内外广东人凝聚力进而增强海内外中华儿女凝聚力的重要途径，也是彰显广东文化精神、凸现广东文化价值的重要途径。在培育和弘扬新时期广东人精神的时候，离不开“华侨精神”的滋养，离不开“华侨精神”的弘扬。从文化研究的层面看，研究华侨文化，有助于发展、创新广东文化的多样性。广东文化固然有传统的广府文化、潮汕文化、客家文化，以及新时期以来的“新客家文化”，但更有长期没有受到重视而又十分重要的“华侨文化”。研究华侨文化，对于认识中国文化的多样性，对于发展、创新广东文化的多样性，具有不可替代的作用。①

近年来，广东日益重视华侨文化的研究，以及华侨文化资源的发掘。为了进一步发挥广东“华侨众多”的优势，推进文化大省建设，广东省侨办、广东省侨联、中山大学文化研究所、暨南大学华侨华人研究所于2003年5月下旬在广东省侨办礼堂举行了“华侨文化与建设文化大省”研讨会。广东省委宣传部副部长刘小敏、广东省侨办主任吕伟雄、广东省侨联主席陈毓铮以及有关的领导和专家出席了这次研讨会。在研讨会上，省委宣传部副部长刘小敏指出，研究广东省的华侨华人文化有着重大的意义，尤其是在建设广东文化大省的工作中有着重要的地位。在中国加入世界贸易组织以后，广东省的对外文化交流和贸易也同时扩大了，而华侨华人文化作为其中的一个桥梁，发挥了其独特的作用。中国新闻社详细报道了会议情况。报道说：广东省侨办主任吕伟雄指出，广东是中国最大的侨乡，广东文化中无论是物质文化、制度文化还是思想文化，都打上了浓重的华侨文化烙印，华侨文化是广东近现代历史独特的文化资源。华侨命运与中国命运紧密联系，最突出体现在文化纽带上。从“落叶归根”到“落地生根”，虽是历史的进步，但对华侨来说，“落地生根”不等于文化同化，事实上，华侨文化仍然保持

① 李宗桂：《研究广东华侨文化拓展文化建设视野》，《人民日报》2003年5月30日，第18版。

着民族性，中华文化仍然是其母体文化。他认为有必要研究华侨文化兼容中西文化的特质，这种文化基因在华侨中代代相传，转化为精神动力和物质力量。吕伟雄提出了打造华侨文化品牌，促进广东建设文化大省的工作思路：延续文化纽带，增强民族凝聚力；促进广东文化的对外开放，促进先进文化的发展；开发华侨文化资源，打造“侨”味文化品牌。广东省侨联主席陈毓铮说，华侨华人文化是广东省历史文化的重要组成部分。开展对华侨文化的研究、宣传，并结合时代特点进行重新塑造，是推进广东文化大省建设的一项重要任务。中山大学文化研究所所长李宗桂教授指出，研究华侨文化有助于科学认识广东文化的特质，拓展文化建设的视野和空间，增强海内外广东人的凝聚力，并铸造新时期的广东人精神，创造广东文化的多样性。暨南大学华侨华人研究所所长高伟浓教授认为，华侨文化是广东特有的优势，将在广东建设文化大省的进程中承担不可或缺的角色，将其单列出来，有助于区域文化的深入研究。

广东华侨文化的建设，不仅是一个理论问题，更是一个实践问题。因此，主管侨务的广东省侨办，积极开展华侨文化建设的调查研究活动，做了一系列工作。

2005 年，6 月 20 日至 25 日，广东省侨办助理巡视员吴行赐一行赴江门、开平、汕头、潮州、梅州等重点侨乡，就如何加强华侨文化建设，发展华侨文化事业和华侨华人研究等问题深入调查研究。吴行赐一行分别与江门五邑大学、韩山师院、嘉应学院、潮汕历史文化研究中心、江门华侨博物馆筹建办、梅州华侨博物馆以及相关市侨务局的专家学者和侨务工作者进行座谈交流，了解各地华侨文化侨乡文化研究、华侨文博建设情况，实地考察江门华侨博物馆的建设和文物征集情况，参观了潮汕侨批馆、客家历史文化展览、梅州华侨博物馆，听取专家学者和侨务工作者对广东省华侨文化、侨乡文化建设、广东华侨博物馆建设以及华侨华人研究工作的意见和建议。专家学者们建议广东省侨办加大对华侨文化建设的工作力度，深入挖掘广东华侨文化侨乡文化资源，大力开展华侨文化侨乡文化研究工作，弘扬华侨文化，为广东文化大省建设和现代化建设服务，把丰富的华侨文化资源优势转化为建设文化大省、经济强省、法制社会、和谐广东的资源优势。

有学者强调，要“擦亮华侨文化品牌”。广东省社会科学院研究员韩强撰文进行了论述。它指出，广东是全国最大的侨乡、典型的“华侨社会”。在华侨文化品牌中，有三个“最”。一是“华侨历史最长”。广东是中国的海洋大省，大陆海岸线长3368.1公里，居全国第一。海洋孕育了华侨。历史文献中记载，晚唐时广东人已移民海外，明清时成就了中国第一侨乡。二是广东“华侨最多”。1945年前后全国华人华侨人数近1100万，原籍广东的约700万。20世纪末祖籍广东的华侨超2000万人，占全国2/3。回国定居广东的归国华侨和侨眷逾1000万人，占全国此数2/3，主要分布在珠三角、韩三角和东江流域。华侨概念应当涵括华侨、华人华裔、侨眷侨属等，在此意义上，广东整体可说是一个“华侨社会”，华侨的地位和作用举足轻重。三是“华侨分布最广”。粤籍华侨分布于五大洲165个国家和地区，这种分布特点使海外流行一句谚语：“The sun never sets on the Cantonese community”（太阳永远普照粤人社会）。

韩强认为，华侨文化对广东的重要性首先表现在，华侨是中国社会“变革先锋”，是中华文化重要的创新之源。华侨动则广东动、中国动。其次，华侨是中国的“建设支柱”。华侨兴则广东兴。这在近代和现代都表现得很突出。近代广东成为中国民族工业和民族资产阶级诞生地之一，华侨担当开路先锋，在粤投资贡献尤巨，创造了中国无数个“最”和第一。中国民族实现伟大复兴的改革开放时期，始终贯穿着广东最突出的一个优势和特色，即三个众多：华侨华人和归侨侨眷众多、侨捐项目众多、侨资企业众多。华侨文化对于现代和谐广东同样意义重大，华侨和则广东和。因此历届广东省政府都高度重视华侨政策，不仅吸引资金设备，而且吸引了大量人才和技术。至2006年6月，在广东工作的“海归”人员达到1.2万人，取得博士学位的约25%，广东日渐成为海归创

业的首选着陆地。他们是广东知识经济时代新生产力的代表，在粤创建了千余家企业，技术领域涉及电子信息、生物制药工程、新材料、新工艺等，累计创造产值超过13亿元。改革开放以来，全省21个地级以上市授予的2534名“荣誉市民”中，海外侨胞、港澳同胞占90%以上。“人和”构成了华侨文化一大贡献。华侨对中国现代化建设的贡献，不仅具有时间早，分布广，投资巨大，引进国外先进技术等特点，还应高度重视他们率先引进世界的先进管理制度、先进的文化、思想观念，广东在众多领域和方面开现代中国风气之先，他们的贡献尤巨。华侨文化兴则和谐广东兴，已为历史所证明。广东华侨历史最久，数量最多，分布最广，贡献至伟，这些都决定了在构建和谐广东，建设文化大省过程中，擦亮华侨文化品牌是一项不可忽视的工作。①

专门研究广东文化品牌的学者，对于华侨文化的地位和作用，有相当深刻的阐释。他们指出，在改革开放30年中，华侨的地位和作用举足轻重，尤其是引进外资的初期，就是由华侨的积极推动来实现的。华侨文化与海洋文化，都是广东最有特色的文化品牌。广东整体可说是一个“华侨社会”，华侨对中国社会的贡献，特别巨大。

华侨是革命之母，为中国旧民主主义革命牺牲甚巨，对中国新民主主义革命和新中国的建立同样做出了不可磨灭的贡献。华侨还成为创建新中国的重要力量，对此的挖掘可看成是思想解放的一个成果，是开放实践的需要，也是文化品牌建设的举措之一。

过去引用孙中山的华侨是“革命之母”名言较多，新时期则进一步挖掘和肯定华侨还是中国近代和现代各项建设尤其经济发展的重要支柱。

近代自然经济的解体催发了民族工业的萌生，广东成为中国资本主义工业和民族资产阶级的诞生地之一。其中华侨华人作为民族工业的开路先锋在粤投资贡献至伟，创造了中国无数个第一：1872

① 韩强：《擦亮华侨文化品牌》，《南方日报》2007年12月6日，A14版。

年越南陈启沅创办继昌隆缫丝厂，是中国最早的近代民族资本企业；1879年卫省轩开办第一家民族资本的火柴厂；1890年黄秉常创第一家电灯公司；1903年张煜南、张鸿南兄弟集资修建第一条纯商办“潮汕铁路”；1911年冯如创办中国第一家飞机制造厂等。广东籍华侨郭乐、马应彪、蔡兴在上海和广州等地开设永安、先施、大新等百货公司。张弼士、杨枢等实业家领一代商界风流。1862—1949年的80多年间，华侨在广东兴办的企业达2.12万多家，投资金额3.86亿元（按战前1银圆等于1959年人民币2.54元计算）。华侨对教育、慈善、医疗等社会事业和公共事业贡献也很突出。

改革开放这一中国民族实现伟大复兴的时期，始终贯穿着广东最突出的一个优势和特点，即“三个众多”品牌：华侨华人和归侨侨眷众多，侨捐项目众多，侨资企业众多。广东有深厚的华侨文化，华侨华人对祖籍故乡感情深厚，热心桑梓、公益和慈善事业，其贡献最为突出的是投资、侨汇和捐赠。中共十一届三中全会后，广东全面落实侨务政策最早最彻底，使华侨受压抑的爱国爱乡热情迸发出来。1979—2000年广东侨汇收入达27.17亿美元，成为国家和广东经济建设的主要外汇来源。改革开放至2005年，华侨华人、港澳同胞在广东捐赠兴办公益事业累计约350亿元人民币，占同期全国总数的70%，对于改革开放初期广东迅速搞活经济的作用，是国内其他地区难以比拟的。1988年，“华侨捐赠兴办公益事业”被评为广东改革开放十周年十件大事之一，受到全省人民的充分肯定和赞誉。

华侨文化的贡献还表现在人才资源上。至2006年6月，在广东工作的留学归国人员总数已达1.2万人，其中博士约占25%。广东已日渐成为留学生归国创业的首选着陆地，“海归”人员在广东创建了千余家企业，技术领域涉及电子信息、生物制药工程、新材料等广泛领域，累计创造产值超过13亿元，已成为广东新生产力的代表。所以改革开放以来，全省21个地级以上市授予的2534名“荣誉市民”中，海外侨胞、港澳同胞就占了90%以上。

华侨对中国现代化建设的贡献，具有时间早，分布广，投资巨大，投资范围宽广等特点，他们引进国外较先进的技术设备、管理制度和理念，将世界的先进的文化、思想观念等最先引进广东，广东在众多领域和方面开风气之先，他们的贡献尤巨。学术界和政界对此的肯定和弘扬，打破了过去只肯定华侨在经济上的作用的片面观点，为全面擦亮华侨文化品牌工作开了路，意义是重大的。

广东在树立华侨文化品牌过程中，重点放在如何增强华侨文化品牌的力量上。广东华侨历史最久，数量最多，分布最广，贡献甚伟，这些都决定了广东在构建和谐社会，建设文化大省过程中，擦亮华侨文化品牌是不可忽视的工作。品牌就是力量，力量来自其内涵的价值。提高文化品牌的价值含量，突出其支柱价值，并得到人们的认同和世代相传，这是增强文化品牌力量的根本。

在擦亮华侨文化品牌的过程中，广东学术界概括出广东侨乡社会的几个鲜明特色。一是以外购内销为特点的商品经济比较发达，市场机制和市场观念比较先进和完善。二是由于家庭主要劳动力移居海外，侨汇成为侨户的主要或部分生活来源，俗称“南风窗”。三是侨汇经营行业非常活跃。四是华侨汇款回乡兴建的建筑数量众多，造型兼具中西特色，是侨乡社会的典型代表，其中碉楼是最有特色的建筑。五是文化教育比较发达，较早引进现代科技。六是广东华侨创造的中国第一，是最多的。七是华侨文化中普遍具有浓厚的开放、兼容、爱国、爱乡等精神品质。如在接受先进思潮方面，华侨观念更新快，至今仍是广东人看世界的一个重要窗口。

特色性还包括各地区特色、历史人文特色、生活方式特色等等。这30年广东已树立起许多华侨文化的特色品牌。侨乡建筑文化，以开平侨乡碉楼、珠三角骑楼建筑、广州华侨新村为典范；华侨商业文化则以香山华侨创办的“大新”、“新新”、“先施”、“永安”四大百货公司为代表；此外还有以四邑地区侨刊乡讯为代表的侨刊乡讯文化；以客家华侨“崇文重教”发展教育事业为代表的华侨教育文化；以潮汕、梅州、四邑侨乡侨批银信为代表的华侨金融文化；以海外侨胞热心捐助兴办公益事业为代表的华侨慈善文化；以台山海宴华侨农场东南亚风情文化为代表的华侨农场文化等。

越是民族的就越是世界的；越有特色就越是能够在世界上获得地位。“开平碉楼与村落”成功申报世界文化遗产，这个广东在全国乃至世界打响的第一个华侨文化品牌，就是典型的例证。它既表现了华侨开放和兼容的文化态度，而又保持了强烈的自身乡土气息，保持着传统中国社会的和谐和人际的温情，同时保留着岭海自然生态的风貌，将海洋文化与内陆文化、中国传统文化与西方文化、高雅文化与民俗文化奇妙地融合在一起，这些特色及其特点的融汇，是深深吸引世遗评委的地方，也是改革开放时期广东树立和擦亮文化品牌的一个代表作。

华侨华人从海外带回的不仅仅是大量资金和物质，还有各国的经验、社会、文化等方面信息。他们把国外先进的思想观念带回来，使广东在许多方面开风气之先。

将华侨文化与岭南文化两个研究和宣传紧密结合，这是新时期品牌建设中一个重要特色。华侨文化是岭南文化的重要组成部分。岭南文化的多元性、敢闯敢冒、敢为人先、开放性、兼容性、民主和平民性，紧跟世界潮流的敏锐性和开拓性，时代性和创新性等，都与深厚的华侨文化底蕴密不可分。甚至可以这样说，这些文化底蕴，近代开始最先是源自华侨文化的。广东能够于近代和现代改革开放两度引领中国现代化进程，与华侨文化的贡献密不可分。①

华侨文化作为广东地域文化的表现，在广东学术界的研究中，有比较多样的声音。暨南大学研究华人华侨的专家高伟浓教授曾经撰文分析华侨文化的特质，对华侨文化形成的时空性、思维方式、生存技巧、念祖爱乡、宗教观念、教育观念、科学民主等方面做了探讨。他特别指出，华侨文化在国家民族问题上，表现为“念祖爱乡”与“振兴祖国”两者的有机统一，如果只是片面宣传华侨

① 钟晓毅、雷铎、韩强等著：《三十年突破——和谐广东的文化品牌建设》（第五章华侨文化品牌），广东省出版集团、暨南大学出版社2008年版。

华人对家乡的贡献，而对华侨华人希望家乡变革、改变陈腐现象的愿望只字不提，其实是与华侨文化背道而驰的。他还指出，华侨文化是一个有待深入挖掘的宝藏。它既与区域文化——例如人们熟知的岭南文化、南粤文化等有许多内涵上的立体交叉和重叠，又有清晰显示度的自身特色。因此，将华侨文化从区域文化中单列出来，有助于区域文化的研究，更好地发掘其精华。“华侨文化和区域文化研究可以而且应该相互补充，相互比较，相互参证，在挖掘交叉重叠面时注意其差异，在多角度的综合研究中探寻其异同。”① 中山大学余定邦教授指出，应当把华侨文化和侨乡文化区分开。华侨文化和侨乡文化都是中华文化的组成部分，但不能把华侨文化等同于侨乡文化。华侨文化形成于华侨的侨居地，产生于异国的土地上，而侨乡文化则形成于华侨的祖国，产生于华侨自己故乡的土地上。华侨文化是侨居社会的产物，是一种侨民文化，是中华文化在海外的分支。② 从严格的学理层面看，余定邦教授的看法是有道理的。不过，从实践研究的层面考虑，用“华侨文化”指称因为华侨而形成的特殊的文化现象，应当是可以的。理由有二：一是所谓侨乡文化实际上是因为华侨从海外带回来的西方文化因素和影响而形成的中西杂糅的文化，侨乡文化的根底，在于华侨；二是华侨这个概念，有不同界说，广义的华侨，既包括海外华侨华人，也包括国内的侨眷、侨属。本书便是在广义上使用华侨这个概念，从而也使用华侨文化指称海外华侨华人所创造的华侨文化（狭义的），并同时指称一些学者所使用的侨乡文化。一个有力的例证，是中山大学教授司徒尚纪和他的合作者许桂灵承担的一项国家自然科学基金项目，其成果之一是《广东华侨文化景观及其地域分异》。这个题目，清晰表明了华侨文化并不仅仅停留于国外，并不仅仅属于海外。司徒尚纪在该文中说：“华侨文化是广东文化的一个本质特征。……华侨文化是由于华侨出国，侨居异地，将中国文化与侨居

① 高伟浓：《关于华侨文化特质的若干断想》，《华侨与华人》2003 年第 1 期。
② 余定邦：《中华文化、华侨文化与侨乡文化》，《八桂侨刊》2005 年第 4 期。

国文化交流、结合的产物。”华侨文化载体是华侨，他们借助于探亲、书信，与家乡保持联系；有的回国办实业、教育、医院及其他福利事业，影响或改变当地文化景观或结构，同时也将本土文化流布侨居地。“这种由华侨兴起和传播的特殊文化，称为华侨文化。”“华侨文化具有国内和国外两个源头，具有明显的跨文化、跨地域的特点，处于内外两种或多种地域文化边缘，是一个特殊文化系统。”华侨文化是岭南文化的一个重要组成部分，在文化的各个要素和层面上，主要由于引入外来文化而在土地利用、建筑、语言文字、人才文化景观等方面明显地反映华侨文化所特有的中西文化结合特质和风格，也为岭南文化多元性、开放性和兼容性的一个重要特征。① 最近的一个类似事例，也典型地表明了华侨文化内涵的丰富性，以及用以指称侨乡文化的合理性。在一项国家自然科学基金项目的成果中，有一篇论文是《广东华侨文化旅游开发战略研究》，这个题目本身，也同样表明华侨文化并不仅仅停留于国外，并不仅仅属于海外。该文作者指出：“华侨文化堪称世界多元文化交融的典范。广东作为中国最大的侨乡，华侨移民历史悠久，华侨文化积淀深厚。”② 显然，这里的华侨文化，在很大程度上，相当于一些学者所说的侨乡文化。

显然，广东华侨文化属于独特的地域文化类型。对于华侨文化的研究和建设，反映了当代广东地域文化精神的建构，并且体现了其向海外的开放性，以及由海外向广东的向心力和凝聚力。

综上而言，南海精神、香山文化、华侨文化，反映了不同的地域文化，蕴含着深厚的广东文化精神，是对传统岭南文化的继承和发展，是对当代广东文化的充实和提升。

---

① 许桂灵、司徒尚纪：《广东华侨文化景观及其地域分异》，《地理研究》第23卷第3期，2004年5月。

② 李国平：《广东华侨文化旅游开发战略研究》，《热带地理》第28卷第1期，2008年1月。

（三）各具特色的城市文化精神

当代广东文化的发展，新时期广东人精神的培育，其重要内容之一，是广东不同地区各具特色的城市文化精神的建构。

根据笔者的掌握，进行城市文化精神建设的地区，主要的有：广州市、深圳市、佛山市、东莞市、中山市、潮州市、汕头市、梅州市、韶关市、肇庆市、惠州市、湛江市、珠海市等。

1. “广州人精神”的推陈出新。

广州市曾经轰轰烈烈地开展“广州人精神”大讨论。

上个世纪80年代，广州市就在加强精神文明建设的同时，着意营造文化氛围，致力于“广州人精神”的构建。经过充分的酝酿和研讨后，1990年2月6日，广州市文明委正式公布“广州人精神”是“稻穗鲜花献人民”。这个内容质朴风格亲切的提炼概括，被广州市民欣然接受，并成为推动广州经济社会发展、促进思想文化建设的重要力量。进入新世纪以后，随着广州经济社会的发展，随着广州现代化进程的延伸，以及国际化城市建设的扩展，广州市委市政府在全市发动了新时期广州人精神的讨论。在讨论过程中，广州各方面人士主动积极参与。从离退休干部到下岗职工，从市委市府领导到工人教师，从富商巨贾到升斗小民，都努力发表自己的意见。经过反复研讨和论证，征求方方面面的意见后，最终广州将其确定下来，并表述为“敢为人先、奋发向上、团结友爱、自强不息”。这个表述，在2003年广州市第十二届人大一次会议上，由市长在所作的政府工作报告中明确提出。

新时期“广州人精神”提出后，在社会上引发了巨大反响。有广州市人大代表提出，建议开展树立新“广州人精神”的活动，借此激发市民热爱广州的激情，并把这种爱转化为自爱，融入到广州的生活之中。该代表指出，尽管广州城市面貌日新月异，市民文明素质有了大幅提高，但还是存在很多不如人意的地方。比如有的人讲污言秽语已经积久成习，有的人穿睡衣逛街，违章跨栏过街，随地吐痰，缺少基本的文明教养。这些不文明的行为，影响广州形象，影响广州人形象，与建设现代化大都市的目标追求极不相称。而广州能否率先基本实现社会主义现代化，建成现代化的中心城市，关键在人；广州走向现代化的终极目标及其意义，体现于人。因此，开展树立“广州人精神”的活动，用“广州人精神”引导市民、激励市民，显然具有重要的意义。有的学者指出，广州的综合实力不仅要体现在一流的城市基础设施和城市综合管理上，更要体现在一流的市民素质和精神上。广州人精神的特点，一是重利富民的商业精神，二是俗世自乐的平民心态，三十海纳百川的开放胸襟。新的广州人精神至少应当包括六个方面的内容：爱国敬业的民族精神、民主法治的公民精神、与时俱进的创新精神、有容乃大的开放精神、平等互利的诚信精神、面向世界的合作精神。①

为调动社会各界积极参与“新时期广州人精神”大讨论活动，广州市文明办、市社科院、广州日报社于2003年11月10日在《广州日报》刊登了《“新时期广州人精神”研讨会征文启事》，一个月就收到专家和社会各界人士理论文章90多篇，这些论文从哲学、经济学、政治学、历史学、地理学等多科学的角度，对“新时期广州人精神”进行了多层面、全方位的论述，“广州人精神”内容与形式、本质与现象、共性与个性、内涵与外延等都得到了诠释。②

在开展“广州人精神”的讨论过程中，广州市委市府成立了专家指导组。专家指导组一方面帮助概括提炼新时期“广州人精神”，一方面也亲自撰写相关文章。专家指导组成员、中山大学黄天骥教授撰写了《生猛广州》，专家指导组成员、中山大学李宗桂教授撰写了《广州人精神的文化学阐释》，专家指导组成员、广州市社会科学院李明华研究员等撰写了《新时期广州人精神的思考》、《塑造面向新世纪的新“广州人精神”》。此外，其他专家学

---

① 《“广州人”不限土生土长本地人》，《广州日报》2003年3月26日，A3版。

② 《“新时期广州人精神”征文评选揭晓》，《广州日报》2004年1月19日，A4版。

者也积极撰写了探讨论文，如广州市委党校章岳云教授撰写了《新时期广州人精神与先进文化》、广东省委党校吴灿新教授撰写了《新时期广州人精神略探》，等等。

值得注意的是，专家们在这次活动中，相当重视“广州人精神”的文化内涵、文化价值和文化取向。这种文化建设思路和文化价值取向，是广东文化发展中的新气象。

文化研究专家认为，“广州人精神”是一个看似简单和平实的概念，实则不然。它是一个复合性概念，是具有深刻内涵和丰富内容的概念。在建设广东文化大省的时候，给予“广州人精神”以文化学的阐释，似乎更能为“广州人精神”的研讨和理论提炼，提供坚实的理论基础和丰厚的文化内涵。同时，也能为“广东人精神”的建设提供合理的资源，进而为广东文化大省的建设提供精神动力。

“精神”是一个合成词。“精”具有精力、精神、精华等意义；“神”具有意识、精神、神奇等含义。“精神”一词，在中国古代指天地万物的精气，也指神志、心神，精力、活力。在现代，主要指人的意识、思维活动和一般的心理状态；也指宗旨、主要意义、活力等。

从本质上看，“广州人精神”是一种文化精神。所谓“文化精神”，是指一种文化特有的内在动力和活力，是一种文化中具有决定性力量的价值系统。由这个价值系统所决定的人们在价值取向、态度、评价、心态、情绪等方面所表现出来的精神品质，即是一种文化独具一格的特色。文化精神是一种文化的内在品质，亦即基本的、整合的价值系统。文化精神由该文化内的平均人格类型来反映。文化精神又被称为“主旨”。“广州人精神”作为一种文化精神，其所谓“文化”，是指精神文化，亦即价值取向、思维方式、理想人格、市民品性、审美情趣等处于深层结构的文化的总和。但作为广州文化建设的重要内容，从其形成的基础和实践条件来看，“广州人精神”所谓的文化，是指广义的文化，亦即广州人的生活方式、生存样式。正是广州人的独特的生活方式和生存样式，孕育了“广州人精神”。“广州人精神”内在地包蕴着、体现着广州人的价值取向、思维方式、人格追求、市民品性、伦理观念和审美情趣等方面的内容，是对这些方面的理论提炼和现代概括。文化精神既可是民族文化意义的，也可是地域文化意义的。“广州人精神”作为地域文化的表现，其文化精神当然也是属于特定地域的。因此，“广州人精神”的概括和提炼，应当而且必须既能够反映中国文化的精神，更能够体现广州人独特的精神风貌、生活方式、心理状态和品味追求。

“广州人精神”是工商为本的精神。自明代中叶以来，广州就是重要的通商口岸，是内贸和外贸的重要港口和集散地。重商精神，是广州人一以贯之的传统。重视商业活动，重视商业在生活和社会发展中的地位和作用，不以传统的“重农轻商”观念为尚，而以商业文明为追求，是近代以来广州人逐渐形成的优秀传统。改革开放以来，广州的商业文明逐渐发展并日益成熟，成为引领国内风尚的商业文明策源地，是商业文明的典范。广州的各种形式的商业机构和商业活动，从80年代早期的“个体户”到今天的包括诸多大型商业机构在内的公私商业团体和机构，为广州社会经济发展做出了重大贡献，其形成的新型重商精神，成为当代中国文化精神的重要资源。在重视商业的同时，广州人也重视工业。从国有大型企业到遍布全市的私人企业，其所生产的产品和形成的价值追求，对于广州人精神的孕育，起了重要的作用。驰名全国的广州本田汽车，以及其他的相应的以制造业为基础和特点的广州工业发展模式和生产格局，体现了广州人新的时代精神。这种工商为本的精神，既是对古代中国重农抑商思想的再突破，也是对近代以来工商皆本的进步思想的发扬光大，更是市场经济条件下发展社会经济、创新中国文化精神、培育中华民族精神的新创造。

“广州人精神”是城市精神。城市是社会文明发展的产物。广州是一座有着三千年建城历史的城市。城市品味、城市风貌、城市风格，是广州人精神的重要内涵。广州的城市精神，是以吸纳外来文化为重要标志，追求时尚为显著特色，融贯古今中西而又自成一

格的独特的精神。商业文明，源自城市；工业文明，规范城市。商业文明和工业文明的载体和集散地，就是城市。工商为本的广州，以“市民味”、“平民味”而凸现自身风格，本身就显示了城市精神的追求。

“广州人精神”是平和质朴的市民精神。广州没有北京的雍容，没有上海的洋派，没有西安的古朴，它拥有的是平和与质朴。广州人的穿戴和行为，随意、率真，不刻意修饰，不故作庄严。广州人做事，不盛气凌人，不夸夸其谈、哗众取宠，重视的是实事、实效、实功。2003 年上半年的“非典”事件期间，广州人从容应对，不谈“非”色变，不追逐风潮，学校不停课，工厂不停产，市场不关门，机关不休班，该做什么就做什么，市面平静，人心稳定，广州人平和质朴的市民精神起了重要作用。

“广州人精神”是一种兼容并包的精神。“道不同，不相为谋”的决绝态度，在这里被化解为“万物并育而不相害，道并行而不相悖”的宽容精神。对合理传统的认同和弘扬，对外来文化特别是西方文化的消化，以及对港台文化的吸收，反映的是广州人的开放兼容态度。最近 20 年来，千百万民工到广州打工，各自在不同程度上实现了自己的人生理想。特别是以接受了高等教育为主体的大学生、硕士、博士乃至博士后，来到广州，经过磨合，最终都在不同岗位上找到了自己安身立命之地。“岭南文化新客家”，成为广州经济社会发展的重要力量之一。这些，反映了广州人的开放兼容，反映了广州这个城市的包容度。甚至，“广州话”里面所保留的古代汉语的某些发音，所吸纳的某些英语以至别的语言的表达方式和语音，都可看作“广州人精神”兼容并包的气质。

“广州人精神”是综合创新的精神。平心而论，“广州人精神”、广州文化、广州人，并不是单一的、平面化的概念，属于广州人原创性质的或者俗话所说的土生土长的文化理念，并不彰显。我们现在所说的“广州人精神”，其实是广州人经过历代的淘洗，通过文化整合，对中原和岭南，本土和外国，传统和现代，甚至广州和港澳的比较、选择，综合各种新的文化质素，从而形成了广州

文化的基本风貌，创造出了“广州人精神”。因此，我们可以说，“广州人精神”是一种综合创新的精神。

“广州人精神”是“现代精神”。广州独特的地理位置，特别是广东在近代中国的独特遭遇，使它经历了比别的城市和地区更多的血与火的洗礼，承担了更为艰巨的历史使命和时代责任。近代的岭表风流，当代的改革开放，使广州得现代精神滋养之先，并转而不断创新现代精神。因此，追踪世界文明发展的潮流，勇于革故鼎新，不断进取，“苟日新，又日新，日日新”，成为“广州人精神”的基本特质，而这个特质，说到底，就是近代化、现代化。

“广州人精神”是“广东人精神”的主体内容和价值先导。正在广东全省热烈讨论并不断实践、丰富中的“广东人精神”，从地域文化特别是县域文化的层面看，是由不同地区（市县）的精神质素所构成。“广州人精神”、“深圳精神”、“中山精神”、“佛山精神”、“广东精神”，等等，交融贯通，提炼整合，就成为“广东人精神”。其中，“广州人精神”理所当然地成为“广东人精神”的主体内容和价值先导之一。道理十分简单，广州作为华南地区无可置疑的中心城市，作为具有深厚历史积淀和现代意识熏陶的城市，作为具有很强凝聚力和吸引力的城市，它已经不仅仅是一个地理名词，或者城市的符号，而是一种新型价值观的代表，一种新的时代精神的象征。① 因此，在研讨和建设“广州人精神”的时候，我们应当理性地、自觉地注意提升和彰显它的先进性、示范性和前瞻性。

“广州人精神”是当代中国文化精神的先导。当代中国文化的基本精神，人们可以做很多见仁见智的概括。但竞争意识，效率意

① 近年广州开展文化强市、文化名城的建设，举办了一系列活动。其中，“广州四地”的提出和研讨，颇具特色。共识性的看法，认为广州的历史文化资源特色，可以概括为“四地”：一是我国古代海上丝绸之路的发祥地，二是岭南文化的中心地，三是中国近现代革命的策源地，四是当代中国改革开放的前沿地。详见广州市委书记朱小丹《〈广州“四地”论丛〉序言》，载李明华主编、司徒尚纪副主编：《广州：岭南文化中心地》，中国评论学术出版社2007年版，第1～3页。

识，契约观念，法制意识，社会公正意识，等等，这些传统中国文化所缺乏而在改革开放以后首先在南粤大地（主要是在广州）滋生开来的新型文化精神，应当通过“广州人精神”的研讨和贯彻实践，推广开去，转化为我们民族文化的内在精神。因此，我们说“广州人精神”是当代中国文化精神的先导，并不为过。我们需要努力的，是要将这种精神的先进性、示范性揭示出来，并通过切实的现代化建设实践，使其传播开去，得到全社会的认同。

“广州人精神”是对当代中华民族精神的弘扬、实践和培育。以爱国主义为核心，以团结统一、爱好和平、勤劳勇敢、自强不息为基本内容的中华民族精神，经历了五千年的文明发展历程。以敢为人先、务实进取、自强不息、开放兼容、念祖爱乡等价值观为导向的“广州人精神”，对于中华民族精神的积极的弘扬，是切实的实践，也是敢为人先的培育。在这个意义上将，“广州人精神”与中华民族精神是一致的，是互相发明、互为助益的。

从文化空间的视野考察，“广州人精神”属于地域文化的范畴。毫无疑问，作为岭南文化、当代中国文化的组成部分的广州文化，只是特定地域文化的一部分，甚至只是一小部分。因此，我们在研讨“广州人精神”的时候，应当看到它的独特的地域性，努力合理地诠释它的特质，揭示它的价值。同时，也要看到文化个体与群体之间以及与文化圈之间的关系。质言之，要看到“广州人精神”与“广东人精神”、“中国人精神”之间的关系，以及与世界文明发展潮流的关系。既要有地方特色，也要有全国观念，更要有全球意识。

“广州人精神”应当是广州文化乃至广东文化（包括传统的岭南文化）的精华。从文化学的角度审视，文化精华作为文化的特殊标记，作为特定文化的主要趋势和模式，它应当具有普遍性，可以为社会的绝大多数人所认可、接受。因此，在诠释“广州人精神”的时候，毫无疑问要充分考虑到广州人的接受心理、认知模式和行为方式，特别是生活方式，不能脱离广州社会生活的实际。

“广州人精神”的研讨，并不是个单纯的学术问题，更为重要

的是，它是一个迫切的现实问题。一个国家、民族，一个地区的人民，一个团体，没有精神支撑，是不可能持续强劲发展的，甚至是不可能存在的。“广州人精神”的研讨和最终提炼、概括成功，将会通过社会熏染（社会化），通过文化再解释，通过文化整合，而产生积极的作用，形成广州人昂扬向上的精神状态，形成广州社会普遍的、自觉的健康文化心理，促进广州文化的传播和合理变迁，从而为广州的经济社会发展提供重要的精神力量。同时，也可为“广东人精神”的培育和弘扬，为广东社会经济文化的健康、协调发展，为率先实现现代化做出应有的贡献。①

我们注意到，近年广州有关方面和学术界提出了“广州城市精神”的理念。2005 年上半年，广州市部分政协委员在其提案中提出了要树立广州“城市精神”。针对有人说“广州是一个说不清的城市”，还有人说“广州是魅力城市”的情况，广州市政协委员凌书法等五人提出，前者是一个误解，后者提法模糊不清。他们在提案中率先明确提出：应树立“务实、求真、宽容、开放、创新”精神的广州“城市精神”。该提案的第一提案人凌书法在接受记者采访时再三强调，“当今社会城市的形象很重要”，是城市的灵魂，是城市先进文化的体现。一座城市要实现可持续发展，“城市精神”是不可缺少的精神支撑。凌书法提出，广州的“城市精神”应是“务实、求真、宽容、开放、创新”。他认为，这十个字能很好地体现广州的历史厚重感，鲜明的城市个性，高度概括的社会氛围，体现出所追求的一种更高境界，并激励广州城市现代化的发展，提升城市的品位。凌书法特别提到了“广州人”的问题。他提议加大文化基础设施建设，提高市民的道德修养和情操，提升市民综合素质。他强调“广州人”包括居住在广州的本地人和外地人，希望大家都能在宽松的环境中学习、工作，为做“广州人”

① 李宗桂：《“广州人精神”的文化学阐释》，《广州日报》2004 年 1 月 18 日，A12 版。

而感到光荣和自豪。①

这个问题，受到了学术界和政府相关部门的关注。在经过相当时间的思想沉淀和定位思考后，多数人还是认为新时期“广州人精神”便是广州“城市精神”。最近（2008年8、9月），广州市创建国家文明城市办公室通过广州移动用短信形式发送给市民的“广州‘城市精神’”，便是“敢为人先、奋发向上、团结友爱、自强不息”。这个表述，和前几年正式发布的新时期“广州人精神”，完全一致！其实，道理不言而喻：广州人是城市人，广州是大都市，广州人精神当然是一种“城市精神”，而不是别的精神。当然，从操作的层面考虑，从学术理性的层面考察，“务实、求真、宽容、开放、创新”这些精神价值，理所当然地应当诠释到新时期“广州人精神”的框架中去，而新时期“广州人精神”的思想范围和价值取向，自然也应当包含这些富有时代特色的内容。

从文化解释的角度看，新时期“广州人精神”是一个开放的价值系统，具有多维的解释空间和理解层面。正如前文所述，在2004年新时期“广州人精神”研讨时期，中山大学李宗桂教授就明确指出“广州人精神是城市精神”。② 在2008年四川汶川地震后，通过抗震救灾而反映出的广州人的精神风貌，在新的历史条件下生动形象地诠释了“广州人精神”。在广州市总结表彰抗震救灾影响事迹大会上，广州市委书记朱小丹指出：“气壮山河的抗震救灾斗争，展现了中国人民不为任何困难所压倒的超人勇气，战胜一切艰难险阻的大无畏精神，万众一心、团结奋进的强大力量，使以爱国主义为核心的伟大民族精神得到了空前的升华。在这场斗争中，经过改革开放洗礼的广州人民以顾大局、重大义、讲大德、献大爱的宽广胸襟和感人行动，为新时期广州人精神添上了浓墨重彩的一笔；在这场斗争中，勇立时代潮头的广州人民付出了无数辛

① 《广州人精神是什么？——省政协委员提出应包含“务实、求真、宽容、开放、创新”》，《南方日报》2005年3月22日，A01版。

② 李宗桂：《“广州人精神”的文化学阐释》，《广州日报》2004年1月18日，A12版。

劳、汗水和热血，同时又获取了不断开辟新征程、开创新未来的不竭精神动力。”①

2. 深圳精神的不断升华。

深圳是著名的经济特区，是我国改革开放的窗口。从改革开放之前的一个小渔村，发展到当今在中国影响巨大，甚至在世界上都有相当影响的现代化城市，其间的成功经验林林总总，但深圳重视精神价值，突出文化建设的地位和作用，具有国际眼光，关注世界文明进程，坚持不懈地培育和弘扬以改革开放为核心的社会主义时代精神，铸造深圳精神，是重要原因之一。②

深圳精神的培育经历了较长的时间，形成两个不同的阶段，并表现为两种前后相继而又有所不同的理论提炼和文字表述。1990年，根据特区开创以来的情况，以及未来的发展取向，深圳市委市府确定“开拓、创新、团结、奉献”为“深圳精神”。2003 年，深圳总结改革开放以后深圳的发展情况，根据新的形势，在继承此前“深圳精神”的基础上，在全市开展广泛讨论，征求方方面面的意见后，总结、概括出了新的“深圳精神”——“开拓创新、诚信守法、务实高效、团结奉献”。新“深圳精神”秉承了此前的“深圳精神”中的开拓创新、团结奉献精神，增加了诚信守法、务实高效的价值理念，更好地反映了新形势下深圳的精神风貌，体现了深圳人的精神和文化品位。

新“深圳精神”的产生，并非某个人或者某个部门心血来潮的产物，而是深圳在实现现代化进程中如何进一步发展，如何率先发展、协调发展、科学发展的必然要求，也是在经济高度发展，物质文明比较丰裕的情况下，提升深圳的文化品位、创造更为广阔的

---

① 朱小丹：《在全市抗震救灾先进集体先进个人表彰大会暨抗震救灾先进事迹报告会上的讲话》，《广州日报》2008 年 8 月 13 日，A1、A8 版。

② 广东文化建设中的一个重要内容，是特区文化。深圳无疑是中国经济特区中最有代表性而且文化建设取得巨大成就的一个。由于深圳特区组织了专门的班子研究改革开放 30 年来的特区文化并将出版相应的专著，故本书对特区文化、深圳文化建设，不单辟一章论说，而只是从本书主旨出发，选取某些能够说明广东文化发展 30 年的方面，给予评介。

发展空间、提供更为强劲的发展后劲的必然要求。其间，经历了一个较长时间的酝酿和研讨。

根据深圳传媒报道，2002年8月29日，省委副书记、市委书记、市文明委主任黄丽满主持召开了市文明委2002年第一次全体会议，审议重新提炼深圳精神的有关方案。经与会者充分讨论和投票表决，会议决定对深圳精神在原有“开拓、创新、团结、奉献”的基础上增加新的内容，以更好适应形势发展，推动深圳两个文明建设再上新台阶。

黄丽满认为，深圳精神是这座城市文化的灵魂，是深圳人民最可宝贵的精神财富，是推动我们各项工作的强大精神动力。历时半年的“深圳精神如何与时俱进大讨论”，新闻舆论营造了热烈的社会氛围。各级党委、基层组织和老领导、特区早期建设者以及社会各界群众热情参与，献言献策，收到了实效。新的深圳精神既要继承深圳经济特区的优良传统，又要体现时代精神。要用深圳精神凝聚人心，整合全市力量，使之成为推动深圳各项事业发展的强大动力。①

颇有意味的是，这个时期正在研讨新时期“广州人精神”的广州，其主要传媒专门报道了深圳讨论新“深圳精神”的情况。

广州传媒报道：深圳市委提出的“开拓创新、诚信守法、务实高效、团结奉献”的新深圳精神在深圳市民中引起强烈反响。在深圳市文明委举行的新深圳精神讨论会上，特区建设“开荒牛”、深圳创维集团董事总经理丁凯女士认为，新深圳精神的提出对深圳发展进入转折时期起了凝聚人心、鼓舞斗志、全面推进深圳经济社会发展的作用。市民代表认为，从特区建设初期的“开拓、创新、团结、奉献”到十六大后深圳提出的“开拓创新、诚信守法、务实高效、团结奉献”新深圳精神，凝练了深圳人新的精神风貌，也激励和指引着新一代深圳人振奋精神，建设新深圳，增加对深圳家园的认同感和凝聚力。参加新深圳精神讨论会的与会代表还认为，深圳人要居安思危，恢复特区创业初期的那股吃苦精神、奋斗精神、

---

① 《深圳精神增加新内容》，《深圳商报》2002年8月30日，A01版。

拼搏精神，还要加强对深圳年轻一代、来深创业打工的所有“深圳人”的精神文明教育，让新深圳精神做到家喻户晓。①

在深圳全市广泛讨论的基础上，2002 年底，深圳市精神文明建设委员会发出通知，正式公布了新时期的“深圳精神”，要求进一步弘扬深圳精神，培育高尚情操，形成良好风尚，全面推进社会主义先进文化建设。

深圳文明委认为，在深圳经济特区 20 多年的发展过程中，市委、市政府高度重视精神文明建设，坚持继承和发扬中华民族优良传统，以高尚的精神凝聚人心、鼓舞斗志，培育和形成了“开拓、创新、团结、奉献”的深圳精神，团结和激励着一批又一批建设者在深圳这片改革开放热土上艰苦创业，创造出举世瞩目的辉煌成就。随着时代的发展，深圳的许多情况都发生了变化，作为在一定历史条件下形成的深圳精神，必须坚持与时俱进的原则，立足于实践的发展、时代的要求，赋予它更丰富、更深刻的内涵，使其更好地体现当代深圳人的精神风貌，更好地发挥凝聚人心，鼓舞士气的作用。今年（2002）3 月以来，全市广泛深入开展了一场“深圳精神如何与时俱进”大讨论，社会各界对深圳精神增加新的内涵表达了强烈愿望。经全市各界干部群众反复讨论、充分发表意见，市委常委会议讨论决定将深圳精神重新概括为：开拓创新、诚信守法、务实高效、团结奉献。

新的深圳精神在保留原有内容的同时，紧密结合时代的要求，增加了新的内容，较为完整、准确地反映了在新形势和新任务面前，深圳人的精神文化追求，表达了应在全社会倡导的价值取向。这既是对深圳 20 多年发展经验的高度概括，又是坚持与时俱进，弘扬社会主义人文精神和科学理性精神的集中体现。

深圳市文明委对新的“深圳精神”的内涵做了阐释，认为：

开拓创新，就是着眼于世界经济和科学文化发展趋势，积极应

① 缪洁湘：《深圳市民热论新“深圳精神”》，《广州日报》2003 年 1 月 9 日，第 40 版。

对新形势、新变化、新要求，面向现代化、面向世界、面向未来，始终保持经济特区创业时期的“拓荒牛”本色，以特别超前的眼光、特别务实的思路、特别振奋的精神、特别出色的工作，坚持解放思想，顺应时代潮流，增强紧迫感和忧患意识，保持与时俱进的精神状态。

诚信守法，就是坚持依法治市与以德治市相结合，以诚实守信建设为基点，培育良好社会道德风尚，努力建立与社会主义市场经济相适应、与社会主义法律体系相协调、与中华民族传统美德相承接的社会主义思想道德体系；大力倡导依法行政、依法办事、依法经营、遵纪守法的法治精神，营造一流的文明法治环境。

务实高效，就是坚持实事求是和效率优先原则，大力弘扬科学理性精神，一切从实际出发，求真务实，脚踏实地，讲实话，办实事，求实效，聚精会神建设，一心一意谋发展，创造新的深圳速度、深圳效率，着力培育和创造良好的政务环境和干事创业环境。

团结奉献，就是坚持以为人民服务为核心，弘扬爱国主义、集体主义、社会主义精神，培育社会主义义利观、价值观、道德观，坚持以人为本，倡导同心同德、和衷共济、互助友善、公道宽容的人文精神，牢固树立大局意识、全局意识，为建设中国特色社会主义示范地区共同奋斗。

深圳精神扎根于中华民族优秀传统文化土壤，发展于改革开放时期，与以爱国主义为核心的团结统一、爱好和平、勤劳勇敢、自强不息的伟大民族精神一脉相承，体现了鲜明的时代特色和时代精神，展现了深圳人民崭新的精神风貌，是深圳在新的起点上开创发展新局面的重要精神动力。要大张旗鼓宣传深圳精神，让深圳精神家喻户晓，深入人心。要从全面建设小康社会的大局出发，着眼于建设中国特色社会主义示范地区，用深圳精神团结干部群众，凝聚人心，鼓舞斗志，为率先基本实现社会主义现代化而努力奋斗。[①]

---

① 深圳市精神文明建设委员会：《进一步弘扬深圳精神》，《深圳商报》2003 年 1 月 7 日，A01 版。

3. 其他城市的精神提炼。

广州、深圳都是广东的中心城市，新时期“广州人精神”的推出，新时期“深圳精神”的创造，使得二者交相辉映，彼此发明，有力地推动着广东文化建设的发展。

就全省而言，广东文化发展进程中重视精神建设的，在地级以上市中，比比皆是。除了上述广州、深圳之外，其他很多地区的城市文化精神建设也内容宏富，颇具特色。由于论说的主题和重点所限，以及篇幅所限，此处只作概略的介绍。

(1) 佛山精神。

团结、求实、勤奋、创新（上世纪90年代的概括）。

敢为人先、崇文务实、通济和谐（近年的概括）。

(2) 中山精神。

博爱、创新、包容、和谐。

(3) 东莞精神。

海纳百川、厚德务实。

(4) 潮州精神。

开放、务实、创新、奉献。

(5) 汕头精神。

海纳百川、自强不息。

(6) 梅州精神。

梅花香自苦寒来。

(7) 韶关精神。

爱韶关、讲团结、多奉献、勇开拓。

(8) 肇庆精神。

开放兼容、务实进取。

(9) 惠州精神。

崇文厚德、包容四海、敬业乐群。

(10) 湛江精神。

扬帆搏浪，走向世界（早期的概括）。

博采广纳、自强不息、崇德明理、诚信奉献（近期的概括）。

（11）云浮精神。

开放、兼容、平等、竞争，共谋发展。

上述各个地级以上市的“精神”概括，显然反映了奋发向上的进取精神，反映了以改革创新为核心的时代精神，反映了广东人的精神风貌，是广东文化建设的重要成果，展示了当代中国文化的蓬勃生机。

三、新时期“广东人精神”的研讨和提炼

随着广东经济社会的发展而出现的对精神文化的需求的高涨，随着全国性的经济社会发展而出现的进一步的省域经济实力和省域文化实力的竞争的展开，广东掀起了轰轰烈烈的新时期“广东人精神”大讨论。

（一）时代召唤新时期“广东人精神”

从社会发展脉络和思想文化的动因来看，新时期“广东人精神”的研讨和提炼，其契机是中共十六大报告关于培育和弘扬中华民族精神的论说和号召。中共十六大报告第六部分专门论述“文化建设和文化体制改革”，重点之一是阐发弘扬和培育中华民族精神的问题。报告指出：民族精神是一个民族赖以生存和发展的精神支撑。一个民族，没有振奋的精神和高尚的品格，不可能自立于世界民族之林。在五千多年的发展中，中华民族形成了以爱国主义为核心的团结统一、爱好和平、勤劳勇敢、自强不息的伟大民族精神。面对世界范围各种思想文化的相互激荡，必须把弘扬和培育民族精神作为文化建设的极为重要的任务，纳入国民教育全过程，纳入精神文明建设全过程，使全体人民始终保持昂扬向上的精神状态。[①] 显然，就世界文明发展的视角而论，弘扬和培育中华民族精

① 江泽民：《全面建设小康社会　开创中国特色社会主义事业新局面——在中国共产党第十六次全国代表大会上的报告》，人民出版社2002年版，第39页。

神是当今中国发展的题中应有之义；就全国经济社会发展的态势而论，弘扬和培育新时期“广东人精神”是广东进一步发展的题中应有之义。

对于弘扬和培育新时期“广东人精神”大讨论的背景，2003年底，时任广东省委宣传部部长（现广东省政协副主席）的蔡东士，曾经回答过记者的相关提问。蔡东士强调了中共十六大关于弘扬和培育中华民族精神的思想，认为“新时期广东人精神”大讨论，就是落实中央关于弘扬和培育中华民族精神这一战略任务的具体行动。广东处于改革开放的前沿，对世界局势变换有着更为直接、更为敏锐的感受，对弘扬和培育中华民族精神的现实意义有着更为亲切、更为深刻的认识。广东改革开放的物质成果蕴含着、凝聚着伟大的精神力量和宝贵的文化价值。在百舸争流、群雄逐鹿的新一轮改革发展巨潮中，广东要不负胡锦涛总书记和党中央的重托，加快发展、率先发展、协调发展，争当改革开放和社会主义现代化建设的排头兵，就必须大力弘扬这种深深植根于广东改革开放生动实践的“新时期广东人精神”，使之成为广东加快建设经济强省、文化大省的重要精神力量和文化基因。①

“新时期广东人精神”大讨论是在抗击“非典”的斗争中启动的。广东省委宣传部、省文明办下发了《关于在全省开展“新时期广东人精神”大讨论活动的通知》，并开展了一系列组织活动。一是成立专家指导小组，撰写了《“新时期广东人精神”大讨论活动导引》材料，二是组织社会各界人士开展讨论，三是组织媒体宣传，四是结合实际，把活动扩展到基层。广州市开展了“新时期广州人精神”征文和“我心目中的广州人精神”评议活动。汕头、云浮、揭阳、东莞等市也开展了广东人和本市人精神大讨论。在广东全省抗击“非典”的紧要关头，把“新时期广东人精神”大讨论与宣扬中华民族万众一心抗击“非典”的精神结合起来，

① 《一项长期的战略任务——蔡东士就弘扬和培育“新时期广东人精神”答记者问》，《南方日报》2003年12月18日，A02版。

极大地鼓舞了全省人民夺取抗击“非典”胜利的斗志，同时也深化了全省人民对“新时期广东人精神”的认识和理解，从而更好地展开了讨论，展示了广东人民的精神风貌。①

从根本上讲，弘扬“广东人精神”，是广东生存发展的现实需要。2003 年 4 月，在“新时期广东人精神”大讨论活动启动仪式上，时任广东省委宣传部部长（现任广东省人大常委会副主任）的钟阳胜指出：开展“新时期广东人精神”大讨论，弘扬广东人精神，是弘扬和培育民族精神的具体行动，是为广东新一轮改革发展提供精神支撑的现实需要，是发展先进文化、建设文化大省的内在要求。要准确把握和提炼“新时期广东人精神”，必须体现先进性、时代性、现实性、传承性、群众性、实践性。② 2004 年 11 月，时任广东省委宣传部部长（现广州市委书记）的朱小丹明确指出：“弘扬广东人精神，是广东人生存和发展的内在需求。”“要建设经济强省、文化大省、法治社会、和谐广东，实现富裕安康，都迫切需要弘扬广东人精神。”当今时代，文化与经济、政治相互交融，文化的力量深深熔铸在民族的生命力、创造力、凝聚力之中；而民族的生命力、创造力、凝聚力，正是一种“民族精神”的最生动、最深刻的存在。所以，“从理论意义上讲，弘扬广东人精神，是充分发挥精神能动作用的客观需要”。③

（二）“广东人精神”的诸多见解

“新时期广东人精神”大讨论开展以后，广东方方面面人士积极参与，提出了各自的见解。

张汉青（原广东省人大常委会副主任）说，“新时期广东人精

① 《一项长期的战略任务——蔡东士就弘扬和培育“新时期广东人精神”答记者问》，《南方日报》2003 年 12 月 18 日，A02 版。

② 钟阳胜：《在“新时期广东人精神”大讨论活动启动仪式上的讲话》，载胡中梅主编：《弘扬和培育新时期广东人精神》，广东人民出版社 2004 年版，第 4 ~ 9 页。

③ 朱小丹：《弘扬广东人精神　建设和谐广东——序〈“广东人精神丛书”〉》，载董玉整、程潮、董莉著：《春华秋实：广东人的学术精神》，广东人民出版社 2005 年版，第 1 ~ 2 页。

神”可用四句话表达：敢为人先，坦然面对，兼容务实，关爱为怀。蓝红（原省委宣传部副部长、省文明办主任）认为，“新时期广东人精神”可概括为：敢为人先、兼容开放、求真务实、奋发图强、一往无前。张磊（原省社会科学院院长）认为，“抗非”中形成的大公无私的奉献精神、一往无前的大无畏精神、探索未知的进取精神，是“新时期广东人精神”的瑰宝。颜泽贤（时任华南师范大学校长）认为，“新时期广东人精神”必须是科学精神与人文精神。关飞进（省委宣传部理论处副处长）认为，“广东人精神”可以归结为八个字：开放务实、敢为人先，或者：与时俱进、敢为人先。徐南铁（《粤海风》杂志主编、编审）认为，求真务实是广东人精神的核心。李宗桂（中山大学教授、中山大学文化研究所所长）认为，“新时期广东人精神”可以概括为：开拓创新、务实进取；效率优先、诚信守法；重商尚文、崇德重义；平易朴实、开放兼容；念祖爱乡、团结奉献。田丰（时任广东省社会科学院副院长）认为，“新时期广东人精神”是一种体现中国主流文化，阔步迈向世界主流文化的主体意识，一种海纳百川的世界眼光，一种冲破一切现代教条主义以及形而上学的创新思维。① 上述人士，来自广东党政机关、文化宣传部门、高等院校、社科研究机构。他们的思考，更多的来自理论的层面，注重理论与实践的统一，历史文化传统与时代精神的统一。

其实，在这场大讨论中，企业家、经营家、市民、工人、中小学教师、护士、劳动模范等各阶层人士，都发表了自己的看法，限于篇幅，此处不再赘述，有兴趣的读者可以参看相关的专门著作，比如《弘扬和培育新时期广东人精神》一书，里面有详细的介绍。

（三）“广东人精神”的共识

经过大半年全省广泛热烈的讨论，2003 年 9 月 23 日，中共中

① 胡中梅主编：《弘扬和培育新时期广东人精神》，广东人民出版社 2004 年版，第 193、205 ~ 206 页。

央政治局委员、广东省委书记张德江在全省文化大省建设工作会议上的讲话中，明确概括了“新时期广东人精神”的内涵。他说：“‘敢为人先、务实进取、开放兼容、敬业奉献’的广东人精神，激励着广东人民在改革开放中杀出一条血路，创造了一个又一个奇迹。”同年 11 月 11 日，广东省精神文明委员会召开全体会议，一致确定用“敢为人先、务实进取、开放兼容、敬业奉献”作为“广东人精神”的规范表述。①

应当说，“敢为人先、务实进取、开放兼容、敬业奉献”这个概括，确实是在征求、总结全省关于“新时期广东人精神”大讨论中各种见解的基础上，进行科学提炼的结果，反映了改革开放以来“广东人精神”的基本内容和本质特征，因而受到学术界和社会人士的接受，成为新时期“广东人精神”表述的共识。

尽管对于新时期“广东人精神”的理论提炼和明确表述是最近几年的事情，但这种精神的内涵和功能，早在文字表述之前就已客观存在。换言之，“广东人精神”是早有其实而后有其名。广东 30 年来的持续高速发展，其重要的动因之一，便是“广东人精神”的支撑。没有“广东人精神”，广东不可能在经济社会的发展上一路高歌猛进。

四、广东人文精神：“广东人精神”的提升和拓展

如果说，“广东人精神”是对广东人的境界、精神风貌等方面的概括和提炼的话，那么，广东人文精神则是对“广东人精神”的提升和拓展，是对广东人以及广东社会在人文素养、人文追求、人文环境等方面的概括和提炼，更是对广东在新的发展时期经济社会发展和文化生态环境建设方面的建设性、创造性召唤。

① 参见朱小丹：《弘扬广东人精神　建设和谐广东——序〈“广东人精神丛书”〉》，载董玉整、程潮、董莉著：《春华秋实：广东人的学术精神》，广东人民出版社 2005 年版，第 3 页。

（一）广东人文精神溯源

广东文化渊源于传统的岭南文化，其人文精神也与其有着密切的关系。

岭南文化有着深厚的人文传统。历史上，从唐代的禅宗六祖大师慧能到明代的心学创新者陈白沙，再到近代的洪秀全、康有为、梁启超、孙中山，其所作所为，都反映了岭南文化的人文内涵。能够继承传统而又超越传统，立足岭南而又面向全国乃至全球（洪秀全、康有为、梁启超、孙中山），勇于进取，直面现实；具有开放的意识，兼容的胸怀，善于学习、汲取外来文化，创造性地为我所用，是岭南文化的优长之处。同样，不务虚名，崇尚实际，关心社会进步，关注民生，弘扬人道关怀，都是岭南文化的人文情怀的表现。

有学者指出，开放性和兼容性是岭南文化特有的优点。历史上，岭南观念文化的对外开放，首先面对的是儒家文化。如果从与齐鲁之地和中原相比，岭南文化有“远儒”的一面；但从岭南社会的发展历程来看，却是儒家的封建文化将南越人引向文明。秦汉以后汉越文化的交融，正显示了岭南文化的兼容性。岭南文化发展到现代，开放性和兼容性的优良传统应当继续发扬。开拓、求实，兼容、创新，是岭南文化的现代精神。① 这种见解，其实反映的是岭南文化的人文传统，以及与现代社会及其精神的相通之处。

有论者认为，广东素有重商的传统，岭南文化具有经世致用的特征，比较讲求实用、实干、实效。岭南文化天生具有开放兼容的品性。②

总的说来，岭南文化有其独特的人文传统，当代广东人文精神的弘扬和培育，不能忽视这个传统。

---

① 李锦全：《从传统到现代——从开放性与兼容性看岭南文化的发展历程》，《岭南学刊》1992年第2期。

② 《一项长期的战略任务——蔡东士就弘扬和培育“新时期广东人精神”答记者问》，《南方日报》2003年12月18日，A02版。

（二）新时期广东人文精神

新时期广东人文精神正在生长之中。她的形成和发展，与改革开放的现代化进程相一致。

早在2002年，佛山就举办了探索和提炼“佛山人文精神”的论坛。在这次讨论中，不同阶层的佛山人都对这个话题表现出极大的热情。随后，佛山结合广东省委提出的“广东人精神”讨论的契机，提出了“新时期佛山人精神”的大讨论。这是在总结“佛山人文精神”讨论成果基础上进行理论升华、精神提升的文化建设盛事。到了2008年2月，经过了全社会长期的辩论和讨论，佛山市委将“敢为人先、崇文务实、通济和谐”确定为“新时期佛山人精神”的规范表述，以便广大人民群众在此基础上继续深入讨论。[①] 从“佛山的人文精神”到“新时期佛山人精神”的讨论，参与者来自各行各业，不同领域：有专家、学者、政府官员、企业家、中小学教师、工人、农民等等，他们都踊跃表达了对佛山人精神的理解。这或许从另一个角度表明了佛山人精神的某种特征。

与佛山研讨树立佛山人文精神有异曲同工之妙的，是经济特区深圳开展的关于深圳城市人文精神的大讨论。

广东省委常委、深圳市委书记李鸿忠同志于2006年12月在深圳市委四届五中全会上所作报告中明确提出了深圳要“加强城市人文精神建设”。这一命题的提出，马上引起了各界的高度关注。在报告中，他认为城市人文精神是城市“最大的‘软实力’”，并且指出：“当今时代，城市竞争、区域竞争不仅体现在物质财富的生产，更根本更深层的是人文和精神层面的竞争，最终必然是以文化论输赢，以文明比高低，以精神定成败。”深圳从改革开放以来在物质文明方面已经取得了举世瞩目的成就，有了一定的物质基础，因此“更有条件、更有必要致力于城市人文精神的建设，致

---

① 同时也将“崇文务实、创新有为、兼容开放、通济和谐”定为“新时期佛山人精神”的候选表述。

力于人的全面发展，让大写的‘人’字在特区的旗帜上高高飘扬，不断促进城市人文精神的积淀、创造、丰富和升华”。而且他进一步指出，加强深圳城市人文精神建设就“必须始终坚持正确的政治方向”、“必须立足实际不断丰富发展其时代内涵”和“必须大力推进人文科学建设、推进文化发展，不断提升城市竞争的‘软实力’”。而谈到如何结合时代内涵进行城市人文精神建设时，他特别强调：“要以深圳改革开放以来形成的‘时间就是金钱、效率就是生命’，‘空谈误国、实干兴邦’，‘崇尚创新、宽容失败’等新观念、新理念和‘开拓创新、诚信守法、务实高效、团结奉献’的深圳精神为基础，进一步传承中国传统文化的优秀内核，吸收世界人类文明成果的精华，发扬改革创新的时代精神，使深圳城市人文精神不断得到丰富和发展。特别是要突出体现崇尚以人为本、以人为上，富于关怀互助、尊重尊严；崇尚自强不息、竞争向上，富于宽容和谐、友爱仁义；崇尚开放包容、兼收并蓄，富于活力动感、创新创造；崇尚知礼守法、真诚向善，富于内省自律、诚信无欺；崇尚追求文明、坚持真理，富于科学理性、严谨务实，等等。这些使深圳人文精神真正体现深圳特色、具有蓬勃的生命力，并不断增强其感召力、凝聚力和向心力。”①

2007年4月24日，围绕如何“加强深圳城市人文精神建设”这一命题，深圳专门召开“深圳城市人文精神建设理论研究会”，邀请社科界的专家、学者建言献策。

中山大学文化研究所所长李宗桂教授指出：深圳人文精神值得认真总结、提炼。他站在中国当代文化建设的高度指出：“深圳城市人文精神不是孤立发展的，它属于中国人文精神的范畴，既是传统人文精神的延续，也是当代中国人文精神的重要组成部分和具体体现。”同时，他认为深圳应当重视通过制度创新来加强城市人文精神建设：“要大力弘扬开拓创新的精神，加快制度创新的步伐，

---

① 李鸿忠：《加强城市人文精神建设，大力发展社会主义和谐文化》，转引自《2007年深圳文化蓝皮书》，中国社会科学出版社2007年版。

通过建立健全完善的制度来提升软环境；要大力弘扬诚信守法的精神，坚持依法治市，打造信用深圳，创造民主公正的法治环境和规范有序的市场环境；要大力弘扬务实高效的精神，不断改进机关作风，建设公共服务型政府，创造廉洁高效的政务环境；要大力弘扬团结奉献的精神，进一步提高全体市民的思想道德水平和科学文化素质，创造健康向上的人文环境。"①

广东省委宣传部副部长黄斌认为，深圳城市人文精神建设在全省具有示范性。他指出深圳要加强城市人文精神建设，就必须"以人文精神为载体推进和谐社会的建设。要深化思想道德建设，把人文精神的建设融入精神文明创建与构建和谐社会过程当中，这样深圳的精神文明工作一定能亮点纷呈，在全国闯出新的路子。要发挥新闻宣传的作用，动员整个社会来参与人文精神的建设。要推动文艺创作，深圳在文艺创作方面具有很大的优势，文艺从来就是人的精神旗帜，我们要在文艺创作中、在群众的文化生活中充分体现人文精神，贯彻人文精神。"②

深圳市委宣传部部长王京生说"加强城市人文精神建设，是深圳政治、经济、社会、文化发展到一定阶段的必然要求。"他认为"深圳作为重要的区域性中心城市，既要有经济辐射力，还要有文化辐射力。从某种意义上说，文化特别是原创文化的辐射力会更强、更有持续性。文化辐射力的核心就是要高举人文精神的旗帜。"他认为深圳要进行城市人文精神建设，就必须靠"政府、社会和市民等各个层面的共同努力。"③

深圳市文联专职研究员杨宏海认为，加强深圳城市人文精神建设就是要不断丰富和发展以"'开拓创新、诚信守法、务实高效、

① 李宗桂：《深圳人文精神值得总结和提炼》，《深圳特区报》2007年4月25日，A6版。

② 黄斌：《深圳城市人文精神建设在全省有示范意义》，《深圳特区报》2007年4月25日，A5版。

③ 陈晓薇：《共同打造"人文深圳"品牌》，《深圳特区报》2007年4月25日，A1版。

团结奉献’为核心的‘深圳精神’”精神体系，以此为基础，“进一步构建一种既具有普世价值又与这座移民城市相适应的新的城市人文精神。”①

深圳市委市府高度重视城市人文精神的构建。时任市委书记的李鸿钟，曾经撰文专门阐发自己的见解：

当今时代，城市竞争、区域竞争不仅体现在物质财富的生产，更根本更深层的是人文和精神层面的竞争，最终必然是以文化论输赢，以文明比高低，以精神定成败。我们贯彻落实科学发展观、构建社会主义和谐社会，必须大力发展社会主义和谐文化、建设社会主义核心价值体系，并将其根植于生产生活实践，转化为社会群体意识和群体行为，内化为一个城市一个地区的人文“基因”。深圳发展到了现今阶段，已经有了一定的物质基础，我们更有条件、更有必要致力于城市人文精神的建设，致力于人的全面发展，让大写的“人”字在特区的旗帜上高高飘扬，不断促进城市人文精神的积淀、创造、丰富和升华。这是城市最大的“软实力”。

首先，加强深圳城市人文精神建设，必须始终坚持正确的政治方向。要以马克思主义、毛泽东思想、邓小平理论、“三个代表”重要思想和科学发展观为统领，以马克思主义人文、人本思想为指导，以社会主义核心价值体系为核心，通过在全社会广泛开展以“八荣八耻”为主要内容的社会主义荣辱观教育，深入开展“爱国、守法、诚信、知礼”现代公民教育活动，加强党员干部“理想、责任、能力、形象”教育，加强未成年人思想道德建设，在广大青年学生中深入开展“立志、修身、博学、报国”教育，引导广大干部群众知荣辱、树新风、倡文明、求和谐。

其次，加强深圳城市人文精神建设，必须立足实际不断丰富发展其时代内涵。城市人文精神的建设是一个动态的过程、一项长期的任务，需要立足深圳实际、在广大人民群众的生动实践中不断增

---

① 参见杨宏海：《深圳城市人文精神建设的主要任务》，《深圳特区报》2007年4月25日，A6版。

添新的内涵、达到新的境界。要以深圳改革开放以来形成的“时间就是金钱、效率就是生命”，“空谈误国、实干兴邦”，“崇尚创新、宽容失败”等新观念、新理念和“开拓创新、诚信守法、务实高效、团结奉献”的深圳精神为基础，进一步传承中国传统文化的优秀内核，吸收世界人类文明成果的精华，发扬改革创新的时代精神，使深圳城市人文精神不断得到丰富和发展。特别是要突出体现崇尚以人为本、以人为上，富于关怀互助、尊重尊严；崇尚自强不息、竞争向上，富于宽容和谐、友爱仁义；崇尚开放包容、兼收并蓄，富于活力动感、创新创造；崇尚知礼守法、真诚向善，富于内省自律、诚信无欺；崇尚追求文明、坚持真理，富于科学理性、严谨务实，等等。这些使深圳人文精神真正体现深圳特色、具有蓬勃的生命力，并不断增强其感召为、凝聚力和向心力。

第三，加强深圳城市人文精神建设，必须大力推进人文科学建设、推进文化发展，不断提升城市竞争的“软实力”。要加强马克思主义哲学和社会科学的学习应用，努力形成具有中国特色、中国风格、中国气派，吸收岭南学派特点，具有较大影响力的深圳人文社会科学研究群体；大力发展文化事业和文化，大力繁荣文学艺术创作，使深圳真正成为宣传和展示社会主义和谐文化的最佳窗口。同时，立足于全面提高市民文化素养，大力发展全方位的终身教育体系，开展多种形式的宣传教育活动，发挥先进典型的引领示范作用，不断彰显和弘扬城市人文精神，力争使深圳成为市民素质最高、社会文明程度最高、人文发展水平最高的城市之一。此外，要将人文精神的建设作为深圳城市发展、无形资源开发的重要举措，将其渗透到、体现在城市经济、政治、文化、社会建设的方方面面，使之真正成为城市“软实力”的集中体现，成为城市核心竞争力的坚实基础和不竭源泉。①

关于广东人文精神的具体表述，政界学界都有不少人积极撰

---

① 李鸿忠：《加强城市人文精神建设，大力发展社会主义和谐文化》，转引自《2007年深圳文化蓝皮书》，中国社会科学出版社，2007年版。

文、发表谈话，阐发自己的见解。暨南大学蒋述卓教授等人认为，30年的改革开放实践，使得敢为人先的精神深入到了广东人的骨髓与血液之中，敢为人先成为广东文化的标志。创新意识、平民意识、慈善情怀、公平公正意识等，都是广东人文精神的表现。[①]

① 《广东改革开放彰显人文精神》，《南方日报》2008年8月28日，A7版。

第十章
文化精神烛照下的广东

广东的经济社会发展，经过30年的持续努力，现在已经达到了相当的高度。

物质文明、精神文明、政治文明、社会文明的协调发展，成为新阶段发展的自觉追求；经济强省、文化大省、法治社会、和谐广东的融通，成为新发展观的具体体现；“主力省”、“试验区”、“先行地”,① 成为新的战略目标。其间，始终闪耀着文化精神的光芒。

一、文化自觉与和谐社会的构建

构建社会主义和谐社会，不仅是党中央的政治决定，更是全社会的自觉期盼和切实行动。在广东，提升文化自觉意识，建设和谐广东，是全省上下的殷切希望，更是已经开始的切实行动。

（一）文化自觉与社会发展

文化自觉是近年中国在国际上和平崛起后，面对新的国内外形势而崛起的理性的文化思潮。从民族文化的角度看，文化自觉是对

① “主力省”，是指把广东建成“提升我国国际竞争力的主力省”；“试验区”，是指把广东建成“探索科学发展模式的试验区”；“先行地”，是指把广东建成“发展中国特色社会主义的先行地”。详见《羊城晚报》2008年6月19日头版头条。

本民族文化的起源、形成、演变、特质和发展趋势的理性把握，对本民族文化与其他民族文化关系的理性把握。

中华民族素有文化自觉的优秀传统。战国百家争鸣、五四新文化运动，以及我国改革开放以来始终不渝的“复兴伟大的中华文明”的文化建设的价值目标等，都是文化自觉的典型表现。

改革开放以后，我国坚持建设有中国特色的现代新型文化，针对“文化大革命”对民族文化的摧残、对西方先进文化的蔑视和歪曲，进行了拨乱反正。复兴伟大的中华文明，成为人们至今仍在努力奋斗的切实目标。建设一个面向现代化、面向世界、面向未来的，民族的、民主的、科学的、大众的新型文化，成为文化建设的当务之急。在文化建设中，坚持弘扬和培育民族精神，真诚学习、吸纳外国优秀文化，将本根意识和全球意识有机结合，把历史责任感和时代使命感熔铸为一，推动全民族文化素质的整体提高，促进当代中国文化转型的进程，已经成为全社会的共识。要建设现代化国家，要全面实现小康，没有文化精神的支撑是不可能的。这些，都是当代中国文化自觉的体现。

倡导文化创新，弘扬并培育民族精神，是当代中国文化自觉的又一重要表现。文化的发展需要继承，需要“保守”（守成），但更需要创新。创新是民族发展的灵魂，也是文化进步的根本。所谓文化创新，就是创建超越中国传统文化和资本主义文化的新文化，就是创建富有民族作风、民族气派的当代中国新型文化。同时，文化创新也要不断扬弃、超越经典社会主义所理解的文化框架及其文化理念，不断扬弃、超越“五四”以来的现代革命文化传统，不断扬弃、超越改革开放和现代化建设实践中感性和经验的制约，建设具有前瞻性、指导性、稳定性的文化价值系统，为不同层级的人们提供安身立命之道，为社会的和谐稳定提供精神系统的保证。

文化自觉既是一种文化意识，又是一种文化价值观，更是一种文化实践论。从文化学的层面考察，文化自觉对于社会发展具有重要的理论价值和实践意义。概略地说，文化自觉对于社会发展具有如下作用：

第一，文化自觉促进文化创新。文化自觉作为一种民族意识，一种价值理性精神，本身具有极强的创造性和开拓性。能够明白自身的过去、现在，知道自身的优劣强弱所在，知道别的民族文化对自己的补益、针砭作用，能够理性把握自身未来的发展趋向，就会努力去创造未来，开拓未来，更新自身，发展自身。文化理念、文化范畴、文化命题、文化方法、文化政策、文化体系的创新，便成为势所必然的事情。承前启后，继往开来，推陈出新，就是必然的文化发展趋势。如果没有文化自觉，则文化创新就无从谈起，无从落实。

第二，文化自觉促进民族精神的建设。中华民族精神是中华文化积极成分的结晶，是中华民族的灵魂所在，是中华民族发展的精神动力。一个时代有一个时代的民族精神，民族精神的建设也要与时俱进。文化自觉对于民族精神的建设有着举足轻重的地位和作用。一个具有文化自觉的民族，是能够自我反省、自我批判、自我超越、自我创造的民族，是能够弘扬既有民族精神，培育新型民族精神的民族。通过民族精神的弘扬和培育，能够展示本民族文化自觉的程度；通过文化自觉的实践，可以催生新的民族精神。

第三，文化自觉提升民族文化的理性精神。从科学理性的角度审视，任何民族文化都有两重性，都不可能是尽善尽美的。中华文化也是如此。中华文化在其长期的发展历程中，由于诸多因素的影响和制约，使其在具有优秀成分的同时，也不可避免地存在着负面的因素。在古代，封建专制思想，人治思想及其制度，任人唯亲的宗法观念，泛道德论思想等，都是传统文化的负面成分；在近现代，夜郎自大、闭关锁国的思想，死守旧道、因循苟且的思想，全盘西化、甘为人奴的思想等，都是传统文化转型中逆潮流而动的思想；在当代，否定民族文化的合理价值，宣传全盘西化的思想；或者盲目鼓吹传统文化的至善至美，甚至宣称当代世界靠中华文化去拯救的论调；以及否定科学精神和人文精神的价值，否定民主政治的价值等，都是缺乏理性精神的表现。要解决这些问题，重要途径之一，就是倡导文化自觉，实现文化自觉，消解中华文化负面因素

的产生机制，吸收现代科学、民主、自由等精神价值，熔铸为新型文化体系的内在价值，才能实现民族文化的理性复兴。

第四，文化自觉开辟、拓展民族文化与世界文明接轨的道路。文化自觉的一个重要通道，是与世界文明接轨。只有与世界文明接轨，才能最终实现完全意义上的文化自觉。近年来，中国自觉参与经济全球化的进程，关注文化全球化的动向，关注普世伦理的建构，重视文明交流、沟通、对话，反对文化霸权主义，主张多元文化的良性互动，正是文化自觉在国际文化交往中的实施和体现。这种具有全球意识的文化自觉，开辟、拓展了中华文化与世界文明接轨的道路。

第五，文化自觉优化文化生态环境。文化生态环境对于文化发展具有重要的意义，特别是在建设市场经济体制的当代中国，更是具有特别重大的意义。文化自觉使人认识到文化生态环境对于文化发展以至整个社会发展的积极作用。恶劣的文化生态环境，只会导致人与自然的严重对立，人与人的疏离甚至冷漠，人与社会的不协调。优良的文化生态环境，将会优化人与自然、人与人、人与社会的关系，协调政治、经济、文化的关系，创造有机协调发展的机制，提供可持续发展的条件，从而为民族文化的健康发展创造条件。而文化自觉意识的高扬，自会使人自觉清理、净化文化生态环境，从而为文化发展创造有利条件。

（二）文化自觉与和谐广东

文化自觉与和谐广东的建设密切相关。30年来经济长期高速发展，已经成为国内经济强省的广东，具有强烈的文化自觉意识。

通俗地讲，文化自觉就是对文化的自我觉悟，是文化意义上的自觉。这个文化，既是民族的，也是国家的，还是阶层的、地域的，乃至团体的、个人的。一般意义（广义）的文化自觉，当然属于国家民族层面的，亦即文化自觉的文化，是民族文化。中华民族对自身文化的自觉，便是文化自觉。相对而言，阶层的、地域的文化自觉，以及团体的、个人的文化自觉，属于特殊意义（狭义）

的文化自觉。公务员、知识分子、白领、工人、农民、商人、市民，这些不同阶层，都有也应当有其文化自觉。古典的地域文化，如岭南文化、巴蜀文化、吴越文化、荆楚文化、中原文化、三秦文化、三晋文化，等等，这些作为文化小传统表现的、各具特色的地域文化，至今仍在影响其涵盖地域之内的人民，影响着当地的文化建设，这些地域人民对其的自觉，属于地域文化层面的自觉。至于各种团体和个人，也当然都有而且应当有其文化自觉。其中，个人的文化自觉，对于文化建设具有重要的意义。个人范畴的文化自觉，不仅体现在对民族文化的历史、现状和未来的深切关怀和科学把握之中，而且体现在对自身文化品味、文化价值追求的实践之中，也体现在对当地（地区、城市）文化建设、文化发展的关切和贡献之中。吃、穿、住、行，工作娱乐，待人接物，无不体现出个人的文化品味和文化价值追求。在这些方面，有健康的趣味，有善良的情怀，有正直的品格，有自觉的文化价值追求意识，能够对历史文化传统、国家社会的治平措施、现实社会的种种负面现象、个人荣辱浮沉的利害是非等，有自觉的反思、批判和超越，便是个人的文化自觉。

值得注意的是，地域文化中除了上述岭南文化、巴蜀文化、吴越文化之类的古典地域文化之外，还有以城市为中心的、充满时代意识的现代地域文化。这种地域文化，其典型代表是海派文化、京派文化、粤派文化。这三种类别的地域文化，本质上是城市文化。海派文化的洋气，京派文化的大气，粤派文化的俗气，彰显了各自的特色。海派文化的根底，在于自开埠以来与西洋文化的接触，受其浸染后，自主选择，吸收融合其优长之处，逐渐形成了以开放精神、世界眼光、改革创新为特质的新型文化气质。“十里洋场”的语境，绝对是指称的上海而不是北京，更不是广州。京派文化的大气，源于京城文化的厚重和历史传承的久远，也来自政治中心、权力中心的宏阔底气。粤派文化是深受香港文化影响、以广州为中心的城市文化。它基本上是传统与现代渗透、本土文化与外来文化杂交的产物。粤派文化的俗气，并非庸俗之气，更非恶俗之气，而是

通俗、世俗、凡俗之气。平民式的人格追求，平民化的生活方式，从容淡定，不事张扬，甚至只做不说，是粤派文化的显著特征。

从世界文明史和中国现代化史的角度看，城市化是现代化的集中体现。上海、北京、广州分别代表的海派文化、京派文化和粤派文化，都是中国现代化进程中地域性文化的产物。在这个进程中，民族文化固然起了基本的精神和价值导引作用，但之所以色彩各呈，则又是与各自独特的地域文化密切相关的。因此，我们在提升文化自觉意识的时候，在建设各自的文化大市、文化名市、文化强市的时候，在构建各自的城市精神的时候，应当密切关注并大力提升其独特的城市精神，应当提升全体市民的文化自觉意识。

广东人民素有文化自觉的传统。中国近代史上，康有为、梁启超主导的戊戌维新，便是对中国传统文化的批判性反思和超越，是文化自觉的典型事例。民主革命的先行者孙中山，宣传民主共和思想，领导辛亥革命，最终用“武器的批判”彻底推翻了两千年封建专制的体制，在社会革命的层面，实现了“振兴中华”的宏愿。

30 年来的改革开放，从实践的层面看，是从广东起步的。打破一切束缚社会进步的框框，为改革开放“杀出一条血路”，为中国特色社会主义的建设先行一步，是高层次全方位的文化自觉。

广东的文化自觉不仅表现为在社会主义市场经济体制建设方面的率先实践，而且表现为在实现现代化方面的率先发展、协调发展和科学发展上。从 1894 年孙中山领导的兴中会在檀香山发表“振兴中华”宣言之日起，中华民族的文化自觉就提升到了一个崭新的阶段。改革开放后，特别是进入新世纪以来，广东经济社会发展迅猛，明确提出了建设“文化大省”的目标，这是对既有的经济社会建设的理性反思的结果，也是对文化对于广东发展的功能的全新认识。经济与文化交融，以文化论输赢，以文化分高下，成为广东社会发展的新品格。

广东文化大省建设目标的提出，宣示了新的文化自觉阶段的到来。当年经济发展初期，对于“文化沙漠”论的自卑已经一扫而光；经济有了较高发展程度后，一度喧嚣的“文化北伐”论，也

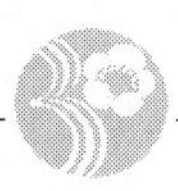

已自然消歇；进入新世纪，经济发展到了更高阶段的时候，文化自觉的理性张扬开来，自信、自强、自觉，成为广东社会发展的主流。因此，建设和谐广东的提出，理所当然、势所必然！而和谐广东的构建，不仅超越了单纯的经济发展观，而且也超越了就文化论文化、就文化与经济关系打转的思路，开启了运用文化自觉意识，加快和谐广东建设的进程。

二、经济强省、文化大省、法治社会、和谐广东的融通

长期以来，我国社会运行的结构划分，以及党和国家的发展战略规划，都是以政治、经济、文化这样一种三维结构来进行。这种划分方式，甚至可以追寻到上个世纪40年代初期毛泽东的《新民主主义论》。[①] 直到“十七大”报告，这种思维定势发生了变化，成为“政治—经济—文化—社会”四维结构的划分，而且，把经济放在了第一。广东的发展实践和发展战略规划，昭显并顺应了这种四维结构，明确提出了建设经济强省、文化大省、法治社会、和谐广东的战略目标。

（一）经济强省与文化大省的双向互动

广东作为改革开放的前沿地，得风气之先，经过二三十年的发展，逐渐成为国内外颇受瞩目的经济强省。作为经济强省的广东，我们可以举出许许多多的数据和事例，论证经济强省之所以然。与经济强省的建设相随，在经济发展起来以后，广东进行了气韵生动的文化大省建设。但是，文化建设与经济建设相比，其价值、地位和作用，在广东社会的认识中，有一个逐渐加深的过程。可以说，

① 毛泽东在其1940年1月发表的《新民主主义论》中，明确提出了“新民主主义的政治”、“新民主主义的经济”、“新民主主义的文化”的论说〔见《毛泽东选集》（一卷本），人民出版社1964年版，第523～670页〕，可以说是开启了中共政治、经济、文化三维社会结构论的先河。

在很大程度上，说广东是经济强省，在全国几乎是不言而喻的，而广东自身也是底气十足的。但是，相对经济强省而言，要说广东是文化大省，要引领国内文化建设的潮流和风范，底气就有所不足，而在全国的认同度也不高。因此，贴切的说法，是“建设”文化大省。值得欣慰的是，“建设”文化大省毕竟已经进入广东官方和民间的议事日程，并且逐渐成为切实的成果，成为经济社会发展和民众生活的内在需求。

广东作为中国经济总量最大的省份，其发展的根本动因，无疑是改革开放，是敢为人先，敢于“杀出一条血路”。其间，经济社会发展的思想轴心，是以经济建设为中心，突破过去“以阶级斗争为纲”的“左”倾僵化政治思维。短短数年之间，情况就发生了巨大变化。根据统计，1978 年广东省的经济总量为 185 亿元，位列当时全国 30 个省市自治区的第 23 位。到了 1985 年，广东的经济总量已经位居全国榜首，真正实现了跨越式发展、超常式发展！此后的 20 多年，广东经济连续以每年两位数的速度增长，总量始终居于全国第一的地位。在追赶亚洲“四小龙”的过程中，成效十分显著。1998 年，广东经济总量超越新加坡；2003 年，广东经济总量超过香港；2007 年，广东经济总量超越台湾。与此形成鲜明对照而又发人深省的是：1979 年，广东全省工农业总产值人均只有 520 元，远远低于 636 元的全国平均数！2000 年，广东人均 GDP 是 12885 元，此后逐年增长，到 2006 年，已经达到 28077 元，短短 6 年时间，翻了一番！2007 年，更是达到了空前的人均 32713 元。在这种情况下，建设全面小康、宽裕型小康社会，实现富裕安康，成为广东社会的现实需求。

经济发展起来以后，为文化发展创造了条件，并激发了官方和民间对文化建设的需求的强烈性和急迫性。其实，正如本书第一章所论，广东文化的发展，从“文化沙漠”的自辩到“文化北伐”的自恋再到“文化广东”的自信，这样一个发展轨迹，本身就昭示了其与经济发展脉搏的一致。在这个意义上讲，广东经济的发展，不仅为文化发展提供了坚实的物质基础，而且在客观上召唤着

文化对经济的参与，呼唤文化为经济发展提供精神支撑和智力资源。广东文化大省建设战略目标提出以后，之所以发展迅速，成效卓著，固然原因甚多，但广东有厚实的经济条件，能够为文化发展提供相对充裕的物质条件，这是全国各省文化建设中比较独特而又令人欣慰的情况。广州大学城，投资将近400亿元；广州观光电视塔，投入10多亿；广东省博物馆、广东省立中山图书馆、广州歌剧院、广州白云国际会议中心、广州琶洲会展中心等大型超大型文化设施，动辄投入上十亿、数十亿甚至上百亿，如果没有坚实的经济基础，是不可能建成的，甚至想都不敢想。近年广东的大学扩招迅猛，规模和数量都十分惊人，高考录取率达到80%左右；广东在全省实行了九年制义务教育；广东省对于中山大学这样的全国重点大学，在省部共建的理念和框架下，投入逐年增多。广东对于中山大学的经济投入，在全国同样是省部共建的全国重点大学中，是获得共建省份投入最多的。中山大学近年发展甚好甚快，与广东省的加大投入密不可分。而中山大学自觉增强服务广东的意识，通过各种方式和途径，为广东经济社会的发展出力献策，为广东高层次人才的培养竭心尽力。凡此种种，都说明了作为经济强省的广东，对于文化大省的建设，对于文化的大发展大繁荣，具有很强的文化自觉意识，具有强烈的现实需求。

当然，经济强省与文化大省建设之间的关系，并不仅是单线的运动，而是双向的互动。人们往往容易看到经济高速增长表象后面的政治决策、行政管理行为、经济发展战略等方面的动因，往往轻视甚至忽视文化动因的存在。如果我们冷静地从全方位开放、全方位发展的角度审视，不难看到，广东经济长期高速发展的重要原因之一，是文化的力量在起作用。

广东在最近30年的发展中，坚定不移搞建设，一心一意谋发展，始终以经济建设为中心，但并不唯经济是从。在经济发展到一定阶段后，较早自觉认识到文化对于经济社会发展的作用。早在上个世纪90年代前期，广东社会已经关注到文化对于经济社会发展的作用，明确探讨经济文化的相融互动关系。1993年，在广州举

行的首届“华语电视发展”学术研讨会，由广东对外文化交流协会、广东省广播电视学会和广东电视台联合主办，会议的“中心议题”是“华语电视与中华文化传统的血缘关系”、“华语电视与华人及覆盖区域文化需求、经济发展的关系和前景”。① 会议主办单位当时有一个很清醒的认识，即要改变“文化搭台，经济唱戏”的世俗思路，开辟“经济搭台，文化唱戏”的新局面。整个会议的基调，是弘扬中华文化，以及探讨华语电视与经济发展之间的互动关系，而不是专门探讨如何赚钱，更不是议论如何利用文化为经济服务。会后出版的会议论文集，其序言的题目便是《发展华语电视　弘扬中华文化》。参加会议的学者提出，华语电视的存在，有力地推进了人类文明的发展。“在保持并发展文化的民族性的同时，面向世界，面向未来，在继承中创新，在批判中吸收，在综合中超越，以建构新型文化体系的深层结构，是华语电视责无旁贷的义务”。② 这种情况，生动地表明广东有关方面和人士对于文化在经济社会发展中的地位和作用的全新认识。在社会主义市场经济体制已经建立起来的今天，我们反观当年的这个情景，可以看到，邓小平1992年南方视察后市场经济勃兴的1993年的广东，已经如此鲜明地要弘扬中华文化，是多么难能可贵。与此相应，广东文学界提出并探讨了一系列颇具价值的文化论题。诸如：重建精神规则、重燃精神圣火、营造新的人文氛围、张扬新历史使命、“新人文精神”、“经济文化时代”、文化经济大亲和（“头脑资本”融和货币资本，知识生产力、科技生产力成为发展的关键因素，包括企业文化的演进，经济结构的知识转型，大众消费中文化含量的增加，市场营销的文化策略，不同人文资源之间的互动结合，经济社会新的道德观、事业观、价值观等方面的内容），③ 等等。这些具有深厚

---

① 《“华语电视发展”学术研讨会论文集》，花城出版社1994年版，第277页。

② 李宗桂：《华语电视与民族文化的深层结构》，载《“华语电视发展”学术研讨会论文集》，花城出版社1994年版，第114页。

③ 黄树森：（《叩问岭南大型书链》）《总序》，载杨苗燕：《别等我在老地方——转型期新文化景观》，花城出版社1995年版，第3～12页。

人文关怀的论题，即使在十多年后的今天，也没有过时。这些，反映了广东文化发展进程中的先觉意识，体现了市场经济条件下的广东人文追求。这种人文追求，看似与经济无关，甚至在某些单纯的经济决定论者看来，是与经济发展相悖反的。但是，其实这种深切的人文关怀，这种对弘扬中华文化的理性自觉，蕴涵着深厚的经济发展动力。正是对于民族文化弘扬的重视和实践，对于人文关怀的大力张扬，才在客观上纠正甚至调整了不顾代价盲目追求经济发展的野性冲动，避免了一些不必要的损失，并在精神动力和智力支持方面为经济社会的全面协调发展提供了资源。而这，恰好是文化对于经济发展的切实推进，在全中国已经认识到文化软实力的价值的今天，其道理和价值已经不言而喻。

与上述论说的逻辑性一致，广东文化大省建设的实施，对于广东经济社会的发展，显然起了重要的作用。应当看到的是，在广东省委省府启动文化大省建设的战略工程之前，广东实际上早已开始了内涵丰富形式多样的文化建设，只是还没有达到明晰的建设文化大省的理性自觉而已。可以说，2003 年广东省委省府关于建设文化大省决定的出台，是此前文化建设的逻辑发展，是实践科学发展观的自然选择。文化大省建设战略的制定和实施，大大推进了广东经济社会的协调发展、率先发展和科学发展。显而易见，从上个世纪 90 年代关于“文化广东”的理念的提出，到新世纪初期“文化大省”战略的制定，其间贯穿着经济文化良性互动的红线。最近 10 年（1998—2008 年）广东经济的发展，当然是在过去 20 年（1978—1998 年）基础上发展的结果，是过去长期积累后在新的条件下的经济力量大迸发。但是，我们如果从宏阔的视野考察，便不难看到，最近 10 年经济力量的迅猛增长，与文化大省建设战略的实施，有着密不可分的关系。特别是经济发展如何与环境协调，如何更好地实现富裕安康，如何提升公民素质（广东近年开展了全省性的“爱国、守法、诚信、知礼”现代公民教育），构建和谐广东，都是文化层面的思路和方略。因此，我们可以肯定地说，广东已经实现了经济强省和文化大省建设的良性互动，真正做到了经济文化相互促进，相得益彰，而不再是两张皮，更不是相互疏离甚至冲突的两极。

2005年，时任文化部部长的孙家正对《南方日报》记者说：广东有深厚的现实基础，有悠久的历史传统，再有一种适应时代需要的文化自觉，广东文化的发展定会跟经济的发展一样令人刮目相看。文化就是人，是人的外化。广东文化研究的对象实际上是广东的人。广东改革开放走在全国前列，开风气之先，广东人每天都在创造着新的生活，取得了辉煌的成就，这些成就不能仅仅看成是经济上的成果，实质上它也是一种文化的成果。作为一个改革开放的先行地区，它对全国的贡献不止是那些看得见的数字，我认为最核心的还是文化，广东人所创造的文化对全国有巨大的贡献，形成了一些适应时代所需、符合我们国情的新的文化理念。广东创造的先进文化理念，首先是一种紧跟时代的发展、适应社会主义市场经济需要的改革开放和创新的精神，这是最鲜明的时代精神。广东创造了经济的奇迹，同时也把经济活动当中所体现出来的一种我们国家发展所需要的、推动国家进步的思想文化理念呈现给了全国。[①] 笔者认为，孙家正的上述见解，从一个国家文化管理者的角度，阐明了广东经济发展中的文化内涵及其价值，同时也阐明了广东社会发展中经济与文化之间良性互动的道理。

（二）经济强省、文化大省、法治社会、和谐广东的圆融

在经济强省和文化大省建设顺利进行之时，随着经济社会发展的延伸，很多问题逐渐显露出来。省内不同地区之间发展的不平衡，不同行业之间发展的不平衡，甚至同一行业之间发展的不平衡，成为需要解决的社会问题。同时，依法行政的问题、社会治安问题、环境问题、医疗教育问题、住房问题，等等，都越来越成为

---

① 《文化部长孙家正：广东对全国贡献的核心是文化》，《南方日报》2005年4月13日，第6版。

具有普遍性的社会问题。解决这些问题，一个重要的思路和科学的途径，便是构建法治社会，构建和谐广东。2004 年 11 月，由广东省政协主办了“建设和谐广东研讨会”，广东省政协、广东省委省府以及相关的部委厅局、各民主党派和省工商联、高等院校和科研机构、专家学者等一百多人，热烈讨论了建设和谐广东的诸多问题，提出了很多颇有见地的主张。会议出版的多达 65 万字的论文集，从方方面面提出了关于建设和谐广东的见解。广东省政协主席陈绍基在为该论文集所写的序言中指出，当时广东的人均 GDP 已突破 2000 美元大关，进入全面建设小康社会、实现社会转型的关键时期。与此同时，经济社会发展中的一些深层次矛盾也日益暴露，“突出地表现为教育、文化、卫生等社会事业发展与经济发展不协调，不同类型地区发展不协调，不同社会阶层、群体之间收入分配差距扩大，人民内部矛盾出现群体化、组织化、激烈化，甚至极端化倾向。”能否妥善解决这些矛盾和问题，能否在人均 GDP1000 ~3000 美元阶段实现社会顺利转型与持续发展，事关我省现代化的全局，而建设和谐广东，则是实现这一目标的战略措施。和谐广东的建设，对于创造适合新的发展要求的稳定协调的社会环境，对于促进广东物质文明、精神文明、政治文明的协调发展，对于实现广东的富裕安康，对于维护、实现和发展人民群众的根本利益，都是十分必要的，意义重大。[①] 应当说，这是看到了问题的实质。

其实，正如本文开头所说，对于我国经济社会的发展，在很长时期中，都是采用“政治—经济—文化”三位一体的三维结构进行分析和规划，直到中共十七大，才明确提出了“政治—经济—文化—社会”的四维结构论。[②] 广东省委根据中央关于加强党的执

① 广东省政协办公厅编：《群策群力建设和谐广东——建设和谐广东研讨会论文集》，广东人民出版社 2005 年出版，第 2 ~4 页。

② 中共十六届四中全会《中共中央关于加强党的执政能力建设的决定》提出的“把和谐社会建设摆在重要位置”，明确提出构建和谐社会的问题，已经是引入了“政治—经济—文化—社会”的四维结构划分法和发展战略规划论。不过，具体地、明确地阐释这种四维结构理论，还是在十七大报告中。

政能力的要求，作出了具体的贯彻决定，于2004年9月28日省委九届五次全会通过的《中共广东省委关于贯彻〈中共中央关于加强党的执政能力建设的决定〉的意见》中，明确提出了建设经济强省、文化大省、法治社会、和谐广东的发展战略和具体目标。该《意见》明确提出，要增强驾驭社会主义市场经济的能力，建设经济强省；增强发展社会主义先进文化的能力，建设文化大省；增强发展社会主义民主政治的能力，建设法治社会；增强构建社会主义和谐社会的能力，建设和谐广东。① 这种表述和思路，是贯彻科学发展观的必然要求和具体落实。

从社会整体协调有机发展的角度看，光有经济，光有文化，甚至经济文化并重，并不能够解决社会的整体持续科学发展的问题，而只有经济、政治、文化、社会全面协调发展，有机整合，才是真正的科学发展。

建设经济强省、文化大省、法治社会、和谐广东的发展战略目标，反映了广东在经济社会发展实践中对于现代化内涵和境界的新认识，体现了新的发展水平和认识高度。几年来的实践证明，经济强省、文化大省、法治社会、和谐广东的建设不仅可以并行不悖，而且可以内在圆融，从而将广东的发展提升到更高的平台。从文化的视野看，经济强省、文化大省、法治社会、和谐广东的并建，是广东文化发展的更高阶段，是“文化广东”在新的台阶上迈进的表征。

三、排头兵意识：广东人文精神的新展现

广东近年在建设经济强省、文化大省、法治社会、和谐广东的实践中，弘扬了人文精神，创新了人文精神，这主要表现为新形势下的“排头兵”意识。

① 详见《南方日报》2004年10月8日，A01、A02版。

（一）争当实践科学发展观排头兵

改革开放以后，广东在经济发展方面逐渐地、由自发而自觉地形成了排头兵意识，也在文化建设和文化创新方面，逐渐形成了某些引领全国的标兵意识和榜样理念。但在全国各省市的自觉而激烈的竞争中，内地兄弟省市在某些方面逐渐超越广东，成为广东的标兵；很多省市以广东为标兵，急起直追，成为广东发展的追兵。在前有标兵、后有追兵的态势下，如何保持既有优势，增创新优势，更上一层楼，成为近年来广东方方面面关注的重大发展问题。

2008 年 6 月，广东省委省政府根据半年来开展思想解放学习讨论活动以来的情况，根据新的形势和新的发展需要，做出了《关于争当实践科学发展观排头兵的决定》。该《决定》提出了一系列具有现实价值和前瞻意义的观念。认为：当前我国已进入科学发展新时代，广东正处于经济社会发展全面转入科学发展轨道的关键时期，面临前所未有的机遇和挑战。在新的历史起点上，广东必须继续解放思想，坚定不移地贯彻落实科学发展观，勇于为提升我国国际竞争力、探索科学发展模式、发展中国特色社会主义作出新的贡献。牢固树立科学发展新观念，坚决突破影响科学发展的思维定势和体制机制障碍，以敢为天下先的气魄，闯出一条科学发展的新路，努力争当实践科学发展观的排头兵。为此，应当做到“八个必须、八个解放出来”：第一，必须全面准确理解科学发展观的内涵，从片面追求总量和速度的观念中解放出来。科学发展观是一个有机的整体，发展是第一要义，发展必须遵循以人为本、全面协调可持续和统筹兼顾的规定性，确立发展的科学内涵。实践科学发展观，要克服仅用经济总量和增长速度衡量发展的观念，增强推进科学发展的自觉性和针对性。第二，必须全面把握现代化的综合价值取向，从单一的经济价值取向中解放出来。社会主义现代化是一个包括经济、政治、文化、社会发展在内的全面发展过程。实现现代化，不仅要建设物质文明，还要建设民主政治、精神文明、和谐社会。要改变把发展经济作为唯一工作任务、把物质富裕作为现代化最高价值取向的片面认识。在发展经济的同时，进一步推进政治发展、文化发展和社会发展，全面实现现代化。第三，必须坚持以人为本，从“重物轻人”的观念中解放出来。发展经济是满足人民日益增长的物质和文化生活需要的基础，人的全面发展才是发展的根本目的和根本动力。在新的历史条件下，要破除重生产轻生活、重发展轻环境、“重物轻人”的观念，加强人文关怀，坚持做到发展依靠人民，发展为了人民，发展成果由人民共享。第四，必须创新发展模式，从粗放型的发展路径中解放出来。与粗放型增长相适应的某些发展路径和思想观念，随着发展阶段和形势的变化，有的已经成为影响科学发展的障碍。忽视资源环境代价的粗放型发展模式，已经难以为继。要改变对传统工业化模式的依赖，尊重自然规律、科学规律和经济规律，加快转变发展方式，努力走出一条生产发展、生活富裕、生态良好的文明发展道路。第五，必须发扬积极进取精神，从小富即安的思想中解放出来。改革开放打破了计划经济体制下的平均主义，重构了社会利益格局，极大地激发了社会活力。但既有的利益格局和小富即安、自满自足的思想，也削弱了一部分人改革创新的进取精神。要勇于自我变革，主动调整不合理的既得利益，自觉打破狭隘的利益格局，强化忧患意识，克服小富即安、小进则满的思想，增强改革创新和科学发展的新动力。第六，必须树立世界眼光和战略思维，从过分依赖地缘优势及习惯于在本行政区域配置资源的思维定势中解放出来。广东地处改革开放的前沿，地缘优势和市场经济创造了巨大的发展空间。但面向未来，增创我省发展新优势，要以国际视野和战略思维谋划发展，把握经济全球化发展新趋势，统筹利用好国内国外两种资源、两个市场，加快完善开放型经济体系，不断提高国际竞争力。第七，必须增强实现共同富裕的政治责任感，从先富帮后富责任意识不强的被动状态中解放出来。先富帮后富，走共同富裕道路，是中国特色社会主义的本质要求，也是制度安排和相对发达地区的政治责任。没有欠发达地区的小康就没有全省的小康，没有欠发达地区的现代化就没有全省的现代化。要把促进协调发展、共同富裕，作为检验广

东能否实现科学发展和考验各级党委、政府能力的重要标准，增强先富帮后富的政治责任意识，发挥制度优势，促进区域互动协调发展，实现全省共同富裕、共同繁荣。第八，必须认清民主法制是落实科学发展观最根本的保障，从不重视人民群众主体作用的意识中解放出来。民主与法制是社会主义的基石。人民群众是实践科学发展观的主体和受益者，只有发展社会主义民主政治，保障人民群众在经济社会发展中的民主权利，加快制定促进科学发展的法规，才能最大限度地保护和调动人民群众推动科学发展的积极性、主动性和创造性，将科学发展和实现人民群众的根本利益纳入法制化轨道，形成科学发展的强大内生动力和社会共同意志，确保科学发展观真正落到实处并长期坚持下去。①

上述充满人文关怀的新观念，是全省解放思想学习讨论活动的重要成果，也是广东今后落实科学发展观的重要思想基础。上述思想，并不仅仅是官方意志，而是全省各界人民通过对近年经济社会发展实践的总结后，经过理性反思，特别是通过解放思想学习讨论活动后，而形成的共识。反观改革开放以来，广东率先解放思想，敢闯敢试，创造了体制机制先发优势，经济社会发展取得了举世瞩目的巨大成就，从生产力到生产关系，从经济基础到上层建筑都发生了意义深远的重大变化，许多方面走在全国前列，发挥了排头兵作用。曾经的排头兵，在新的形势下如何进一步创新发展，是摆在全省上下面前的严肃课题。由经济强省而文化大省而法治社会而和谐广东，是争当排头兵的表现；争当实践科学发展观的排头兵，是新形势下的排头兵表现。这种以人为本、民生为重、平安和谐的理念，这种永续发展、整体协调发展的排头兵意识，正是广东人文精神的新展现，是创新型的广东人文精神。

（二）“主力省”、“试验区”、“先行地”的文化意蕴

广东根据争当实践科学发展观排头兵的发展理念，提出了明确

① 《广州日报》2008年6月20日，第006版。

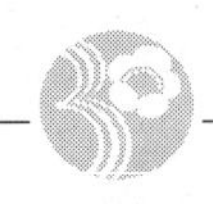

而具体的要求，这就是：高举中国特色社会主义伟大旗帜，以邓小平理论和“三个代表”重要思想为指导，深入贯彻落实科学发展观，聚精会神搞建设，一心一意谋发展，不断解放和发展生产力。以解放思想为引领，以改革开放为动力，切实转变发展方式，切实提高国际竞争力，切实推进区域城乡协调发展，切实提升民生质量，切实增强文化软实力，切实建立保障科学发展的体制机制，努力争当实践科学发展观的排头兵。其战略目标是：坚持面向世界，服务全国，努力建设成为提升我国国际竞争力的主力省，探索科学发展模式的试验区，发展中国特色社会主义的先行地。

“主力省”、“试验区”、“先行地”，这些关键词所反映的核心价值，就是敢为人先，就是勇立潮头，就是要当排头兵！

在全国性的市场经济兴起以后，人文精神的失落，一度困扰国人。重建中国文化的人文精神，一度成为学术界的热烈话题。但是，人文精神的内涵，往往被某些人自觉不自觉地归纳为或者化约为道德层面的东西，说成是道德的重建，道德的张扬。这种见解当然有很强的合理性，但也有明显的偏颇。从现代化视野来看，人文精神固然包括道德领域，但并不仅仅只有道德领域，甚至，道德领域并不是最为重要的领域。对社会整体协调发展的思考，对经济社会发展模式的人文性质的探讨，对现代化的价值取向和终极目标的正确领悟，对人的全面发展条件的创造性提升，等等，这些看似与道德层面的人文精神无关的东西，其实是最为基本的人文关怀，是人文精神的现代创新和体现。如果停留于单纯的道德层面，停留于古典的人文主义视域，那就还不是富有现代精神的人文主义。面对全球化条件下的国际竞争态势，如何提高我国的国际竞争力，已经成为壮大我国综合国力的重要内容。政治多极化、文化多元化，为全球化时代的各国发展建立了新的思维框架；国际风云变幻莫测，为国际竞争增加了难度。在这种情况下，广东努力要把本省建成面向世界、服务全国的提升我国国际竞争力的主力省，不仅体现了在发展自己的同时为全国的发展甚至为世界的发展做出贡献的魄力和勇气，而且体现了强烈的时代责任感和历史担当感，这是最大的、

最深切的人文关怀。

世界现代化进程表明，不同国家有不同的发展模式，在同一国家的不同发展阶段，也有不同的发展模式。因此，发展模式的性质和价值取向，决定了发展的进程和性质。单一追求经济效果的发展模式，只见物不见人的发展模式，只顾眼前不顾长远的发展模式，不顾环境的人类中心主义发展模式，等等，都是物化而非人化的，是非人文主义甚至反人文主义的。中国需要新的发展模式，这就是科学发展模式。科学发展模式的形成，并不是一蹴而就的，而是需要通过长期的经济社会发展的实践，通过理论探讨，逐渐形成。科学发展观的提出，已有相当时日。但是，如何在科学发展观的指引下，形成一套科学发展的模式，还有待于在实践中探索、发展和完善。广东自告奋勇，勇当探索科学发展模式的试验区，既是对当代中国科学发展模式建构的责任承担，也是保持排头兵地位和形象的上善之选。广东省委书记汪洋说："广东必须率先探索科学发展模式，这样才能始终走在全国前列。这是广东的历史责任，也是广东发展的内在要求！"[①] 这种勇于探索、勇于实践的胆略和气派，蕴涵着深刻的人文价值。道理十分简单，要做实践科学发展观的排头兵，就要有科学发展的模式相适应，而要建立科学发展的模式，其基本理念是以人为本。汪洋说："解决当前广东发展转型期所面临的一系列问题，实质上就是要以人为本地、全国协调可持续地、统筹兼顾地推进经济社会发展，从而创造一种科学发展的模式。""如果我们成功走出了这样一条路子，就不仅提升了广东发展的境界，而且也为全国提供了有益借鉴。这是对全国发展的最大服务。不仅如此，广东作为先富起来的地区，服务全国不仅是应尽的社会责任和政治责任，而且也能够为我们自己创造新的发展空间。"[②] 显然，这里表现的创新意识、开拓精神、发展理念、责任意识、服

① 傅汉荣：《主力省试验区先行地：广东定下三大发展战略目标》，《羊城晚报》2008年6月19日，A3版。

② 傅汉荣：《主力省试验区先行地：广东定下三大发展战略目标》，《羊城晚报》2008年6月19日，A3版。

务意识，都洋溢着新型人文精神的光芒。

广东是中国改革开放的先行地，率先承担为社会主义发展“杀出一条血路”的历史重任，后来也享受了由此带来的丰硕成果。30年间，广东从一个落后的农业大省，一跃成为全国第一经济大省，世界瞩目。统计显示，广东经济的增幅，已经连续30年达13.8%以上，经济总量连续23年位居全国各省区第一！之所以如此，原因可以列举很多，但基本的一条，是广东在改革开放初期，承担了全国改革开放先行地的重任。现在，在贯彻落实科学发展观、发展中国特色社会主义的新阶段，广东同样自觉地要成为全国的先行地。这次的“先行”，与此前的“先行”颇为不同。此前是百废待举、百业待兴，“摸着石头过河”，这次是在全面建设小康社会的条件下，经济建设、政治建设、文化建设、社会建设“四位一体”的总体推进，有明确的科学发展观的指导。在这种情况下，广东要为发展中国特色社会主义创造新鲜经验。用省委书记汪洋的话说，就是：不仅要在经济建设和经济体制改革方面继续走在前面，率先完善社会主义市场经济体制，而且要在政治建设和政治体制改革、文化建设和文化体制改革、社会建设和社会体制改革方面先行先试。① 这种要创造新鲜经验，要从体制改革入手先行一步的思路，不仅是对广东本身发展的创新，而且是对全国发展的创造性贡献。这种国家民族情怀，这种勇于探索的精神，不仅反映并传承了已欲立而立人、已欲达而达人的传统人文精神，而且彰显了团结统一、自强不息的中华民族精神，更体现了改革创新的时代精神。

四、文化精神烛照下的广东未来

有人说，广东是出思想的地方。② 确实，邓小平理论中很重要

① 傅汉荣：《主力省试验区先行地：广东定下三大发展战略目标》，《羊城晚报》2008年6月19日，A3版。

② 高伟梧：《“广东出思想”》，《南风窗》2003年第1期（下）。

的内容，是在1992年视察广东的时候发表的；江泽民“三个代表”重要思想是首发于广东高州，完满于广州，发挥于上海；胡锦涛关于科学发展观的思想，也是在广东发表的。此外，“时间就是金钱，效率就是生命”（深圳企业），“排污不排外”的思想、“要从姓资姓社姓公姓私旧观念中解放出来”（广省委书记任仲夷）的理念，“私营经济”概念的确立（任仲夷）等，也是从广东发端的。①

有人说，广东对全国的贡献的核心是文化。2005年，时任文化部长的孙家正说：文化就是人，是人的外化。广东文化研究的对象实际上是广东的人。广东改革开放走在全国前列，开风气之先，广东人每天都在创造着新的生活，取得了辉煌的成就，这些成就不能仅仅看成是经济上的成果，实质上它也是一种文化的成果。作为一个改革开放的先行地区，它对全国的贡献不止是那些看得见的数字，我认为最核心的还是文化，广东人所创造的文化对全国有巨大的贡献，形成了一些适应时代所需、符合我们国情的新的文化理念。是一种紧跟时代的发展、适应社会主义市场经济需要的改革开放和创新的精神，这是最鲜明的时代精神。广东创造了经济的奇迹，同时也把经济活动当中所体现出来的一种我们国家发展所需要的、推动国家进步的思想文化理念呈现给了全国。②

我们说，广东到处是精神——南粤大地处处洋溢着朝气蓬勃、不断向上的进取精神。“敢为人先、务实进取、开放兼容、敬业奉献”的新时期广东人精神；“敢为人先、奋发向上、团结友爱、自强不息”的“广州人精神”；“开拓创新、诚信守法、务实高效、团结奉献”的“深圳精神”；“博爱、创新、包容、和谐”的“中山精神”；“海纳百川，自强不息”的“汕头精神”；“开放兼容、

---

① 参见李春雷：《木棉花开——任仲夷在广东》，广东人民出版社2008年版，第10～12、20～25页。

② 《文化部长孙家正：广东对全国贡献的核心是文化》，《南方日报》2005年4月13日，第6版。

平等竞争、共谋发展”的“新时期云浮人精神”，等等。[①] 透过广东全省的“精神建设”，通过广东30年来经济社会长期持续高速发展的生动事实，我们清晰地看到，正是改革创新的时代精神的引领，正是中华民族精神的激励，正是敢为人先、务实进取的广东人精神的支撑，广东才能取得如此巨大的成就。

思想也好，文化也好，精神也好，在本质上，都是价值层面的东西，都是文化精神的体现。因此，我们说，广东30年来的巨大成就的取得，是文化精神烛照的结果。同样，在未来的发展中，广东也不能离开文化精神的烛照。在文化精神的烛照下，广东的未来发展将有更为深刻更为人文的跃迁。

（一）创新发展模式

发展模式是特定社会形态的国家或地区的管理理念、社会发展的价值取向的综合体现，本质上属于管理文化的范畴。同时，不同的发展模式蕴涵着不同的文化底蕴和文化价值取向。在未来的发展中，创新发展理念，进而创新发展模式，应当是广东需要首先关注的重大问题。

创新发展模式，首要的方面无疑是按照科学发展观的要求，进行探索和创新。科学发展模式的形成，需要相当时间的实践积累和理论的创新性总结，笔者无意在这里臆测科学发展模式的内涵、结构、功能、机制以及实施管理的科学性等方面的问题，而是高度重视广东争当“探索科学发展模式的试验区”的文化自觉，高度肯定这一战略决定的发展价值。根据这一战略决定的思路，广东提出了基本的构想：决心力争经过五到十年的努力，基本建立科学发展的体制机制，率先走出一条物质文明、精神文明、政治文明和生态文明相协调的科学发展道路，全面开创科学发展新局面。一是基本实现发展方式的根本转变。全面实现经济又好又快发展，产业结构

① 关于广东的“精神建设”，详见本书第九章“新时期广东人精神的培育与弘扬”。

明显优化，自主创新能力和国际竞争力显著增强，社会主义市场经济体制更加完善，节约能源资源和保护生态环境的产业结构、增长方式和消费模式基本形成，企业在市场经济中的主体作用得到充分发挥，成为世界先进制造业基地、中国现代服务业区域中心、亚洲发达的城市区域。二是基本实现以人为本的和谐发展。全民受教育程度明显提高，社会就业更加充分，城乡居民人均收入与经济增长水平相适应，社会保障体系不断完善，人民生活质量显著提高，人的综合素质全面提升，人民群众的合法权益得到保障，基本建成平安和谐广东。三是基本实现全面协调可持续发展。经济建设、政治建设、文化建设和社会建设相协调，生态文明观念在全社会牢固树立，城乡区域基本实现协调发展，文化软实力明显增强，宜居城乡建设呈现新面貌，实现经济社会永续发展。四是基本形成统筹兼顾的新机制。科学发展的若干重大关系基本理顺，统筹兼顾的利益协调体制机制基本形成，广大人民群众推动科学发展的积极性充分发挥，总揽全局、科学运筹、兼顾各方的工作格局得以确立。[①] 我们认为，这些内容和构想，显现了广东探索的“科学发展模式”的雏形。

创新发展模式，从人文关怀的层面看，根本的一条，是以人为本，民生为重。在这个基调下，注重物质文明、精神文明、政治文明、社会文明以及生态文明的协调发展，促进整个社会的持续协调进步，是真正的人文关怀，是充满现代意识的新型人文精神。

（二）创新人文精神

中国传统文化有着深厚的人文精神，比如：坚忍不拔的从道精神、贵和尚中的和谐理想、文化中国的包容意识、守成创新的进化意识、崇德重义的价值追求，[②] 以及仁民爱物、修己安人、以人为

---

① 详见《广州日报》2008年6月20日，第006版。

② 详见李宗桂：《中国文化导论》第十四章（“中国传统人文思想”），广东人民出版社2002年版，第369～401页。

本、刚健有为等价值理念。[①] 但这种古典的人文精神，本质上是农业文明的反映，是缺乏现代科学民主精神，没有工业文明根基、没有民主政治体制的人文精神，在今天需要扬弃，需要创新。

广东文化渊源于传统的岭南文化。岭南文化作为中国传统文化的重要的地域表现，自有其独特的价值，其中，敢闯敢干、不拘旧礼、务实包容、注重实利的品格，具有浓厚的古典人文精神特质。在建设现代化社会的今天，通过科学的诠释，赋予新的时代精神，给予创造性转化，仍然可以为我们的文化建设和社会发展所用。但是，我们今天更应注意的，是要根据广东经济社会发展面临的新需求，根据新的国际国内形势，立足改革开放以来的实际，创新人文精神，从而既为广东进一步的发展提供精神力量，也为全国文化建设提供新的借鉴，在文化建设的创新方面服务全国。

广东30年来的经济社会持续高速发展，其根本的动因，是在实践中创发了改革创新的时代精神。在这个时代精神的引领下，逐渐形成了效率意识、公平正义观念、竞合精神（竞争协同而又双赢多赢的理念）、独立精神、自由平等精神、宽容精神、义利并重的思想等新型的价值理念。这些新型价值理念，充满了改革开放的时代感，饱含着现代意义的人文关怀，是新型人文精神的体现。在这个意义上讲，广东30年来对于当代中国的贡献，具有长远意义的，是价值观念的转进和提升。

这些年在广东经过全省大讨论并得到认同的“新时期广东人精神”，其表述的“敢为人先、务实进取、开放兼容、敬业奉献”的基本内涵，无疑是在继承传统岭南文化基础上结合改革开放以来的实践经验以及对未来发展趋势的广东人、广东社会特质的合乎理性的概括，是新时期的广东人文精神，应当进一步弘扬。但是，从更为广阔的视角看，我们还可以在新的更高的层面，创新广东人文精神，进而创新当代中国的人文精神。这主要表现为：宽容平等的

---

① 李宗桂：《民族文化素质与人文精神重建》，《哲学研究》1994年第10期（《新华文摘》1995年第2期）。

平民意识，崇尚创新而又宽容失败的豁达胸怀，乐于奉献的慈善情怀，先富帮后富的中华一家的团结统一意识，民生优先的人本情怀，尊重规则的公平公正意识，等等。当然，从学理的层面和文化价值体系构建的战略高度看，这些具有丰厚人文精神意蕴的理念和精神，还需进一步的实践来充实，并需进一步的理论提炼和诠释，但这些方面显然应当是创新人文精神所应当充分注意的，也是新的人文精神的重要成分。

（三）创新和谐文化

中华文化素有追求和谐的传统，和谐文化是中华文化的重要内容。最近 20 年来，学术界和政界都注意到了传统和谐文化在当今的可资借鉴可资利用的价值，并且做了很多阐发诠释的工作。著名的和合学理论，以及作为和合工程的“华夏文化纽带工程”等，都是关于和谐文化的独特思考，既有对传统和谐文化本身的概括总结，也有对传统和谐文化的当代价值的阐释和利用。张立文教授的《和合学概论——21 世纪文化战略的构想》，是其中的代表作。[①]也有年轻的学者从某个专题切入，论述传统和谐文化，例如叶金宝博士的《儒家和谐思想的当代价值》。[②]平心而论，既有的关于传统和谐文化的论著，其对于传统资源的开掘，相对于过去“以阶级斗争为纲”年代，真是天壤之别。不过，无论如何细分，如何引申，传统和谐文化的精髓应当还是“和而不同”，是“万物并育而不相害，道并行而不相悖”。

今天我们建设和谐社会，当然应当合理利用传统和谐文化的资源。但是，我们应当看到，我们构建的和谐社会，其性质是社会主义的，是充满改革创新的时代精神的。因此，和谐文化的建设，其基础应当是当代中国的现实，而不是简单地回归往古，以古代之政

---

① 张立文：《和合学概论——21 世纪文化战略的构想》（上、下卷），首都师范大学出版社，1996 年版。

② 叶金宝：《儒家和谐思想的当代价值》，广东人民出版社 2006 年版。

来治当今之世。

我们应当从科学发展观的战略高度看到，和谐文化的建设是中国特色社会主义文化建设的重要内容，是中国特色社会主义的基本特征之一。构建社会主义和谐文化，是与构建社会主义核心价值体系相一致的。根据中共十六届六中全会决议精神，社会主义核心价值体系的基本内容是：马克思主义指导思想，中国特色社会主义共同理想，以爱国主义为核心的民族精神，以改革创新为核心的时代精神，社会主义荣辱观。这些基本内容的终极价值指向，是建设社会主义和谐社会，建设中国特色社会主义现代化。从文化价值论的层面考察，从现代化的本质要求审视，和谐文化是社会主义核心价值体系的内核，是社会主义和谐社会的基本价值追求。指导思想、共同理想、民族精神、时代精神、荣辱观等，相互作用，并通过一定的社会机制而发生作用，最终形成社会的良性发展和有序运转。因此，和谐文化应当成为社会主义核心价值体系的内核。

在建设社会主义核心价值体系的宏伟目标的昭示下，和谐文化是一种价值理想，也是一种当下即是的行为。作为一种价值系统的表征的和谐文化，是一个值得长期不懈追求的价值理想；作为现实的文化建设的指针，和谐文化应当落到实处，成为人们当下即是的行为。

和谐文化既是一种人文环境，更是一种生活方式。和谐文化的建设和实现，是创造一种新型的人文环境，使得人们生活得更为舒心，更为幸福，更有品位；使得自我身心更加和谐，人与自然相处更加和谐，人与人之间更加和谐。和谐文化不应当是高文典册，也不是政治口号和意识形态的灌输，而是全民喜闻乐见、自觉实践的生活方式，是“百姓日用而不知”的自在状态，是“担水劈柴即是妙道”的自然神韵。

根据上述对和谐文化的价值内涵的理解，我们理所当然地要对和谐文化的时代精神给予关注。从文化的时代性考察，改革创新是社会主义的时代精神。和谐文化本身应当充分包容、展现这个时代精神，和谐文化的创新应当走改革创新的道路，充满时代精神。

改革开放以来的中国社会所取得的成就，毫无疑问是改革创新的结果。没有改革和创新，就没有中国特色社会主义，就没有中国特色社会主义文化。在经济体制方面，从计划经济到市场经济的体制转型；在社会形态方面，从传统社会向现代社会的转型；在文化建设方面，从“破字当头”到“建设为主”的思路转变，从“革命文化”到“和谐文化”的转型，都是改革创新精神催生的结果。因此，改革创新精神理所当然地成为我们这个时代的和谐文化的核心价值和精神动力。

在改革创新的精神引领之下，和谐文化的基本内容和价值追求还应当反映、弘扬这些精神和理念：科学精神、民主精神、法治精神、人文精神、公平正义精神、竞争意识、效率意识，等等。这些精神和理念，是在社会主义市场经济体制建设的实践过程中逐渐形成的，并为绝大多数人民所认可、所实践，不仅和古典中国的价值体系根本不同，甚至和计划经济时代也有很大的区别。

和谐文化的时代精神，感召着我们用全球眼光观察问题，用本土意识（中国特色）处理问题，从现代审视传统，从传统观察现代。在全球化时代，如果我们不把本国的和谐文化建设放在全球文明发展的统一进程中思考，不能科学地处理民族文化建设与人类文明发展的相关性，就不能体现中华文化的世界性，不能合乎理性地接收外国优秀文化，从而增强民族文化的机体。同时，我们也不能放弃本土意识，不能放弃文化自主的立场。要坚持从中国社会和中国文化的实际出发，注意文化的民族性，坚持中国特色，做到学习外国优秀文化的时候要以我为主、为我所用。立足现实，中外参照，古今贯通，应当是我们的基本取向。

倡导时代精神，就必须立足当代中国文化建设的实际，而不能走回头路，不能以传统等同甚至取代现代。社会主义和谐文化在本质上不同于传统社会的和谐文化。要反对文化复古主义，反对曲解社会主义和谐文化的内涵及其主体内容。近年来出现的盲目推崇古代古人甚至完全以古人的是非为是非的复古主义倾向，在当代中国企图“半部《论语》治天下”的臆想，特别是鼓吹用儒教作为国家意识形态、通过复兴儒学以解决当代中国现代化的问题之类的“宏论”，毫无疑问是背离改革创新的时代精神的，也是违反科学民主法治精神的，值得我们警惕。

总括而言，我们今天建设和谐社会与和谐文化，应当突出其社会主义的时代精神，尊重并弘扬优秀的历史传统，扬弃古典的和谐文化，摈弃、反对国粹主义和复古主义，开拓全球视野，在当代中国文化建设的实践基础上，扎扎实实地建构作为社会主义核心价值体系内核的和谐文化。①

从文化建设的战略高度考察，理论创新有一个长期的实践过程，也有一个长期的思考、归纳和提炼的过程。党的十六届六中全会《决定》对于“建设社会主义核心价值体系”的明确阐述，便是对改革开放以来文化建设实践的全面总结和理论提升，是中华民族文化自觉的集中体现。

改革开放将近30年来，我们的政治、经济、文化和社会发展取得了伟大的进步，物质文明、精神文明、政治文明的建设成就斐然。在思想文化的建设方面，先后制定了《中共中央关于社会主义精神文明建设指导方针的决议》（1986年）、《中共中央关于加强社会主义精神文明建设若干重要问题的决议》（1996年），坚持了物质文明和精神文明“两手抓”、“两手都要硬”的原则。其间，党的十五大报告（1997年）专门论述了“有中国特色社会主义文化”，并对文化建设和精神文明建设的关系做了阐述：“有中国特色社会主义的文化，就其主要内容来说，同改革开放以来我们一贯倡导的社会主义精神文明是一致的。”中共中央还发布了《公民道德建设实施纲要》（2001年），明确提出了“爱国守法、明礼诚信、团结友善、勤俭自强、敬业奉献”的基本道德规范。在党的十六大报告中，在“文化建设和文化体制改革”部分，明确提出并具体阐述了“坚持弘扬和培育民族精神”，指出：以爱国主义为

① 李宗桂：《和谐文化的时代精神和历史传统》，《学术研究》2006年第12期（《新华文摘》2007年第5期）。

核心的团结统一、爱好和平、勤劳勇敢、自强不息的精神，就是中华民族精神。至于“三个代表”重要思想中关于先进文化问题的论述，更是指明了文化建设的思想方向和价值目标。可见，作为“社会主义核心价值体系”主要内容的成分，是通过我们改革开放的实践，通过思想理论界的努力，通过党的纲领性文件逐渐提炼、归纳出来的，它本身来自实践而又高于实践，因而能够指导我们的文化建设工作。

从文化学的层面看，我们所讲的“文化”、“文化体系”、“文化模式”之类的东西，是在“民族”的意义上讲的。也就是说，任何文化都是民族文化，任何文化体系都是特定民族的文化体系，任何文化模式都是特定民族的文化模式。在世界近代史以来是如此，在全球化的今天，更是如此！因此，所谓社会主义核心价值体系，当然是民族文化意义上的。辨识一个民族的文化，首要的就是辨识其价值体系。换言之，一个民族的价值体系如何，它的结构、内容、功能、特点如何，反映着该民族的基本思维方式和价值取向，从而成为它区别于世界其他民族的根本标志。我们今天所讲的“社会主义核心价值体系”所包含的上述基本内容，正是当代中华民族基本的思维方式和价值理念，是真正具有中国特色的、民族的东西。因此，“社会主义核心价值体系”本身，就是当代中国文化的生命所在，也是当代中国先进文化的方向所在。没有社会主义核心价值体系，就没有正确的精神方向，从而也就没有和谐文化可言。

建设和谐文化，是构建社会主义和谐社会的重要任务。和谐文化是一个范围宽广、内涵丰富的概念，是一个层次多样、结构复杂的系统。从文化结构上讲，它包括物质、制度、思想的层面；从性质上讲，它涵摄政治、经济、文化、社会诸多方面；从地域上讲，它不仅包括传统的地域文化（如齐鲁文化、巴蜀文化、湖湘文化、吴越文化、关东文化、岭南文化等），也包括当今的地域文化（如东北文化、京城文化、海派文化、粤港文化等）；从行业来看，它包括商业文化、军营文化、检察文化、公安文化、校园文化、体育

文化、饮食文化、行政文化等。至于大众文化、高雅文化、广场文化、打工文化、中介文化等等，则更是花样繁多，不一而足。毫无疑问，不同的文化类别、不同的文化现象、不同的文化行为，有不同的价值目标和实现途径。但是，无论如何，在极为繁茂芜杂的文化现象、文化行为和文化类别中，始终有一个基本的东西存在，这就是作为一个民族文化的基本精神、基本价值理念的东西——核心价值体系。核心价值体系作为民族文化的精神理念的集中体现，始终代表着、引导着该民族文化的运行方向。同时，核心价值体系对于全社会的精神、价值、行为都有很强的凝聚作用和整合作用。因此，核心价值体系对于民族文化的发展，起着根本性的作用；社会主义核心价值体系，对于和谐文化的建设，具有保障精神方向的作用。①

今天，我们构建和谐广东，当然要充分利用历史上的和谐文化资源，但更为重要的，是我们应当通过新的实践创新和谐文化。经济强省、文化大省、法治社会、和谐广东，四者并建，才能产生新的和谐文化；物质文明、精神文明、政治文明、社会文明的协调发展，就能创新和谐文化；以人为本，民生为重，而且经济民生和文化民生并重，才能创造新的和谐文化。质言之，创新型的和谐文化，不再是单纯以对个体道德的自我约束为核心，以牺牲经济利益、个人利益、取消竞争而实现简单协同，也不是单纯以经济利益的协调甚至片面“均平”为目标的农业社会主义式的空想，而是以社会的全面协调持续发展为目标，以人的正当权利的合理实现，并为人的全面自由发展创造条件，这样的和谐文化，才是我们时代需要的和谐文化。

（四）创新文化软实力

文化软实力是近年越来越被关注的问题。中共十七大报告明确

① 李宗桂：《中华民族文化自觉的集中体现》，《南方日报》2007年2月7日，A12版。

提出提升我国文化软实力的思想后，文化软实力问题更加受到全社会的广泛重视。

全球化时代，国家之间的竞争，并不仅仅是经济、政治和国防力量的竞争，很大程度上，是文化的竞争。文化竞争，本质上是一种软实力的竞争。而所谓软实力，根据其概念创造者、美国政治学家约瑟夫·奈的说法，是指一个国家的文化、价值观念、意识形态、社会制度、发展模式的影响力、吸引力和感染力，它是相对于经济、军事等外在的、刚性的力量而言的。一个国家的软实力中，文化软实力是最为重要的构成部分。在当代中国现代化建设中，对创新文化软实力具体路径的思考，具有重大的理论价值和实践意义。

今天的中国，文化越来越成为中华民族凝聚力和创造力的重要源泉、越来越成为综合国力竞争的重要因素。要全面建设小康社会，要增强综合国力的竞争能力，要进一步满足全体人民强烈的精神文化生活需求，就必须大力提高国家的文化软实力。因此，胡锦涛总书记在十七大报告中明确提出，要推动社会主义文化大发展大繁荣，要"提高国家的文化软实力"，的确是顺应世界文明潮流、引领文化发展正确方向之举。

我们知道，一个国家的国民精神是否蓬勃向上，社会是否安定有序，国家能否长治久安，从文化价值论的角度看，与其有无一个科学严整的价值体系密切相关。在很长一段时期中，我们都缺少建构社会主义价值体系的文化自觉。现在，"国家文化软实力"的提出，给我们提供了另外一把开启思想和价值认识之门的钥匙——社会主义核心价值体系本身就是文化，是思想、精神层面的文化，是意识形态和文化价值观的整合。而这，正是改革开放以来我们的经济社会能够长期迅猛发展的精神支撑和价值依托。可见，国家文化软实力的建设和提高，意义非凡。从文化软实力的角度看社会主义核心价值体系的建设，我们就能够做到更加人文化、生活化、平民化，就能够进一步增强社会主义意识形态的吸引力和凝聚力。

与社会主义核心价值体系建设相呼应，胡锦涛总书记在十七大

报告中还提出了“弘扬中华文化，建设中华民族共有精神家园”的号召。从文化软实力建设的视角考察，中华民族“共有精神家园”的建设，更是国家文化软实力的增强。共有，是指海内外中华儿女都能够拥有。只要是文化中国意义上的中国人，认同中国文化，以“中国人”自居，就可以而且应当能够拥有。换言之，中华民族共有精神家园，是不分地域、不分阶层、不分地位、不分党派，只要是中华民族的一员，就应当而且能够拥有。在这个意义上，共有精神家园的价值底线，是中华文化的基本价值，是中国人的起码做人准则，是中华民族自立于世界民族之林的文化精神。文化的世界性、时代性、历史性和民族性，在这里能够找到恰当的接合点。如果我们通过坚韧的努力，建设起一个真正能够为中华民族所有成员共享的精神家园，那我们的民族凝聚力一定会大大增强，我们的文化软实力一定会大大提高!

社会主义核心价值体系的建设，如果说是重在文化的先进性，那么，中华民族共有精神家园的构建，则是重在文化的普及性或者大众性。二者互为发明，相得益彰，都是我们国家文化软实力建设的重要方面。因此，我们应当从国家文化软实力建设、提升的战略发展高度，大力建设二者，发展二者，为中华民族的伟大复兴创造更好的条件。①

创新文化软实力的另外一个重要途径，是重视文化民生。

民生，是人民的生计。在建设全面小康社会的今天，在我国已经达到中等收入国家（偏下）水准的当下，民生并不仅仅是衣食住行之类物质层面的东西，它还理所当然地包含了文化的层面。因此，文化民生的理念顺势而出，惹人关注。文化民生，是指文化层面的人民生计。换言之，是人民生计中的文化层面，我们通常所说的文化事业和文化产业这两个基本方面所涵盖的内容及其范围，都是文化民生的基本方面。对于作为综合国力重要表现的软实力的提

---

① 李宗桂:《从价值体系和精神家园看文化软实力》,《南方日报》2008年1月30日，A13版。

升，对于当今政府和全民深切关注的文化民生的建设，要同样重视，不可偏废。为此，应当重视如下问题：

其一，重视精神生命的安顿。文化民生所要解决的首要问题，是广大群众的精神生命的安顿问题，亦即安身立命之道的解决问题。社会主义精神文明建设所倡导的思想道德，社会主义核心价值体系所呈现的基本内容，毫无疑问是文化民生的精神生命所在，是当今社会的精神支柱。需要注意的，是要对不同层级的人有所区分，既要坚持文化的先进性，也要重视文化的普及性。同时，在文化民生的解决和发展过程中，要注意采用更加生活化、更加人文化的方式，来传播先进文化的安身立命之道。其实，我们社会的很多问题的存在，很多不满情绪的蔓延和宣泄，除了分配问题之外，不同层级的人民的安身立命之道没有很好地解决，是重要原因之一。在对民众的安身立命之道的确立和引导的同时，增大投入，加大力度，从日常生活的层面，从生活方式的角度，疏通文化民生的脉络，提供更多的文化产品，文化设施，文化场所，文化机遇，让民众时时处处浸润在健康的文化氛围之中，感受到文化生活的便捷和美好。

其二，重视公民的文化权利。从精神方向上看，要解决好文化民生的问题，首先要有现代公民意识，要有文化公民的权利意识。从文化权利实现的方面看，文化民生包括了若干不可或缺的内容：文化创造的权利，文化选择（接受）的权利，文化消费的权利，文化休闲的权利，文化传播的权利，文化批评的权利。民众是文化创造的主体。他们通过对自己生活方式的追求，通过参与经济社会活动的实践，逐渐形成独特的文化品味和文化情趣，从而创造了别具一格的文化。东北人的唠嗑、二人转，四川人的摆龙门阵、麻辣烫，广东人的喝早茶晚茶、煲靓汤、吃生猛海鲜、修骑楼建筑，北京人的遛弯、侃大山、住四合院，等等，都是当地人民在长期的生活和生产实践中创造出来的，是民众自觉参与的文化建设。民众在这个建设过程中，创造了文化，同时也享受了文化人生。文化选择（接受）的权利，是文化民生的重要方面。不同年龄不同层级不同文化背景的人，对于文化产品、文化成果的选择是不同的。尊重不

同人士的不同文化选择，是妥善解决文化民生，构建和谐文化的重要途径。文化传播和文化批评的权利，也是文化民生的重要方面。文化传播并不只是政府的事情，也不仅仅是传媒的责任。应当清醒地看到，现代公民具有不可质疑的文化传播和文化批评的权利。在建设文化民生的时候，我们应当充分重视公民的文化权利。否则，文化民生的建设，就会流于落空。

其三，尊重文化消费和文化休闲的权利。文化消费和文化休闲的权利，是文化民生的又一重要方面。逐渐增强民众消费的理性，反对炫耀式消费，提倡具有高尚、优雅品格的消费，是应当坚持的方向。值得注意的是，文化消费和文化休闲的权利，是公民的自主选择权利，也是国家理所当然赋予公民的神圣权利。在引导公民文化消费和文化休闲的方向时，不能实行强制性的行政措施，更不能采用粗暴的其他干预方式，而只能因势利导。否则，就会使得公民的相关权利受到干扰甚至剥夺，使得公民产生怨恨情绪，从而破坏和谐文化氛围，影响文化民生的质量。道理很简单，他喜欢并有能力打高尔夫球、到高级宾馆消费、到国外度假，我们就完全没必要要求他“艰苦朴素、勤俭节约”而打乒乓球、到大排档消费、到郊区旅游度假。同样，他如果收入不多，我们也没必要为了拉动内需、增大 GDP 而强求他打高尔夫球、到五星宾馆吃喝娱乐、到欧洲度假。简言之，充分尊重公民的文化消费和文化休闲的权利，是实现文化民生、提升文化民生底蕴的重要方面。

从文化发展动力和文化价值论的角度看，文化民生的建设，文化民生的享受和实践，本身就是文化功能的实现，本身就是软实力的创新性提升。无论是安身立命之道的构建，还是文化产品的生产和文化设施、文化场所的创建，以及公民文化权利的实现，都是软实力的增强，都是软实力的落实。因此，在很大程度上，文化民生的建设和实现，就是软实力的创造性提升；而软实力的创造性提升，则又为文化民生的构建和实践提供了更为广阔的空间。①

---

① 李宗桂：《提升软实力重在文化民生》，《人民论坛》2007 年第 21 期。

社会主义核心价值体系和中华民族共有精神家园的构建，形成了层级分明、对象明确、目标具体的文化建设结构。而文化民生的落实，对于人心的凝聚、力量的整合，对于社会主义核心价值体系和共有精神家园的构建，具有积极的促进意义，三者整合，是创新文化软实力的有效途径。

正在争当科学发展观排头兵的广东，要创新软实力，除了要在上述核心价值体系、共有精神家园、文化软实力三个层面着力以外，还应根据本省的实际情况，弘扬新时期“广东人精神”，光大岭南文化的优秀传统，尽力把岭南文化的小传统融入中华文化的大传统；尽力把当代广东文化的新精神、新观念与当代中国文化建设的新框架新理念相结合，使得二者相即相融，相得益彰。文化软实力所依托的旧有经济政治社会框架，应当在广东新一轮的发展中，在争当提升我国国际竞争力的主力省、探索科学发展观的试验区、发展中国特色社会主义的先行地的伟大实践中，实现应有的变革，从而为创新文化软实力开辟广阔的空间。[①]

（五）创新精神家园

精神家园的问题，在建国以后相当长的时期中，都没有受到应有的重视。十七大报告明确提出要弘扬中华文化、建设中华民族共有精神家园，是文化发展战略的高屋建瓴之举。

---

① 广东省委省政府关于争当实践科学发展观排头兵的决定中，提出了以提高公民素质为核心的提升文化软实力的操作性要求：从具体操作的层面看，在可以预见的10年左右时间中，全面提高公民素质，是提升文化软实力的必要途径。要大力推动文化创新，增强文化引领力和竞争力，促进人的全面发展，通过提升软实力保障我省综合实力的持续增强。着力塑造新时期广东人文精神，努力提高公民的文明素质。把社会主义核心价值体系融入国民教育和精神文明建设全过程，转化为人民群众的自觉追求。继承弘扬中华优秀传统文化和岭南特色文化，加强现代公民素质教育，以提高人的素质、实现人的全面发展为核心，培育创业、创新、诚信精神，打造具有时代特征的新时期广东人精神。以增强诚信意识为重点，加强社会公德、职业道德、家庭美德和个人品德建设。坚持优先发展教育，打造人力资源强省。推进文化创新，加快文化事业和文化产业发展。加强基层文化建设，提高公共文化服务水平。倡导向学崇文新风尚，加快推进学习型社会建设。（详见《广州日报》2008年6月20日，第006版。）

在极左政治流行、“左”倾僵化意识形态宰制并取代一切的年代，精神家园的建设根本没有一席之地。改革开放后，精神家园的问题，人们往往用安身立命之道来指称。直到最近10年，人们才从人道关怀、城市发展、社会和谐的角度，看待精神家园的问题。到了2007年的中共十七大，精神家园建设问题正式提到了中华民族的凝聚和团结、中华文化的持续发展、社会主义文化大繁荣大发展的高度。

其实，所谓精神家园，不外就是人们精神的安顿之处，心灵的休憩之所，安身立命的精神支柱。在纯粹事实判断的角度看，过去“左”倾僵化意识形态宰制时期，人们并不是没有精神依托，问题只是在于，那种泛政治化的、僵化的、缺乏人文关怀和生活气息的政治强制，扭曲了人们的心灵，抽空了生命的精髓，灭失了精神的灵气。改革开放后的相当一段时期，一些人把以经济建设为中心误解甚至歪曲为以金钱为中心，一切向钱看，导致了人文精神的失落，精神家园的下坠。最近10年来，对于人文精神重建，精神家园的确立，人们有了更多的关注，也有了更为人性更为科学的认识。但是，如何建设一个真正能够适应不同阶层不同地域不同行业人士安顿心灵的精神家园，团结海内外中华儿女为中华崛起而齐心协力奋斗的精神纽带，增强中华民族凝聚力，是一个有待在未来发展中通过实践验证和理论建构来解决的重大问题。其间，以创新性思维和方式，进行创造性的探索和建设，是必要的前提。

广东作为当代中国的重要省份，作为中华民族大家庭的成员，其人民同样需要精神家园的安顿。如何在适应全国、服务全国而又面向世界的基础上，立足广东实际，参与中华民族精神家园的建设，创新精神家园，是未来发展中值得高度重视的问题。中国作风、中国气派，岭南风格、岭南特色，以及二者之间的有机结合，是参与创新精神家园的南粤儿女需要慎重思之的。概略而言，传统岭南文化的精神，改革开放后的精神资源，华侨文化的积极成分，香港的有益经验，都是创新精神家园的不可或缺的价值资源。

（六）创新人格追求

理想人格是文化价值系统中的重要构成。中国传统文化的理想人格是君子。[①] 君子理想人格在中国传统文化的发展进程中，产生了极为深刻而又久远的影响。至今，君子仍然是道德高尚的同义语，小人仍然是卑鄙龌龊的代名词。

建国以后，我们曾经塑造了许多英雄模范人物，并通过这些英雄模范的言行向人们昭示新的理想人格，其中的典型榜样，诸如雷锋、王杰、刘英俊、欧阳海、王进喜、邢燕子、董加耕、向秀丽、刘文学等，都是品德高尚、义薄云天的人物，其人格自然是那个时代的理想人格。其中，“雷锋精神”是理想人格的代名词。毫不利己、专门利人，全心全意为人民服务，是“雷锋精神”的核心价值。实践证明，过分拔高的英雄榜样，脱离实际的理想人格，最终会在复杂的社会形势和多元的利益格局中崩解。质言之，要想全社会人人是雷锋，个个都是毫不利己、专门利人，全心全意为人民服务，是不现实的。全社会的理想人格，应当具有普遍性和实际操作性，既有前瞻性、高远性，更有当下性和实践性。因此，改革开放后，人们开始重新寻找并建构新型的理想人格。令人始料未及的是，在市场经济的大潮中，随着人们利益的分化，物欲的增强，原有的“神圣”的价值观开始解体，理想人格的光环逐渐失去光芒，代之而起的是各种各样、光怪陆离的价值取向和人格追求。市场经济负面因素的出现，一度导致人欲横流，什么帝皇气派、皇家享受之类的低俗广告，招摇过市。王、霸、皇、豪，成了招徕富人的金字招牌；贵族、潮庭（朝廷）、富豪，成了炫耀于世的恶俗名词。被金钱和物欲扭曲的心灵，必然扭曲地看待社会，扭曲地追求其理想人格。这，显然不仅是人文精神的坠落，而且是基本价值观的扭曲。

按照马克思主义观点，按照现代化的必然逻辑，经济社会发达

---

① 详见李宗桂：《中国文化导论》，广东人民出版社 2002 年版，第 269 ~ 271 页。

以后，人们的品位也要相应提高，不仅要有物质、制度的现代化，还要有思想文化的现代化，更要有人的现代化。同理，理想人格也要现代化。而现代化社会的终极目标，是人的全面自由发展，是全社会成员的综合素质的整体提高。就其人格追求而言，应当是平民化的自由人格。[①] 因此，在中国现代化的新的途程中，在创新既有人格、建构新型人格的时候，我们应当以平民化的人格为追求。

岭南文化素有平民化的本质内涵和相应特征。从容淡定，不事张扬，内敛平和，平易朴实，是广东人为人处事的基本态度。为人不盛气凌人，说话不故弄玄虚，衣着打扮讲究实用舒适而不刻意追求隆盛，这是在全国处于富裕行列的广东人的显著特点。特别重要的是，在精神气质和人格追求方面，广东人崇尚平民化的境界。不要说普通百姓，就是那些事业有成的人士，甚至不少著名的企业家，在说话做事方面，往往欣赏并实践的是“普通人”的品格，而不是故意显摆，装出高人一等的架势。“担水劈柴，即是妙道”的神韵，在广东人的生活中最容易找到佐证。[②] 无奈的是，随着这些年来经济的高速发展，经济收入的大幅增长，广东社会上也出现了一股奢靡之风，帝王、贵族、霸王之类的人格追求，一度成为某些暴发户、某些素质低下的富商巨贾自我标榜的低俗用语。广东在争当实践科学发展观的排头兵的未来发展中，在建设宽裕型小康社会的实践中，应当通过现代公民素质教育，以及其他种种有效方式，大力提高公民的素养，匡正人格追求方面某些人的不良倾向，创新理想人格，大力倡导平民化人格，从而为广东经济社会的永续发展，提供文化力量的支撑，并进而提升文化软实力，为提高广东的综合竞争力而提供合乎理性的人文环境。

---

① 详见朱义禄：《从圣贤人格到全面发展——中国理想人格探讨》，陕西人民出版社1992年版，第252～292页。

② 李宗桂：《广东人精神漫谈》，《粤海风》2003年第6期。

后　记

《文化精神烛照下的广东——广东文化发展30年》这部书，是“奉命而作”的产物。为了纪念改革开放30年，省委宣传部特别委托中山大学承担《广东改革开放30年研究丛书》的研究和写作任务，分别对30年来广东的政治、经济、文化、教育、法律、城市、农村、党建等进行专题研究，本书是其中的文化专题研究的成果。

我是在1978年国家恢复高考后进入大学的，是改革开放的受益者，是祖国现代化的真诚拥护者。实事求是地说，没有邓小平的复出，没有改革开放，我决不可能考入大学，更不可能成为国家重点大学的教授。仅凭这种俗世的情怀，我就很乐意奉省委有关部门和学校之命而承担这项看似容易实则极难的课题研究，并且期望用这个成果回报社会，略收淑世之功。

文化是很宽泛的概念，文化无所不在。为了相对集中论说问题，并避免无谓的重复，本书没有将已有他人进行专题研究、同属文化范畴的教育、体育、卫生等问题列入研究范围，也没有把新闻出版这类十分“文化”的内容作为重头研究对象，道理同样简单——已有专人正在进行专题研究。

“广东文化”内容宏富，形态多样，为了论述集中，突出重点，本书采用了专题研究的方式进行写作。而由于有的研究对象具有丰富的内涵和深厚的意蕴，可以从不同的层面进行诠释，故可能在不同的章节中出现难以避免的交叉。同时，由于有的问题涉及面甚广且又十分重要，故可能在不同的地方会从不同的角度进行强调

性阐释。本书课题组成员虽然已经尽力争取做到最好，但由于是多人合作，文风笔调不尽相同，对问题的理解各有特色，我们只是尽力调整，争取相对一致，

不可能也不应当强求一律。这些，还请读者谅解。

这个课题的研究和书稿的写作，由我主持。参加者是：广州大学教授程潮博士，广东商学院讲师于霞博士，华南理工大学讲师黄有东博士，广东省社会科学院张造群博士，中山大学哲学系中国文化与现代化研究方向博士生邓文辉、吴祖春、张倩。除了三个博士生正在攻读文化学业外（其实，邓文辉原本是华南理工大学的教师，吴祖春原本是河南大学的教师，他们为了专心攻读博士学位而辞职），其余四个参加者，都是已经经过专门而又严格的文化研究学术训练，获得相关专业博士学位，正在大学或研究院从事文化研究的中青年学者。

本课题的研究和写作，由我拟出大纲初稿，经过课题组讨论并修正后，分工进行写作。为了发挥集体智慧，提高书稿质量，我们进行了多次内部研讨。书稿写作大纲，先后四次修改补充；各章书稿的具体内容，先后六易其稿。8月6日，我们再次逐章讨论，从下午两点开始，直到第二天凌晨两点多才结束。尽管很累很乏，但大家都有由衷的相与讨论学术的激情和喜悦，并有学术收获的欣慰。

全书统稿以及最后定稿，由我负责。其间，程潮教授曾协助我统稿，并对有的章节做了修改。博士生邓文辉、张倩，协助我做了大量的资料查找、核对和整理工作。特别是张倩同学，承担了整个课题组一年多来的联络工作，并协助我对全书做了多次的技术处理；全书多次修改调整后的文稿编排和打印，以及一些文献出处的核实、格式调整、章节标题的完善等，她都付出了辛勤的劳动，作出了积极的贡献。硕士生刘玲玲同学，协助做了一些资料整理工作。在此，我向他们致谢。

这套丛书从策划到完成，得到了广东省委常委、宣传部长林雄同志的大力支持。林雄部长对丛书提出了指导性意见，并多次过问

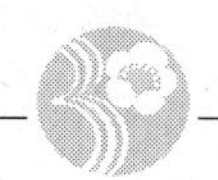

丛书的进展情况。省委宣传部蒋斌副部长、省委宣传部理论处杜新山处长等同志对丛书的写作给予了具体指导。丛书立项作为广东社科基金规划项目，得到了广东省社科规划办的支持。在此一并致谢！

中山大学高度重视这套丛书的研究和写作，专门成立了丛书课题组，由党委书记郑德涛同志牵头，党委副书记梁庆寅同志具体负责，蔡禾教授、社科处李仲飞处长、刘运国副处长具体组织实施。从 2007 年 4 月到 2008 年 8 月，课题组先后召开了开题报告会和四次讨论会，丛书完成初稿之后，组织了校内外专家匿名审稿和会议审稿。这套丛书的顺利完成，是与上述同志和专家的关心、支持和辛勤劳动分不开的。在此，我代表本书全体作者，向他们表示由衷的感谢！

中山大学社会科学处刘运国副处长和徐理军老师，在课题研究和写作中，提供了不少方便和协助，并给予我们真诚的关心，谨此向他们致谢。

广东人民出版社卢雪华、黎捷两位编辑，为本书的出版付出了辛勤的劳动，并表现出真诚的合作和理解精神，我们向他们表示感谢！

由于时间紧迫，加上我们的学养不够，本书可能存在我们没有想到的问题，敬请方家不吝赐教。

李宗桂

2008 年 8 月 26 日凌晨 6 点

于中山大学寓所